D1084080

www.quebecloisirs.com

UNE ÉDITION DU CLUB QUÉBEC LOISIRS INC.
© Avec l'autorisation des Éditions JCL inc.
© 2005, Les Éditions JCL inc.
Dépôt légal — Bibliothèque nationale du Québec, 2005
ISBN 2-89430-702-0
(publié précédemment sous ISBN 2-89431-325-X)

Imprimé au Canada

CŒUR DE GAËL

La Terre des conquêtes

* * *

Roman

De la même auteure :

La Saison des corbeaux, Série *Cœur de Gaël*, tome 2, Chicoutimi, Éditions JCL, 2004, 572 p.

La Vallée des larmes, roman, Série *Cœur de Gaël*, tome 1, Chicoutimi, Éditions JCL, 2003, 550 p.

SONIA MARMEN

CŒUR DE GAËL

La Terre des conquêtes

* * *

Remerciements

Je tiens à remercier les personnes suivantes...

Ma famille et mes amis, pour leur support et leurs encouragements. Monsieur Angus Macleod, pour son aide précieuse dans la correction des dialogues en gaélique. Monsieur Jean-Claude Larouche, mon éditeur, et toute son équipe pour leur merveilleux travail. Bérengère Roudil, pour ses commentaires constructifs et sa correction appliquée.

... du fond du cœur.

S. M.

À la mémoire de mon aïeul, Samuel Marman,
soldat du 10ᵉ bataillon royal
des vétérans qui, servant le roi George III, mirent le pied au Canada
en décembre 1811. Après la guerre, il s'est installé à Cap-Saint-Ignace,
à quelques kilomètres de Montmagny, avec Christine Gagnier,
sa nouvelle épouse. Par lui, tout a commencé.
Parfois je me plais à croire que cette histoire pourrait être la sienne...

L'exil n'est pas de se trouver en pays étranger,
mais plutôt de se trouver dans le corps
d'un être qu'on ne connaît pas.

LE CANADA ET LES COLONIES ANGLAISES VERS 1759

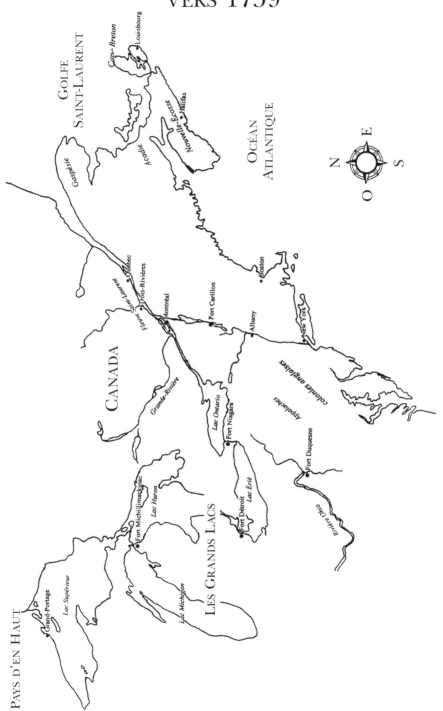

GOLFE SAINT-LAURENT

Cap-Breton

Louisbourg

Halifax

Nouvelle-Écosse

Acadie

Gaspésie

OCÉAN ATLANTIQUE

N
E
S
O

Québec

Trois-Rivières

Fleuve Saint-Laurent

Montréal

Fort Carillon

Albany

Boston

New York

CANADA

Grande-Rivière

Lac Ontario

Fort Niagara

colonies anglaises

Appalaches

Fort Duquesne

Rivière Ohio

Fort Michillimackinac

Lac Huron

Lac Érié

Fort Détroit

LES GRANDS LACS

Lac Supérieur

Grand-Portage

Lac Michigan

PAYS D'EN HAUT

QUÉBEC ET LE SAINT-LAURENT VERS 1759

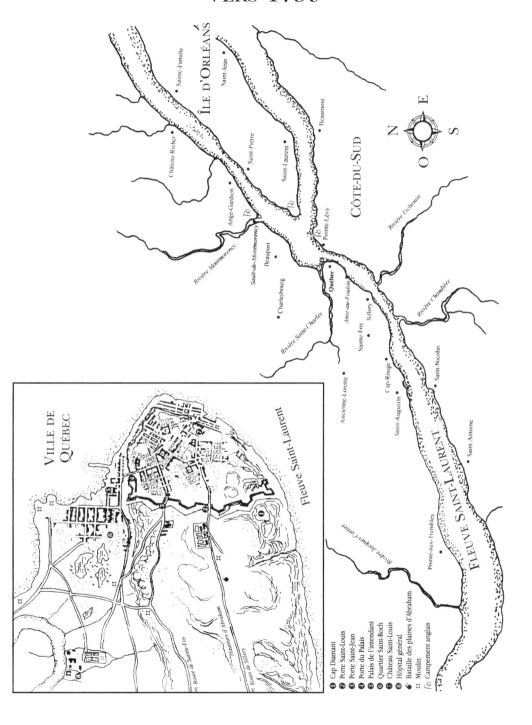

ÎLE D'ORLÉANS

Sainte-Famille
Saint-Jean
Beaumont
CÔTE-DU-SUD
Château-Richer
Saint-Pierre
Saint-Laurent
Pointe-Lévy
Rivière Etchemin
N / E / O / S
Ange-Gardien
Rivière Montmorency
Sault-de-Montmorency
Beauport
Québec
Rivière Chaudière
Charlesbourg
Rivière Saint-Charles
Anse-au-Foulon
Sillery
Sainte-Foy
Saint-Nicolas
Ancienne-Lorette
Cap-Rouge
Saint-Augustin
Saint-Antoine

VILLE DE QUÉBEC

Fleuve Saint-Laurent

FLEUVE SAINT-LAURENT

Rivière Jacques-Cartier

Pointe-aux-Trembles

Route de Sainte-Foy
Hauteurs d'Abraham
Route de Sillery

❶ Cap Diamant
❷ Porte Saint-Louis
❸ Porte Saint-Jean
❹ Porte du Palais
❺ Palais de l'Intendant
❻ Quartier Saint-Roch
❼ Château Saint-Louis
❽ Hôpital général
♦ Bataille des plaines d'Abraham
⊨ Moulin
▣ Campement anglais

Généalogie des Macdonald de Glencoe
Duncan Og Macdonald de Glencoe (1647-1692)
Ép. Janet Macdonald de Keppoch (1651-1686)

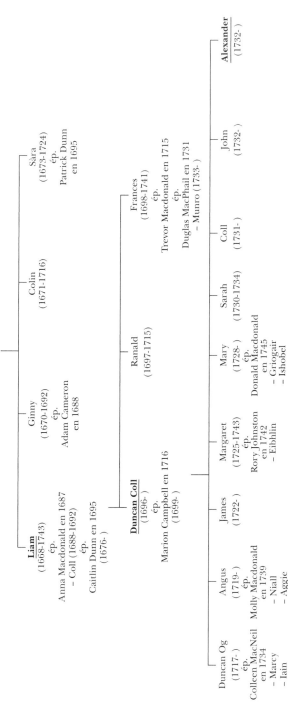

Table des matières

PREMIÈRE PARTIE
No man's land

1. *In memoriam*. Glencoe, 1745 15
2. *Per mare, per terras, no obliviscaris* 29
3. Le pays maudit. Août 1746, Highlands, Écosse 41
4. Demain, l'aube se lèvera à l'ouest. Juillet 1757 85

DEUXIÈME PARTIE
Annus mirabilis

5. Les Anglais! 137
6. Le chant du cygne 181
7. Cœurs en déroute 217
8. Le courage est une vertu 263

TROISIÈME PARTIE
La Conquête

9. Québec, les derniers jours 305
10. Le lys et le chardon 329
11. Contre vents et marées 369
12. Jours noirs, nuits blanches 405
13. Le chant des anges de la géhenne 433
14. Le dernier combat 467
15. L'amour et la musique 501
16. *De profundis* pour une âme 533

PREMIÈRE PARTIE

1745

No man's land

Peu d'entre eux reviendront.

WILLIAM PITT, ministre britannique de la Guerre

Ô Seigneur, ouvrez-moi les portes de la nuit afin que je disparaisse.

VICTOR HUGO

NOTE HISTORIQUE SUR LA GUERRE DE SEPT ANS

Après la guerre de Succession d'Autriche, à laquelle mit fin le traité d'Aix-la-Chapelle en 1748, huit années de paix relative laissent souffler l'Europe. Mais les dents grincent toujours. Une alliance entre la France et l'Autriche, pourtant ennemies séculaires, suffit à déclencher de nouveau les hostilités avec la Grande-Bretagne. Ce renversement des alliances pousse les grandes forces européennes dans la guerre de Sept Ans. Celle-ci se déroule sur plus d'un continent et prend rapidement des allures de guerre mondiale. La Grande-Bretagne, la Prusse et le Hanovre se mesurent alors à une coalition de taille constituée de la France, de l'Autriche, de la Russie, de la Saxe, de la Suède et de l'Espagne.

Bien avant le début officiel des conflits, l'odeur de la poudre flotte sur l'Amérique. Au printemps 1754, Washington, jeune Virginien de vingt et un ans, attaque un détachement français en mission diplomatique. En Acadie, après avoir attaqué le fort Beauséjour, les Britanniques procèdent dès 1755 à la déportation des Acadiens français, qui se réfugient notamment en Louisiane. C'est ce qu'on appellera plus tard le Grand Dérangement.

Pendant ce temps, Jean-Armand Dieskau, commandant d'une escadre française, quitte Brest avec trois mille trois cents hommes formant les six bataillons destinés à la défense de la Nouvelle-France. L'Angleterre ne tarde pas à envoyer à son tour des régiments constitués essentiellement d'Irlandais et d'Écossais.

C'est la bataille de la Monongahéla qui marque véritablement le début de la guerre en Amérique. Les Anglais subissent quelques revers au début. Mais, ensuite, les postes d'avant-garde français tombent un à un. Les conflits américains s'achèvent ainsi avec la capitulation de Québec en 1759 et celle de Montréal en 1760.

Le 10 février 1763, le traité de Paris met officiellement fin à cette guerre et consacre la Grande-Bretagne comme grand vainqueur. En Amérique du Nord, il marque le début d'une coexistence turbulente entre deux cultures totalement différentes, avec toutes les conséquences qui en découlent. Mais cette coexistence perdure encore aujourd'hui.

En décembre 1763, le régiment écossais des Fraser Highlanders qui a combattu sur les plaines d'Abraham est démantelé. Plusieurs soldats choisissent alors de rester au Canada et épousent des Canadiennes françaises. Parmi eux se trouvent des Fraser, des Ross, des Mackenzie, des Reid et des Blackburn. Plusieurs de leurs descendants vivent aujourd'hui dans la vallée du Saint-Laurent et sont complètement francophones.

1

In memoriam
Glencoe, 1745

Ce jour aurait pu être celui de la Création comme il aurait pu être celui de la fin du monde. C'était un jour comme les autres et en même temps un jour comme il n'y en aurait jamais plus. Le temps, éternel recommencement, progression inexorable vers la fin, puisque toute chose a une fin. Mais je crois... que la fin d'une chose est toujours le début d'une autre, car en toute chose sommeille l'éternité.

C'était un de ces matins frais et ensoleillés du début de l'automne. Des lambeaux de brume enlaçaient amoureusement les pics rocheux qui formaient des remparts naturels entre lesquels la rivière Coe, d'humeur plutôt calme, cascadait vers le loch Leven. Le chant cristallin de l'eau qui résonnait dans toute ma vallée me rappelait mon histoire, qui était aussi celle de mes enfants et de mes petits-enfants. En mes descendants coulait le sang de ma race : eau vive portant l'histoire d'une génération à l'autre ; source abreuvant nos racines ; encre marquant notre passage. Ainsi, mes enfants assureraient mon éternité par-delà les frontières de mon temps. Par eux mon peuple survivrait à l'exode.

***

Le soleil n'arrivait plus à réchauffer mes vieux os. Assise sur un banc, sous le cerisier que la brise effeuillait dans un désordre sensuel, je gardais les yeux fixés sur le paysage, cherchant à graver dans mon esprit le bleu immuable de l'immensité, me laissant bercer par les images heureuses et malheureuses de mon passé qui jaillissaient dans mon esprit. Les chaleurs de l'été ayant fait leur œuvre, les collines avaient pris de merveilleuses teintes ocre qui réchauffaient l'œil. Si je ne souriais pas, mon âme était sereine. « Bientôt... » me répétais-je. En moi, ni angoisses ni regrets. Le ciel penchait son immensité sur ma vallée pour m'inviter à m'y reposer. L'Autre Monde m'ouvrait enfin ses portes. J'irais rejoindre Liam, l'amour de ma vie... J'étais prête pour mon dernier voyage.

Des rires m'extirpèrent de mes pensées. Les deux derniers-nés de mon fils Duncan, les jumeaux John et Alexander, poursuivaient un autre garçon en brandissant des épées de bois. Leurs longues jambes nues sous leur kilt défraîchi étaient couvertes de boue et battaient l'herbe dorée. Ils me firent penser à de jeunes poulains gambadant sur leurs pattes toutes neuves; cela m'arracha un sourire.

— Ils sont beaux, murmurai-je en les contemplant d'un œil attendri. Ils feront de fiers guerriers... si Dieu le veut.

Duncan, assis à mes côtés, ne dit rien et laissa son regard errer dans la vallée. À cinquante ans, de stature robuste, il respirait toujours la santé en dépit des nombreuses blessures accumulées tout au long de sa vie. Cela faisait maintenant plus de deux semaines que les hommes du clan aptes à porter les armes étaient partis. Sa femme Marion souffrant de fortes fièvres, il avait décidé d'attendre qu'elle soit hors de danger pour suivre leurs traces. Depuis deux jours, elle se portait mieux. Il pouvait donc penser à aller rejoindre l'armée jacobite. Celle-ci, enthousiasmée par l'arrivée du prince de Galles, fils du vieux Prétendant, faisait route vers Édimbourg. Chemin faisant, elle se grossissait de tous ceux qui étaient déterminés à remettre une fois pour toutes les Stuarts sur le trône d'Écosse.

Je remontai le plaid sur mes genoux en frissonnant. Mes doigts usés par une rude vie de labeurs tremblaient et mes articulations me faisaient de plus en plus souffrir.

— Comment va Marion aujourd'hui?

— Elle va un peu mieux. Mais l'air humide ne l'aide pas.

— Hum... non, je suppose. Maintenant que sa fièvre est tombée, tu vas sans doute partir rejoindre les nôtres auprès du prince?

— J'y pense... murmura-t-il en reposant les yeux sur la vallée qui s'ouvrait devant nous.

Ainsi débutait une nouvelle insurrection...

Le soulèvement ne faisait pas l'unanimité au nord de la Tweed, comme il ne l'avait pas fait avant Killiecrankie en 1689 ou Sheriffmuir en 1715. Mais il enflammait le cœur des jacobites et réveillait en eux le violent désir de s'affranchir du pesant joug anglais. Ce feu courait dans les veines de Duncan, comme il avait couru dans celles de Liam et comme il courait déjà certainement dans celles de mes petits-fils.

La dernière insurrection datant déjà de trente ans, la nouvelle génération du clan en avait simplement entendu parler. Les anciens la racontaient avec exaltation. Ils semblaient avoir oublié l'amertume de son échec et ses conséquences tout au long des années qui avaient suivi. Quoique modérées, les répressions avaient fait naître une volonté de vengeance. Le temps avait fait le reste.

Il y avait eu quelques tentatives, comme celle de 1719, dans le Glenshiel. Des récalcitrants s'étaient alliés à une poignée d'Espagnols dans l'espoir de réussir là où le comte de Mar avait échoué. Les deux frères Keith – dont le comte de Marischal – et le comte de Tullibardine, William Murray, étaient les instigateurs du mouvement. Mais la bataille s'était soldée par un nouvel échec. Les chefs des clans jacobites s'exilèrent alors en Europe. Ainsi, l'idée de la restauration des Stuarts tomba dans l'oubli pour quelques années. Chacun se replongea dans son quotidien de labeurs qui endormit l'esprit rebelle.

Le comte de Marischal, George Keith, trouva refuge en Suisse, où il servit les Prusses en qualité de gouverneur de Neuchâtel. Mon frère, lord Patrick Dunn, et son épouse, Sàra, l'y suivirent. Je vécus douloureusement cette séparation : Patrick et moi étions très proches et Sàra, la sœur de Liam, était comme une sœur pour moi. Des lettres de Patrick nous parvinrent régulièrement pendant un certain temps. Puis un triste jour de 1722, l'écriture hésitante de Sàra m'apprit le décès de mon frère. Son cœur avait cessé de battre au début du printemps.

Ma belle-sœur revint à Glencoe l'année suivante. Mais, anéantie par la mort de Patrick et affaiblie par le long voyage qui l'avait ramenée dans ses montagnes bien-aimées, elle succomba à son tour au cours de l'hiver 1724. Patrick et elle n'avaient aucune descendance.

À cette époque, mon frère Mathew vivait toujours. Veuf depuis dix ans, il habitait dans le Strathclyde chez sa fille Fiona, sur les terres de son gendre, lord Samuel Crichton. La distance et l'âge nous tenaient éloignés dorénavant, et je me sentais isolée. Heureusement, nous nous écrivions au moins deux fois l'an.

L'Écosse connaissait des années difficiles. L'essor industriel enrichissait l'Angleterre. Mais ses effets bénéfiques ne parvenaient pas jusqu'en Écosse, dont l'économie stagnait. La population écossaise vivait dans des conditions modestes, voire médiocres. L'Acte d'union de 1707 ne tenait pas ses promesses, et un sentiment de mécontentement grandissait dans le cœur des Écossais. La contrebande, véritable noyau de l'économie du pays, se développait. Les Anglais, se voyant ainsi privés d'un important capital, assenèrent de nouvelles taxes à l'industrie du whisky et à celle de la bière. Les conséquences ne furent pas longues à venir :

émeutes, grèves dans la brasserie. Enfin, tout concourait à réveiller le monstre qui sommeillait en chacun des jacobites.

L'agitation inquiéta le Parlement britannique. Il fallait mater les irréductibles, les assujettir avant que tout cela ne se transforme en soulèvement. Pour ce faire, les parlementaires crurent nécessaire d'installer dans les Highlands des garnisons qui calmeraient les ardeurs des montagnards. Ainsi, le général Wade, commandant en chef des troupes royales en Écosse, creusa dans le granit des Highlands afin de construire des routes qui faciliteraient les déplacements militaires. Il fit restaurer les ouvrages déjà en place et bâtir le fort Augustus sur la rive nord du loch Ness. Pour couronner le tout, il leva un régiment chez les Highlanders hanovriens; on appela ce dernier la Garde noire.

Le peuple des montagnes demeurait hostile au changement. Certains chefs de clans essayèrent d'instaurer un système agricole plus efficace. Mais la population était réfractaire aux manières anglaises et résistait. Notre clan ne faisait pas exception à la règle. La contrebande et le vol de bétail, comme toujours, étaient nos principales sources de revenus. S'ils assurèrent notre subsistance, ils firent aussi notre malheur.

Au fil des ans, Liam étendit son réseau pour le commerce de l'alcool et du tabac. Il s'associa à un homme de Glasgow sans scrupules, Neil Caddell. Ce dernier possédait des comptoirs de traite dans les colonies d'Amérique et fixait lui-même ses prix en faisant fi des lois sur les taxes anglaises qu'il qualifiait de frauduleuses. Ces lois ne servaient qu'à engraisser un gouvernement despote, disait-il.

Caddell fut arrêté à quelques reprises pour fraude fiscale. Mais il arrivait toujours à s'en sortir. Il avait simplement des amendes qu'il payait rubis sur l'ongle. Les douaniers gouvernementaux et les juristes ne se faisaient pas trop prier quand on leur présentait une bourse bien garnie. Les affaires reprenaient alors aussitôt. Toutefois, la bonne étoile ne brilla pas éternellement. En 1736, Caddell fut de nouveau écroué. Cette fois, le *lord advocate* chargé de son cas n'était pas disposé à échanger un verdict de non-culpabilité contre de l'argent. Caddell fut condamné à mort. Après l'exécution de son associé, Liam se fit très discret. Il reprit en main le commerce du bétail et abandonna progressivement la contrebande d'alcool.

Duncan, qui n'avait jamais cessé de se livrer au vol de bétail dans les Highlands, accompagna son père avec joie dans le Lennox. Là, les deux hommes s'allièrent à un certain Buchanan de Machar et aux fils de feu Robert Roy Macgregor, dont James Mor, ancien complice de Duncan. Ces gens excellaient dans le *black mailing*[1]. Cette nouvelle activité ne me semblait pas moins dangereuse que la précédente. Mais qu'y pouvais-je? Cela rendait Liam heureux. De plus, il ne cessait de me répéter: « Il faut bien vivre! » Il fallait connaître le pragmatisme écossais.

— Il faut bien vivre, murmurai-je pour moi-même, perdue dans mes souvenirs.

La chaleur d'une main sur mon bras me ramena au moment présent. Je me tournai vers Duncan et vis de la tristesse dans son regard bleu. Les yeux me fuirent aussitôt pour suivre les jumeaux qui jouaient à faire la guerre.

— Je les emmène avec moi.

— Mais ils n'ont que treize ans, Duncan! Marion ne voudra jamais...

— J'en ai décidé ainsi. Elle doit se reposer. Je m'inquiète pour elle, mère. Bien que sa fièvre soit tombée, elle est encore fragile. Et l'hiver arrive... Ils seront mieux avec moi. Avec leurs frères Duncan Og, Angus, James et Coll, je veillerai sur eux. Ce sont presque des hommes, après tout...

À ces mots, je ne pus m'empêcher de poser un regard lourd de sens sur lui. Ses paroles me rappelaient une promesse qu'il m'avait faite un certain matin gris, et qu'il n'avait pu tenir. Le clan partait rejoindre les troupes jacobites du comte de Mar. C'était en 1715 et cela me paraissait faire une éternité. Mais le souvenir était aussi vif que si cela avait été la veille. Malheureusement, Ranald n'était jamais revenu de la bataille de Sheriffmuir. Je savais que Duncan se sentait un peu responsable. Cependant, je ne lui avais jamais fait de reproches. La guerre était ce qu'elle était: la vie d'un homme ne représentait alors qu'un maigre tribut à payer pour une cause.

Un ange passa et, de ses battements d'ailes, fit tourbillonner la poussière accumulée sur des années de souvenirs. Indéfectible mémoire... parfois douce, parfois cruelle. Elle avait cette capacité de soulever le voile qui couvrait ces images et ces odeurs qu'on accumulait dans notre esprit au fil de notre vie, et d'en extraire l'essence de nos émotions.

Plus de trois mille hommes issus des clans de l'ouest des Highlands, fief jacobite séculaire, s'étaient déjà rassemblés sous

---

1. En Écosse, chantage qu'exerçaient les voleurs de bétail sur les éleveurs des Lowlands. Cela consistait à se faire payer de grosses sommes d'argent en échange de la protection des troupeaux. Lorsque le propriétaire omettait de payer, les troupeaux disparaissaient mystérieusement des pâturages.

l'étendard de Charles Édouard Stuart. Ce jeune prince était le fils de Jacques Francis Édouard, qu'on appelait jadis le Prétendant et qui, depuis son exil définitif après le dernier soulèvement, avait plongé dans la neurasthénie. Charles Édouard s'était vu confier la régence des royaumes de son père. L'Angleterre, toujours occupée par ses sempiternelles guerres avec la France sur le continent, n'avait laissé que très peu de troupes sur son propre territoire. Le moment semblait propice. Avec un peu de chance, peut-être les jacobites pourraient-ils arriver à leurs fins?

Élégant, énergique, de nature gaie et d'un charme irrésistible, Charles Édouard Stuart, qu'on surnommait affectueusement Bonnie Prince Charlie[2], possédait tous les attributs d'un chef et était tout désigné pour conduire encore une fois ses sujets sur le sentier de la guerre après trente ans de paix. L'élément déclencheur avait certainement été la mort de l'empereur d'Autriche, Charles VI, qui avait été à l'origine de nouveaux conflits entre la France et l'Angleterre. Cela faisait partie de ce qu'on appelait maintenant la guerre de Succession d'Autriche.

Les chefs jacobites, notamment le perfide lord Lovat et le petit-fils du vénéré Ewen Cameron, le jeune Donald, jugèrent que ces conflits qui s'étendaient à toute l'Autriche, à l'Allemagne et aux Flandres étaient une belle occasion pour une nouvelle tentative de remettre un Stuart sur le trône d'Écosse.

Le fougueux Bonnie Charlie, mû par la perspective de regagner le trône usurpé à son grand-père en 1688, chercha l'aide nécessaire auprès du roi de France. Mais Louis XIV n'avait que faire des problèmes de l'Écosse et préférait se vautrer dans la gloire que sa victoire toute récente à Fontenoy lui procurait. Qu'à cela ne tienne! Grâce à deux compatriotes vivant en France, Aeneas Macdonald, banquier à Paris, et Antoine Walsh, armateur irlandais, Charles Édouard put organiser sa folle expédition.

Nous savions peu de chose sur ce qui se préparait, hormis le fait que le prince avait débarqué sur la côte occidentale d'Écosse, plus précisément sur l'île d'Ériksay, fief des Macdonald des îles, vers la mi-juillet. L'étendard avait été levé et acclamé à Glenfinnian un mois plus tard. Les serments d'allégeance se multipliaient. Les armes cliquetaient déjà. L'aventure de 1745 débutait... et je devinais la suite.

— Je les tiendrai loin des combats, m'assura Duncan d'une voix ténue.

Posant ma main sur celle de mon fils, je sentis mon cœur se

---

2. Surnom signifiant « Gentil prince Charles ».

serrer. Il ressemblait tant à son père en vieillissant! Liam lui manquait terriblement, comme à moi. Je connaissais les sentiments qui le déchiraient. Comme son père bien des années auparavant, il entraînait ses fils dans le sillage d'un Stuart tout en sachant que la mort les accompagnerait jusqu'à la victoire ou la défaite. Mais, dans les Highlands, la liberté avait un prix.

La paix n'arrivait pas à s'installer dans nos montagnes. On disait que ce pays sauvage était habité par les âmes des grands guerriers fiannas[3] dont le souffle lui donnait son parfum, lequel ne se laissait pas dominer par l'odeur du *Sassannach*[4]. Il y avait de ces choses qu'on ne pouvait changer. Dans le sang gaélique courait la conviction que la survie d'une race résidait dans l'immuabilité de ses racines. Les *Sassannachs* s'acharnaient sur nous, retournant notre terre et mettant nos racines à nu pour mieux les arracher. Il était plus que temps de réveiller l'âme guerrière et de brandir la croix ardente.

— C'est bon, dis-je simplement, sachant pertinemment qu'il n'y avait plus rien à ajouter.

Je me tournai vers les collines et observai pendant un long moment les deux garçons qui s'amusaient. Alexander courait derrière John. Il était toujours avec son frère jumeau et le suivait comme son ombre, cherchant dans l'imitation de ses gestes et de ses mots un moyen de devenir un membre du clan à part entière. Si la nature les avait faits la réplique exacte l'un de l'autre du point de vue physique, ils avaient en revanche des caractères opposés.

Je ne doutai pas du lien qui les unissait. Quel phénomène fascinant que la division gémellaire qui donne deux êtres à la fois identiques et différents. Un même sang, une même chair, mais deux esprits influencés chacun par un milieu distinct. John était de nature calme et réfléchie, et il modérait le tempérament rebelle et belliqueux d'Alexander. Il défendait toujours son frère lorsque ce dernier faisait une bêtise. Ce qui arrivait trop souvent. Mais je sentais que cela ne se passait plus comme avant entre eux. En aurait-il été autrement s'ils n'avaient pas été séparés dans leur tendre enfance? Une chose était certaine: cette séparation avait été une terrible erreur.

Toute cette histoire avait débuté avec la mort prématurée de la petite Sarah. De deux ans plus âgée que les jumeaux, la fillette avait été emportée par la diphtérie. Puis la maladie s'était attaquée à Coll, qui avait un an de moins que Sarah. Ensuite, ce fut John qui tomba

---

3. Les Fiannas étaient de féroces guerriers celtes de l'ouest des Highlands.
4. Anglais en gaélique.

malade. Ayant peur pour le petit Alexander, Duncan et Marion s'étaient résignés à l'envoyer dans le Glenlyon, dans la famille de ma belle-fille, le temps que les deux autres se rétablissent complètement... si Dieu leur donnait cette grâce. Il fallut plusieurs longs mois. Enfin – par quel miracle? personne ne le sut –, les deux frères en réchappèrent, non sans quelques séquelles que le passage du temps atténua. Cependant, toujours inquiète que la maladie ne prenne d'assaut Alexander, le moins robuste des jumeaux, Marion, épuisée, avait préféré laisser son dernier-né quelque temps encore en Glenlyon.

Les périodes difficiles s'éternisant, les mois s'étirèrent en années, trois au total. Enfin, Marion se rétablissant peu à peu de sa grande fatigue, le retour du garçon dans la vallée fut progressif. Les deux années qui suivirent furent partagées entre Glencoe, pour la période estivale, et le Glenlyon, pendant l'hiver. Cela faisait maintenant trois ans qu'Alexander était définitivement de retour parmi les siens. Le pauvre garçon cherchait encore à se tailler une place dans le clan. Il était « l'étranger », et cette étiquette le blessait cruellement.

Par jalousie et incompréhension, on le mettait souvent à l'écart. Chez son grand-père maternel, il recevait une éducation digne d'un fils de laird et menait une vie qu'il n'aurait jamais connue autrement. Tout cela le rendait différent aux yeux de ses frères et sœurs. De plus, le grand-père John Buidhe Campbell ne cachait pas sa préférence pour le garçon, ce qui entretenait la jalousie des pairs.

Une violente dispute venait d'éclater entre les trois jeunes garçons. Comme toujours, John s'interposait entre Malcolm Henderson et Alexander qui tenait tête à ce dernier.

— Je ne comprendrai jamais cet enfant, marmonna Duncan qui avait suivi toute la scène. Il cherche constamment noise aux autres. Pourquoi? Je me demande si je ne ferais pas mieux de le laisser ici...

— Il souffre, Duncan. Ici, il est un Campbell; en Glenlyon, il n'est qu'un Macdonald. Ne vois-tu donc pas? Il se cherche, et c'est à toi de l'aider à découvrir qui il est. Un nom ne reste qu'un nom si l'homme qui le porte n'a pas d'âme.

Secouant mollement sa chevelure couleur aile de corbeau parsemée de fils argentés, Duncan baissa le regard sur nos mains réunies qui reposaient sur mon *arisaid*[5] usé. Conscients de l'erreur qu'ils avaient commise en éloignant Alexander des siens pendant si longtemps, Duncan et Marion avaient des remords, je le savais. Mais l'attitude belliqueuse de son fils mettait Duncan régulièrement

---

5. Costume traditionnel féminin dans les Highlands, constitué d'un plaid drapé autour du corps et retenu sous le buste par une ceinture.

hors de lui. Le petit s'était ainsi vu attribuer le surnom d'Alas[6]. Duncan savait qu'il aurait du fil à retordre avec cet enfant qui cherchait sans cesse à attirer l'attention avec ses frasques. Mais il avait juré de ne plus jamais séparer ses deux fils. Il lui faudrait composer avec ce caractère rebelle.

— Père arrivait si bien à lui parler... Pourquoi... pourquoi est-ce que je n'y arrive pas, moi? Je voudrais tellement lui faire comprendre que nous reconnaissons notre erreur... Nous n'aurions pas dû les séparer, jamais! Si père était encore ici...

L'émotion l'étrangla et il serra plus fort ma main, qui se mit à trembler. Si Liam était encore ici... Je fermai les paupières, me rappelai ce terrible jour où Liam m'avait embrassée pour la dernière fois. C'était un jour comme celui-ci, frais et ensoleillé. Les grillons chantaient joyeusement dans les hautes herbes jaunies; les frondes des fougères, dentelles délicates, roussissaient sous les feux des derniers rayons de l'été 1743. Une semaine ne s'était pas écoulée depuis l'enterrement de Margaret, la fille aînée de Duncan, morte avec Eibhlin, la petite fille qu'elle mettait au monde, que Liam repartait encore pour les Lowlands avec Duncan et cinq autres hommes du clan. Ils allaient retrouver comme toujours la bande de Buchanan et les Macgregor.

Puis deux semaines s'étaient écoulées. Les rumeurs qui circulaient sur la fomentation d'un nouveau soulèvement avaient mis les autorités en état d'alerte. La Garde noire avait augmenté ses patrouilles dans les Highlands et devenait de plus en plus difficile à éviter sur les nouvelles routes. Pressés de rentrer chez eux avec leur butin, Liam et Duncan avaient fait preuve de témérité en empruntant la route militaire qui reliait le fort William au loch Lomond et qui passait par la porte est de notre vallée. Malheureux concours de circonstances : un contingent de la Garde noire qui venait de franchir le sentier escarpé de « l'escalier du diable » avait croisé leur petit groupe.

Selon Duncan, il y aurait eu un court échange verbal, froid mais courtois, entre Liam et le capitaine du détachement. Puis chacun aurait continué sa route. Ce fut à ce moment-là qu'un coup de feu fit écho sur les parois de granit. Un seul coup qui figea tout le monde. Se croyant la cible des soldats, Liam et ses hommes avaient riposté. Une échauffourée avait eu lieu, faisant deux morts du côté des soldats et trois blessés parmi les nôtres. Pris en chasse, le groupe de Liam avait trouvé refuge dans les montagnes et évité le massacre.

---

6. Alas : en anglais, expression de dépit.

Laissant mes cheveux libres, je me glissai hors de la chaumière et, attirée par le gargouillis de la cascade, fis quelques pas vers le bouquet de bouleaux coiffés d'or et habillés d'un voile brumeux qui s'étendait à toute la vallée. L'eau était fraîche. Je m'aspergeai le visage et le cou. Puis je m'assis sur la berge et abandonnai mes pieds à la caresse du courant.

Les croassements constants des corbeaux m'avaient réveillée et m'agaçaient depuis l'aube. Je cherchai des yeux ces oiseaux de malheur. Il y en avait un qui était perché sur la plus haute branche du vieux chêne qui jetait son ombre sur notre chaumière; il semblait me regarder. Fouillant l'herbe, je saisis une pierre et la lançai dans la direction du volatile, qui ne broncha pas.

– Va-t'en! grondai-je entre mes dents. Fiche le camp d'ici, espèce de...

Je n'achevai pas ma phrase. Un mouvement au loin capta mon attention. Tournant la tête, je vis une troupe de cavaliers s'approcher. Je me dépliai et me levai en grimaçant: mon dos était endolori par les longues journées passées devant le métier à tisser. Pendant un instant, je crus que les hommes partis chasser à l'aube revenaient déjà. Puis, plissant les yeux, je reconnus la chevelure de Duncan qui dansait autour de sa tête. Toute à ma joie, je cherchai la tignasse argentée de Liam. Je ne la voyais pas. Mon sang fit deux tours et ma main se crispa. Un terrible pressentiment m'étreignit la poitrine, m'empêchant de respirer.

– Liam... réussis-je à articuler. Où est Liam?

Prenant mes jupes d'une main, je courus vers la troupe qui ralentissait devant notre chaumière. Duncan avait mis pied à terre et s'affairait avec deux hommes autour d'un des chevaux. Le cheval de Liam...

Je trébuchai et tombai. Le désarroi emplissait mes yeux de larmes qui brouillaient ma vue. Mon pauvre cœur battait furieusement, menaçant de voler en éclats en même temps que ma vie.

– Liam! criai-je en cherchant à me relever.

Mes jupes entravaient mes mouvements; je tombai à nouveau. On m'entendit et on me vit. Duglas MacPhail, mon gendre, vint à mon aide, tandis que Duncan et les autres transportaient un corps dans la chaumière. Une belle chevelure argentée flottait au vent...

– Liam! Liam! hurlai-je, complètement affolée.

Je me précipitai à l'intérieur. Les hommes s'effacèrent, m'ouvrant un passage jusqu'à mon amour. Duncan, assis sur le bord de la couche, se leva à mon arrivée. Son visage était gris et barbouillé de boue. Tournant ses yeux rougis vers moi, il me tendit une main... pleine de sang. Je poussai un gémissement.

– Non...

Des bras me retinrent et m'empêchèrent de m'effondrer sur le sol. On tira un banc jusqu'au lit et on m'y fit asseoir.

– *Mère... entendis-je comme dans un rêve tandis qu'une vision cauchemardesque se présentait à mes yeux.*

La chemise de Liam était écarlate de sang: SON sang. Sa poitrine se soulevait avec difficulté dans un chuintement inquiétant. Il était gravement blessé.

– Liam, murmurai-je doucement en me penchant sur lui.

Ses paupières battirent et s'ouvrirent lentement, découvrant un regard voilé. Malgré ma détresse, je devais garder mon sang-froid. Liam avait besoin de ma présence; je ne pouvais pas flancher.

– Cait... lin... a ghràidh... *articula-t-il avec effort en cherchant ma main.*

Nos doigts se mêlèrent, se soudèrent les uns aux autres. Il soupira, et sa bouche se tordit en un rictus de douleur qui me fit serrer les mâchoires.

– *Nous avons été attaqués par un détachement de la garnison du fort William, me chuchota Duncan à l'oreille. Nous ne savons pas ce qui s'est passé, mère... Quelqu'un a tiré, et tout s'est enchaîné.*

– *Quand est-ce arrivé?* demandai-je en tâtant précautionneusement la chemise poisseuse de Liam, qui se plaignait.

– *Il y a trois heures...*

– *Trois heures? Ton père est dans cet état depuis trois heures, et vous ne me le ramenez que maintenant?*

Il y eut un silence lourd de reproches d'un côté et de culpabilité de l'autre. Duncan bougea derrière moi. J'entendis des froissements d'étoffe et des raclements sur le sol. Les hommes quittaient la chaumière. Mais Duncan était toujours là, derrière moi, respirant par saccades, oppressé par le remords et le chagrin. Je fermai les yeux pour me contenir, les doigts crispés sur l'étoffe ensanglantée.

– *Nous n'avons pas eu le choix, mère, tenta-t-il d'expliquer d'une voix altérée, ils nous pourchassaient. À ce moment-là, père arrivait à se tenir en selle. Il nous a formellement interdit de conduire les soldats jusqu'à la vallée. Ils se seraient vengés sur vous. Il a fallu attendre...*

Je hochai la tête en signe de compréhension, me mordant la lèvre pour retenir un sanglot. Liam avait voulu protéger sa famille. Il y laissait sa vie, sa vie... et la mienne, dont il emportait avec lui une grosse partie.

– *Mon Dieu! Nooon!* sanglotai-je en enfouissant mon visage dans la chevelure de Liam.

Mes larmes allaient diluer le sang sur la chemise. Une main caressa mes cheveux. La voix de Duncan me parvint encore, mais je ne compris pas les mots. Puis je me retrouvai seule avec Liam qui cherchait mon regard. Sa main tremblait sur ma joue. Elle tomba ensuite lourdement sur sa poitrine.

– *Ne pleure... pas, a ghràidh...*

– *Liam... ne me quitte pas...*

– *Je... crois que cette fois-ci... je n'y peux... rien. Trop de sang... perdu.*

Il souffla, serrant ma main dans un spasme pour contrôler la douleur.

– *Je t'aime...*

– *Je t'aime aussi,* mo rùin. *Je t'aime aussi. Ô Seigneur Dieu! Liam, ne meurs pas!*

– *Dieu... en a décidé ainsi,* a ghràidh. *Tu m'as rendu heureux. Je... pars heureux... sans regret... Ne sois pas... triste.*

Un rire de dérision m'étrangla. Je réalisai brusquement que sa vie me glissait entre les doigts et que je n'y pouvais rien.

Il esquissa un faible sourire et prit une longue inspiration sifflante qui n'augurait rien de bon.

– *Tu viendras... me rejoindre. Nous nous retrouverons, Caitlin. Bientôt...*

– *Bientôt... répétai-je en sanglotant de plus belle. Oui, bientôt,* mo rùin.

Ses doigts glissèrent dans mes cheveux tissés de blanc, puis descendirent jusque sur ma poitrine. « Goûter chaque instant. » Sa main s'arrondit sur un sein, l'emprisonnant dans sa chaleur. Puis il reprit possession de mon visage, me forçant à plonger dans le bleu de son regard. Le plus beau des lochs d'Écosse.

– *Tu es... toujours aussi belle. Tu as... toujours été la plus belle...*

– *Mais je ne suis plus qu'une vieille pomme toute desséchée...*

Je roulai ma lèvre entre mes dents pour m'empêcher de crier de douleur. Les yeux de Liam se révulsèrent. Il grimaça de nouveau, se cambra légèrement, puis s'affaissa. C'était bientôt la fin. La panique s'empara de moi.

– *Parle-moi, Liam. Ne me quitte pas, parle-moi!*

– *Presque... cinquante années de bonheur,* a ghràidh. *C'est ce que tu m'as... apporté. Grâce à toi... mon nom survivra... je survivrai...*

Il émit un faible gémissement qui m'arracha le cœur, et ferma les paupières pour laisser passer la douleur. Puis il sourit.

– *Tu as mal. Garde ton souffle pour les autres, Liam.*

– *J'ai déjà parlé... à Duncan, continua-t-il. À Iain[7], tu donneras ma corne à poudre et... à Alasdair[8]... mon écusson... Il doit savoir... qui il est. Il ne doit pas oublier... d'où il vient. Il... est si perdu... si...*

Sa voix se faisait de plus en plus faible; je m'y accrochai désespérément.

– *Je le lui donnerai, le rassurai-je en caressant ses cheveux. Je lui parlerai, je te le promets.*

---

7. John en gaélique.

8. Alexander en gaélique. Dans le récit, les deux noms alterneront.

Il soupira et hocha la tête, satisfait.

– Maintenant... embrasse-moi, a ghràidh mo chridhe...

Fermant les yeux, je me penchai sur lui. Son haleine parfumée au whisky réchauffa mon visage. Refoulant un sanglot, je posai doucement mes lèvres sur les siennes. Elles étaient douces et tièdes... Par ce baiser, je recueillis son dernier souffle.

C'était notre baiser d'adieu...

Une violente douleur me transperça la poitrine. La main de Duncan sur la mienne se crispa légèrement. Mon fils se tourna vers moi, l'air inquiet.

— Mère? Mère!

Il agrippa mon corsage. Je tentai de parler, mais seul un horrible son rauque s'échappa de ma gorge. Sa voix ne me parvenait plus que comme un bourdonnement. Il me souleva, me serrant fort contre lui, et cria à John et Alexander d'aller quérir leur mère et leur sœur Mary au plus vite. Je sentis le soleil quitter mon visage. L'odeur de la tourbe me piqua les narines et l'humidité de la chaumière me fit frissonner. Duncan me déposa sur ma couche et me couvrit de couvertures.

— Mère, vous m'entendez?

— Oui... Duncan...

— Oh! Maman... Pas si tôt, pas si tôt!

Un doux sourire incurva ma bouche, malgré la douleur qui me labourait la poitrine. « Maman... » Cela faisait une éternité que Duncan ne m'avait pas appelée ainsi. Plus précisément, depuis le jour où il avait décidé qu'il était devenu un homme.

— Alasdair... Va me le chercher, Duncan, lui demandai-je en lui serrant le bras avec insistance. Je dois lui parler avant...

— Maman, ne parlez pas de fatalité!

— Alasdair... Fais vite.

— Oui, oui. Il arrive. Il est parti chercher Mary et Marion...

— D'accord, d'accord...

— Mamie Kitty, vous n'allez pas mourir, hein? fit la voix de John qui se tenait dans la porte, le regard fixé sur moi.

Duncan se retourna et lui fit signe d'approcher.

Alarmés par les cris des jumeaux, ils arrivaient tous, les uns après les autres, mes petits-enfants et arrière-petits-enfants. Je distinguais leurs silhouettes dans la pénombre. Leur présence me réchauffa le cœur. Je partirais entourée de ceux que j'aimais...

Ceux qui nous avaient déjà quittés, j'irais les rejoindre. Ma fille, Frances, et mon fils, Ranald. Margaret et Eibhlin. Marcy et Brian, les enfants de Duncan Og, qui s'étaient noyés lors d'une tragique sortie en chaloupe sur le loch Leven. Je les sentais près de moi. Ils me tenaient la main, me rassuraient et me guidaient vers ce monde inconnu qui m'effrayait tant jadis. Là où m'attendait Liam.

Je regardai ma descendance avec une pointe d'orgueil. « Vois, *mo rùin*, ce que nous laissons derrière nous. Ils sont notre sang, le fruit de notre amour. Ils sont un nouveau cycle de la roue qu'est la vie éternelle. »

La douleur s'estompait, laissant place à un étrange engourdissement. Il me restait si peu de temps pour leur dire à tous combien je les aimais. Je ne pouvais accorder que quelques secondes à chacun; mes forces me quittaient... La jolie Mary pleurait. Elle s'était hâtivement mariée un mois plus tôt à l'annonce du débarquement du prince en terre écossaise. Tout comme l'avait fait Frances avec son malheureux Trevor. Gentille Mary. Si généreuse avec ceux qu'elle aimait; si fière et si droite devant les autres.

Depuis que Liam avait disparu, la jeune femme s'occupait de moi avec dévouement. Coll, son frère cadet, tentait maintenant de la consoler en l'enveloppant de son immense corpulence. Bien qu'il n'eût que quatorze ans, il possédait déjà la stature d'un homme. Une cour de jouvencelles le suivait partout telle une joyeuse oriflamme rendant hommage à son charme secret.

Duncan Og, l'aîné de Duncan, était là aussi, avec son épouse, Colleen, et leurs trois enfants. Seuls manquaient Angus, qui avait laissé deux enfants aux bons soins de son épouse, Molly, et James, célibataire et irréductible coureur de jupons. Tous deux avaient déjà rallié l'armée.

Leur cousin, Munro, le fils unique de Frances, arrivait à son tour. Le petit n'avait jamais compris pourquoi sa mère était partie sans lui dire au revoir ni l'embrasser. Frances avait été violée plusieurs années auparavant, alors que Munro n'était encore qu'un enfant. Elle avait par la suite été prise d'une étrange maladie qui, petit à petit, lui avait rongé l'esprit... jusqu'à ce qu'il ne reste plus rien et qu'elle meure. Il m'arrivait de me demander si le fait de lui avoir retiré l'enfant qu'elle avait mis au monde neuf mois plus tard n'avait pas aggravé son mal au lieu de le soulager. Mais il était trop tard pour les regrets. La petite fille née de cet horrible crime vivait paisiblement loin de Glencoe, entourée de l'amour qu'elle méritait. Je m'en étais assurée.

Mais où était Alexander? Il fallait absolument que je le voie...

2

Per mare, per terras, no obliviscaris[9]

Prostré sur la branche d'un pin, Alexander n'avait pas entendu venir son frère. Un craquement de brindilles le tira de ses pensées.

— Alas, descends de là! lui ordonna John. Grand-mère te réclame.

— Je ne peux pas...

— Alas, s'impatienta John en tentant de secouer l'arbre sans grand résultat. Tu dois venir, bon sang! Elle te demande. Elle va mourir, imbécile! Descends!

Reniflant et s'essuyant le nez sur sa manche, Alexander se résigna à sauter en bas de sa cachette. John, après lui avoir lancé un regard excédé, pivota sur ses talons pour prendre les devants. Un éclat métallique retint alors l'attention d'Alexander, qui reconnut l'objet que son frère portait en bandoulière. Il se lança à sa poursuite et, l'agrippant, le força à se retourner.

— Où as-tu pris ça? l'interrogea-t-il en désignant l'objet d'un doigt. C'est la corne à poudre de grand-père!

— C'est grand-mère qui vient de me l'offrir. Elle a quelque chose pour toi aussi, ne t'en fais pas. Allez, viens! Tu es le seul qui ne lui ait pas dit au revoir.

Debout dans un coin sombre, le jeune Alexander considérait cette petite femme au teint cireux que la famille entourait de soins et d'amour. Celle qu'on appelait jadis la « guerrière irlandaise » semblait sur le point de perdre son ultime combat. Une soudaine

---

9. « Par mer, par terre, n'oublie pas » : « Par terre, par mer » est la devise des Macdonald. « N'oublie pas » est celle des Campbell.

angoisse le prit au ventre : sa grand-mère Caitlin se mourait. Une grosse larme roula sur sa joue. Il l'écrasa prestement du revers de sa manche en vérifiant si on l'avait vu pleurer. Mais tout le monde l'ignorait, comme toujours depuis qu'il était de retour dans la vallée maudite. Enfin, sauf peut-être grand-mère Caitlin. Mais aujourd'hui elle l'abandonnait, le laissant seul, si seul avec ses problèmes...

Ses frères et sa sœur, l'échine courbée par le chagrin, sortaient les uns à la suite des autres après avoir passé un moment auprès de leur aïeule. Restaient Duncan et Marion, qui épongeait le front de la mourante. Caitlin, le teint affreusement gris, respirait difficilement. Mais elle était toujours consciente. Sentant la présence de son dernier petit-fils dans l'ombre, elle se tourna vers lui et lui sourit doucement.

— Alas... murmura-t-elle faiblement en tendant une main vers lui. Mon grand Alasdair, viens ici, viens près de moi...

Le garçon n'osait bouger. Il avait peur de voir le doux regard de sa grand-mère altéré par la fin si proche. Il sentait la mort rôder ; elle attendait le moment pour s'emparer du corps de Caitlin. Le corps d'une femme : douceur, chaleur et sécurité. Nid douillet pour l'enfant, pour l'âme blessée. Qu'elle fût mère, grand-mère ou sœur, la femme représentait pour lui un abri où il oubliait son mal de vivre. Dans ces bras qu'elle refermait tendrement sur son malheur, dans ce parfum suave qu'elle dégageait, dans la musique de sa voix, il trouvait l'ultime refuge.

Lors de ses rares visites dans les églises, il posait des yeux attentifs et interrogateurs sur la statue de la Vierge Marie, cette femme qui avait donné la vie au Christ. Le fils de Dieu, cet homme que tous vénéraient, avait-il vraiment considéré Marie comme sa mère ? Certainement, enfant, il avait dû aimer retrouver la chaleur de ses bras. Il avait dû aussi souhaiter les sentir s'enrouler autour de lui lorsque la douleur de son sacrifice avait atteint son paroxysme, la limite de ce que son corps meurtri, si humain, pouvait supporter. Bien sûr, il ne pouvait en être autrement.

— Alas... appela son père avec une pointe de rudesse et d'impatience.

— Oui, père, j'arrive... murmura le garçon en s'approchant prudemment de la mourante.

— Approche, Alas, n'aie pas peur... Je suis toujours ta bonne vieille grand-mère, tu sais.

S'agenouillant, Alexander prit la main tremblotante de Caitlin et ne put retenir plus longtemps les sanglots coincés dans sa gorge. Duncan se leva et fit signe à Marion de le suivre, pour laisser

Alexander seul avec sa grand-mère. Le visage caché dans son bras plié, l'enfant n'osait regarder la vieille femme de face. Il ne voulait pas montrer ses larmes. Il serra la petite main si frêle qui lui avait caressé les cheveux plus d'une fois pour le consoler.

— Arrête cela, mon garçon, grogna faiblement Caitlin en posant sa main sur sa tête. Avec moi, tu n'as pas à cacher ce que recèle ton cœur. Allons, regarde-moi. Je veux voir ces beaux yeux...

Refoulant un sanglot, Alexander s'essuya les joues et leva la tête. La vieille femme dégagea son visage des sombres mèches rebelles qui y adhéraient.

— Voilà qui est mieux. Maintenant, raconte-moi ce qui s'est passé tout à l'heure. Pour quelle raison vous êtes-vous encore disputés, ton frère et toi?

Se remémorant l'altercation qui avait eu lieu juste avant le malaise de sa grand-mère, Alexander se renfrogna. Il n'avait pas envie de lui parler de cela. Mais elle insista, et comme d'habitude, il finit par céder.

— Nous jouions à la guerre, et Malcolm voulait que je sois le « méchant Campbell ». Mais je suis un Macdonald, comme eux. Cet imbécile ne veut rien entendre.

— Et John, il ne prend pas ta défense?

— Si, mais... il ne voulait pas que je lui donne la correction qu'il méritait.

— Hum, je vois. Il avait peut-être raison. Crois-tu que tu aurais réussi à faire changer Malcolm d'avis en le frappant?

Caitlin contemplait son petit-fils qui, hochant la tête, se mordillait la lèvre pour ne pas pleurer. Cet enfant était d'une sensibilité à fleur de peau. Son besoin d'amour était si grand... La vie s'annonçait bien difficile pour lui.

— Tu sais, lui chuchota-t-elle doucement, tu ressembles beaucoup à ton grand-père Liam.

Il la regarda, visiblement bouleversé par ce compliment.

— Vraiment?

— Vraiment.

Liam aussi avait cette sensibilité qui l'avait touchée dès leur première rencontre. Ce besoin de faire bercer son âme par des bras solides. Plusieurs hommes du clan y verraient une forme de faiblesse. Mais Caitlin y avait plutôt décelé une maturité spirituelle consistant justement à savoir reconnaître ses points faibles.

À l'instar de tous les êtres créés par Dieu, Alexander devrait apprendre à accepter ses faiblesses et à vivre avec elles. Un jour, il trouverait son équilibre et le pilier de son bonheur. Pour l'instant, sa jeunesse et sa rancœur l'aveuglaient. Contrairement à son grand-père, il n'arrivait pas à maîtriser ses émotions qui explosaient en accès de colère. L'armure dans laquelle il s'enfermait deviendrait pour lui un carcan.

Fouillant sous le drap, Caitlin en sortit un objet qu'elle tendit à son petit-fils.

— Pour toi, dit-elle simplement en ouvrant la main.

Les yeux écarquillés, Alexander regardait fixement la broche qui étincelait dans la paume toute chiffonnée et traversée d'une longue cicatrice : l'écusson de son grand-père. Il n'osait prendre l'objet.

— Il voulait qu'elle te revienne, Alas. Il m'a demandé de te la donner le jour où il est mort. Mais j'attendais le moment propice, tu comprends?

— Je ne peux pas, grand-mère, geignit le garçon en retenant ses larmes.

— Ne dis pas de sottises. Liam souhaitait que ce soit toi qui l'aies.

Une profonde tristesse se lisait sur les traits accablés d'Alexander. Comment expliquer à sa grand-mère qu'il ne pouvait pas prendre la broche de son grand-père? qu'il ne la méritait pas? que grand-père ne lui aurait certainement pas fait ce cadeau s'il avait su ce qu'il avait fait ce jour-là, ce jour terrible... Non, il ne pouvait pas lui confier ce qui le rongeait depuis deux ans. Il ne pouvait pas non plus lui raconter pourquoi il se cachait, la nuit de Samhain, lorsque les âmes des disparus erraient parmi les vivants : grand-père Liam viendrait certainement le punir.

— Mon petit, dit-elle d'une voix affaiblie par l'effort, tu m'inquiètes tant. Je partirais l'âme en paix si je savais la tienne réconciliée avec la vie. Mais ce n'est pas le cas. Tu luttes toujours contre toi-même. Alas... pourquoi? Que cherches-tu à te prouver? À nous prouver?

Le garçon baissait les yeux, lui interdisant de découvrir les mystères qu'il cachait au tréfonds de son âme.

— Ben... rien, grand-mère.

— Oublie les autres et fais ce que tu as à faire. Tu n'as rien à prouver à qui que ce soit, Alasdair Macdonald. Si les autres sont parfois méchants, c'est tout simplement parce qu'ils sont jaloux. Je suis certaine que tu comprends cela, n'est-ce pas?

— Eh bien...

— *Tuch*[10]! Regarde-moi, Alas.

Le garçon releva le menton; ses joues luisaient de larmes. Il vit

---

10. Chut!

ces yeux qui ne l'avaient jamais jugé, qui ne lui avaient jamais fait sentir qu'il était « l'étranger ». Pendant un très court instant, il pensa révéler à la vieille femme son terrible secret. Mais il se ravisa. Même si elle était la seule qui ne lui reprochait jamais ses écarts de conduite, elle ne pourrait lui pardonner celui-là. Non, puisque lui-même ne pouvait se le pardonner.

— Je t'aime, Alas. Tout comme ton père et ta mère t'aiment, malgré ce que tu peux croire dans ton cœur d'enfant. Je sais qu'il y a des choses difficiles à comprendre pour un jeune garçon de ton âge, mais je voulais que tu saches que tes parents t'aiment avant de... enfin... Ne leur reproche pas leurs décisions; elles ont toujours été prises dans ton intérêt... Avec le temps, tu verras... Tu seras bientôt un homme à ton tour, grand et solide comme ton père et ton grand-père. À leur exemple, tu feras de grandes choses et de... moins grandes. Nous faisons tous des erreurs; il faut les accepter et en tirer le maximum de profit. Si Dieu ne l'avait pas voulu ainsi, il nous aurait créés parfaits. Or nous sommes loin de l'être. Tu vois, c'est grâce à nos erreurs que nous avançons vers la sagesse...

Elle déglutit et fit une courte pause. Elle voulait tant offrir à cet enfant qu'elle aimait une direction, un but dans la vie. Ce serait son legs; il serait sa continuité.

— Alas, malgré ta jeunesse, je crois deviner que tu sais ce qui va se passer dans les mois à venir...

— Vous voulez parler de l'insurrection?

Elle hocha lentement la tête sans le quitter des yeux. Elle le trouvait si beau. Les jumeaux ne ressemblaient pas à leurs frères, qui avaient des carrures de costauds et arboraient une chevelure plus ou moins rousse. Ils avaient plutôt hérité de la couleur sombre des cheveux de leur père, et de la sveltesse et des traits irréguliers de leur mère. Les longs cils noirs du garçon battirent au-dessus des joues dorées par le soleil. Il leva vers elle son regard saphir qui lui rappela brusquement celui de Liam. Mais dans les yeux des jumeaux semblait couler une eau vive tant ils étaient changeants. Le visage de l'enfant s'éclaira.

— Bonnie Prince Charlie va remonter sur le trône, grand-mère. L'Écosse sera libre...

Elle serra ses doigts sur les siens et fronça les sourcils.

— Cela, Dieu seul le sait, mon garçon. Par deux fois nous avons essayé de remettre un Stuart sur le trône, sans succès. Mais un rêve de liberté... peut prendre tant de formes.

— Cette fois-ci sera la bonne, insista Alexander.

— Et si nous échouons encore? Alas... qu'adviendra-t-il de notre peuple? Les Anglais seront trop heureux de nous porter le coup de grâce... Qu'adviendra-t-il de nos traditions, de notre langue? L'hégémonie anglaise s'exerce au sein même des royaumes qu'occupaient jadis nos ancêtres. Aujourd'hui, il ne reste qu'une frange de conscience celte autour de ce noyau anglo-normand. Chaque jour, elle est rongée un peu plus. Chaque jour, nous sommes assimilés un peu plus. Lentement, mais sûrement. Nous allons disparaître si nous ne faisons rien. Alasdair, promets-moi de faire tout ce qui est en ton pouvoir pour sauvegarder ce que tes ancêtres t'ont légué. Et s'il vient un jour où tu sens cet héritage menacé, pars. Ne les laisse pas te le prendre. Ne les laisse pas te voler ton âme. Va là-bas, en Amérique. On m'a dit que ce pays est immense et qu'on y est libre.

— Je ne veux pas quitter l'Écosse, grand-mère! Je suis écossais et...

— L'Écosse n'est pas que la terre qui t'a vu naître. C'est aussi et surtout l'âme de son peuple, tu comprends? Sa langue, ses traditions sont ancrées en nous. L'esprit, Alasdair, est ce qui importe et ce qui te sauvera. Un jour, un ami médecin m'a dit ceci: « L'esprit de l'homme est sa seule liberté. Aucune loi, aucune menace pesant sur lui, aucune chaîne l'entravant ne pourront le contraindre. » Il avait raison: tu es seul maître de ta liberté. Les Anglais n'éteindront pas comme ça, de leur souffle hargneux, la flamme de notre peuple. L'Écosse vacille, mais elle ne disparaîtra pas. Elle survivra, ailleurs s'il le faut. Notre sang gaélique ne se diluera pas aussi facilement. Certes, il se mélangera. C'est inévitable et indispensable à notre survie. Mais il est fort et il doit le rester. C'est par l'esprit, la conscience de ce que nous sommes que nous sauverons notre peuple. Tu connais les devises des clans qui t'ont transmis ce précieux héritage? *Per mare, per terras, no obliviscaris*; par-delà la mer, par-delà la terre, n'oublie pas qui tu es...Tu comprends? N'oublie jamais qui tu es! Je sais bien que tu es encore très jeune pour saisir tout cela. Mais tu portes en toi l'héritage de ta race. À toi de le préserver, de le transmettre pour perpétuer nos traditions. C'est en quelque sorte une mission que je te confie, Alas. Tes frères aînés sont déjà installés avec épouse et enfants. Il y a bien Coll et John. Tu leur feras le message, je te fais confiance. Mais c'est à toi que je donne la tâche de réaliser mon rêve. Si cette rébellion devait échouer, ici en Écosse, dans nos montagnes, ce serait la fin des clans. Or il ne le faut pas...

— Mais que dites-vous là, grand-mère? Nous les battrons! Nous les bouterons hors de notre pays!

— Je ne sais pas... Laisse-moi te confier un secret. Ta mère a eu une autre de ses visions. Nos vallées étaient vides. Plus personne n'y vivait. Il ne restait que des ruines. La terre est vaste, Alasdair. Il faut mettre notre héritage à l'abri. Il ne doit pas se perdre. C'est seulement quand nous aurons réussi cela que nous aurons notre vraie victoire sur les *Sassannachs*. Ton esprit, ton âme... ils ne peuvent te prendre ça... Promets-moi, Alasdair...

— Je... je promets... Grand-mère, vous me faites peur... bredouilla le jeune Alexander.

— Tu seras courageux, mon garçon. Je le sais... Tu l'es déjà...

***

Bouleversé, Duncan restait agenouillé et observait tendrement sa mère. Toute une vie se lisait sur les traits de Caitlin. La peau diaphane qui collait à l'ossature laissait apparaître de fines veinules bleutées sur les tempes. Les yeux, maintenant fermés, étaient enfoncés dans les orbites. En dépit de cela, il la trouvait encore très belle. Sa longue tresse argentée, jadis noire comme la nuit, reposait sur sa poitrine. Elle avait toujours préféré cette coiffure au sévère chignon. La sagesse avait donné une nouvelle dimension à l'éclat d'eau de mer de son regard vif. Caitlin Fiona Dunn Macdonald avait eu une vie bien remplie. À soixante-neuf ans, elle accédait enfin à un repos mérité.

La pénombre crépusculaire envahissait la chaumière. Mais Duncan n'alluma pas la chandelle. Il restait immobile, fixant le profil de sa mère qui se fondait dans les ténèbres. Il pleura. La main qu'il tenait serrée dans la sienne était encore tiède, mais à jamais inerte. Les traits de Caitlin étaient détendus. Le poids des années semblait s'être envolé; elle paraissait presque heureuse.

La mort de Liam avait profondément touché sa mère, qui ne s'en était jamais complètement remise. Elle allait retrouver son mari maintenant, quelque part de l'autre côté. Soudain, Duncan se sentait si seul devant tout ce qui l'attendait.

— Merci, maman, murmura-t-il entre deux sanglots. Merci... d'avoir dit à Alexander ce que je n'arrivais pas à lui dire... Oh, bon Dieu!

En voulant protéger son fils, il l'avait éloigné. Alexander était un étranger dans sa propre maison. Pourquoi ne parvenait-il pas à lui dire qu'il l'aimait et qu'il était désolé... qu'il voudrait tellement changer les choses... Foutu orgueil!

Les mots ne lui venaient pas aisément; il était ainsi fait. Il se souvint du jour où Liam s'était ouvert à lui, lui avouant la fierté qu'il lui procurait. Il en avait ressenti une joie immense. Pourquoi ne pouvait-il faire de même avec son fils? Avec Marion, il n'avait pas besoin de parler. Elle devinait, elle connaissait ses sentiments. Avec ses autres fils, il avait de bonnes relations. Alexander était le seul qui lui posait un problème de conscience, et il se sentait désemparé. Jusqu'à présent, Caitlin servait de tampon entre eux: rassérénant d'un côté, expliquant de l'autre. Comment ferait-il pour communiquer calmement avec le garçon, maintenant qu'elle était partie?

En emmenant son fils avec lui en campagne, Duncan espérait se rapprocher de lui. Marion s'y était opposée. Mais il en avait décidé ainsi. Il était temps qu'Alexander prenne sa place parmi les siens. Il possédait la fougue des guerriers, leur désir de vaincre, leur acharnement presque obsessif qui les poussait à dépasser leurs limites.

Au fond de la pièce, droit comme un piquet, Alexander fixait le dos de son père pour ne pas voir le masque funèbre de sa grand-mère. Les sanglots secouaient les épaules de Duncan. Il réalisait en les entendant qu'il voyait son père pleurer pour la première fois. Il avait envie de le toucher, de poser sa main sur ces solides épaules que le chagrin faisait ployer. Il avait envie de partager sa peine avec lui. Mais il se retint, de peur d'être rabroué.

Marion leva la tête et aperçut son fils. Devinant la profondeur de son chagrin, elle soupira et se leva, puis quitta le chevet de Caitlin pour le rejoindre. Elle posa sa main sur son épaule et l'invita à la suivre.

— Venez, les enfants, laissons votre père seul un moment.

Ils sortirent. Marion se pencha sur Alexander et lui embrassa le front. Geste tendre, désintéressé. L'amour inconditionnel d'une mère pour son enfant. Cela le réconforta. Mais l'amour d'une mère ne pouvait combler tous les besoins d'un enfant. Le garçon avait tellement besoin de l'affection de son père, de la reconnaissance de ses pairs. Il voulait qu'on soit fier de lui. Grand-mère Caitlin lui avait demandé de préserver sa race, son âme. Il le ferait. Il le lui avait promis sur son lit de mort.

— Elle est heureuse là où elle est maintenant, lui murmura la voix de sa mère pendant que sa main remettait de l'ordre dans sa tignasse. Elle souffrait; Dieu l'a rappelée à lui...

— Je sais.

En baissant les yeux, Alexander croisa le regard de John posé sur lui. Son jumeau le dévisageait, les lèvres pincées. L'amertume se lisait sur ses traits tendus. Il se détourna prestement et s'éloigna dans les montagnes.

Sur les hauteurs du Meall Mor, Alexander contemplait, le cœur lourd, l'étendue de sa verte vallée lorsqu'il entendit quelqu'un venir. Son père s'assit dans l'herbe à côté de lui et déposa un objet sur son kilt, entre ses genoux.

— Tu as oublié ceci, mon garçon.

Alexander fixait l'écusson, mais refusait de le prendre.

— Je préférerais que vous le gardiez, père...

— Pour quelle raison?

— J'ai peur de le perdre, mentit-il en se détournant.

Duncan hésita, se racla la gorge.

— D'accord, Alas. Je le garderai bien précieusement jusqu'au jour où tu viendras me le réclamer.

— Merci.

— Tu sais que c'est un gage de confiance que t'a offert grand-père? L'écusson du clan... Cet objet, qu'il avait reçu de son père, était très précieux pour lui.

— Celui qui est mort dans le massacre?

— Hum... oui.

Songeur, Duncan fit miroiter entre ses doigts le bijou dans le clair de lune. Puis, comme le souvenir de la mort de Liam revenait le hanter, il le fit promptement disparaître dans son *sporran*[11]. De même que la foudre éclate et frappe où bon lui semble, sans prévenir, les événements de ce jour funeste lui revenaient de temps à autre et le plongeaient dans une profonde tristesse. À la dérobée, il observa Alexander occupé à étudier le ciel. Il savait que son fils lui avait désobéi ce jour funeste. Mais, ayant donné sa parole à Marion qu'il ne lèverait plus la main sur ses enfants, il avait renoncé à lui demander ce qu'il avait fait exactement. L'enfant portait certainement déjà le faix de sa faute.

— Nous partirons dans deux jours, annonça-t-il après un moment. Aussitôt que... enfin, après les obsèques de grand-mère.

Acquiesçant d'un signe de tête, Alexander ne quittait pas l'étoile Polaire des yeux: le pivot du ciel, comme l'appelait sa mère. Il lui semblait qu'elle brillait plus fort ce soir...

— Hum... J'ai décidé de vous emmener, John et toi.

— John et moi? Vous voulez dire que... pour aller rejoindre le prince? Moi?

— Oui, John et toi, répéta Duncan, heureux de voir sourire son fils, ce qui arrivait trop peu souvent depuis la mort de Liam.

---

11. Sorte d'escarcelle, souvent en fourrure, portée sur le devant du kilt et retenue par une ceinture.

Le cœur d'Alexander se gonfla de fierté. Il partait rejoindre le prince? Il allait se battre pour lui et...

— Il y a une condition, Alas : tu ne devras en aucun cas mettre les pieds sur le champ de bataille.

— Mais ?!

— Est-ce clair ?

Le regard de Duncan se durcit. Le garçon sut qu'il n'y avait rien à ajouter.

— Oui, répondit-il dans un murmure. Mais alors, que ferai-je ?

— Tu pourras par exemple aider à nettoyer et à transporter les armes. Puis, il y aura certainement bien d'autres choses que tu pourras faire. Ne t'en fais pas... Allons, viens maintenant ! fit Duncan en ébouriffant les cheveux de son fils. Il faut aller dormir. Demain sera une triste journée pour nous tous.

Se levant, il lui tendit la main pour l'aider à se lever à son tour.

— Père, demanda Alexander, une fois debout devant lui, vous croyez que les morts peuvent nous entendre d'où ils sont ? Qu'ils peuvent nous voir ?

— Je ne sais pas, mon garçon. Mais j'aime penser qu'ils le peuvent. Ton grand-père le croyait, lui.

— Ils peuvent aussi lire dans notre esprit ?

— Je le suppose. Ils sont comme l'air. Ils peuvent aller et venir, se glisser où bon leur semble. Pourquoi pas dans notre cœur ? Ne t'arrive-t-il jamais d'avoir cette impression que grand-père t'accompagne à la chasse comme autrefois ? Qu'il guide tes pas vers un beau lièvre ? Ne t'arrive-t-il jamais d'entendre en rêve sa voix te rappeler ton histoire et celle de tes ancêtres ?

Fronçant les sourcils, Alexander, perplexe, pinça les lèvres et haussa les épaules. Grand-père Liam ne lui ferait jamais cet honneur. Quant à grand-mère Caitlin, elle devait maintenant connaître la vérité et lui en vouloir énormément. Il regrettait de n'avoir jamais rien dit de ce qui s'était vraiment passé ce jour-là. Il n'en avait pas trouvé la force. Aujourd'hui, il était trop tard. De toute façon, s'il l'avait fait, on l'aurait assurément banni. N'était-il pas déjà l'Étranger ici ?

— Je peux rester encore quelques minutes, père ?

— D'accord, mais ne tarde pas.

Dès que son père fut hors de vue, Alexander tira son épée et la brandit vers le ciel. La lune la faisait briller. Son père la lui avait offerte le jour de son retour définitif dans la vallée. Elle était un peu lourde. Mais en s'entraînant, il arriverait à la manier comme n'importe quel guerrier. La tenant à deux mains, il la fit tournoyer devant lui, simulant un combat. Bientôt, le sang des *Sassannachs* la souillerait.

Hors d'haleine, il la reposa sur l'herbe, à ses pieds, puis il s'agenouilla et baisa la lame. Il allait quitter Glencoe et se diriger avec son père et ses frères vers les campements jacobites. L'estime se gagnait par les armes. Peut-être pourrait-il racheter sa faute en faisant couler le sang de l'ennemi... S'il vengeait la mort de grand-père Liam, peut-être celui-ci lui pardonnerait-il son erreur... Oui, il avait fait une grosse erreur... de jugement. Il vengerait son grand-père, et son père serait fier de lui. Les *Sassannachs* ne leur voleraient pas leur âme, il les en empêcherait.

— *Is mise Alasdair Cailean MacDhòmhnuill*[12], déclara-t-il solennellement en levant son épée bien haut. Je suis un Macdonald du clan Iain Abrach. Le sang qui coule dans mes veines est celui des maîtres de ce monde. Je suis le fils de Duncan Coll, fils de Liam Duncan, fils de Duncan Og, fils de Cailean Mor, fils de Dunnchad Mor, et ainsi de suite jusqu'à la nuit des temps. Je tiendrai ma promesse. On chantera mes louanges comme on a chanté celles de mes ancêtres...

Alexander se fit ce serment avec toute sa naïveté d'enfant de treize ans.

Trois jours plus tard, ils quittaient Glencoe. Alexander jeta un dernier regard derrière lui, sur sa vallée. Malgré l'immense fierté que lui procurait cette impression de participer à l'extraordinaire mission de libération de l'Écosse, il éprouvait de la tristesse à l'idée de se séparer de sa mère. Les silhouettes de Marion et de Mary étaient si petites dans ce décor grandiose. Serrant les dents, il se détourna. Les reverrait-il bientôt? Sentant la présence de son frère, il ferma les paupières sur ses yeux piquants de larmes.

Non, il ne pleurerait pas. Seuls les enfants pleuraient. Or chaque pas qu'il faisait le rapprochait du monde des hommes.

---

12. Je suis Alexander Colin Macdonald. « Mac » signifie « fils de » en gaélique et « Donald », « maître du monde. ».

3

Le pays maudit
Août 1746, Highlands, Écosse

La terre vibra, et pendant un moment il crut à l'arrivée du Christ guerrier et de son armée céleste qui venaient les délivrer. Il se souleva sur ses coudes et osa un œil par-dessus les blés mouvants. Un détachement de dragons chevauchait à quelques pieds d'eux seulement, piétinant le champ prêt à être moissonné. Il se dirigeait vers la chaumière où les fugitifs pensaient trouver refuge et, avec un peu de chance, de la nourriture aussi. Le vieil homme gisant à côté de lui grogna et cracha dans l'herbe.

— Combien sont-ils? demanda Fergusson.

De nouveau à plat ventre, Alexander releva la tête et observa l'endroit où s'était arrêté le contingent. Il avait des crampes à l'estomac qui le faisaient terriblement souffrir et une blessure à l'épaule qui mettait du temps à guérir et l'élançait. Il plissa les yeux dans le soleil éblouissant. Les dragons discutaient. L'un d'eux entra dans la chaumière d'où s'échappait une fumée grise.

— J'en compte six.

— Par tous les saints! Il faut filer d'ici et trouver un autre endroit...

La faim les tenaillait depuis deux jours. Errant sur la lande et dans les bois, ils avaient cherché en vain de quoi se nourrir. Le régime d'herbes et de racines dont ils avaient dû se contenter convenait certainement mieux aux quadrupèdes. Mais il était vrai qu'en ce moment ils ressemblaient plus à des bêtes qu'à des humains. De violentes diarrhées les affaiblissaient encore davantage. La semaine précédente, le jeune Keith Ross, vidé de ses forces, avait rendu l'âme. Chacun d'eux savait que la mort le guettait. Sur leur route, les fugitifs n'avaient rencontré que des chaumières vides ou réduites en cendres. Partout les suivait cette perpétuelle odeur de fumée qui leur annonçait cruellement la fin des Highlands.

Des cris leur parvinrent de la petite habitation de pierre. Une femme sortit en courant, un bébé sous le bras. Deux dragons se mirent aussitôt à sa poursuite. Un premier coup d'épée la rata de peu. Deux autres dragons grimpèrent sur leurs montures et la prirent en chasse. L'un d'eux réussit à lui arracher son enfant en le tirant par le bras. Les cris désespérés de la mère emplissaient la tête d'Alexander qui assistait, horrifié, au spectacle.

Le dragon leva le nourrisson maigrelet au-dessus de sa tête tandis que son compagnon l'empalait sur son épée. La femme cria de plus belle. Le premier cavalier abattit alors son épée sur elle. Un terrible silence retomba d'un coup sur le champ de blé. Le vieil homme, qui avait suivi toute la scène aux côtés d'Alexander, marmonnait une prière pour les âmes des innocentes victimes.

Une épaisse fumée noire s'éleva de la chaumière et le crépitement des flammes couvrit les voix des hommes à la veste rouge qui repartaient en riant. Alexander en avait oublié sa faim. Il avait maintes fois assisté à ce genre de spectacle depuis qu'ils étaient en fuite. Pourtant, il ne s'y habituait pas. Les soldats du duc de Cumberland, le fils du roi George II qu'on avait surnommé « le Boucher », ne faisaient pas de quartier. Ils traquaient, violaient et abattaient; volaient et brûlaient. L'heure était aux règlements de comptes entre l'Anglais et le Highlander.

Deux jours plus tôt, Alexander et ses compagnons avaient épié un autre détachement de dragons. Les soldats avaient enfermé hommes, femmes et enfants dans une grange, à laquelle ils avaient mis le feu. Plus tard, ils avaient retiré des décombres les corps encore fumants, enlacés dans des positions singulières, pour les mettre à la vue de tous, comme un avertissement. Il arrivait aussi aux fugitifs de trouver sur le bord de la route les cadavres de Highlanders qui pourrissaient là depuis plusieurs jours. L'odeur insoutenable s'incrustait dans leurs narines, dans leurs vêtements et les accompagnait. Il en était ainsi depuis quatre mois, depuis le jour où avait eu lieu la sanglante bataille de Culloden, sur Drummossie Moor.

Jetant un coup d'œil sur le vieil O'Shea qui se signait, Alexander perçut un mouvement du côté des collines. Il crut d'abord voir surgir d'autres Highlanders en fuite. Puis ses yeux s'agrandirent d'effroi lorsqu'il constata qu'il s'agissait des dragons qui, pour une raison qu'il ignorait, revenaient sur leurs pas.

— *Mac an diabhail*[13]! cria MacGinnis en se levant d'un coup.

Son mouvement attira l'attention des soldats, qui galopèrent

---

13. Fils du diable!

dans leur direction. Tous se levèrent alors et se mirent à courir. Aucun abri ne s'offrait à eux. Il n'y avait que la lande et les champs entrecoupés de clôtures faites de pierres empilées. Fendant l'onde flavescente et ondulante du champ de blé, Alexander allait aussi vite que le lui permettaient ses maigres jambes d'adolescent de quatorze ans. Fou de terreur, il suivait la cadence de celles, fatiguées, du vieux prêtre O'Shea. Mais souffrant tous d'inanition, les fugitifs ne pouvaient rivaliser avec les bêtes fringantes des *Sassannachs*.

« Ne te retourne pas, ne te retourne pas... » se répétait inlassablement le garçon, s'attendant à tout moment à sentir la morsure de l'acier entre ses omoplates. Il entendait des cris et le martèlement des sabots derrière lui. MacGinnis hurla de douleur. Puis un autre de ses compagnons. Son sang lui battait violemment les tempes. Ils allaient tous mourir. Si seulement il pouvait atteindre la lisière des bois. Si seulement...

Le claquement sec d'un coup de feu retentit, suivi d'un cri étouffé et du bruit mat d'un corps qui tombait. Alexander tourna légèrement la tête vers sa droite, où courait O'Shea un peu plus tôt. Plus personne... Continuant de courir, il luttait contre son envie de revenir sur ses pas pour aider le vieux prêtre.

— Nooon! hurla-t-il, déchiré.

Il ralentit; un dragon arrivait rapidement. O'Shea tentait de se relever; il était touché à la jambe. Alexander rebroussa chemin. Il n'abandonnerait pas lâchement son ami.

— Va! Sauve-toi! lui cria le prêtre. Prie pour mon âme, Alasdair, et sauve la tienne... Tu ne peux plus rien pour moi!

Il hésita, blême. Le dragon approchait, l'épée bien haute, prête à s'abattre sur son ami. Non, il ne pouvait pas le laisser... Il ne pouvait pas l'abandonner là, dût-il le payer de sa vie.

— Tenez bon, mon père!

Il le rejoignit le premier. Lorsque le dragon parvint à leur hauteur, il se dressa devant lui, protégeant de son frêle corps le vieil O'Shea.

— C'est un homme de Dieu! Ne le tuez pas! Tuez-moi, mais laissez-lui la vie sauve...

Le soldat immobilisa son bras devant l'audace du garçon. Son épée éclatante resta en suspens. Il considéra les tartans en loques d'un air dédaigneux, hésitant encore à porter le coup de grâce. Puis, magnanime, il abaissa lentement sa lame. Il pouvait bien se permettre d'en épargner deux. De toute façon, faméliques comme ils l'étaient, ils ne tiendraient pas bien longtemps. Et puis, le vieillard était prêtre... cela lui posait un problème de conscience.

— Un homme de Dieu, tu dis? Catholique?

— Catholique, confirma O'Shea. Je suis aumônier...

Le dragon jeta un coup d'œil vers ses camarades qui essuyaient dans l'herbe leurs armes rougies par le sang des autres Highlanders.

— Ma mère est catholique, avoua tout bas le soldat en se retournant vers eux, comme s'il parlait d'une maladie honteuse. Vous aurez droit à ma clémence; je ne tue pas les prêtres. Par conséquent, vous serez mes prisonniers jusqu'à Inverness.

Le cœur d'Alexander battait à lui rompre la poitrine. Il se pencha vers son ami. Ainsi, on les épargnait. Mais ce n'était qu'un sursis de toute façon. S'ils ne mouraient pas en prison, ils seraient pendus tels des chiens. Le sort qui leur était réservé ne faisait aucun doute. Alors, soit! Il mourrait en héros.

***

Les jours s'écoulaient. Autant de temps perdu à attendre la mort, déclarait Alexander. Mais le prêtre, lui, répétait inlassablement que le temps n'était jamais perdu. Chaque minute, chaque seconde avait sa raison d'être dans la vie d'un homme. Ne serait-ce que pour écouter le chant des oiseaux qui leur parvenait parfois.

Déclarés coupables d'avoir participé à la rébellion, ils avaient été enfermés dans le Tolbooth d'Inverness. Avec eux s'entassaient d'autres Écossais, des Irlandais, des Français et même des Anglais qui avaient épousé la cause par simple conviction politique ou religieuse. Certains étaient retenus prisonniers pour avoir déserté; d'autres, pour avoir chanté des airs qui portaient à la traîtrise ou pour avoir été surpris à boire à la santé du prince Stuart en fuite.

Le soleil se couchait un peu plus tôt de jour en jour. L'automne laissait tranquillement la place à l'hiver. Jours gris, nuits sans lune. Toujours cette lumière pâle, sans couleur, terne comme les visages émaciés des hommes et des femmes qui se trouvaient dans le cachot.

Durant tout ce temps, O'Shea parlait et Alexander, fasciné par tant de savoir, écoutait et assimilait. Le jeune garçon ne savait pas grand-chose de l'Irlandais, sauf qu'il était en fait un abbé défroqué qui avait fui les autorités séculières à cause d'une histoire de mœurs. Se dirigeant vers les Hébrides, il avait fini par se retrouver sur l'île de Skye. Il s'était installé dans un petit village de pêcheurs situé sur le loch Ainort, hameau dont les habitants, trop heureux de trouver un homme de Dieu prêt à rester parmi eux, n'avaient que faire de son état d'apostasie.

C'était certainement la Providence qui avait poussé O'Shea jusqu'à lui, pensait Alexander, car sans cet homme il serait probablement mort. Il se souvenait parfaitement du moment où il avait ouvert les yeux sur sa nouvelle destinée. Lorsqu'il était revenu à lui, après avoir été blessé sur le champ de bataille, il était étendu sur le dos. Des branches masquaient le ciel. Il avait essayé de remuer, mais la douleur intense l'avait cloué sur place. Il avait froid et soif. Des sons... plus précisément des voix lui parvenaient. Des hommes parlaient tout près de lui. Il s'était alors brusquement rendu compte que les canons s'étaient tus.

– *Père?... murmura-t-il faiblement.*

Les voix s'interrompirent un instant, avant de reprendre leur conciliabule. Une main se posa sur son front, puis souleva sa chemise.

– *Tu as eu de la chance, petit. Dieu a guidé les pas des hommes. Tu devrais être en bouillie à l'heure qu'il est, piétiné par l'armée en retraite.*

Il tourna la tête vers la voix. Un homme plutôt âgé le regardait tristement. Son visage était couvert de boue et de sang; ses cheveux blancs collaient à son crâne; sa maigreur faisait saillir ses os sous sa peau flétrie. Seuls ses deux yeux d'un bleu très pâle qui ne cessaient de bouger sous ses épais sourcils blancs indiquaient que la vie animait toujours son corps. Alexander déglutit.

– *En retraite?*

– *Eh bien, que croyais-tu? Que nous obtiendrions la victoire avec nos seules épées et poignards face à leurs canons chargés de mitraille? Non... Il y a eu trop de morts en si peu de temps. Tout est perdu, mon petit... Le prince est en fuite. Que Dieu le protège.*

– *Mon père... où est-il?*

– *Ton père? Comment savoir? Plus de la moitié des hommes sont tombés sur Drummossie Moor. Comment s'appelle-t-il?*

– *Duncan Coll Macdonald, de Glencoe.*

– *Glencoe, hum... Attends un peu, je m'informe.*

Il revint quelques minutes plus tard.

– *Désolé, personne n'a entendu ce nom. Il n'y a personne de Glencoe parmi nous. Comment t'appelles-tu?*

– *Alasdair.*

– *Moi, je suis Daniel O'Shea, de Skye. Je suis... enfin, j'étais l'aumônier du régiment de Mackinnon.*

Le prêtre l'aida à se lever.

– *Tes jambes te portent? Elles seront ton salut si elles tiennent bon, Alasdair. Il faut partir. Les soldats* sassannachs *ne vont pas tarder à se* montrer : ils ratissent tout le secteur et tirent sur tout ce qui porte le tartan. *Allez!*

Le garçon grimaça en tentant de bouger son bras gauche. Le vieil homme le vit et lui installa une écharpe pour limiter ses mouvements et pour que la plaie ne se rouvre pas.

– Tu as reçu une balle dans l'épaule, petit. Elle est ressortie par-derrière, heureusement. C'est une chance qu'elle ne se soit pas fichée dans un os ou, pire, qu'elle n'en ait pas fait éclater un. Il aurait alors mieux valu que le Sassannach *ne t'ait pas raté...* car tu aurais drôlement souffert et nous n'aurions rien pu faire pour toi...

« *Oui, il aurait mieux valu que John ne m'ait pas raté... car je souffre drôlement et vous n'y pouvez rien...* » pensa Alexander.

Théologien passionné par le monachisme amorcé par les moines irlandais, Daniel O'Shea avait fait ses études à l'Université de Dublin. On devinait à ses manières qu'il était issu d'une famille de rang social élevé. Il parlait le français, l'italien, le latin, en plus de différents dialectes de la langue du pays. Mais ce qui intéressait le plus Alexander, c'était ses connaissances sur l'art décoratif celte et ses symboles décrivant le cycle éternel de la vie.

— ... Et ces spirales, là, représentent l'évolution. On les retrouve fréquemment sur les pierres et les croix. Le peuple celte réglait ses us et coutumes sur le cycle de la nature : l'eau, la terre, le ciel... Cette triade forme un cercle qui tourne à l'infini. Il y a une harmonie universelle entre tous les éléments de notre monde et entre eux et nous. La pierre, l'eau, les animaux, les arbres possèdent tous une âme et sont en relation étroite les uns avec les autres. Cependant, nous, en tant qu'hommes, sommes les seuls à pouvoir comprendre tout cela. C'est donc notre devoir de mettre ces connaissances en pratique pour préserver ces relations qui forment un cycle. Autrefois, il y avait les druides. C'étaient les sages, ceux qui possédaient la connaissance. Puis, il y eut les bardes. Aujourd'hui... je ne sais pas, mon garçon... C'est à chacun de cultiver sa sagesse et de se battre pour protéger son intégrité. C'est le règne du chacun pour soi dans lequel se perdent nos vieilles traditions.

Il fit une pause, le visage plissé de tristesse. Puis, secouant sa mince frange argentée, il reprit :

— Tu sais ce qui rendait les guerriers si téméraires? Leur croyance en la vie éternelle. Il y a notre monde, le monde souterrain – celui des fées – et l'Autre Monde. Nous passons de l'un à l'autre au cours de notre évolution. Le guerrier celte n'avait pas peur de la mort... Mais ça, tu le sais déjà, hein? lui dit O'Shea en faisant un clin d'œil. La mort n'est qu'un rite de passage permettant d'accéder à un niveau supérieur de l'âme. L'art de nos ancêtres se fonde sur une philosophie de vie très complexe, Alasdair Dhu[14]. La philosophie est la somme des connaissances que l'homme rassemble et met en application. Il est important de la conserver... Beaucoup croient que nous, les Celtes, sommes un peuple guerrier primitif, assoiffé de sang. Ils ne comprennent rien à la philosophie celte et s'en tiennent aux idées simplistes que s'en sont faites les penseurs romains et grecs.

— Mais les Celtes étaient païens?

— Bah! Païens ou chrétiens, qu'est-ce que ça change? Ils avaient leur propre vision de l'univers et en tiraient les grandes lignes de conduite de leur civilisation. Crois-tu que les massacres perpétrés lors des croisades se justifient plus que les guerres des Celtes pour la simple raison qu'on visait la gloire de « notre » Dieu? Hum...

— C'est pour ça que vous avez dû fuir l'Irlande? Je veux dire... parce que vous êtes franciscain et que vous vous intéressez aux Celtes et aux croyances païennes?

L'Irlandais lui sourit, visiblement amusé par sa perspicacité.

— Ah! Un peu... Mais surtout parce que je suis un indéfectible disciple d'Épicure. *Carpe diem*[15], a écrit Horace. Je suis un homme de chair, mon garçon. Certes, je recherche l'absolu dans l'art laténien[16], et je crois que c'est ce qui m'a poussé à embrasser la vie monastique. Mais je suis comme tous les hommes : je mange, je bois et... enfin, j'ai d'autres besoins aussi. Celui qui m'a perdu s'appelait Brenda.

Plongé dans ses souvenirs, le vieillard répéta le prénom avec une douceur toute particulière.

— *Jam dulcis amica venito quam sicut cor meum diligo. Intra in cubiculum meum ornementis cuntis onustum*[17]... Quels merveilleux vers! Je les lui ai récités lors de notre dernière... enfin... Brenda était... une vision divine, mon inspiration... Tous les anges que je dessinais lui ressemblaient. Ah! mon garçon, la femme est la source de la vie. Elle ferme la boucle du cycle éternel. Elle est la fécondité, l'amour et la beauté. Elle est une muse et un sanctuaire, l'autel de nos sacrifices...

---

14. Alasdair Dhu veut dire Alexander le Noir.

15. Mets à profit le jour présent.

16. Art de la civilisation celtique de La Tène.

17. « Viens, douce amie, chère à mon cœur comme lui-même. Viens donc, douce amie, dans ma chambre que j'ai ornée pour toi... » Extrait de Cambridge Songs, de Jan M. Ziolkowski, Cornell University Press, 1988.

Alasdair, n'oublie jamais cela. La femme est la main qui guérit le cœur, mais elle peut aussi être le poignard qui le fait saigner.

— Oh! fit Alexander, surpris. Mais vous êtes?...

— Un abbé? Eh oui... Mais regarde, dit-il en montrant ses yeux du doigt, je ne suis pas aveugle. Je ne suis pas non plus fait de bois, ajouta-t-il en pinçant sa cuisse valide. Les parents de Brenda ont découvert notre relation. Ils ont envoyé leur fille dans la famille, à Kildare. Moi, pour éviter un scandale, j'ai quitté la fraternité en catimini. Je n'ai plus jamais revu ma bien-aimée...

Des hurlements qui semblaient venir des profondeurs de la terre arrivaient jusqu'à eux et emplissaient les corridors de la prison, entrecoupant leur conversation. Alexander grimaça et rentra brusquement sa tête dans ses épaules. Cela durait depuis maintenant deux jours. L'un des nouveaux prisonniers leur avait déclaré qu'il devait s'agir d'Evan MacKay, un espion des jacobites qu'on avait pris avec des lettres rédigées en français. Le malheureux était coriace. « Celui-là ira au paradis », chuchotait-on. O'Shea récita une courte prière. Mais cela ne servait à rien de s'apitoyer. Il fallait espérer pour MacKay une mort rapide.

— Bon, Alasdair Dhu... on reprend...

Fasciné, Alasdair Dhu, que le vieillard avait baptisé ainsi à cause de sa chevelure sombre, restait de longues minutes à observer la main, à laquelle il manquait deux doigts emportés par des éclats de mitraille, dessiner sur le sol les magnifiques motifs curvilignes. Certes, ces entrelacs faisaient partie intégrante de la culture highlander et lui étaient familiers. Chaque homme de clan ne possédait-il pas un poignard au manche orné de ces dessins? Mais Alexander apprenait maintenant leur signification et les voyait d'un œil nouveau.

Lorsqu'O'Shea somnolait, le garçon s'amusait à reproduire ce qu'il avait mémorisé lors de sa dernière leçon. Et le prêtre de lui dire, un jour, à son réveil en constatant ses progrès :

— « L'âme est comme la main », a écrit Aristote. Celui qui ne sent rien n'apprend rien. Tu es doué. Un don... vraiment.

Alasdair le regarda en fronçant les sourcils.

— Hum... Tu es encore bien jeune. Mais le jour viendra où tu comprendras. Nous ne naissons pas vertueux; nous devons acquérir la vertu. Pour cela, il nous faut l'apprendre et la mettre en pratique. Il faut avoir certaines dispositions et accumuler des connaissances. Autrement dit : tu possèdes des talents, Alasdair, des qualités qu'il faut savoir mettre en valeur. Évidemment, les défauts, on préfère les oublier. Toutefois, ces défauts, ces limites, nous devons les accepter, nous en contenter. La perfection n'est permise qu'aux dieux. Nous devons utiliser nos talents pour réaliser la perfection et la contempler. Contempler la beauté parfaite permet à l'esprit de s'évader dans un moment de béatitude. Cela fait tout oublier. Alors, en attendant le *Dies irae*, le jour de la colère divine, du Jugement dernier, lorsque ton estomac vide te fera souffrir, lorsque ton dernier *farthing*[18] t'échappera des mains et tombera entre deux lames du plancher au moment où tu allais te payer un dernier *dram* de whisky, lorsque la peur te tordra les entrailles à chaque détour d'un sentier inconnu, concentre-toi sur la beauté et jouis-en. Tu as en toi de quoi te l'offrir. *Carpe diem*, n'oublie pas. C'est la clef du bonheur, du vrai bonheur, ce désir fondamental qui régit tous les autres.

Voyant son jeune élève un peu perdu par l'abstraction de ses propos, le vieil homme adopta une méthode plus concrète pour lui faire comprendre ce qu'il voulait :

— Dis-moi, Alasdair, lorsque tu réussis à reproduire un de mes dessins, comment te sens-tu ?

— Eh bien... satisfait de moi, je suppose ?

O'Shea embrassa le minable cachot de son regard clair.

— Plutôt bizarre comme sentiment dans un tel endroit, tu ne trouves pas ? Tu devrais être amer, avoir envie de crier vengeance et vouloir sauter à la gorge du premier soldat anglais qui se présentera. Mais non, l'espace de quelques instants, tu arrives à être « heureux » ! Cela ne prouve-t-il pas que la richesse, l'amour, la liberté, l'honneur ne sont pas les véritables instruments du bonheur ? Ce sont des sources de plaisir, certes. Quel homme ne les recherche pas ? Néanmoins, ils ne garantissent pas le vrai bonheur, dont la source se trouve en nous uniquement. Les petites choses de la vie apportent de grandes joies, tandis que les grandes réalisations n'apportent que des bonheurs éphémères. Alors, n'oublie pas : *carpe diem* !

***

Au fil des jours, les conditions inhumaines dans lesquelles les prisonniers vivaient étaient de plus en plus difficiles à supporter. Ils étaient une quarantaine d'hommes et de femmes à se partager la cellule, et s'entassaient comme ils le pouvaient le long des murs. La promiscuité des lieux conduisait souvent à des situations embarrassantes pour ceux à qui il restait un tant soit peu de dignité.

Ils dormaient les uns sur les autres, et il arrivait qu'un bras ou

---

18. Ancienne pièce de monnaie britannique valant un quart de penny.

une jambe empiète sur l'espace d'Alexander. Préférant ne pas protester, le garçon se lovait contre O'Shea et, ne retrouvant pas le sommeil, écoutait les sons de la nuit et laissait errer ses yeux dans l'obscurité. Il rêvait ainsi de la lune et des étoiles qu'on l'empêchait de voir. Autour de lui la détresse humaine se manifestait par des pleurs étouffés ou des cris retenus. À l'occasion, c'était des halètements.

Alexander, ayant atteint l'âge de la puberté, savait très bien de quoi il s'agissait. Son corps réagissait malgré lui à ces bruits qui faisaient naître en lui des images. En dépit des conditions abominables et de la désespérance, il y avait une chose que l'homme ne pourrait jamais s'empêcher de faire: c'était d'aimer. Dans ces fugaces étreintes, ces prisonniers entassés cherchaient à se convaincre qu'ils étaient toujours des humains.

Privées de leurs plaids emportés par les soldats, couvertes de leurs seules chemises qui tombaient peu à peu en loques, les silhouettes étiques allaient presque nues; spectres vivant dans l'antichambre du purgatoire. On accordait aux détenus un brasero et cinq cubes de tourbe, un soir sur trois. Quant à l'eau, qui se faisait rare, elle ne servait qu'à boire. Ainsi, les corps s'encrassaient et devenaient des milieux favorisant l'apparition d'infections de toutes sortes.

La santé du prêtre se détériorait. Sa blessure, qu'on n'avait pas jugé bon de panser, s'était infectée. Sa cuisse, gonflée comme un ballon de baudruche et noire comme du charbon, le faisait atrocement souffrir. Mais l'homme ne se plaignait jamais et poursuivait stoïquement l'éducation du garçon. Alasdair avait réussi à obtenir du gardien qui leur apportait leur infecte bouillie d'avoine qu'il lui donne celle du prêtre immobilisé. Ainsi, on lui jetait dans les pans de sa chemise une double ration qu'il partageait avec son ami.

Après l'avoir aidé à se nourrir, il lui demandait de lui raconter des histoires de la mythologie celte où se mêlaient le réel et le surnaturel. O'Shea, brûlant de fièvre mais l'esprit toujours aussi vif, se pliait à sa requête pour le plaisir de voir ses yeux pétiller. Parfois, d'autres prisonniers se joignaient à eux. Ce genre de contes distrayait les indigents et réchauffait leur cœur l'espace d'une heure ou deux. Alexander aimait particulièrement entendre les histoires des guerriers dont les noms avaient bercé son enfance. Il se découvrait une passion pour la culture de ceux dont était issu son peuple et enregistrait toutes les connaissances que son ami pouvait lui transmettre. Tout ce qui se rapportait au légendaire guerrier irlandais Cuchulain le fascinait.

— Sais-tu pourquoi on l'appelait ainsi? lui demanda l'abbé.

— Parce qu'il était féroce au combat?

— Féroce, il l'était, c'est vrai. Mais son nom ne vient pas de là. Dans les temps anciens, le roi Conchobhor Mac Nessa, qui avait été invité au festin du forgeron Culann, y avait convié un jeune homme, Setanta, qu'il avait remarqué pour son habileté à la balle sur un terrain de jeux. Quand il arriva au banquet, le forgeron lui demanda si d'autres hommes devaient se présenter. Le roi, qui avait oublié son invité de dernière minute, lui assura que non. « C'est que j'ai un chien féroce qui garde mon bétail, expliqua Culann. Trois grosses chaînes tenues solidement par trois vigoureux guerriers le retiennent. Je le fais dès maintenant relâcher, on va fermer les portes du château. » Mais voilà que le jeune Setanta arrivait au même moment. Le chien se jeta sur lui, gueule béante. L'invité retardataire le bloqua de ses deux mains et le projeta contre un pilier de pierre, le tuant sur le coup. Les hommes du roi Conchobhor, alarmés par le raffut, accoururent. Ils n'en revenaient pas de la force inhabituelle du jeune garçon. Le forgeron, lui, était fort mécontent: voilà qu'il n'avait plus de gardien pour son bétail. Setanta s'offrit pour remplacer le chien le temps que Culann en trouve un autre. C'est ainsi que le grand druide et conseiller du roi Cathbhadh baptisa le courageux jeune homme Cù Chullainn, ce qui veut dire « le chien de Culann ».

— Combien de batailles a-t-il gagnées? A-t-il vécu longtemps?

— Il fut le vainqueur de plusieurs guerres, ça oui, mais je ne saurais dire combien! Il était le champion d'Irlande; personne ne lui résistait bien longtemps. Il ne possédait pas seulement la force du corps, mais aussi celle de l'esprit. C'est très important pour devenir un bon guerrier et éviter de faire des erreurs qui peuvent être fatales...

Il s'interrompit devant la mine déconfite d'Alexander.

— Comme je te l'ai déjà dit, tout s'apprend. Mais personne n'est infaillible, pas même Cuchulain. Il mourut lors d'un combat contre l'armée de la reine Medb; une lance le transperça. La fée Morrigane, dont il avait jadis repoussé les avances, en avait décidé ainsi. À l'heure de sa mort, elle se posa sur son épaule, et ses ennemis lui tranchèrent la tête et burent son sang. C'était la coutume à l'époque; on s'appropriait ainsi les forces du héros. L'Ulster le pleura long-temps.

— Ma grand-mère venait de l'Ulster, déclara fièrement Alexander.

— Ah! Je savais bien que le sang irlandais coulait dans tes veines, mon garçon. De quelle ville venait-elle?

— Belfast.

— Hum... *Béal Feirst*[19].

— Mon grand-père m'a raconté qu'on l'appelait autrefois *Babd Dubh*...

— La Corneille noire. Une déesse guerrière qui pouvait inspirer aux guerriers le courage ou la crainte lors d'un combat. Alasdair Dhu, serais-tu donc le petit-fils d'une divinité irlandaise?

Ils rirent ensemble. Puis O'Shea, épuisé, s'étendit sur le sol. Avec sa longue barbe blanche, il ressemblait plus à un druide qu'à un abbé défroqué. Croyant que son ami allait s'assoupir, Alexander s'allongea près de lui pour lui donner un peu de sa chaleur. La voix altérée par la douleur résonna de nouveau à ses oreilles:

— Tu sais... tous les récits mythiques recèlent une part de vérité. Ils sont le produit de générations de conteurs qui transmettaient oralement l'histoire d'un peuple en y ajoutant des détails de leur cru pour l'enjoliver et l'imprimer dans les esprits. Les monstres, les dieux ont-ils réellement existé? Bien sûr. Tu as tes propres monstres et tu vénères tes dieux personnels, Alasdair. Ce sont tes peurs et tes idéaux; les protagonistes de tes fantasmes. N'est-ce pas plus amusant d'en parler en leur donnant une forme qui exprime ce qu'ils nous inspirent? Tu vois comment un barde peut raconter les exploits d'un fier guerrier de son clan... Cuchulain n'était qu'un homme de chair et de sang, un guerrier mortel comme toi et moi. Mais on disait de lui qu'il se métamorphosait au combat en un affreux monstre assoiffé de sang. Ses cheveux se hérissaient comme des épines; sa bouche devenait si grande que la tête d'un homme pouvait y entrer; et pendant qu'un de ses yeux s'enfonçait dans son crâne, l'autre, exorbité, devenait rouge. Oh! Cette image n'est-elle pas éloquente? Car telle était sa fureur guerrière... et telle était la tienne dans la plaine de Drummossie Moor.

Interloqué, Alexander s'était retourné, bouche bée.

— Mais je n'ai rien accompli là-bas, bafouilla-t-il en rougissant.

— Au contraire! Tu as accompli beaucoup plus que tu ne le crois. Tu as affronté tes peurs, ces monstres qui te dévorent les entrailles. À l'instar de Cuchulain, tu as volé au secours de tes dieux: ton père, ton clan, ta patrie. D'accord, les résultats ne sont pas ceux que tu espérais. Mais on peut atteindre les buts qu'on se fixe en empruntant plusieurs chemins. Tu en trouveras un autre, un jour. N'oublie pas que nous sommes humains, donc imparfaits. Nous avons tous nos limites. Chaque homme doit faire du mieux

---

19. Béal Feirst: expression gaélique qui donna son nom à la ville. Signifie «abords du banc de sable.»

qu'il peut avec ses qualités et ses défauts. Tu dois apprendre à accepter tes points faibles. Pour les Celtes, c'est une règle de vie. Pour eux, les seules faiblesses sont le manque de courage, l'esprit veule et les mauvaises actions. Or, de cela, tu n'es point coupable, mon enfant.

— Mais j'ai failli... À cause de moi, mon père...

— Cuchulain n'était pas infaillible non plus. C'était un homme. Or ne dit-on pas *errare humanum est*[20]? Sa trop grande fureur l'a conduit à faire bien des erreurs pour lesquelles il a dû payer très cher parfois. N'a-t-il pas tué son propre fils, Conlai, après l'avoir reconnu trop tard lors d'un combat singulier? Et Ferdia, son ami avec qui il avait appris l'art de la guerre? Poussé par les propos sarcastiques de la reine Medb, son ennemie, aux côtés de laquelle Ferdia s'était rangé, Cuchulain dut se mesurer à lui et l'abattre pour son plus grand malheur. Pourtant, tous le portaient aux nues. On ne faillit jamais dans la quête du bien, Alasdair. Malheureusement, le parcours est parfois tortueux et jonché d'épines. Cuchulain était le gardien de son peuple. Sa mission était noble; il l'a accomplie dans la mesure de ses capacités. Tu sortiras d'ici, bientôt. Tu retourneras chez toi et tu retrouveras les tiens. Ils comprendront et te pardonneront le geste que tu te reproches.

Son geste? Mais lequel? Sa désobéissance sur le champ de bataille... ou bien ce qui l'empêchait de dormir depuis près de trois ans? John, lui, savait. Il connaissait certainement son terrible secret. Sinon, pourquoi aurait-il agi comme il l'avait fait sur Drummossie Moor? Maintenant, tout le monde devait être au courant. Ses frères, son père... Ils ne voudraient plus le revoir. Ils le renieraient. Deux fois il avait désobéi; deux fois il avait causé la mort d'un être cher. Peut-être même une troisième fois, sur Drummossie Moor.

— Mon frère John ne me pardonnera jamais, murmura faiblement Alexander, le regard perdu dans la parcelle de ciel qui était visible par la fenêtre. Les autres non plus lorsqu'ils sauront. J'ai désobéi à mon père. Mes frères ont tenté de m'empêcher d'aller sur le champ de bataille. Mais je ne les ai pas écoutés. John... a tiré sur moi...

Le vieil homme le dévisageait sans rien dire. Alexander ne lui avait encore jamais raconté ce qui lui était arrivé ce jour terrible. Mais il savait l'âme du garçon très torturée. Il voyait parfois ses beaux yeux s'assombrir. La nuit, l'adolescent faisait des cauchemars, appelait les siens, se réveillait en sursaut, terrifié. La

---

20. Il est dans la nature de l'homme de se tromper.

bataille de Drummossie Moor ne pouvait que tourmenter l'esprit d'un jeune de quatorze ans et modifier son interprétation des événements.

Lui-même cherchait désespérément à fuir les images horribles d'hommes empilés, éventrés, baignant dans leur sang, gesticulant, appelant à l'aide, os et chairs à vif. Il avait souhaité mourir ce jour-là. Mais Dieu en avait décidé autrement. Et lorsqu'il avait trouvé Alexander parmi les mourants, dans la plaine marécageuse givrée, il avait compris pourquoi. L'âme du garçon était bonne. Elle valait la peine d'être sauvée, et il lui revenait de le faire.

Malgré l'insalubrité des lieux, la blessure d'Alexander se cicatrisait bien. Les soins apportés dans les semaines qui avaient suivi la bataille avaient fait leur œuvre. Le garçon avait eu de la chance. Ses propres connaissances des herbes aidant, O'Shea lui avait évité les affreuses souffrances qu'il vivait lui-même aujourd'hui. Heureusement, sa route sur terre arrivait à son terme. C'était une question de jours tout au plus. Il ne verrait pas l'année 1746 se terminer. Mais il avait atteint son but.

***

Le froid intense gelait les prisonniers jusqu'à l'os. Tous agglutinés, les corps cherchaient un peu de chaleur dans l'infect cachot. L'odeur était effroyable, mais elle ne dérangeait plus Alexander. Elle était la leur; il s'y était habitué. De même, les geignements et les cris, le bruit des chaînes, le cliquetis des verrous et des trousseaux de clefs lui étaient familiers. Ils n'étaient plus qu'un lugubre chant qui l'accompagnait jusque dans ses rêves.

Ce soir-là, l'atmosphère de la cellule était différente. Une note de joie teintait les conversations, ponctuées même parfois d'éclats de rires. « Ils fêtent l'anniversaire du prince, mon garçon », lui avait expliqué O'Shea. On était en décembre; la *Nollaig*[21] approchait. Puis ce serait la *Hogmanay*[22], qui terminerait *Bliadhna Thearlaich* : l'année de Charlie.

La respiration sibilante du vieux prêtre, près de lui, créait une fine vapeur blanche qui couvrait sa moustache de givre. La fièvre dévorait et secouait de violents frissons le corps décharné, qui dégageait une forte odeur de putréfaction. Depuis trois jours, O'Shea refusait toute nourriture, obligeant même le garçon à avaler

---

21. Noël.
22. Jour de l'an.

sa portion à sa place. « Tu en auras besoin, Alasdair Dhu... » Il n'avait même plus la force de lui raconter des histoires. Alexander savait que la mort venait chercher son ami. Il avait le cœur lourd, se sentait tellement impuissant.

Le jour qui pénétrait par le trou percé dans l'épais mur de pierres faisant office de fenêtre baignait la cellule d'une lumière brumeuse et éclairait le monticule de chairs putrides qui se trouvait au centre. Les rats festoyaient sur les cadavres qui s'accumulaient. Un homme trouva la force de se lever et d'envoyer promener un des rongeurs d'un coup de pied. Les bestioles se risquaient même parfois à croquer dans la chair encore tiède des vivants. Une morsure de rat pouvait être fatale... Mais l'air de la cellule aussi...

Bientôt, un groupe de mendiants viendraient ramasser les corps, comme ils le faisaient régulièrement depuis quatre mois. Ils attendaient qu'une douzaine de corps s'accumulent pour venir. Cela pouvait prendre plusieurs jours. Puis de nouveaux prisonniers arrivaient, d'autres mouraient et le cycle continuait. Les pendaisons s'espaçaient. Les gens prenaient de moins en moins de plaisir à regarder ces spectacles. On oubliait ainsi les prisonniers dans l'ombre de cellules froides et humides que seule la mort visitait. Parfois, cependant, on venait chercher des hommes et des femmes pour les transférer dans d'autres prisons ou les emmener jusqu'aux navires en partance pour les colonies du Sud. Ceux qui s'embarquaient seraient vendus comme esclaves dans les plantations.

Les conditions d'existence d'Alexander étaient misérables, certes, mais il souffrait surtout dans son âme. En dépit des leçons de morale d'O'Shea, il avait conclu que, dans sa courte vie, il n'avait pas accompli de quoi faire chanter les bardes. Il avait manqué à sa promesse faite à sa grand-mère; il n'avait pas sauvé sa race. En tentant de repousser l'ennemi pour conquérir la gloire et faire honneur à son clan, il avait attiré la honte et la mort sur les siens... sur son père... Ses frères ne le lui pardonneraient jamais; il l'avait vu dans le regard de John. La vallée de Glencoe lui serait dorénavant fermée. Peut-être, après tout, était-il préférable pour lui d'être vendu comme esclave dans les colonies...

Les doigts décharnés de son ami pressèrent son bras, l'extirpant de ses sombres méditations. Il se tourna vers lui.

— Alas...dair, souffla le vieil abbé, écoute-moi... Tu dois quitter... cette prison. Tu dois vivre...

— Mais...

— Écoute... Laisse-moi terminer... Ne m'interromps pas... Je n'ai... plus beaucoup... de temps. Je vais mourir. Je sens déjà mon sang se figer dans mes veines... et mon cerveau s'engourdir. J'ai... une idée. Elle n'est pas très amusante, mais elle... est la seule qui puisse marcher. Juste avant qu'ils viennent... chercher les morts, glisse-toi parmi eux.

Les yeux d'Alexander s'agrandirent d'horreur; son cœur se serra de douleur pendant qu'O'Shea pressait son bras pour le rassurer et l'encourager.

— Je serai près de toi, Alasdair. Je veillerai sur ton âme... Je les ai observés. Ils ne se préoccupent pas de savoir si le corps est vraiment sans vie. Ces pauvres hères... qu'on pousse à la pointe des baïonnettes n'aspirent qu'à en finir au plus vite avec leur immonde tâche. Avec un peu de chance... tu recouvreras ta liberté...

— Je n'y arriverai jamais! Ce sont des cadavres pourrissants!

— *Omen nominis*[23]... Tu portes le nom d'un guerrier, Alasdair. Alexandre le Grand a affronté son destin sans chercher à s'en détourner. Et *MacDhòmhnuill*, n'est-il pas le maître du monde? Tu dois essayer... C'est ta seule chance... L'hiver ne fait que commencer... Ici, tu mourras comme un pauvre chien. Sauve-toi. Respire la liberté... pour moi. Si Dieu veut te rappeler à lui, qu'il le fasse lorsque tu seras sous les étoiles...

— Les étoiles, murmura Alexander.

Il y avait si longtemps qu'il ne les avait pas vues...

— *Libera me, Domine, de morte aeterna, in die illa tremenda...*[24] murmura faiblement Daniel O'Shea.

C'est en prononçant ces mots qu'il expira à l'aube, dans les bras d'Alexander. Le garçon pleura en silence son ami, son mentor. Celui qui l'avait aidé à regagner un peu d'estime de soi. Allait-il lui faire faux bond? Il fixait le tas de cadavres sur lequel reposait maintenant le prêtre, qui avait été dépouillé de sa chemise crasseuse et reposait nu, sur le dos, exposant impudiquement sa carcasse d'une maigreur effarante à la vue de tous. Mais personne, si ce n'était lui, Alexander, ne portait déjà plus attention au nouveau mort. L'événement était devenu tellement banal.

L'adolescent réfléchit longuement à ce qu'il allait faire. La journée s'écoula ainsi lentement. Au moindre bruit venant de l'autre côté de la porte, il sentait son cœur bondir et posait sa main dessus pour tenter de se calmer. S'il restait, il était inévitablement condamné. Mais le tas de cadavres grouillant de vermine le dégoû-

---

23. Le présage du nom.
24. Délivre-moi, mon Dieu, de la mort éternelle, en ce jour terrible…

tait tellement... Et puis, si on le démasquait, il serait certainement torturé ou battu à mort comme le pauvre MacKay.

Le soir plongea la cellule dans une épaisse obscurité qui ne l'aidait pas. Ce serait sa première nuit seul sans le prêtre. Le sommeil le fuyait; les paroles du vieil homme le hantaient. Il espérait qu'O'Shea viendrait le rejoindre et le serrer contre son corps tiède, qu'il lui dirait qu'il avait encore fait un cauchemar. Mais rien de cela n'arriva. Il se retrouvait seul pour combattre ses monstres.

Les mendiants vinrent le lendemain, à l'aube. Leurs grognements et le martèlement des bottes des soldats qui les accompagnaient résonnèrent dans le corridor. Le cliquetis métallique des clefs... Le cœur d'Alexander se mit à tambouriner violemment dans sa poitrine. Il regarda le corps blanc d'O'Shea figé dans la mort et déglutit. Il était pris de panique. Il devait se décider immédiatement.

« Le courage, c'est d'affronter nos peurs, Alas », lui dit la voix de son père. Se levant sur ses maigres jambes vacillantes, il hésitait encore. Les pas se rapprochaient. « Respire la liberté... pour moi », l'encourageait la voix du prêtre. Déglutissant une dernière fois, il se mit à quatre pattes et s'approcha du centre pour chercher dans l'immonde tas de viande un endroit où se placer. Se coller à son ami lui parut être la meilleure idée. Une femme l'observait, le regard ahuri, mais elle ne dit rien lorsqu'il s'allongea sur le sol glacé. Il entendit des murmures et des exclamations dégoûtées tout autour. La voix de la femme les fit taire sur-le-champ. Devait-il retirer sa chemise? Les soldats allaient-il se douter de quelque chose sinon? Plus le temps!

Le verrou grinça et les pas traînants des mendiants pénétrant dans le cachot se firent entendre à l'instant même où il se plaquait face au sol contre le corps raide d'O'Shea. L'âme d'un homme de Dieu ne s'emparerait certainement pas de la sienne.

— Allons, dépêchez-vous, bande de fainéants! maugréa l'un des soldats. Il y en a d'autres... Bon sang! Ce que ça pue!

Il faisait froid. Son cœur battait si fort qu'il crut qu'il allait exploser. Ses membres s'étaient paralysés. Comme l'avait remarqué son ami, les soldats ne se donnaient pas la peine de vérifier si les corps étaient bel et bien sans vie avant de les emporter. Le responsable s'informait de l'identité du mort, l'inscrivait dans un registre puis passait au prochain. Néanmoins, l'homme qui empoigna ses chevilles sentit la tiédeur qui en émanait. La femme qui avait observé Alexander un peu plus tôt expliqua immédiatement qu'il était mort il y avait une heure à peine.

La peur ayant paralysé son corps, le garçon avait relâché ses muscles malgré lui et avait fait sous lui. Le soldat le remarqua, et voulut le piquer de la pointe de sa baïonnette. La femme cria aussitôt qu'il ne fallait pas mutiler les corps des morts, que c'était un blasphème. Elle le fit sursauter alors qu'il visait déjà les reins, ce qui le fit piquer la cuisse. Alexander encaissa sans broncher. Il était tellement gelé qu'il avait à peine senti la pointe de l'acier.

— Vous connaissez son nom?

— Je crois qu'il s'appelait Alasdair. Alasdair Dhu Macdonald, de Glencoe.

— Glencoe? Hum... Bon, grommela le soldat en écrivant.

Le jeune garçon réprimait avec une grande difficulté des tremblements engendrés par la terreur et le froid. Le soldat le gratifia d'un coup de pied dans les côtes, puis, apparemment satisfait, le fit porter hors de la cellule avant de passer au prochain.

Alexander se retrouva alors dans un tombereau, sur des corps trempant dans leurs humeurs et sanies. Il eut beaucoup de peine à s'empêcher de vomir. La puanteur des gaz dégagés par les cadavres, les sons lugubres qui sortaient de la bouche des morts ballottés par les mouvements du véhicule l'écœuraient et lui donnaient envie de hurler. Était-ce cela, la mort? Il maudissait O'Shea pour son idée. Il se maudissait pour ne pas être mort avec lui. Il réussit à se concentrer sur sa liberté à venir, sur les battements de son cœur qui lui rappelaient qu'il vivait toujours.

Les roues grinçaient sous lui; le conducteur chantonnait une ballade. Dans une rue sombre, il parvint à se dégager de l'étreinte glacée d'une femme qui l'étouffait. Une main à laquelle il manquait deux doigts reposait sur son ventre. Le prêtre. Un goût amer lui emplit la bouche. Donnant un vigoureux coup de pied pour libérer sa jambe coincée sous un torse, il roula sur le côté et se laissa mollement tomber en bas du tombereau au détour d'une ruelle. Sans bouger, il ouvrit un œil avec prudence. La voiture continuait son chemin, cahin-caha. Il attendit encore un moment, s'assurant qu'elle eut bien disparu. Puis, il se leva avec difficulté en vomissant un filet de bile. Il était libre...

Il avait réussi! Il n'arrivait pas à le croire: il était libre! Levant les yeux au ciel, il remercia Dieu et O'Shea. Étourdi par sa grande faiblesse, il se retint au mur pour ne pas s'effondrer et se mit à regarder autour de lui. Il était encore très tôt. La ruelle était déserte et une brume épaisse rampait depuis les bords de la Ness. Elle serait complice de sa fuite.

Il fit quelques pas et sentit le sol boueux et glacé s'insinuer entre ses orteils. Engourdi par le froid, ne portant que sa chemise raidie et crasseuse, il pensa qu'il lui fallait trouver de quoi se vêtir.

Sans vêtements, il ne passerait pas la nuit; il commençait déjà à claquer des dents. Ensuite, il chercherait un peu de nourriture.

Il longea les murs en claudiquant, jetant un œil par les fenêtres, scrutant les coins des ruelles à la recherche d'un endroit où entrer. Au moment où la silhouette d'une voiture émergeait de la brume, il trouva enfin. Bondissant dans le renfoncement d'une porte cochère qui s'ouvrit dans son dos, il se retrouva dans une cour déserte. Près de l'entrée, un tas de bûches attendaient d'être fendues. Une hache était plantée à côté. Les portes de l'écurie étaient fermées. Alexander vit une dépendance dont la toiture était défoncée, les latrines certainement, et un appentis qu'il crut être la laiterie. Il s'en approcha.

L'endroit était sombre; une merveilleuse odeur de viande flottait. Il avait si faim... Salivant et déglutissant, il fit quelques pas. Au même moment, une porte s'ouvrit toute grande et une forme imprécise se définit peu à peu dans la pénombre. La silhouette en jupes s'immobilisa sur le seuil. Lui, pétrifié, n'osait ni bouger ni parler. L'avait-elle aperçu? Un petit cri étouffé dans la paume d'une main lui fournit la réponse.

Désespéré, il se jeta aux pieds de la femme pour implorer son silence. Le reniflant, elle le repoussa violemment et fit un pas en arrière en se pinçant les narines.

— Pouah! Mais d'où arrives-tu comme ça?

— De... la prison, lui avoua-t-il naïvement.

Elle le fixa, stupéfaite.

— Quoi? Du Tolbooth?

Le considérant de nouveau, elle ouvrit de grands yeux.

— Mais tu n'es qu'un jeune garçon! Quel âge as-tu?

— Euh... quatorze ans...

Elle bougea de côté pour laisser la clarté l'éclairer, et l'examina avec minutie.

— Hum... Que veux-tu et quel est ton nom?

— Je m'appelle Alasdair... Dhu. J'ai besoin d'habits... enfin, de quoi me couvrir. Un morceau de pain, peut-être, aussi... Rien de plus, je vous le jure.

— Tu es seul?

— Oui.

Elle scruta les recoins de la laiterie pour vérifier qu'il disait vrai. Puis elle reposa ses yeux noirs sur lui, demeurant silencieuse pendant une longue minute. Voyant son air dubitatif, il crut un instant qu'elle allait se mettre à crier pour le dénoncer et qu'il se retrouverait de nouveau en prison. Oh non! Jamais plus... Il se battrait jusqu'à la mort pour ne pas retourner là-dedans.

— Ça alors, tu es tout bleu! Viens, tu as besoin d'un bon bain pour commencer, puis de vêtements propres. J'ai peut-être quelque chose qui t'irait. Ensuite seulement, tu auras droit à un repas.

Alexander chancela. L'émotion l'empêchait de respirer. Puis il goûta le sel d'une larme de joie sur ses lèvres gercées.

Un grand feu brûlait dans l'âtre et faisait danser des ombres sur les traits émaciés d'Alexander, qui gardait les paupières fermées. Une main sur l'estomac, il attendait que les crampes passent. Peut-être aurait-il dû se contenter du bouillon et du pain, la viande n'ayant pas fait partie de son régime depuis... quoi? Oh! Il n'arrivait plus à se rappeler.

Dehors, des milliers de petits flocons givrés tourbillonnaient. Les toitures se recouvraient d'une mince couche de neige. Maintenant qu'il était propre et en sécurité, enveloppé d'une chaleur à laquelle il n'était pas habitué, il sentait le sommeil le gagner. La porte claqua. D'un bond il se réfugia sous la table, guettant l'entrée de la cuisine. Le bas de la jupe brune de la jeune femme fit irruption, et il soupira de soulagement. La servante lui avait assuré que sa maîtresse ne rentrerait que lorsque la tempête serait terminée. Mais après ce qu'il avait vécu, pendant si longtemps, il était comme un animal sauvage.

Le visage de la fille apparut, souriant. Elle n'avait guère plus de quinze ou seize ans. Bien qu'elle ne fût pas vraiment jolie avec ses yeux trop rapprochés et son nez qui déviait légèrement vers la droite, elle avait un sourire avenant qui réchauffait le cœur. Pour lui, c'était assez pour qu'il la trouvât belle.

— Sors de là, je ne vais pas te manger! s'exclama-t-elle en riant. De plus, tu vas rouvrir ta blessure et laisser tout ton sang dégouliner sur le plancher que j'ai récuré ce matin.

Rougissant, il rampa et sortit de son abri. Puis il reprit sa place sur le banc en esquissant une grimace. Elle le regardait d'un œil critique, la tête penchée sur le côté. Elle poussa devant lui un bassin rempli d'eau fumante, un pain de savon et un rasoir. Il resta perplexe devant l'attirail, cherchant à comprendre.

— Ben quoi? fit-elle en haussant les épaules. Il faut te raser, mon grand.

— Euh...

Il porta sa main à ses joues et à son menton. Quelques poils drus lui piquèrent les doigts; d'autres, plus longs, frisottaient. Sans attendre, la fille lui noua une serviette autour du cou et fit mousser le savon avant de l'appliquer sur son visage encore rouge du frottage rigoureux de la toilette. Gêné, il se laissa dorloter par cette douce inconnue qui le manipulait comme une poupée de chiffon depuis son arrivée. La lame brillante du rasoir lui passa devant les yeux avant de s'immobiliser sous son menton.

— Je m'appelle Connie, lui dit-elle gentiment tandis que la lame affûtée glissait sur sa gorge. D'où viens-tu?

— De l'ouest.

— Mackenzie? Macdonald? Cameron? Campbell, peut-être? T'es d'un clan jacobite, pour sûr, hein?

Il tressaillit, et la lame l'entailla légèrement.

— Oh, pardon! Ça fait mal?

Il hocha lentement la tête de droite à gauche, fixant le fil de la lame. Elle essuya le sang avec un coin de la serviette, puis reprit son travail.

— Tu n'es pas obligé de me donner le nom de ton clan, Alasdair Dhu. Ne t'inquiète pas. Tant que tu restes ici, tu es en sûreté. Ma maîtresse s'appelle Annabelle Fraser. Son mari était lieutenant dans le régiment de Lovat. Il n'est jamais rentré de la bataille de Culloden. Je pense qu'elle ne verra pas d'inconvénient à t'héberger quelque temps. De plus, elle a aussi perdu le valet de monsieur Fraser, qui avait choisi de suivre son maître. Une nouvelle paire de bras ne sera pas de trop ici. Bien que les voisins nous offrent un peu d'aide, je suis toute seule avec elle pour faire tourner la maison. Les choses ont changé depuis le printemps dernier. Trop de veuves et d'orphelins...

Elle fit disparaître en soupirant les dernières traces de savon qui restaient sur les joues et la gorge d'Alexander et sourit.

— Voilà, j'ai terminé! Il y a un miroir sur le mur, près de la porte.

Il eut un choc en voyant son reflet. Il ne reconnaissait plus le jeune homme qui le dévisageait avec ébahissement. Sous la sombre tignasse, profondément enfoncés sous les arcades sourcilières, les yeux étaient ternes. Larges et osseuses, les pommettes et la mâchoire saillaient fort sous la peau. Quant à la bouche à la courbe si irrégulière, elle lui sembla plus grande que dans ses souvenirs. Où était donc passé l'enfant qui avait quitté la vallée de Glencoe un an plus tôt? « Il est mort dans cette affreuse prison », lui répondit une petite voix.

Comme pour se convaincre qu'il ne rêvait pas, il passa sa main, qu'il remarqua fortement veinée, sur les angles de son visage puis sur sa pomme d'Adam qui avait pris du volume. Un œuf coincé au centre de son cou décharné. Un homme... Il était devenu un homme.

— Alors?

Il se tourna vers la jeune femme, qui le dévisageait avec un plaisir évident. Se sentant alors rougir jusqu'à la racine des cheveux, il baissa les yeux vers son grand corps perdu dans un pantalon et une chemise d'où dépassaient ses membres maigrelets. Les habits du valet, lui avait-elle précisé. Le pauvre homme ne viendrait probablement jamais réclamer ses biens.

— C'est beaucoup mieux comme ça, déclara-t-elle d'un air satisfait.

Puis, armée d'une brosse, elle s'empara d'une mèche de cheveux emmêlés et tira dessus.

— Il ne reste plus qu'à te coiffer, mon grand. Ensuite, tu seras aussi beau que le prince lui-même!

— Aïe!

Il n'avait pas le choix; il lui fallait livrer sa tête aux mains de la demoiselle. Cependant, sentir ses doigts énergiques manipuler sa chevelure et lui masser le crâne lui fit beaucoup de bien. Il en éprouva même du plaisir, fermant les paupières et se laissant aller pour la première fois depuis longtemps... trop longtemps.

✳✳✳

Malgré la rigueur de l'hiver dans les Highlands cette année-là, Alexander ne se plaignait aucunement de sa condition. Dans les montagnes, il serait certainement mort de froid et de faim. Madame Fraser avait accepté de l'héberger à condition qu'il gagne sa pitance en effectuant les quelques travaux qui incombaient d'habitude au valet disparu. La nourriture était rare, et on la payait à prix d'or. Il n'était pas question de faire la charité lorsqu'on avait à peine de quoi se nourrir convenablement soi-même. Toutefois, sous ses airs revêches, la dame cachait un grand cœur, le garçon en était persuadé. Il ne lui donna aucune raison de se plaindre, bien que les forces lui manquassent parfois.

Les douceurs du printemps arrivèrent peu à peu. L'air tiède du large fit rapidement fondre les derniers résidus de neige, et le bétail put envahir les pâturages pour les tondre au fur et à mesure qu'ils verdissaient. Au chant des oiseaux se joignait celui de Connie. Elle chantait à longueur de journée tout en accomplissant ses tâches. Alexander aimait l'écouter; sa voix était si belle. Cela distrayait son esprit des sombres pensées qui l'assaillaient lorsqu'il s'acquittait de ses corvées.

L'idée de retourner à Glencoe, comme le lui avait suggéré

O'Shea, lui trottait dans la tête. Il espérait tant que son père ne fût pas mort comme il l'avait imaginé. Mais il était terrorisé à l'idée de devoir affronter ses frères. Il lui faudrait expliquer son comportement impardonnable. On le jugerait assurément. On le bannirait du clan, peut-être. Et John...

Les souvenirs de ce terrible jour d'avril ne lui revenaient que par bribes. Il avait du mal à retrouver la chronologie des événements. Son esprit semblait refuser de remettre les faits dans l'ordre.

Assis sur une brouette renversée, plongé dans ses pensées, il s'amusait à sculpter un morceau de bois avec le canif que madame Fraser lui avait offert. Il étudia le motif grossièrement ciselé en faisant une moue de mécontentement. Les entrelacs n'étaient pas bien équilibrés et la tête du héron était trop grosse. Mais il n'avait pas le temps de rectifier son dessin. Grognant, il fourra le bout de bois dans sa poche avec le canif, puis sauta en bas de la brouette. Il atterrit dans une bouse toute fraîche, glissa et évita de justesse de tomber dedans en se retenant à une bride suspendue au mur devant une stalle vide.

— Oh, bon Dieu de merde! grommela-t-il entre ses dents en essuyant la semelle de sa chaussure sur une botte de foin.

— Tu ne pourrais pas mieux dire!

Un rire cristallin résonna dans l'écurie et le fit pivoter d'un coup. Connie, avec son merveilleux sourire, le regardait. Absorbé dans son travail, il n'avait pas remarqué qu'elle s'était arrêtée de chanter. L'épiait-elle depuis longtemps?

— Tu ne travailles pas très fort, cet après-midi, Alasdair, hum?

— J'y retournais justement, bafouilla-t-il tandis que le feu lui montait aux joues.

Elle s'approcha nonchalamment de lui et posa une main sur son avant-bras. Le contact était tiède et doux.

— Que faisais-tu? Montre-moi.

— Rien... En fait, je m'amusais seulement à sculpter un morceau de bois.

— Je vois... Tu as faim? J'ai quelque chose pour toi...

Elle sortit de sa poche un mouchoir et déballa un gros morceau de gâteau d'avoine encore tout chaud.

— Oh! Merci.

Tâtant son biceps, elle leva vers lui des yeux coquins. Il la dépassait maintenant d'une bonne tête. Bizarre qu'il le remarquât seulement aujourd'hui.

— Le travail te va bien. Tu es solide.

Un peu gêné, Alexander s'écarta. Les doigts de la jeune femme sur son corps avaient suscité en lui une émotion qu'il jugeait préférable d'éteindre immédiatement. Connie, comprenant sa réaction, étira un sourire mielleux.

— Je dois retourner aux cuisines; le dîner à préparer... À plus tard.

Puis, sans crier gare, elle colla sa bouche sur la sienne et, dans une virevolte, sortit de l'écurie en chantant, le laissant pantois. Le cœur battant, une main sur son entrejambe qui manifestait ses envies viriles de façon patente, il fixait la porte, bouche bée.

***

Les jours passaient et Connie multipliait les occasions de se retrouver seule avec lui, le frôlant intentionnellement pour allumer son désir. La considérant depuis le début comme une grande sœur, Alexander était mal à l'aise. Ce changement subit de comportement chez la jeune femme suscitait en lui des émotions qu'il trouvait anormales. La nuit, seul sur sa couche installée dans l'ancienne chambre du valet, il restait éveillé de longues heures à écouter le sensuel bruissement des feuilles qui lui faisait penser au froissement des jupes de la demoiselle. Il imaginait que les vêtements se soulevaient légèrement dans la brise, et cela suffisait à l'émoustiller. Quand il entendait les plaintes amoureuses des chats qui se livraient à leurs ébats sur les toits des maisons du quartier, il croyait presque que c'étaient des femmes qui poussaient des cris de jouissance. Il croyait surtout entendre la voix séraphique de Connie.

Connie, sirène dont le chant l'envoûtait, l'entraînait dans les remous d'une sexualité naissante, suscitait en lui des pulsions nouvelles qu'il n'arrivait à soulager qu'en rêvant d'elle. Elle lui inspirait des songes qui le gonflaient de désir et de fascination pour le corps de la femme, qu'il déshabillait avec adresse pour découvrir l'exquise différence qui faisait d'elle son complément.

Il découvrait une nouvelle facette de la femme. Il connaissait la mère : celle par qui vient l'amour, celle *par* qui il était. Il apprenait maintenant à connaître l'amante : celle qui donne une raison de vivre, et sans doute de mourir; celle *pour* qui il était.

Alexander ne voulait surtout pas tomber amoureux de Connie, car il allait partir. Il avait enfin pris sa décision. Il retournerait à Glencoe un jour, il le fallait. En même temps, il sentait qu'il avait besoin d'elle. Il avait envie d'elle. Mais il avait peur. Peur que la tiédeur de son sexe ne lui arrache quelque chose en lui donnant du plaisir. Peur de lui abandonner une tranche de son âme et de la laisser ainsi accéder à ses faiblesses qu'elle pourrait utiliser pour le manipuler à sa guise.

Tandis que l'enfant qui était en lui aspirait au réconfort que semblait pouvoir lui apporter cette chair tentante, l'homme qui s'éveillait s'armait, brandissait son bouclier devant cet envahisseur inconnu qu'était l'amour. Car l'amour blessait, l'avait averti O'Shea; il pouvait tuer plus sûrement que l'acier trempé d'une lame. Laisser la jeune femme continuer à l'ensorceler signifiait s'exposer à souffrir inutilement, et cela, il ne le voulait pas. Il allait devoir mettre les choses au clair le plus tôt possible.

Il trouva Connie penchée au-dessus de la marmite à vérifier l'assaisonnement du ragoût. Sa croupe rebondie se dandinait d'un côté et de l'autre en suivant le rythme de l'air qu'elle fredonnait joyeusement. Cette vue fit naître dans son esprit des images toutes plus affriolantes les unes que les autres et fit battre son cœur à vive allure. Son sang affluait dans ses tempes et entre ses cuisses.

Il avait envie de l'embrasser, de poser ses mains sur son corps bien en chair, confortable et chaud. Pourquoi lui dire qu'il allait partir alors qu'il la désirait? Il s'en voulait de fléchir devant la puissance du désir que suscitait le sexe faible. Pris de panique, il allait sortir lorsque, cambrant les reins et renversant brusquement la tête vers l'arrière pour soulager ses muscles dorsaux, Connie le retint inconsciemment par les griffes de la tentation qu'elle enfonçait profondément dans son ventre.

La pluie drue formait un rideau devant les fenêtres et assourdissait les bruits de la rue. Un éclair zébra le ciel obscurci d'une lumière blanche. Le tonnerre, cri du ciel, lui envoya un avertissement. Le silence revint. Mais dans le crâne d'Alexander retentissait encore le grondement céleste: « Sauve-toi! Sauve-toi! » Il n'y arrivait pas; il était complètement envoûté par cette sorcière.

Elle virevolta gracieusement, exécutant en même temps quelques pas de danse, un doigt dans sa bouche arrondie. Puis, étirant le bras, elle attrapa une boîte et jeta une pincée de sel dans la marmite avant d'y plonger la louche et de la retirer pleine de la potion fumante.

— Aïe! fit-elle en trempant ses lèvres. Hum... Il manque du thym.

Montant sur une chaise, elle tenta d'attraper quelques petites branches de la plante en question. Du regard, le jeune homme caressa la courbe de la poitrine qui tendait le corsage. Il déglutit. N'arrivant pas à atteindre le crochet qui pendait à la poutre, Connie se hissa sur la pointe des pieds et prit appui d'une main sur une étagère. La planche bougea; la jeune femme perdit l'équilibre et tenta de se rattraper aux poêles et aux divers ustensiles de cuisine qui étaient suspendus. Elle basculait dans le vide dans un vacarme métallique épouvantable lorsque deux bras la rattrapèrent fermement.

— Oh! s'exclama-t-elle, ébranlée. Que je suis... maladroite!

— Ça va? Tu n'as rien?

— Je crois... oui. Grâce à toi...

Elle le dévisageait sans rien dire, se laissant engloutir par les yeux bleu saphir qui la dévoraient ostensiblement. Le souffle court, sentant les seins bien fermes écrasés contre sa poitrine, Alexander la retenait contre lui. Mais comment faisait-on avec une femme? Il avait bien embrassé à deux ou trois reprises une petite copine de jeux. Mais ces baisers anodins que la simple curiosité l'avait poussé à donner n'avaient fait naître en lui qu'un malaise, et il n'avait pas cherché à renouveler l'expérience. La chasse et l'entraînement au combat l'intéressaient beaucoup plus alors. Aujourd'hui, à quinze ans, il ne connaissait rien à ces choses-là et ne savait comment s'y prendre malgré les pulsions que les seins de Connie réveillaient. Elle, en revanche, semblait plus dégourdie. Il sentit son odeur et remarqua pour la première fois cette note indéfinissable qu'elle contenait. Se retrouvait-elle chez toutes les femmes ou était-elle propre à Connie?

— Merci... souffla-t-elle doucement en approchant son visage du sien.

Elle s'immobilisa à quelques pouces de lui, fixant sa bouche avec insistance, enroulant ses bras autour de ses épaules. Hardies, ses lèvres roses effleurèrent celles du jeune homme, faisant naître un merveilleux frisson qui lui parcourut la nuque et descendit jusqu'au creux de ses reins. Elles étaient encore plus douces qu'il ne l'avait imaginé.

— Madame Fraser est partie pour la journée. Elle est allée chez son beau-frère, à Beauly, lui susurra-t-elle en fermant à demi les yeux. Avec l'orage... elle ne rentrera certainement pas pour le dîner...

N'arrivant pas à prononcer une seule syllabe, Alexander hocha la tête et inspira profondément pour se calmer et s'éclaircir les idées.

— Nous serons seuls jusque tard dans la soirée, Alasdair Dhu.

Les mains de Connie, ignorant le tumulte intérieur qui para-lysait le jeune homme, glissèrent sur sa chemise, dans son dos, jusqu'à sa taille. Son corps d'adolescent maladroit s'était transformé pendant la dernière année, et ses muscles développés par les durs labeurs lui donnaient maintenant une silhouette d'homme. Elle en suivit encore les contours jusqu'aux hanches et fit courir ses doigts jusque dans sa culotte, sur ses fesses qu'il contracta en émettant un grognement. Elle réussit ainsi à abattre d'un coup la muraille qu'il tentait désespérément d'ériger entre elle et lui...

— Tu me veux, Alasdair? Tu es un homme maintenant. Et un homme, parfois... veut bien d'une femme... Tu me désires, Alasdair?

Elle lui souffla ces mots sur sa bouche, qu'elle couvrit de nouveau de la sienne, l'envahissant de sa langue humide tel l'insidieux serpent du Mal. Il ne put même pas protester. Le sort en était jeté. Il la désirait, oh oui!

Terriblement excité, il se pressait en gémissant contre ce corps qui se tendait pendant que les mains massaient ses muscles fessiers avec adresse. Il promena ses paumes moites sur les seins, objet de ses fantasmes. Il les tâta comme il l'avait tant de fois fait en songe. Comme on s'empare d'un fruit convoité, bien mûr : délicatement, avec une sensibilité tactile accrue. L'intime contact faisait naître et défiler des images derrière ses paupières closes et le plongeait dans un état second où ses monstres n'avaient plus de prise sur lui.

— Oh! Connie... Oooh...! Oui! Oh, oooui!

Un nouvel éclair traversa le ciel. Les mains de Connie, le manipulant avec doigté, prenaient possession de son corps, de ses sens. Un cri rauque s'échappa de sa gorge tandis qu'un feu d'enfer lui brûlait le bas-ventre. Le ciel se déchira de nouveau. Ce fut comme si le sol s'ouvrait sous ses pieds et qu'il tombât dans un gouffre sans fond. Il se raccrocha à elle, enfonçant ses doigts dans sa chair à travers les épaisseurs des jupes. Puis, haletant, hébété, il relâcha peu à peu sa prise, écoutant le battement de la pluie et le martèlement violent de son cœur dans sa poitrine. Ils demeurèrent ainsi immobiles plusieurs minutes : lui, reprenant son souffle, elle, se mordant la lèvre pour s'empêcher de rire.

— Je suis... désolé, bafouilla-t-il, penaud, en s'écartant finalement.

Puis, constatant qu'il avait souillé sa culotte, il mit une main devant.

— Tu es puceau, tu apprendras.

Se hissant sur la pointe des pieds, elle déposa un baiser sur sa bouche avec tendresse.

— Je te montrerai, si tu veux... Tu embrasses bien, c'est un bon début.

À n'en pas douter, Connie n'était pas novice en la matière. Ses lèvres carminées et légèrement gonflées s'incurvèrent joliment et ses paupières battirent. Il soupira et ferma les yeux, le ventre encore impitoyablement labouré par le désir. « *Carpe diem* », songea-t-il. Mais comment partir à présent?

***

Une autre année s'écoula. L'été 1748 peignit les montagnes d'améthyste et les vallées d'émeraude. Le blé et l'orge avaient levé dans les champs et les agneaux gambadaient gaiement derrière les troupeaux qui piquetaient les collines de blanc. Si la vie commençait un nouveau cycle, la répression dans les Highlands aussi. Les navires ancrés dans la rade se remplissaient des rebelles que vomissaient les prisons. On expédiait les prisonniers à Newcastle où on les répartissait comme du vulgaire bétail dans divers bâtiments d'où ils repartiraient pour les plantations des colonies.

Il arrivait à Alexander de se risquer jusqu'aux abords du port et d'assister aux embarquements des misérables que les haillons ne couvraient presque plus. Il regardait en silence, scrutait les visages pour en trouver qui lui seraient familiers, frissonnait parfois en voyant le sien. Puis il se détournait et s'en retournait chez la dame Fraser où l'attendaient ses corvées. Il était reconnaissant à la veuve de ses bontés. Et grâce à Connie, il avait retrouvé goût à la vie... Mais il lui arrivait d'entendre le vent porter l'appel des montagnes, et le mal du pays le prenait aux tripes. Sa contrée lui manquait. Il voulait revoir la vallée de Glencoe, écouter sa rivière lui chanter son histoire. Il voulait s'étendre sur les pâturages bien gras de Rannoch Moor, y laisser son empreinte.

Secouant le sable qui recouvrait son œuvre, il passa les doigts sur la surface polie du bois avec satisfaction. C'était plutôt bien réussi. Il prit le petit miroir de Connie et le déposa dans le renfoncement qu'il avait ménagé à cet effet au centre de l'ouvrage. Il inséra des petites chevilles pour le bloquer, puis admira le résultat. O'Shea aurait été fier de lui. Les entrelacs, fluides et harmonieux, formaient le corps d'un héron aux proportions parfaites : symbole de la pensée logique et de la patience. C'était comme cela qu'il se représentait Connie. Il espérait qu'elle apprécierait son présent.

Il éteignit la chandelle, plongeant l'écurie dans l'obscurité. La lune coulait ses rayons et éclairait la croupe du cheval, lustrant son poil fraîchement étrillé. Il avait terminé plus tard que d'habitude, car Annabelle Fraser venait tout juste de rentrer de Beauly. Connie la soupçonnait d'entretenir une relation amoureuse avec son beau-frère. L'homme était célibataire. Quel mal y avait-il, après tout ? Toutefois, Alexander devinait qu'une dispute avait éclaté entre les deux amants. Madame Fraser était d'une humeur massacrante à son retour. Elle lui avait remis entre les mains sa bête écumante en jurant et avait disparu dans la maison sans un mot et en claquant la porte.

Vérifiant que toutes les lampes étaient bien éteintes, il quitta l'écurie. Il lui tardait de retrouver la tiédeur du lit et du corps de Connie, qui ne devait plus l'attendre à l'heure qu'il était. Leurs chambres étant contiguës, ils n'avaient qu'à faire quelques pas pour se rejoindre. Les braises dans l'âtre de la cuisine agonisaient tranquillement. Des bruits de pas et des sanglots étouffés lui parvinrent d'un endroit qu'il savait être le bureau de monsieur Fraser. Sous peine d'être renvoyé, personne n'était autorisé à entrer dans la pièce qui était condamnée depuis la disparition du maître des lieux. Une faible lumière filtrait sous la porte fermée. La maîtresse de maison ruminait sa colère. Peut-être devait-il en faire part à Connie...

La chambre de la servante, sous les combles, était chaude. Par la fenêtre ouverte, une brise fraîche pénétrait, faisant sensuellement onduler le rideau. Alexander restait immobile, son cadeau entre ses doigts crispés. Cette pièce était pleine de leurs rires et de leurs soupirs. Il s'était juré de ne pas aimer Connie. Pourtant, il ne pouvait nier qu'il éprouvait des sentiments pour elle. Elle lui avait tant appris, avec une telle patience. Parfois, il se surprenait à craindre le retour inopiné du valet des Fraser, qui avait avant lui aussi partagé le lit de la charmante créature. Elle le lui avait avoué, sans honte aucune, dans le but de lui expliquer son expérience et afin qu'il ne se fasse pas d'idée sur la façon dont elle aurait pu l'acquérir. Elle avait bien aimé Wallace, comme elle l'aimait bien, lui.

Connie l'avait attendu, mais s'était endormie; la chandelle s'était consumée jusqu'au bout. Déposant le miroir sur la table de chevet, il s'approcha du lit. Elle avait l'habitude de se coucher nue lorsqu'elle savait qu'il allait venir la rejoindre, et sa pâle carnation se détachait dans l'obscurité, formant une tache aux formes imprécises. Cependant, il en connaissait chaque courbe et chaque repli secret.

Évoquer leurs ébats éveilla son désir. Il s'assit, fit doucement glisser un doigt dans le creux des reins, qui se cambrèrent. La jeune femme gémit et roula sur le dos, lui présentant sa poitrine bien pleine et attisant ainsi son envie d'elle. Elle frissonna sous la brise qui effleura sa peau miroitante dans le clair de lune.

Les mains d'Alexander remontèrent le long des flancs et emprisonnèrent les deux globes laiteux dont les pointes se dressaient voluptueusement. Coussins fermes mais moelleux sur lesquels il aimait s'endormir après leurs ébats. Connie, généreuse de chair et de cœur, s'était offerte à lui, l'avait invité dans sa douce chaleur, l'avait initié aux plaisirs. Elle battit des cils, s'éveilla en s'étirant à la manière d'une chatte languissante. Oui, il comprenait maintenant pourquoi un homme pouvait perdre la tête pour une femme.

— Oooh! fit-elle dans un soupir.

Un sourire courba sa bouche et elle glissa ses mains sur les cuisses d'Alexander qui se durcirent sous sa culotte.

— Il est tard? Où étais-tu?

— La maîtresse arrivait de Beauly au moment où je sortais de l'écurie. Il a fallu que je m'occupe de son cheval.

— Mais elle devait passer la nuit là-bas... fit-elle remarquer d'une voix endormie. Je me demande bien pourquoi elle n'est pas restée à Beauly. Les routes ne sont pas sûres, surtout pour une femme seule.

— Je crois bien qu'ils se sont disputés. Elle était dans un tel état...

— Hum... Annabelle est un peu soupe au lait; et Allan, un peu rustre parfois. Enfin... laissons-les régler leurs différends. Viens me rejoindre. Tu m'as déjà trop fait attendre, Alasdair...

Elle empoigna le col de sa chemise et le tira en riant pour le faire basculer sur le lit. Puis le silence retomba comme un voile sur eux. Connie agrippa Alexander aux épaules et l'attira sur elle. Comment résister?

— Alasdair... Je... t'aime bien, tu sais...

Il couvrit les lèvres de son amante de sa main pour l'empêcher de prononcer les mots qui étaient la plus terrible des armes de la femme.

— *Tuch!* Ne dis rien...

— Non... je veux que tu saches. Je ne veux pas que tu croies que je suis une fille... comme ça. J'aime faire l'amour avec toi. Mais c'est parce que je me sens bien en ta présence et que...

— *Tuch!*

Elle le serra fortement contre elle, enfouissant son visage dans le creux de son épaule.

— Alasdair, parfois... j'ai peur que tu disparaisses. Je sais que tu rêves de retourner chez toi, tu le dis si souvent dans tes songes.

— Connie...

— Tu m'emmèneras avec toi?

Il l'embrassa pour éviter de lui répondre. Non, il ne pourrait jamais emmener Connie avec lui. À quinze ans, il ne pouvait envisager de prendre une femme à sa charge. Encore moins de se retrouver avec un enfant... Lorsque l'idée lui venait qu'elle pourrait un jour lui annoncer qu'elle attendait un enfant de lui, il avait la chair de poule et revoyait les images horribles de bébés empalés sur les épées des soldats *sassannachs*, ou la tête tranchée, ou mutilés, gisant dans leur sang séché depuis des jours, le corps gonflé par la chaleur de l'été. C'était comme un cauchemar. Il n'était pas certain de vouloir des enfants... enfin, pas dans ce monde.

De toute façon, qu'elle fût enceinte lui paraissait maintenant peu probable. Cela faisait un an qu'il partageait régulièrement sa couche, et rien ne s'était produit. Il en avait tout bonnement conclu qu'il ou elle était stérile et ne s'en était pas préoccupé outre mesure. C'était mieux ainsi.

La petite langue chaude et humide de Connie voyageait dans son cou, lui donnant de délicieux frissons. Puis elle trouva son chemin jusqu'à la sienne, avec laquelle elle joua pendant un bon moment. Retrouvant son souffle, la jeune femme reprit la discussion en évoquant, à son grand soulagement, les derniers ragots glanés sur la place du Marché pendant la journée. Il l'écouta d'une oreille, tendant l'autre vers les bruits qui parvenaient du rez-de-chaussée. Madame Fraser n'avait apparemment pas fini de passer ses frustrations et s'acharnait à briser quelques poteries dans la cuisine, ce qui laissait Connie indifférente.

Une lueur amusée traversa les yeux noirs posés sur lui.

— Elle a cassé trois services complets de belle faïence de Hollande depuis les quatre ans que je suis à son service. Ne t'en fais pas, j'ai l'habitude. Puis, je suis certaine qu'Allan, pour se faire pardonner, remplacera les morceaux qu'elle vient de fracasser.

Lançant un bref regard vers la porte, Alexander haussa les épaules, tout de même inquiet. Connie écarta ses cuisses et pressa son bassin contre le sien pour lui voler son attention, ce qui réussit plutôt bien. L'instinct bestial réveillé, il se remit à caresser le corps souple et rond d'une main vagabonde et d'une bouche hardie. La chaleur était suffocante; leur peau collait et luisait de sueur. Les mains pleines de chair, il s'agita en cadence, accompagné des profonds soupirs de Connie. Il prit ainsi son plaisir, faisant fi des cris injurieux de la dame Fraser qu'entrecoupaient ceux que la jouissance leur arrachait à tous les deux.

Quelque temps plus tard, alors que sa compagne dormait paisiblement contre lui et que la violence débridée d'Annabelle Fraser s'était apaisée, il sentit une âcre odeur de fumée. Soulevant la tête, il tendit l'oreille : rien. Mais l'odeur était bien présente et s'accentuait, ce qui l'inquiéta. Repoussant doucement Connie pour ne pas la réveiller, il sortit du lit et enfila sa culotte. Puis il descendit.

La femme lui tournait le dos devant l'âtre dans lequel flambait un grand feu. Elle y jetait des livres et d'autres objets, marmonnant entre ses dents. Il signala sa présence d'un raclement de gorge.

Annabelle Fraser se retourna d'un coup, un livre écrasé contre sa poitrine, les traits convulsés. Elle le darda de son regard fou, puis fronça les sourcils.

— Alasdair?

— C'est moi, madame. Je... me demandais si vous n'aviez pas besoin d'aide...

D'un coup d'œil, il prit note de l'état dans lequel se trouvait la pièce. Des morceaux de porcelaine et des pages de livres jonchaient le plancher. Une seule chaise était encore debout, à sa place. Les autres étaient renversées au milieu de l'indescriptible fouillis que la folie avait semé sur son passage. Alexander se demanda si la dame avait l'habitude de dévaster sa maison avec autant d'acharnement à chaque colère.

La pauvre femme le dévisageait sans mot dire, hagarde. Le livre glissa de ses mains et tomba sur le sol en produisant un claquement qui la tira de son état de stupeur. Elle se pencha et le ramassa avec précaution, caressant la couverture d'une main.

— Vous pouvez aller vous recoucher, Alasdair. Je n'aurai pas besoin de vous cette nuit...

Incertain, Alexander hésita un moment. Elle n'avait vraiment pas l'air d'aller bien. Il pourrait peut-être aller chercher Connie pour s'en occuper...

— Quoique... reprit-elle brusquement en s'approchant de lui. Dites-moi une chose... Vous êtes un jeune homme que les femmes ne laissent pas indifférent, je le sais...

Elle effleura en souriant tristement le duvet qui commençait à lui couvrir les joues. Annabelle était au courant de sa relation avec Connie, mais n'avait jamais rien dit.

— Regardez-moi, Alasdair, et soyez honnête. Suis-je repoussante? Suis-je trop vieille pour inspirer du désir à un homme?

Pris au dépourvu, Alexander recula d'un pas et rougit violemment. Il ne réussit qu'à bafouiller des paroles incompréhensibles. Annabelle Fraser dégageait de forts relents d'alcool et tanguait dangereusement. Sa luxuriante chevelure auburn aux chauds reflets tombait librement sur sa poitrine, qu'elle lui plaça sous le nez.

— Alors?

— Vous êtes... encore très jolie, madame Fraser... Mais...

Elle lui sourit, pencha la tête de côté, le lorgnant de biais de ses yeux noisette et or brillants de larmes.

— Mais?

— Je veux dire... vous êtes très attrayante pour un homme...

Comment lui expliquer qu'il la trouvait sincèrement jolie, mais qu'elle pourrait être sa mère et qu'il ne pouvait?...

— Vous feriez l'amour avec moi?

Il faillit s'étouffer avec sa salive et se dégagea des bras qui se refermaient sur lui. Elle vacilla et eut un hoquet.

— Pardonnez-moi, madame Fraser...

— Ça va, ne faites pas attention. C'est moi qui suis en faute, Alasdair. Vous n'avez rien à vous reprocher.

Se confondant néanmoins en excuses, il approcha une chaise et l'aida à s'asseoir. Elle sanglotait maintenant, et il ne savait vraiment plus quoi faire avec elle.

— Le salaud... le salaud, murmurait-elle inlassablement en se balançant d'avant en arrière. Tout ce temps... j'ai cru... *A Thighearna mhór*[25]!

Remarquant une ecchymose sur une tempe, il fronça les sourcils.

— Monsieur Fraser n'a pas été correct avec vous?

Un rire sarcastique emplit la cuisine. Alexander, de plus en plus mal à l'aise, allait partir chercher Connie lorsque la voix caustique d'Annabelle résonna de nouveau.

— De quel monsieur Fraser parlez-vous?

— Eh bien... de celui qui vit à Beauly?

Elle s'arrêta de rire et fixa d'un œil vide les flammes qui dévoraient les pages des précieux livres qui avaient appartenu à son défunt mari.

— William n'est pas mort, laissa-t-elle tomber. Il vit caché à Kilmorack, dans une ferme... depuis sa fuite du champ de bataille de Culloden. Le salaud... Cela fait plus de deux ans que je le crois mort, et il n'a même pas cru bon de me faire signe... Qu'il pourrisse dans ses tas de fumier avec sa... maîtresse! Si jamais il ose se présenter ici!

Le feu crépitait, éclairant les traits déformés par la haine de la pauvre femme. Elle se tut et resta immobile, tenant ses genoux dans ses mains crispées, le livre toujours posé sur ses cuisses. Alexander crut bon alors de la laisser tranquille. Toute cette triste histoire ne le concernait pas. Se fondant dans l'ombre, il se dirigea vers l'escalier qu'il gravit après avoir jeté un dernier regard à Annabelle Fraser.

Trop énervé pour trouver le sommeil, il attendait les premières lueurs de l'aube en méditant sur sa situation. Il repensa à sa mère, prenant brusquement conscience du chagrin qu'elle devait éprouver à le croire mort. Il y avait aussi sa sœur, Mary. Comment pouvait-il les laisser ainsi dans l'ignorance de ce qui lui était arrivé? En quoi était-il mieux que ce William Fraser que son épouse éplorée traitait de

---

25. Oh, grand Dieu!

salaud? Le remords le rongeait. Plongé dans son propre désarroi, il en avait oublié celui de ceux qui l'aimaient.

Le moment était venu de prendre une décision. Il savait ce qu'il devait faire, mais il y avait Connie... Il irait à Glencoe et reviendrait. Voilà ce qu'il ferait. Sur cette pensée satisfaisante, il sombra enfin dans un profond sommeil. Il fut réveillé quelques heures plus tard par un cri, qu'il crut d'abord avoir entendu en songe.

Le cri s'éleva une deuxième fois. Il se redressa d'un coup dans le lit, toussant, les poumons emplis de fumée. Le feu! La maison brûlait!

— Connie! cria-t-il en secouant la dormeuse, qui geignit en ouvrant péniblement un œil.

Avalant à son tour une grande goulée de fumée, Connie toussa. Les yeux larmoyants, agrandis par la peur, elle lança un coup d'œil vers la porte, d'où leur parvenaient des crépitements assourdissants qui ne laissaient aucun doute sur ce qui se passait.

— Madame Fraser! Le feu... Elle est en bas... Alasdair...

— Dépêche-toi, Connie! Habille-toi!

Il se traîna jusqu'à la cage d'escalier qu'emplissaient d'épaisses volutes de fumée noire. Il descendit jusqu'au premier et se risqua dans l'escalier menant au rez-de-chaussée, jusqu'à ce que la chaleur intense roussissant ses sourcils et les poils de ses bras l'empêche d'aller plus loin. D'où il était, il arrivait quand même à voir une partie de la cuisine. Il fut alors saisi d'effroi devant le spectacle qui s'offrait à lui. Annabelle Fraser, ou ce qu'il en restait, se balançait au bout d'une corde comme un gros jambon à fumer. Les flammes arrivaient jusqu'à elle et avaient commencé à dévorer l'escalier. On ne pouvait plus rien pour la pauvre femme et, de toute évidence, ils ne pourraient se sauver par là.

Le nez dans sa chemise, Alexander rebroussa chemin jusqu'au premier où l'attendait Connie. La fumée s'insinuait dans ses narines et sa bouche, et lui brûlait les yeux. Il fit une pause pour reprendre des forces et toussa. Il manquait d'air. Sa vue se brouillait. Avançant à tâtons dans le couloir enfumé, il finit par trouver une porte. Il suffoquait...

— Par ici, Connie! gémit-il en ouvrant la porte.

La jeune femme arriva. Au moment où il ouvrait la porte et où elle passait devant lui, une explosion ébranla la maison et souffla l'escalier et une partie du corridor. Sonné, il ouvrit les yeux, chercha à comprendre ce qui s'était passé. Des bouts de bois incandescents tombaient tout autour de lui et de l'air brûlant lui cuisait la peau du visage.

— Connie? Connie?

Il pénétra en rampant dans la pièce et scruta l'obscurité. Il entendit gémir tout près de lui. Elle était là, étendue sur le plancher.

— Connie! Je suis... là...

Il palpa le corps de la jeune femme. Elle respirait faiblement. Du sang s'écoulait d'une profonde entaille à la tête.

— Alasdair... C'est pour moi?

— Il faut sortir d'ici, Connie! Par la fenêtre... Tu peux bouger?

— Je ne sais pas... C'est pour moi, Alasdair?

Mais de quoi parlait-elle donc? Il l'examinait rapidement pour vérifier l'état de ses membres lorsque sa main se heurta à un objet qu'elle tenait. Le miroir...

— Oui, Connie. Mais viens! Plus tard...

— On ne m'a jamais fait un si beau présent... murmura-t-elle dans un soupir.

La forte chaleur et la rareté de l'air lui ôtaient toutes ses forces. Mais la peur de perdre Connie lui donna de l'énergie. Il traîna la jeune femme jusqu'à la fenêtre, puis, se levant en s'appuyant au mur, il la hissa avec lui sur le rebord. Dans la cour, les voisins criaient et couraient dans tous les sens; des soldats se passaient des seaux d'eau. La maison étant perdue, on essayait de circonscrire l'incendie pour qu'il ne rase pas tout le quartier.

Une femme les vit et appela deux hommes à la rescousse. On tira une charrette de foin sous la fenêtre, leur faisant signe de se laisser tomber dedans. Alexander évalua la hauteur, tandis qu'on lui criait de sauter. Il prit Connie dans ses bras et, une prière sur les lèvres, se jeta dans le vide. Le foin vola autour d'eux. Il vit au-dessus de lui un beau ciel violacé. Des silhouettes apparurent et se penchèrent sur eux. On l'empoigna pour le tirer du tas de foin que les tisons menaçaient d'enflammer à tout moment. On tira sur ses bras pour les ouvrir, mais il s'obstina à les garder serrés autour de Connie. Ils s'y prirent à trois pour lui faire lâcher prise.

— Connie...

Un homme penché vers lui le regardait de ses yeux d'un bleu céleste.

— O'Shea? C'est vous?

— Non, jeune homme. Je m'appelle Farquar.

— Connie?

L'homme hocha la tête avec tristesse.

— Je suis désolé; elle est morte.

Les routes militaires du général Wade sillonnaient le pays, le fissuraient. Par elles, les coutumes des Lowlands et de l'Angleterre s'insinuaient et érodaient les vieilles traditions. Mais les racines des clans s'enfonçaient profondément dans le passé et étaient solidement ancrées dans cette terre dont les habitants parlaient toujours la rude langue de leurs ancêtres. Pour le moment, le clan représentait l'identité des hommes et des femmes qui le constituaient. Son existence étant menacée, ses membres n'avaient pour seule loi que l'acier de leurs lames.

Cependant, les détachements de Cumberland avaient décimé ces tribus sur leur passage. Certaines, comme celle des Cameron, se trouvèrent considérablement réduites par la perte d'hommes tombés au combat, puis par la déportation d'autres guerriers faits prisonniers. C'était le début de la fin du système clanique dans les Highlands d'Écosse. Les autorités anglaises s'en assureraient.

Pendant de longues semaines, Alexander erra dans les landes et dans les montagnes étrangement désertes. Tout son temps et toute son énergie étaient consacrés à sa survie. Cela lui évitait de trop penser à Connie. La jeune femme avait été une parenthèse lumineuse dans ses ténèbres. Il se rendait pleinement compte aujourd'hui que l'amour, comme la guerre, faisait souffrir. Le cœur orphelin, il passait ses nuits à chercher dans les étoiles les visages des êtres chers qui habitaient désormais son cimetière intérieur. Parfois, ce furent ceux de Liam et de Caitlin qui scintillèrent dans le firmament. D'autres fois, ceux de l'abbé O'Shea et de Connie. Mais jamais il ne vit celui de son père, ce qui lui redonna un peu d'espoir.

Dans le silence des montagnes, il méditait sur ce que la vie avait encore à lui offrir. Bien peu, songeait-il. Toutefois, ce « bien peu » le retenait en ce monde comme un mince et fragile fil d'or. S'il devait souffrir autant chaque fois qu'il rencontrait la joie et le bonheur, alors soit! Mais que cette joie et ce bonheur soient à la hauteur de sa souffrance. Sinon le fil se rompait, et plus rien ne le retiendrait ici.

Le temps s'écoulait, se perdait irrémédiablement dans une autre dimension. Alexander vagabondait d'un loch à l'autre, longeant les rivières, évitant les routes. Ses brûlures, superficielles par miracle, guérissaient lentement. N'ayant rien pour chasser, il devait fabriquer des collets avec des racines. L'exercice pouvait lui prendre deux jours, mais cela en valait la peine. Un lièvre le nourrissait en effet de sa viande pendant trois jours. Ensuite, il pouvait toujours utiliser les os et la peau pour en faire un bouillon. Il mangeait aussi des baies et des glands. Quand il avait de la chance, il attrapait une belle truite.

Les conséquences des raids des troupes anglaises depuis la défaite des jacobites dépassaient son imagination. Tout avait été pillé et brûlé. Les bêtes semblaient s'être volatilisées. Parfois, il croisait une vieille femme ou un enfant famélique qui lui quémandaient de quoi manger. D'autres fois, il apercevait un homme en fuite dans les collines. À quelques reprises, il dut se cacher pour éviter un contingent de dragons. Les soldats tiraient sur tout ce qui bougeait. Ne possédant que son canif, Alexander écoutait passer, l'estomac crispé, les charrettes qu'il savait remplies de provisions. Il attendait pour sortir que les martèlements des sabots et les cliquetis des harnais soient bien amortis par la distance.

Le jeune garçon mit près de deux mois pour atteindre les abords de Glencoe. Le cône du Buachaille Etive Mor se dressait là comme avant, comme toujours : sentinelle à l'entrée de la vallée. Cela faisait maintenant trois jours qu'il rôdait autour, l'esprit tourmenté. Couché dans l'herbe grasse, il respira profondément et ferma les yeux. Un aigle survolait cette portion du Rannoch Moor sous un soleil de plomb. Les grillons chantaient inlassablement dans la chaleur suffocante de juillet. L'oiseau glatit, et son cri résonna. Le cœur d'Alexander tambourinait furieusement contre sa cage thoracique ; son sang lui battait les tempes. Qu'allait-il trouver au fond de sa vallée ?

Enfin, il se leva et, d'un pas hésitant, avança dans le sentier qui lui était jadis si familier. Dans son esprit se bousculaient mille et une pensées ; dans son corps régnait l'angoisse. À une ou deux reprises, il s'arrêta et, sur le point de rebrousser chemin, soliloqua pour chasser ses idées noires. Il pensa alors à sa mère et se convainquit qu'il lui fallait à tout prix savoir ce qui était vraiment arrivé sur la plaine de Drummossie Moor.

Ainsi, il longea la Coe jusqu'au col étroit de la vallée. Ensuite, il prit la décision de remonter dans les montagnes pour se mettre à l'abri des regards. Le doute ne le quittait pas, mais il progressait et se rapprochait. Comme suspendu entre les escarpements du Aonach Dubh et du Sgòr nam Fionnaidh, le petit loch Achtriochtan apparut bientôt, calme et silencieux. Quelques chaumières, certaines ouvertes sur le ciel bleu et noires de suie, semblaient désertes. Les soldats n'avaient pas épargné le clan de Iain Abrach. Alexander était bouleversé. Qu'était-il advenu de sa mère, de sa sœur, de ses frères et... de son père ? Avaient-ils été pris et déportés comme tant d'autres ou s'étaient-ils réfugiés dans les montagnes?

La chaumière de son père se tenait toujours debout, à demi encastrée dans la colline. Une indicible émotion envahit subitement Alexander, comprimant sa poitrine et l'empêchant de respirer normalement. Ébranlé, il eut envie de fuir. Il descendit prudemment la pente jusqu'à se trouver à quelques pieds de la maison. Entendant des voix qui provenaient de l'intérieur, il se figea et crut que son cœur allait s'arrêter de battre. N'ayant nulle part où se cacher, il franchit les derniers pieds qui le séparaient de la chaumière et attendit à l'abri du mur, l'estomac crispé.

Les voix lui parvenaient faiblement, mais il reconnut celle de Coll, qui était plus grave que dans son souvenir. Quel âge avait donc son frère? Un an de plus que lui, ce qui lui faisait aujourd'hui seize ans. Une femme était avec lui. Sacré Coll! Quel séducteur! Il sourit amèrement. Plusieurs minutes s'écoulèrent encore avant qu'il ne les entendît de nouveau. Puis il y eut un mouvement dans son champ de vision. Il vit passer la tête à la chevelure flamboyante de Coll. Ça alors, ce qu'il était grand!

La femme qui le suivait lui caressait le dos dans un geste de réconfort. Lorsque Coll se retourna pour lui parler, il s'immobilisa sur-le-champ. Il regardait dans sa direction. Alexander se colla au mur et retint son souffle. Toutes ses bonnes intentions s'envolaient en même temps que le courage dont il s'était armé tout le long du chemin. Soudain, il ne se sentait plus la force d'affronter les siens. Ce qu'il avait pu être naïf de croire que tout redeviendrait comme avant! Il n'était même pas certain que ce fût vraiment ce qu'il voulait. Il resterait toujours l'Étranger.

Essuyant ses yeux humides, Coll scrutait toujours l'endroit où il avait vu bouger. Probablement un petit animal, souhaita-t-il. Se détournant, sur ses gardes, il prit son amie par le bras et lui fit presser le pas. La semaine précédente, Mary Archibold s'était fait violer par trois individus qui rôdaient dans le coin. Mieux valait ne pas traîner. Si ces hommes étaient armés, il ne ferait pas le poids.

***

Tiraillé entre l'envie de fuir et la volonté de savoir ce qui était arrivé à sa famille, Alexander erra encore pendant deux jours. Il se rendit à Carnoch et à Invercoe, où semblaient s'être réfugiés les gens du clan. Caché dans un hallier d'aulnes, il épiait, cherchant parmi les visages ceux des siens. Il vit Duncan Og, Angus et sa sœur Mary, qui portait un nourrisson dans ses bras. Il était oncle de nouveau, constata-t-il avec amertume. Aucune trace de ses frères James et John, et de son père. Ses plus sombres pressentiments se confirmaient.

Tous paraissaient si tristes. Puis il comprit pourquoi lorsqu'il vit quatre hommes sortir d'une chaumière avec un cercueil. La mort avait visité le clan. Fouillant des yeux le cortège qui suivait, il se demanda qui reposait dans la boîte de pin blond. Il hésitait à se montrer. Imaginant sans difficulté le choc que provoquerait son apparition soudaine, il se dit qu'il ferait mieux d'attendre encore quelques jours afin de les laisser tous se remettre. Toute excuse était bonne pour repousser l'affrontement.

***

Le ciel hurlait et la terre tremblait. Le souffle de la mort les caressait. Alexander n'en pouvait plus de rester inactif pendant que les siens se faisaient massacrer. Résolu, malgré l'interdiction formelle de son père, il saisit son épée, se leva et courut vers le champ de bataille. Coll et John, sur ses talons, lui criaient de revenir.

— Ne fais pas l'idiot, Alas! Père t'en voudra pour le reste de ses jours si tu te fais tuer! rugit John.

Alexander se retourna.

— Ils se font massacrer, et nous ne faisons rien?

— Ce que tu peux être stupide, parfois! Tu crois pouvoir arrêter l'armée de Cumberland avec ta misérable épée rouillée?

— Elle est rouillée parce qu'elle a trop attendu dans l'herbe mouillée que je la brandisse contre l'ennemi. Le moment est venu, John. Que vous me suiviez ou non, j'irai vers les miens.

— Alas, n'y va pas. Père nous a formellement interdit de mettre un pied sur un champ de bataille avant nos quinze ans!

— À quinze ans, il sera trop tard...

Il n'en fit qu'à sa tête, comme toujours, n'écoutant que son raisonnement, faisant fi de celui des autres. Les balles sifflaient autour de lui mais ne l'atteignaient pas. Il réprima un haut-le-cœur à la vue de corps atrocement mutilés qu'il dut enjamber. Un boulet vint s'enfoncer dans la terre à quelques pieds seulement de lui. Il fut projeté au sol et éclaboussé de boue. Un peu sonné, il chercha à tâtons son épée qui lui avait échappé. Il ne la trouva pas. Que diable! Il en ramasserait une autre en chemin.

Se relevant, il essuya son visage du revers de sa manche et scruta le champ fouetté par la grêle. Les hommes valides couraient, se penchaient sur les blessés, aidaient ceux pour lesquels il y avait encore un peu d'espoir.

Où était son père? Son cœur battait follement, s'arrêtait à chaque coup de canon. Reconnaissant les couleurs du clan Macdonald, il arracha une épée des mains d'un mort et se précipita vers les hommes de son clan.

– Alas! Alas! Reviens! l'appelait la voix de plus en plus faible de Coll, mais il n'écoutait pas, obnubilé qu'il était par l'envie de tuer et de vaincre.

Il vit enfin son père, suivi de près par ses frères Duncan Og et Angus. Il cherchait son frère James lorsqu'une détonation retentit tout près, devant lui. Des hommes tombèrent. C'est alors qu'il vit James parmi les blessés. Il cria. Mais son père accourait déjà vers son frère et se penchait pour le tirer loin de là avec l'aide d'autres hommes.

Tout autour de lui, les guerriers tombaient les uns après les autres, déchiquetés par les frappes meurtrières. La tête d'un homme explosa sous ses yeux, et il fut éclaboussé de cervelle et de sang. Un autre dont la jambe venait d'être arrachée s'écroula à ses pieds, l'entraînant dans sa chute. Il se dégagea tant bien que mal du corps estropié, les oreilles pleines des hurlements de douleur, et reprit sa course folle, défiant la mort avec toute la naïveté de sa jeunesse.

Vengeance! Vengeance! rugissait son cœur tandis qu'il pataugeait dans le sang des siens.

Le long ruban rouge des soldats hanovriens encerclait le champ de bataille. Il lui fallait passer à travers et le rompre. Il voulait sa part de gloire; il voulait son chant. L'épée levée, il fonça sur un bataillon qui avançait, baïonnette en avant. Des lambeaux de brume et la fumée masquaient une partie de l'armée ennemie. Mais il la savait là, quelque part.

– Fraoch Eilean! hurla-t-il à pleins poumons.

Il courait et criait comme un damné au milieu de la débandade, tandis que son père, affolé, le suivait à contre-courant de la horde de chevaux et d'hommes terrifiés qui fuyaient. On le bouscula, on tenta de le forcer à rebrousser chemin. Derrière lui, son père hurlait son désespoir.

– Regardez-moi, père, regardez...

Ses poumons, brûlés par la poudre, le faisaient souffrir et sa voix ne portait plus.

Les appels de John le firent se retourner.

– Alas! Alas! Tu es stupide! Reviens! Tu es fou de courir là-bas!

– Je ne suis pas un lâche!

– Alas! Non! Père a dit...

– Je me fous de ce qu'il a dit, je dois les aider!

– Quelle tête de cochon tu as! Tu feras mourir notre père! Il ne te le pardonnera jamais, et moi non plus. Tu ne comprends donc pas? Alasdair, c'est fini! Tout est terminé, il faut battre en retraite!

Mais Alexander avait déjà tourné les talons et se dirigeait vers le bataillon anglais. Son père lui hurla de retourner vers les collines, mais il ne l'écouta pas. Il y eut une nouvelle mitraille, et ce fut l'horreur. Il vit des dizaines d'hommes tomber. Il tourna la tête; son père avait disparu. Il hurla. John, curieusement, était toujours derrière lui. Les traits déformés par la haine, il pointait un mousquet dans sa direction.

Il stoppa net, incrédule. Mais que faisait-il? Pourquoi le visait-il? Muet de stupeur, il reprit néanmoins sa course. Mais une force soudaine le projeta au sol et une douleur intolérable lui déchira l'épaule. Son frère avait tiré sur lui... son frère John... sa moitié... Pourquoi? Tout devenait confus. John était penché sur lui, lui parlait. Mais il n'entendait rien, tellement ses oreilles et sa tête bourdonnaient. Puis son frère disparut. La douleur s'intensifiait à chaque coup de canon qui résonnait dans tous ses os. Des hommes couraient autour de lui; certains sautaient par-dessus lui. L'un d'eux ne put l'éviter et lui broya le poignet sous son pied. Il allait mourir là, piétiné par les siens... Non, il ne voulait pas mourir, pas avant d'avoir rejoint son père qui était tombé... à cause de lui... à cause de son entêtement. John avait voulu l'arrêter. Était-ce pour cela qu'il lui avait tiré dessus? Non, son frère connaissait son secret et il avait voulu venger leur grand-père. Lui, Alexander, avait déshonoré son clan, son nom... Il allait mourir en lâche.

La mort enfonçait ses griffes dans sa chair et le tirait vers l'enfer... Mais, non, il ne voulait pas mourir. S'agrippant au sol, il résista... Puis, à travers la fumée sulfureuse, il entrevit un regard clair: le visage de Daniel O'Shea se penchait sur lui. L'abbé lui parlait, mais il n'entendait plus que les battements de son cœur. Tout s'embrouillait dans son esprit.

Connie... Elle était là, tendant la main vers lui à travers les volutes de fumée. Il voulait tant la rejoindre pour la sauver. Mais il n'arrivait pas à bouger. Puis il y eut une terrible déflagration qui souffla tout autour de lui, ne laissant que le néant...

– Non! Connie!

– Alasdair...

La voix qui l'appelait lui était familière, bien qu'elle ne fût pas celle, chantante, de Connie. Une forme floue se mouvait dans une éblouissante lumière.

– Alasdair... tu es revenu... enfin!

– Mère?

Se réveillant en sursaut, le souffle court, le corps en sueur, Alexander ouvrit les yeux. Fixant le ciel blanc, il mit ses mains emplies de terre sur sa poitrine haletante et soupira profondément. Un cauchemar. Encore un cauchemar! Il ferma les paupières et attendit que sa respiration reprenne son rythme normal. Puis il roula sur le côté.

– Aaaah!

D'un bond, il se redressa sur son séant. Un chien le dévisageait, la langue pendante et dégoulinante de bave.

— Branndaidh?

L'animal se mit à frétiller de la queue en entendant la voix de son maître.

— Oh! Branndaidh, c'est bien toi, mon chien? Que fais-tu ici? Comment as-tu fait pour me reconnaître après si longtemps? Deux ans... Ça alors!

Il grattait vigoureusement la tête de son compagnon qui lui léchait le visage lorsqu'un cri le figea sur place. Le chien dressa les oreilles et tourna la tête vers l'endroit d'où était venu l'appel.

— Branndaidh! Viens ici!

Affolé, Alexander jeta un regard circulaire autour de lui pour se situer. Il s'était étendu à la tombée de la nuit, épuisé et affamé, et n'avait pas vraiment remarqué où il était. Il vit le pic nu si particulier du Aonach Dubh en face de lui. Quelques milles le séparaient de l'embouchure de la Coe, où se trouvaient les villages de Carnoch et d'Invercoe. Qui pouvait bien venir par ici? Un nouvel appel. Le chien semblait hésiter entre son maître retrouvé et ceux qui l'appelaient. Allant et revenant, il geignait.

— Qui t'appelle, mon vieux, hein? Un de mes frères? Lequel? Coll? C'est vrai qu'il t'aimait bien, Coll...

— Branndaidh! Où es-tu, chien de malheur? J'ai pas toute la journée devant moi pour jouer à cache-cache!

Le cœur d'Alexander s'arrêta de battre. John! S'il le trouvait ici... La panique l'envahit. Cherchant un endroit où se réfugier, il courut à quatre pattes jusqu'à un buisson touffu et s'aplatit sur le sol, derrière. John n'était pas seul; une autre voix que la sienne parlait. Coll? Peut-être. Branndaidh l'avait suivi dans sa cachette, comme il avait l'habitude de le faire lorsqu'il jouait avec ses frères, enfant, et se coucha près de lui, immobile et silencieux.

— Tu n'as pas changé, à ce que je vois, *a charaid*[26]. Reste tranquille et tu pourras venir avec moi si tu le désires, lui chuchota-t-il en lui caressant doucement le dessus du crâne sans quitter le sentier des yeux.

Les voix se rapprochaient. Ils surgirent enfin. Le souffle manqua alors à Alexander et un sanglot lui monta à la gorge. Son père... vivant. Sa vue se brouilla. Il n'arrivait pas à y croire : son père était vivant! Certes, il marchait avec l'aide d'une canne, mais il était entier. « Mon Dieu! Merci! »

---

26. Mon ami.

— Laisse-le, John, dit Duncan avec lassitude. Il agit bizarrement depuis le jour de l'enterrement de ta mère. Il reviendra lorsqu'il aura trouvé ce qu'il cherche...

Sous le choc de ce qu'il venait d'apprendre, Alexander regarda son père et son frère partir, abandonnant derrière eux l'animal qui restait sagement couché à ses côtés, fidèle comme seul peut l'être un chien envers son maître. Lorsqu'ils eurent disparu, il enfouit son visage dans ses mains et fondit en larmes. Dès cet instant il sut que, sa mère désormais partie, il ne trouverait jamais le courage d'affronter son père.

Il prit la terrible décision de ne pas se montrer. Pour sa famille, il ne faisait certainement aucun doute qu'il était mort sur le champ de bataille, de toute façon. Il en resterait donc ainsi. C'était mieux pour tout le monde. Il laisserait son âme errer parmi son peuple et accompagner celle de sa mère. Alasdair Colin Macdonald de Glencoe était mort dans cette horrible bataille de Culloden, dans l'infecte prison d'Inverness, puis dans l'incendie de la maison des Fraser. Il mourait encore aujourd'hui, dans cette vallée qui l'avait vu naître. Un frisson lui parcourut l'échine, qui ployait sous son immense peine. Combien de fois pouvait-on mourir dans une vie?

Après de longues minutes passées à se vider de son chagrin, il rassembla ses dernières forces. Puis, résigné, il prit la direction de l'est, de Rannoch Moor, abandonnant à jamais derrière lui une partie de son existence.

4

Demain, l'aube se lèvera à l'ouest
Juillet 1757

Le mince ourlet de terre effilochée des côtes d'Irlande disparut enfin dans les eaux tumultueuses de l'océan. Alexander ferma les yeux et pivota sur lui-même, tournant le dos à son passé et faisant face à l'inconnu qui s'ouvrait devant lui et lui offrait une nouvelle vie. Il huma les effluves marins chargés d'iode qui lui piquèrent les narines. Les cris des dernières mouettes qui tournoyaient autour du navire se mêlèrent aux grincements du gréement. Les voiles claquaient au-dessus de lui. La mer était agitée, et il devait faire des efforts pour garder son équilibre. Ses mains crispées sur son kilt se détendirent progressivement. Enfin, après quelques profondes inspirations, il accepta d'ouvrir les yeux sur son avenir : une étendue grise et angoissante... sans repères et sans buts ; l'océan et le mystère.

— Voilà, grand-mère, je pars...

Le *Martello*, comme plusieurs autres frégates de transport et goélettes de service, avait quitté le port de Cork pour mettre le cap sur l'Amérique du Nord. Mais personne ne connaissait encore précisément sa destination. On ne disait rien aux soldats. L'Europe n'était pas le seul continent à connaître des conflits sanglants. On se disputait aussi l'Inde, et maintenant l'Amérique où la France, complètement ruinée, ne tarderait pas à céder. L'Angleterre impérialiste aspirait à la conquête totale et ne lâcherait certainement pas le morceau sans se battre honorablement. Là où la flotte de l'amiral William Phips avait échoué, celle qui se dirigeait aujourd'hui vers l'Amérique triompherait. Les nouvelles troupes sauraient bien mater les habitants de ce petit bout de France perdu dans cet immense continent qu'on appelait Nouveau Monde.

Pour le soldat highlander, le courage est la vertu la plus honorable ; la lâcheté, la faiblesse la plus honteuse. Le Highlander vénère son chef et lui obéit aveuglément, se dévouant corps et âme à son clan et à son pays. Le déshonneur qu'il pourrait apporter aux siens est pour lui le plus cruel des châtiments, tandis que pour tout autre soldat, c'est le fouet. C'est la fierté qui le pousse à accomplir son devoir, alors que c'est la peur des représailles qui pousse un autre soldat.

Cette connaissance du guerrier highlander incita, sur la suggestion implicite de James Wolfe, le ministre de la Guerre et secrétaire d'État nouvellement nommé, William Pitt, à ordonner le recrutement de soldats dans les Highlands d'Écosse. Auparavant, les troupes de mercenaires allemands avaient été dispersées. Les Highlanders étant d'un naturel rebelle et belliqueux, ils formeraient, sous le commandement d'hommes en qui ils auraient toute confiance, une redoutable armée. De plus, les papistes et jacobites, même soumis, demeuraient une menace au sein de l'Écosse. Quoi de mieux pour les dompter complètement que de leur offrir l'illusion d'un retour aux « anciennes coutumes » en leur permettant de porter le costume traditionnel et de suivre les airs des cornemuses sur un champ de bataille?

Ainsi, on sollicita et on dota d'un brevet d'officier deux gentilshommes chefs de clans : Simon Fraser de Lovat et Archibald Montgomery. Fraser, fils du célèbre chef jacobite lord Lovat décapité à la non moins célèbre tour de Londres, réussit, en l'espace de quelques semaines et avec l'aide d'amis, à rassembler plus de mille cinq cents hommes pour créer, en début d'année 1757, le 78ᵉ régiment d'infanterie des Highlands.

Les officiers de ce régiment étaient évidemment en majorité des jacobites qui avaient défendu le prince Stuart lors du soulèvement de 1745. Plusieurs d'entre eux étaient même rentrés d'exil pour prendre possession du brevet qui leur permettrait de combattre sous le Union Jack britannique. Plutôt ironique... puisque tous ces hommes avaient vu leur tête mise à prix par ce gouvernement qu'ils allaient désormais servir. Mais ainsi allait la vie, pour eux comme pour Alexander.

Après dix ans d'errance passés à commettre des larcins et à tituber d'une femme à l'autre entre deux bouteilles de whisky pour endormir ses démons et engourdir son mal de vivre, il en avait eu assez. Alasdair Dhu MacGinnis portait plutôt bien son surnom : « Alexander le Noir ». On disait de lui qu'il avait l'âme aussi sombre que sa chevelure et qu'il s'abreuvait du sang des innocents.

Il était recherché dans tous les Highlands et toute l'Écosse pour divers crimes, le dernier en liste étant le meurtre crapuleux d'une jeune femme et de trois hommes. Conscient qu'il pourrait être mis aux fers lorsqu'il se présenterait pour signer son engagement, il avait longuement réfléchi et mûri sa décision. Puis, les paroles de sa grand-mère Caitlin lui étaient revenues en songe, perçant les vapeurs éthyliques qui embrumaient son esprit: « Ne les laisse pas te voler ton âme... Pars... » Il se rappela ainsi la promesse qu'il avait faite plusieurs années auparavant.

Son âme, il croyait cependant l'avoir perdue depuis longtemps. Depuis ce jour où il avait choisi de ne plus jamais revenir dans sa vallée chérie. S'il partait maintenant, c'était pour fuir. Fuir l'odeur de la tourbe humide au petit matin, fuir la beauté sauvage des premiers jours d'octobre, fuir le silence des vertes vallées... mais aussi la peur, la démence et les cauchemars. Aller livrer bataille à l'autre bout du monde serait sa dernière tentative pour combattre les monstres qui le talonnaient depuis Culloden et que les litres d'alcool n'avaient pas réussi à endormir vraiment. Ce régiment lui offrait une chance de se racheter aux yeux de Dieu, de son clan... de son père. C'était dans cet état d'esprit qu'Alasdair Dhu MacGinnis s'était présenté au fort William vers la fin de février.

Une activité peu commune animait la garnison du comté d'Argyle ce jour-là. Des hommes en guenilles, certains chaussés seulement de peaux de bœufs attachées autour des chevilles, se pressaient en rangs serrés, sous les bourrasques glacées, devant la porte du poste de commandement. Tous ces pauvres hères étaient venus mettre une croix en bas du contrat qui leur garantissait nourriture et vêtements pour au moins quelques années. Alexander attendait son tour, tête baissée et regard fuyant. Il était là depuis une bonne heure, complètement gelé, les hardes et la barbe recouvertes de neige. Combien de fois avait-il failli céder à l'envie de rebrousser chemin et de retourner vivre dans les montagnes? On pourrait le reconnaître, le mettre aux arrêts pour meurtre. Mais la volonté qu'il avait de se libérer enfin de son faix de solitude et surtout de quitter cette terre de malheur l'avait fait rester.

L'officier lui lut le formulaire d'engagement – la plupart des Highlanders ne sachant pas lire – et s'assura qu'il en avait bien compris toutes les clauses, comme il l'avait fait pour tous les autres avant lui.

– Vous aurez le droit de porter les habits de vos ancêtres, l'informa le sergent, comme pour l'encourager. Le kilt sera le costume réglementaire du régiment. Jouez-vous de la cornemuse?

Alexander le regarda avec suspicion. La cornemuse était proscrite depuis 1747 dans les Highlands, tout comme le port du kilt et du tartan.

– Non.

– Bon, nous avons besoin d'un joueur de cornemuse. Votre nom, jeune homme?

– Alexander...

Il hésita. Quelle identité décliner? L'officier attendait, la plume en suspens au-dessus du formulaire.

– Alexander Colin Macdonald.

– Macdonald... marmonna le sergent en inscrivant le nom. De Keppoch?

– ...

– De Glencoe, répondit à sa place une voix derrière lui.

Il fit volte-face. Un gentilhomme qu'il n'avait pas remarqué était adossé contre le mur et l'observait de ses yeux clairs. Sa chevelure d'un beau roux vif était soigneusement ramenée en une queue tressée sur sa nuque et dégageait son visage aux traits fins et énergiques.

– Vous connaissez cet homme, lieutenant? demanda le sergent.

– Oui, Ross. Faites en sorte qu'il soit placé dans la compagnie du capitaine Macdonald, voulez-vous?

– Euh... C'est que... je recrute pour celle du capitaine de Keppoch...

– Je me charge des « petits problèmes » que cela vous occasionnera.

– Bien sûr, lieutenant.

Quelle n'était pas la surprise d'Alexander de reconnaître en la personne du lieutenant son oncle Archibald Campbell de Glenlyon avec qui il avait passé une partie de son enfance. Le frère de sa mère, qui n'avait que quelques années de plus que lui, l'avait discrètement pris sous son aile.

– Archie Roy?

– Je vous suggère de signer, Alex, lui dit Archie avec un sourire, d'autres attendent.

C'est un peu hébété qu'Alexander prit la plume que lui présentait le sergent Ross.

– Ici, lui indiqua l'officier en ronchonnant.

Il signa alors d'une main tremblante le contrat qui le liait à l'armée mercenaire highlander jusqu'à sa dissolution, lorsque le roi George II en déciderait. Cela aurait lieu à la fin de cette guerre qu'on appellerait plus tard la guerre de Sept Ans.

Le 20 avril, jour où il prenait son service à Inverness sous le commandement du capitaine Donald Macdonald, une autre surprise bouleversa Alexander. En prenant possession de ses armes, il se retrouva face à face avec son cousin Munro MacPhail, le fils de Frances. Curieusement, ils étaient dans la même compagnie. L'idée que ses frères se soient engagés l'avait empêché de dormir pendant plusieurs nuits. Mais, ne les ayant pas croisés lors des exercices militaires ou de ses déplacements, il s'était rassuré.

Fin avril, le régiment se mit en marche pour Glasgow. Puis il fit route jusqu'à Port Patrick, où il s'embarqua pour traverser la mer d'Irlande jusqu'à Larne, en Ulster, à quelques milles à peine au nord de Belfast. De là, il dut traverser l'île d'Émeraude en longeant la côte est. Ces déplacements permirent à Alexander de refaire connaissance avec Munro et de renouer les liens datant de trop longtemps.

Au début, les deux hommes durent surmonter le profond malaise causé par la longue séparation. Munro, qui était un peu plus jeune qu'Alexander, n'avait pas suivi les hommes du clan lors de la campagne du prince Charles. Mais on lui avait raconté la bataille. Toutefois, il ne savait rien de ce qui avait amené son cousin à disparaître. Il confirma qu'à Glencoe on le croyait mort. Où était-il pendant tout ce temps? Pourquoi n'était-il pas revenu parmi les siens? Pourquoi? Alexander lui fit comprendre qu'il ne souhaitait pas en parler. Munro, déçu mais trop heureux de le retrouver, respecta ses désirs. Depuis, leur relation était allée en s'améliorant.

Ils arrivèrent ainsi à Cork, où les attendaient les navires qui les transporteraient vers une destination qu'on ne leur avait pas encore indiquée. Tourné maintenant vers cet inconnu qui l'attendait, Alexander commençait un nouveau chapitre de sa vie.

Son regard parcourut sa compagnie au repos. Frères, cousins, amis et ennemis, ils avaient uni leurs destinées sur ces navires pour se donner une dernière chance de vaincre ou de mourir pour la gloire de leurs clans, pour l'Écosse et la Grande-Bretagne. La plupart des visages lui étaient inconnus. C'étaient des hommes qui appartenaient à des clans du comté d'Argyle et dont les noms étaient reliés aux Campbell ou aux Cameron. Ceux dont les traits lui étaient vaguement familiers étaient probablement des anciens compagnons de beuverie et de jeu. Peut-être certains avaient-ils partagé, le temps de quelques jours, son existence dans les landes.

Il savait que la vie à bord n'allait pas être facile. La promiscuité dans laquelle les hommes devraient vivre pendant les deux ou trois mois que durerait le voyage et les divers griefs que les années n'effaçaient pas engendreraient inévitablement des bagarres au sein du régiment. Il veillerait à s'en tenir éloigné. Plus de la moitié de ces soldats avaient un mandat d'arrêt émis à leur nom, et il ne tenait pas à ce qu'on l'associe à l'horrible meurtre de la jeune Kirsty et de ses compagnons à lui. Le souvenir de la nuit où les événements avaient eu lieu le hantait toujours...

— Gouvernez près bon plein à tribord! Carguez la grande voile! Carguez les perroquets! Allez! Faut prendre la cape! hurlait le maître des manœuvres.

Des dizaines de gabiers grimpèrent les haubans avec célérité pour gagner les vergues et exécuter les ordres. Il y avait de plus en plus de vent, ce qui annonçait une grosse mer pour la nuit. Les cris des gabiers dominaient les grincements des poulies et des drisses et formaient un chant qui donnait une cadence aux manœuvres. Alexander, fasciné, regardait les voiles se replier comme dans un seul mouvement.

— Compagnie, formation!

Encore absorbé par le ballet rythmé des marins sur les cordages du gréement, Alexander n'entendit pas le dernier ordre lancé par l'officier de sa compagnie. Munro, qui se tenait à ses côtés, lui donna un coup de coude qui le tira de sa contemplation. Pour qu'ils ne gênent pas les marins pendant les manœuvres, les soldats étaient envoyés dans leurs quartiers situés dans l'entrepont. Le sergent passa devant Alexander et le dévisagea d'un œil suspicieux. En effet, ce dernier avait remarqué que le sergent Roderick Campbell l'observait d'un air étrange depuis quelque temps. Bien que l'officier fût originaire du Knapdale, où ses quatre dernières années d'errance l'avaient souvent porté et où il avait rencontré Kirsty, Alexander ne se souvenait pas de l'avoir croisé avant de prendre les armes dans le régiment highlander. Non, vraiment, il ne lui rappelait rien. Mais son air ne lui disait rien qui vaille. Peut-être était-ce un ancien créancier insatisfait... Les dettes de jeu qu'il avait accumulées dans les auberges de cette région étaient énormes.

C'était une nuit d'encre. Les éléments se déchaînaient, secouaient le navire comme s'il n'était qu'un petit morceau de bois flottant sur l'immensité noire. Les soldats gisaient çà et là, geignant, se vidant l'estomac dans des seaux déjà pleins. Les lèvres remuaient, prononçant des prières assourdies par le sinistre grincement des barrots. Les hommes suppliaient Dieu de les laisser vivre encore pour pouvoir mourir sur la terre ferme. Alexander survola sa compagnie du regard, évitant de s'attarder sur les épaves humaines qui, d'ordinaire, bravaient le danger sans broncher.

Certains avaient combattu à Culloden. Tel était le cas d'Evan Cameron, qui soutenait le jeune MacCallum. Ce dernier, pâle comme la mort, la bile aux lèvres, agrippait son hamac avec l'énergie du désespoir. Alexander se demandait si la tempête ne les emporterait pas tous. « Voici l'armée qui doit conquérir le Canada, pays peuplé de Sauvages sanguinaires et de colons rompus aux pires climats! » railla-t-il intérieurement devant l'état misérable des hommes.

Le navire plongea de nouveau, faisant danser les falots qui

jetaient des lueurs sinistres sur l'entrepont. Alexander ferma momentanément les yeux en prenant une inspiration. Il avala une bouffée de l'air fétide que dégageait l'eau des sentines remontée par les « pompes à la royale[27] ». Le *Martello* en était à sa première traversée; sa coque était donc parfaitement étanche. Mais les grosses giclées d'eau glacée que la mer crachait par-dessus le pavois s'infiltraient par les écoutilles, les caillebotis et les claire-voies, les baignant dans un écœurant bouillon saumâtre.

Quelques hommes gémirent en même temps que la carcasse du navire qui menaçait de s'éventrer et de se vider de sa cargaison humaine. Alexander avait un urgent besoin d'air frais. Rampant sur le plancher souillé de vomissures, repoussant le cadavre d'un rat que les pompes avaient remonté des cales avec l'eau, il s'accrocha à l'épontille et se hissa péniblement sur l'échelle à laquelle il se retint fermement pour éviter d'être projeté dans la soupe visqueuse ou sur les malades. Poussant sur le taud de toile, il fut accueilli par une gerbe d'eau de mer glacée. Il jura, puis, après une prière rapide, grimpa les dernières marches.

Déchaîné, écumant, l'Atlantique mordait à grands coups dans le pont supérieur du navire, dont la mâture oscillait dangereusement. Le fouet du gros temps claquait sur le visage du maître charpentier qui, attaché au bastingage par une corde solidement nouée à sa taille, vérifiait avec une lampe-tempête l'état des joints ou coutures du bordé. Ils tenaient bon, pour le moment. La tempête faisait rage depuis plus de deux heures maintenant. Son rugissement couvrait de temps à autre les psaumes que chantaient la poignée de presbytériens et les quelques catholiques. La voix grave du maître de chant s'élevait dans le tumulte des manœuvres.

— ... Dieu est pour nous refuge et force, secours dans l'angoisse toujours offert. Aussi ne craindrons-nous si la terre est changée, si les montagnes chancellent au cœur des mers, lorsque mugissent et bouillonnent leurs eaux et que tremblent les monts à leur soulèvement[28].

Se retenant au cabestan avant, trempé jusqu'à l'os, Alexander observait les matelots qui couraient sur les cordages et sautaient d'une enfléchure à l'autre dans un désordre discipliné, bravant avec un stoïcisme stupéfiant la violence des gifles que la tourmente leur infligeait et qui menaçaient de les envoyer par-dessus bord se

---

27. Les vaisseaux anglais avaient, en plus du système traditionnel de pompes à clapets, des norias à godets dites «pompes à la royale» pour vider l'eau des fonds de cale.
28. Psaume 46, v. 2-4.

perdre dans les flots. Deux officiers passèrent sous son nez et s'engouffrèrent dans les poulaines en se bousculant et en se plaignant, ce qui le fit sourire. Si haut placé qu'on fût, on n'était jamais qu'un homme.

— Macdonald! rugit une voix au milieu du vacarme.

Bondissant sur ses talons, Alexander se retrouva face à face avec un lieutenant inconnu qui le dévisageait de ses yeux de batracien exorbités sous une perruque dégoulinante.

— Que faites-vous ici, soldat Macdonald? Descendez immédiatement vous rapporter au sergent Watson. Il me fera...

— Le sergent Watson?

Le seul sergent auquel il devait se rapporter était Roderick Campbell, à moins que... Le coup l'atteignit en plein visage. Encore sous le choc, il resta un moment immobile, fixant la baguette de l'officier.

— Impertinent! On ne répond pas à un ordre donné par son supérieur et on ne regarde pas un officier dans les yeux lorsqu'il s'adresse à vous! Je vous ferai payer votre affront par le fouet, espèce de...

— Que se passe-t-il, lieutenant Fraser?

L'homme, rouge de colère, pivota et foudroya son homologue du regard. Une langue d'eau lécha le pont, s'entortilla autour de leurs chevilles et chercha à les entraîner avec elle en se retirant. Alexander s'agrippa derechef au cabestan.

— Lieutenant Campbell, siffla le premier officier, masquant à peine son mépris pour celui qui lui faisait face, je vous prierais de ne pas vous mêler de ce qui ne vous regarde pas. Cet homme est sous mon commandement et...

— Sous votre commandement? coupa sèchement Archibald Campbell en fronçant les sourcils. Ce soldat fait partie de *ma* compagnie, qui, je le crains, n'est nullement sous *votre* autorité.

Puis, il se tourna vers Alexander.

— Soldat, déclinez votre identité et celle de votre compagnie!

— Soldat Alexander Macdonald, de la compagnie du capitaine Donald Macdonald, monsieur.

— Il ment! s'indigna le lieutenant Fraser, cet homme est...

— Fraser, je vous prierais de vérifier si celui que vous croyez qu'il est ne se trouve tout simplement pas où il devrait se trouver, et de laisser mon soldat à ma charge.

— Mais?!...

— Macdonald, retournez en bas et attendez-moi, continua Archibald en ne tenant pas compte des protestations de l'autre.

— Oui, monsieur, bredouilla Alexander, le ventre crispé.

Étendu dans son hamac, Alexander avait écouté pendant plus d'une heure les hurlements d'un pauvre marin qui s'était retrouvé coincé sous un canon errant que le roulis avait désamarré. Enfin, les cris lugubres se turent, laissant croire que l'homme avait rendu l'âme.

Dans le noir, au milieu des grincements incessants de la structure de bois, ne se faisaient plus entendre que les plaintes languissantes des soldats. Bien que la tempête eût diminué d'intensité, Alexander, les poings serrés, tentait de contenir l'angoisse qui ne le quittait plus.

Ce n'était pas la folie des éléments qui le tenait éveillé. Il se fichait bien que le navire menaçât de vomir ses entrailles dans la mer en furie. Non, d'autres tourments le taraudaient depuis qu'il avait assisté à la petite altercation entre les deux lieutenants, sur le pont supérieur. Ses craintes s'étaient ensuite vues confirmées quand Archie lui avait expliqué la raison de la méprise : ses frères John et Coll étaient à bord, sous le commandement du capitaine Montgomery.

Il ne comprenait toujours pas. Comment était-ce possible ? Il l'aurait su, il l'aurait senti. Comment avait-il pu traverser l'Irlande sans jamais croiser ses frères ? Comment ? Les questions affluaient, et il ne trouvait pas de réponses.

Un bras frôla son épaule. Il tourna la tête vers son voisin, qui tentait de se retourner dans sa couche mobile sans basculer dans le vide. Munro grogna. La clarté vacillante que jetaient les lanternes accrochées aux baux faisait danser des ombres sur le vaigrage suintant d'humidité et donnait l'impression que les hommes couchés dans les hamacs étaient un chapelet de saucissons suspendus. L'odeur était toujours insoutenable. Mais Alexander, qui avait connu pire, s'en accommodait.

— Munro ?

— Hum... grommela son cousin d'une voix ensommeillée.

— Tu savais que mes frères étaient à bord ?

Le silence prolongé lui fournit sa réponse. Néanmoins, Munro, anticipant l'interrogatoire qu'il allait inévitablement subir, voulut s'expliquer.

— Je ne sais pas ce qu'il y a entre tes frères et toi, mon vieux, mais je n'ai pas osé t'avertir, de peur que tu sautes par-dessus bord pour regagner la côte à la nage. Je voulais te le dire d'ici un jour ou deux, lorsque j'aurais été bien certain que la fuite était impossible.

— Je ne sais pas si je dois te remercier... grogna Alexander en fixant une tache mouvante sur une poutre, au-dessus de lui.

— Je te jure, Alas, j'en avais l'intention...

— Hum... Depuis quand est-ce que tu sais qu'ils se sont engagés dans le régiment? Depuis le début?

Il y eut un nouveau long silence, pendant lequel leur parvinrent les voix des marins affairés à remettre en état le gréement abîmé.

— J'étais avec eux lorsque je me suis engagé, laissa enfin tomber Munro.

— Et eux, ils savent?

— Pour toi? Non... enfin, je ne le crois pas. Je ne les ai pas revus depuis notre départ d'Inverness.

— Et je suppose que le fait que je me retrouve dans la même compagnie que toi ne tient pas du hasard, hein?

— En effet... ton oncle...

— Laisse tomber, Munro, répliqua rudement Alexander en fermant les yeux. Il m'a déjà tout avoué. Je voulais simplement savoir si tu étais de mèche avec lui, et j'ai ma réponse.

L'entretien qu'il avait eu avec Archibald, peu après la scène du pont, l'avait bouleversé. Apprendre qu'il voyageait sur le même navire que ses frères était déjà assez troublant pour lui. Mais savoir qu'on le lui avait délibérément caché était autre chose. L'affrontement était inévitable; c'était une question de jours. Douze ans de silence... et maintenant... bon sang! Rien que d'y penser, il sentait son estomac se tordre.

— Alas... tu m'en veux? demanda timidement son jeune cousin.

Serrant les dents, Alexander réfléchit avant de répondre. Il était sincèrement heureux de retrouver son compagnon de jeux, probablement le seul de son clan qui ne l'ait jamais traité comme un étranger. Allait-il briser le seul lien qu'il lui restait avec son passé?

— Oui, Munro... mais je peux comprendre.

— Merci, Alas. Seulement, j'aimerais bien savoir pourquoi tu n'es jamais revenu.

— Un jour, peut-être, je t'expliquerai, le coupa Alexander en soupirant. Je n'ai pas envie d'en parler maintenant.

— D'accord.

***

Les navires de la flotte anglaise dispersés par la tempête mirent une semaine à se rassembler pour reformer un long cortège qui reprit sa route, glissant lentement vers le sud-ouest. Les habitudes s'implantèrent dans le quotidien des soldats et l'angoisse dans l'estomac d'Alexander.

L'entrepont baignait dans un brouillard de fumée de pipe. Installé dans un coin sombre, le jeune homme sculptait une corne à poudre avec son canif, dans le brouhaha des conversations des soldats rassemblés dans l'exiguïté de leurs quartiers. Assis sur un vieux coffre de bois, deux hommes torse nu mesuraient leurs forces dans un bras de fer; des compagnons enthousiastes les entouraient et les encourageaient. Plus loin, les soldats Macleod et MacNicol se livraient à l'art de l'épissure sous l'œil attentif d'un vieux marin. Bien que le jeu fût interdit, les dés roulaient et les cartes tombaient sur les lames du plancher, au milieu des exclamations de joie ou de dépit.

On poussait des cris, on parlait fort.

— ... Et vous savez que j'ai envoyé au ciel une bonne douzaine des hommes de Cumberland, avec une seule balle dans mon mousquet?

— Sacrebleu! s'écria un jeune gringalet au menton fendu, tu les as plutôt tous asphyxiés avec un vent bien fermenté comme toi seul sais le faire...

Plus près, un groupe d'hommes devisaient allègrement. Parmi eux, Patrick Grant narrait fièrement ses exploits, jurait qu'il avait rencontré Bonnie Prince Charlie et qu'il l'avait même protégé lors de sa fuite, après la défaite de son armée sur Drummossie Moor.

— Ils étaient sept comme nous, et nous leur sommes tombés dessus comme la foudre. Les frères Chisholm étaient restés sur les rochers et leur ont tiré dessus; deux *Sassannachs* sont morts. Les autres et moi avons dévalé la colline, l'épée au clair. Si vous aviez vu la tête de ces imbéciles! Ils étaient blancs comme neige, je vous jure. Ils n'ont rien trouvé de mieux que de se débarrasser de leurs mousquets et de prendre la fuite, la queue entre les jambes, abandonnant sur place bagages et chevaux. Nous avons jeté les cadavres dans une tourbière et ramassé les provisions. Puis nous sommes remontés vers Carriedhoga, où nous attendait le prince. Je vous jure que, cette nuit-là, le feu alimenté aux vestes rouges était magnifique...

— Tu nous racontes n'importe quoi pour te rendre intéressant, Grant! Qu'est-ce qui nous prouve que c'est la vérité? Si tu as caché Charlie dans une grotte, alors moi, je me suis caché sous les draps et entre les cuisses de la belle colonelle Anne[29], ha! ha! ha!

---

29. Figure légendaire dans les Highlands, lady Anne Mackintosh n'était âgée que de vingt ans en 1745. Tandis que son époux commandait un régiment pour le roi George, elle mettait son clan au service du prince Stuart.

Les rires fusèrent et des têtes intéressées se tournèrent vers eux.

— C'est vrai, nous voulons des preuves!

— Où sont les six autres hommes qui faisaient partie du groupe des Sept de Glenmoriston? Qu'ils viennent nous confirmer que ce n'est pas qu'une légende de plus sur la fuite de Bonnie Charlie!

— Mes compagnons sont aujourd'hui dispersés, probablement morts ou déportés; que Dieu ait pitié d'eux. Mais je jure sur la tête du prince lui-même que je dis la vérité; je le jure aussi solennellement que j'ai juré fidélité en ce jour de juillet 1746: « Que nos dos soient tournés vers Dieu, notre visage vers le diable, que tous les sorts des Saintes Écritures tombent sur nous et nos générations à venir si nous ne restons pas solidaires avec le prince dans le danger le plus grand... »

Le silence s'établit dans l'assemblée qui avait grossi autour du conteur exalté. Une vague de murmures et des hochements de têtes éloquents approuvèrent la témérité de Grant. Crier haut et fort en ces lieux son attachement et sa fidélité au prince exilé pouvait coûter fort cher. La preuve que tous demandaient leur était fournie. On acclama l'homme et on lui offrit un cruchon de whisky frelaté.

Une musique énergique s'éleva des cordes d'un violon qu'un archet s'était mis à caresser. Les notes, dans un glissando exécuté avec brio, s'enchaînèrent du grave au suraigu, pour retrouver une hauteur moyenne. Les modulations de la mélodie, comme une explosion de couleurs, entraînèrent les cœurs nostalgiques sur les chemins des Highlands, dans ces vallées perdues peut-être à jamais. Alexander s'était arrêté de travailler, transporté lui aussi par la cascade de sons qui faisait défiler dans sa tête des images longtemps refoulées.

Immobile et oppressé par l'émotion, il n'avait pas remarqué MacCallum qui s'approchait. Le jeune soldat s'assit à côté de lui sur un rouleau de corde, fasciné lui aussi par cette musique qui arrachait des larmes à leurs yeux asséchés par les rigueurs d'une vie désœuvrée. La corne glissa et tomba, ramenant brusquement Alexander à la réalité. Se penchant pour la ramasser, le jeune homme se heurta le front à l'épaule de MacCallum, qui faisait le même geste. Confus, bredouillant des excuses, les deux se redressèrent d'un coup et se dévisagèrent. Puis MacCallum se détourna.

Des rumeurs circulaient. Il était maintenant de notoriété publique que William MacCallum était le protégé d'Evan Cameron, qui le disait son demi-frère. Mais on racontait aussi autre chose qui dérangeait particulièrement Alexander. Il avait remarqué les regards insistants que lui lançait le garçon et avait fait mine de ne pas les voir. Penser que MacCallum pouvait lui porter une sorte de... sentiment qui était pour lui contre nature l'agaçait. Pourtant, Cameron, qu'on traitait en secret de sodomite, n'affichait pas de comportement bizarre, bien qu'il ne cachât pas son attachement pour le jeune garçon... Après tout, peut-être les deux étaient-ils vraiment demi-frères. Peut-être aussi MacCallum était-il tout simplement un tendre que Cameron s'obligeait à protéger. Si c'était le cas, Alexander ne donnait pas au jeunot longtemps à faire dans le régiment. La vie de soldat mettait à rude épreuve même les cœurs les plus durs. Dès les premiers affrontements, s'il n'était pas tué, la folie aurait raison de lui.

— C'est très beau, bafouilla MacCallum en désignant le poignard qui pendait à sa ceinture. Je peux le voir?

Jetant un œil autour de lui, Alexander dégaina son arme et la lui tendit, évitant soigneusement tout contact avec le garçon. Les mains de MacCallum caressèrent les entrelacs qui ornaient le manche, s'attardant sur les détails.

— C'est toi qui l'as fait?

— Oui.

— Et la corne... elle est pour toi aussi?

Baissant le regard sur l'objet qu'il avait oublié entre ses doigts, Alexander hocha la tête.

— Tu travailles pour les autres, parfois? Je veux dire, si on te paye...

Alexander avait la nuque raide; il craignait que ce ne soit une offre malhonnête. Les yeux gris qui le fixaient étaient piquetés de vert; il n'en avait jamais vu de semblables. MacCallum le dévisageait avec une telle intensité qu'il ressentit un profond malaise.

— Me payer?

— Avec de l'argent, Macdonald, précisa MacCallum avec un sourire entendu. Qu'est-ce que tu crois?

Très embarrassé, Alexander bafouilla une réponse.

— Bon, continua la voix fluette, tu pourrais peut-être faire quelque chose de bien avec ceci, alors?

Il sortit d'un petit étui de cuir attaché à sa ceinture un *sgian dhu*[30] au manche de noyer noirci, aussi lisse que la peau de ses joues. Prenant l'objet, Alexander fit mine de l'examiner; il hésitait à accepter le travail rémunéré qu'on lui offrait dans la crainte d'attirer sur lui l'attention.

L'arme était de belle facture. Sa lame en acier bleu façonnée

---

30. Petit coutelas que les Écossais portaient glissé dans leur chaussette. Prononcer: skin dou.

avec délicatesse n'avait certainement pas été récupérée sur une épée brisée.

— L'armurier n'a pas pu terminer le travail avant mon départ, expliqua MacCallum en tendant la main pour reprendre son coutelas. Si tu n'as pas le temps...

— Je le ferai, lâcha d'un coup Alexander en refermant les doigts sur le manche.

Le garçon le regarda un moment, bouche bée. Puis un sourire s'afficha sur ses lèvres, donnant à son visage qu'encadrait une soyeuse chevelure auburn retenue par un lacet de cuir un caractère féminin. D'apparence soignée et de taille moyenne, il avait la minceur de l'adolescence et ses joues ne portaient pas encore le duvet de la virilité naissante. « Cela viendra, se dit Alexander, et le plus vite sera le mieux. »

— Quel âge as-tu?

Les lèvres minces de MacCallum se pincèrent légèrement.

— Seize ans.

— Hum... fit négligemment Alexander, les yeux rivés sur le *sgian dhu*. C'est très jeune...

— Je sais me battre! Et puis, inutile de me dévisager comme ça, Macdonald, je sais ce que tu penses de moi. J'ai des yeux et des oreilles, au cas où tu ne l'aurais pas remarqué. Je te croyais différent... Je croyais que... Oh! Laisse tomber!

Cherchant à reprendre son coutelas, MacCallum allongea le bras vers Alexander qui, surpris par son ton véhément, restait muet. Et s'il se trompait? Le garçon avait l'air dégourdi en dépit de son allure de femmelette. Il repoussa la main qui allait se refermer sur le manche.

— Rends-moi mon couteau!

— Je t'ai dit que je m'en occuperais... si tu le veux toujours.

Les joues empourprées par la colère, MacCallum jeta un œil à la ronde. Personne ne faisait attention à eux.

— Heu... oui, je veux bien.

— D'accord. Qu'est-ce que tu m'offres en échange?

— T'offrir? Euh...

— Combien, je veux dire.

Le garçon fixa son interlocuteur, comme pour lui interdire d'oser même penser qu'il fût tout juste bon à se faire tripoter. Dans ce regard étrange, Alexander vit une blessure, mais aussi une détermination et une force d'âme insoupçonnées. « Quel singulier personnage », songea-t-il.

— J'ai trois pence...

— Trois? Un fera l'affaire.

— Tu me le ferais pour un seul penny?

— Un seul, c'est à prendre ou à laisser.

Un rire s'échappa de la gorge de MacCallum, suave et roucoulant. Alexander sourcilla. En définitive, le garçon gagnerait à revêtir sa peau d'homme le plus rapidement possible.

— Je prends, merci.

Un sourire, troublant sur ce visage glabre, appuya sa réponse. Le charme étrange qui émanait de l'adolescent fit brusquement peur à Alexander. Pendant un très court instant, ce dernier se surprit à rechercher son regard. Puis il baissa les yeux sur le couteau qu'il tenait serré dans sa main. MacCallum était un jeune garçon!

— Tu peux m'appeler William, Macdonald.

— William... Moi, je suis Alexander.

— Enchanté, Alexander.

Ce disant, l'adolescent tendit la main et serra vigoureusement celle d'Alexander pour sceller une nouvelle amitié. Les deux se sourirent.

***

Deux semaines s'écoulèrent. Le vent en poupe, l'escadre voguait avec grâce sur une mer étale. Le temps était favorable. La cohabitation entre soldats et marins se faisait sans heurts majeurs sur cet îlot de bois flottant. De plus, le travail qui ne manquait pas empêchait la mélancolie d'envahir les esprits.

Le peu de temps libre qu'il pouvait s'approprier, Alexander le consacrait à la sculpture ou au repos. Quand il savait la compagnie de Montgomery à l'ombre de ses quartiers, il se permettait de monter sur le pont supérieur. Là, il s'accoudait au bastingage et observait les vagues bleues qui se fracassaient sur la coque, en faisant bien attention de ne pas gêner les manœuvres des marins. Parfois, des dauphins faisaient la course avec le navire. Il arrivait à William et à Evan de venir le rejoindre. Refoulant ses soupçons quant aux liens qui unissaient les deux hommes, il s'était lié d'amitié avec eux. Après tout, ce qui se passait entre eux ne le regardait pas... pourvu que le troublant jouvenceau se tînt à distance respectable de lui.

Au cours de leurs conversations, il avait appris qu'Evan, originaire du Glen Pean, dans le Lochaber, était veuf et avait trente-cinq ans. William était un rejeton issu du remariage de sa mère avec un homme du loch Sheil. C'est pourquoi les deux ne s'étaient rencontrés que cinq ans plus tôt. William avait perdu sa parentèle pendant les années de privation qui avaient suivi la bataille de Culloden. Ce frère qu'il n'avait jamais connu mais dont il avait si souvent entendu parler était venu le chercher pour s'occuper de lui.

Les observant à leur insu, Alexander se disait que l'étrange relation qu'ils entretenaient au mépris des rumeurs n'était sans doute que des liens fraternels forts qu'il n'avait jamais eu la chance de connaître lui-même. Les médisances n'étaient qu'une stupide réaction de tous à la troublante finesse des traits de William. Par contre, le garçon avait du cran et de la répartie. Alexander avait assisté, pas plus tard que la veille, à une scène plutôt cocasse qui l'avait fait sourire et apprécier plus encore les qualités de l'adolescent.

Les trois hommes s'étaient retrouvés sur le gaillard d'arrière pour assister à une compétition devenue un rituel dominical sur le navire. Des gabiers s'alignaient au pied du mât de misaine et attendaient leur tour pour se mesurer à Boswell le Macaque, sur lequel ils grimpaient. Le spectacle, très divertissant, attirait les soldats qui en profitaient pour lancer des paris : qui, du singe ou de l'homme, sortirait vainqueur ?

Le vent tiède s'amusait à gonfler les kilts, et William retenait le sien entre ses cuisses. Se sentant soudain observé, il se retourna et constata qu'un marin occupé à ravauder une voile s'était arrêté de travailler et lui faisait un large sourire. Par pure politesse, William sourit et se détourna aussitôt, reportant son attention sur l'épreuve qui se déroulait devant lui, au milieu des rires.

— Hé ! petit, appela une voix sonore derrière eux, tu sais que t'as la peau des fesses aussi lisse que celle d'une femme ? Si tu me laisses la caresser, je te donne... Oumph !

Poussant un cri indigné, William avait brusquement pivoté sur lui-même et envoyé son genou dans l'entrejambe du marin. L'homme se trouvait juste derrière et avait osé glisser la main sous son kilt.

— Oh ! Pardon... fit William en esquissant une moue désolée. Vous disiez ?

Un sifflement s'échappa de la bouche du marin qui, plié en deux, la main sur ses organes agressés, se tenait à la dunette. Pour tous les hommes présents, le message était on ne peut plus clair : on ne touchait pas à la peau des fesses de MacCallum !

L'œil d'Alexander glissa sur l'arête tranchante de la lame du *sgian dhu* que lui avait confié William, pour en vérifier le fil : parfait. Il cala l'arme dans sa paume et la soupesa. Juste assez lourde. Il ne restait plus qu'à vérifier si le poids du manche et celui de la lame étaient bien équilibrés.

Un mouvement entre deux barils attira son attention. De l'ombre sortit un gros rat qui furetait. Il l'observa pendant quelques instants. Puis, lentement, il prit le coutelas par la lame, levant le manche à la hauteur de son seul œil ouvert, et le lança. « Chtouc! » Pas un seul cri. Le rongeur se tortilla avant de s'immobiliser d'un coup. Celui-là, il ne le mangerait pas. Non pas que le goût des rats lui déplût à ce point – on ne regardait pas le menu lorsque la faim nous tordait les tripes –, mais il trouvait que l'écorchement était trop long pour les quelques bouchées de viande qu'on en retirait. Il préférait se contenter de la viande avariée et des biscuits ramollis qu'on leur donnait.

— Hum... très bien équilibré, conclut-il en récupérant le coutelas.

Donnant un coup de pied dans la bête pour la faire disparaître de sa vue, il essuya la lame sur le sac contre lequel il était adossé. Les cris des porteurs de voix résonnèrent à travers le treillis des caillebotis. Les ordres étaient ainsi transmis d'un pont à l'autre sur le *Martello*. Rechercher le silence relevait de l'utopie sur un navire.

Alexander frotta ses yeux fatigués d'avoir tant examiné les détails de son ouvrage dans la pénombre de son coin de cale. Installées dans des renfoncements vitrés du mur qui devaient donner sur la soute à poudre, deux lanternes éclairaient faiblement.

Aujourd'hui avait lieu l'exécution d'une punition majeure; un marin avait été condamné à « la garcette » pour avoir volé. Le supplice consistait, d'après ce qu'il avait entendu dire, à faire marcher le contrevenant entre deux rangs d'hommes qui le frappaient à l'aide de bouts de corde. Pour le plaisir et l'exemple, les officiers ajoutaient parfois un coup asséné avec le plat d'une épée ou un coup de baïonnette. Il y aurait beaucoup de monde sur le pont supérieur; les divertissements étaient si rares. Se doutant qu'il risquait de se retrouver face à l'un de ses frères qu'il avait si bien réussi à éviter jusqu'ici, Alexander s'était caché dans cet endroit qui était devenu pour lui une sorte de refuge.

De son pouce, il effleura le relief de la tête de martre dont il avait orné le pommeau du *sgian dhu*. Il avait choisi cet animal pour l'arme de William parce qu'il était le symbole de la ténacité et du courage. Le jeune garçon aurait ainsi un talisman qui lui apporterait persévérance et endurance dans l'adversité. Glissant le coutelas dans sa ceinture, Alexander se leva et risqua un œil de l'autre côté d'un arrimage de barillets. Personne en vue. Sachant que, si on le trouvait ici, on le soupçonnerait et on l'accuserait même peut-être de vol, il décida qu'il était temps de retourner voir ses compagnons.

Le couloir qui desservait les pièces où étaient stockées les voiles de rechange était sombre. Dans l'air stagnait une poignante odeur de moisissure et de pourriture montant des sentines. Un peu d'air frais lui ferait du bien. Rasant les murs, il se dirigea vers la faible lueur d'une lanterne, au bout. Enfin, il aperçut l'échelle.

Il se figea, croyant entendre la voix d'un homme tout près de lui. Assourdi par la paroi du mur, le bruit se mua en une plainte. Un blessé? Les quartiers du chirurgien de bord étaient pourtant situés sur le deuxième pont, à tribord.

La curiosité l'emportant, il tendit l'oreille pour chercher l'origine du geignement. Il fit quelques pas et l'entendit de nouveau, plus nettement cette fois-ci. Un long gémissement ponctué des halètements caractéristiques des prémices de la jouissance. Se plaquant contre le mur, il écouta ce concerto dédié à Éros avec un intérêt grandissant. Qui donc pouvait bien oser venir ici assouvir ses besoins sexuels?

Il y eut ensuite un long silence pendant lequel il tenta d'imaginer deux corps enlacés à même le sol ou sur une pile de voiles pliées, attendant que leurs rythmes cardiaques se calment. Il y avait des femmes sur le navire, les épouses de soldats qu'on partageait discrètement parfois pour une pièce de monnaie. Ce commerce était florissant dans l'armée où l'on n'admettait que six femmes par compagnie. Mais les hommes aussi acceptaient de se donner du plaisir les uns aux autres. Intrigué, Alexander attendit.

Sur le pont, le martèlement des pas d'une équipe de marins prenant leurs postes annonça le changement de quart. De l'autre côté du mur, un murmure incompréhensible se fit enfin entendre; ton grave qui ne faisait aucun doute sur le sexe de la personne. Cela ne dura que quelques secondes. Puis plus rien. Un bruissement, un grattement sur le sol et le cliquetis métallique de boucles; l'homme se rhabillait certainement. Comprenant que les amants étaient sur le point de sortir de leur cachette, Alexander fouilla le couloir du regard, avisa une porte à quelques pas. Par miracle, elle était déverrouillée. Comme il la refermait, il vit l'autre s'ouvrir avec prudence dans un faible grincement. Une tête émergea. Puis la haute stature de l'homme surgit. Refermant la porte derrière lui, l'inconnu se dirigea vers l'échelle.

— Bon Dieu! murmura Alexander en voyant le visage du soldat dans un rai de lumière.

Evan Cameron grimpa jusqu'à l'écoutille et disparut. Devinant soudain qui était resté dans le réduit, le jeune homme sortit de sa cachette et s'approcha de l'endroit à pas de loup. Il lui fallait en avoir le cœur net.

La porte grinça et la lueur du falot pénétra dans la réserve. Il

102

sentit d'abord l'odeur de moisissure, si persistante. Puis celle des corps, mélange de sueur et de quelque chose de sucré, le happa et fit naître dans son esprit des images d'étreintes qui le firent frissonner. Une silhouette était à demi étendue sur le sol. Elle se retourna d'un coup.

— Evan? Pourquoi es-tu... Oh! Doux Jésus!

Attrapant ses habits pour se couvrir, William – qu'Alexander avait identifié à sa voix – se poussa dans l'ombre avec un gémissement. Puis il ne bougea plus et ne dit plus rien. Ouvrant complètement la porte, Alexander laissa la lumière s'engouffrer et chasser l'obscurité. Il découvrit alors avec stupeur le visage terrifié du jeune homme recroquevillé dans un coin. Il avait soudain pitié de lui et s'en voulait de lui faire subir cette humiliation. Après tout, qu'en avait-il à faire que William et Evan fussent amants? D'un autre côté, pourquoi cela le troublait-il autant? Pourquoi son cœur se serrait-il autant maintenant qu'il découvrait que ce qu'il avait soupçonné depuis le début était vrai? Pourtant, le simple fait d'imaginer la main d'un homme massant son sexe le révulsait.

Pétrifié d'angoisse, le garçon ne remuait toujours pas. Prenant conscience que William ne pouvait le reconnaître dans le clair-obscur, Alexander fit deux pas de côté dans la pièce, plaçant son visage dans la lumière. L'effet fut immédiat : William poussa un cri et rampa pour récupérer le reste de ses habits qui jonchaient le sol. La lueur oscillante de la lanterne effleura la courbe d'une cuisse glabre et d'une hanche. Alexander ne pouvait en détacher son regard. Mortifié de sa réaction et honteux de son comportement, il se préparait à sortir lorsque William l'interpella d'une voix ténue :

— Alexander...

Les doigts crispés sur le jambage de la porte, il s'immobilisa. Il n'osait pas se retourner, de peur de découvrir le reste de ce corps pâle qui le mettait en émoi. Des froissements de tissu lui indiquèrent que l'adolescent se rhabillait.

— Je t'en prie, reste. Je dois te parler.

L'uniforme semblait avoir revêtu William d'assurance. Alexander ébaucha un mouvement de côté. Lorsqu'il aperçut le rouge de la veste, il se retourna enfin.

— William, je ne voulais pas... Je suis...

— Non... Je me doutais bien de toute façon qu'on nous surprendrait un jour ou l'autre et que ça se saurait. J'espérais simplement avoir un peu plus de temps.

Il replaça les plis de son plaid sous sa ceinture. Sa chemise encore entrouverte laissait voir les saillies osseuses des clavicules que découpaient délicatement les ombres. Ses cheveux en bataille masquaient son regard gris si mystérieux. Il eut une expression sibylline et leva les yeux, qu'il dégagea d'un geste éthéré vers Alexander. Quelque chose d'indéfinissable mettait ce dernier très mal à l'aise.

Fermant les paupières sur les images de débauche que lui inspirait le corps délicat de William, il ne put néanmoins s'empêcher d'imaginer ce qu'il pourrait ressentir à le caresser. Pourrait-il en éprouver du plaisir? Il avait déjà pris des femmes par-derrière. Un orifice, quel qu'il fût, restait toujours un orifice. Serrant les mâchoires, il musela son envie de hurler son dégoût de lui-même.

— Il y a des choses que tu dois savoir, Alexander.

— Tu n'as pas à te justifier, lui répliqua-t-il un peu sèchement. Je... ne dirai rien, je t'assure.

— Je sais. Je l'ai senti le premier jour où je t'ai vu, à Inverness. Tu es... différent des autres. Tu es...

— Je ne suis pas ce que tu crois! le coupa vivement Alexander comme pour se convaincre lui-même. Tu te trompes. Je ne suis pas intéressé par... les hommes.

Un petit rire roucoulant et grave accueillit ses protestations, ajoutant à son humiliation. Jamais il n'aurait imaginé se trouver un jour dans une telle situation. L'odeur douceâtre du corps de William se fit plus présente autour de lui, l'enveloppant insidieusement, attisant ses sens malgré lui.

Une main frôla sa joue. Comme brûlé par un tison, Alexander s'écarta brusquement et ouvrit les yeux. William se tenait devant lui et le fixait. Lui avait envie de prendre ses jambes à son cou. Il voulait disparaître entre les lattes du plancher, se fondre dans le ventre du navire, dans l'océan. Mais il restait planté là, le sexe durci, complètement affolé. Il n'était plus certain d'être en mesure de repousser William si ce dernier tentait un geste vers lui.

— Ne me touche pas! siffla-t-il en reculant d'un pas.

— D'accord.

D'abord, il pensa qu'à l'instar d'autres soldats c'était la trop longue abstinence qui le poussait vers un homme. Puis il se dit que c'était la douceur et la délicatesse du garçon, qui lui rappelaient celles d'une femme. Enfin, il tenta d'expliquer l'inexplicable par mille et une raisons qu'il rejetait les unes après les autres, écœuré.

Se forçant à fixer le visage de William pour ne pas regarder plus bas, il respirait par saccades. C'est alors que le jeune homme ouvrit timidement sa chemise, lui dévoilant le grain délicat d'une peau moite à laquelle la lumière s'accrochait. La courbe d'un sein le saisit.

Un son rauque s'échappa de sa gorge, le libérant du carcan qui enserrait sa poitrine. Stupéfait, il avança une main pour s'assurer que ses yeux ne le trompaient pas.

À la honte et au soulagement succéda alors brusquement la colère. William… enfin, comment devait-il l'appeler maintenant? MacCallum s'était moquée de lui. Il ferma son poing et serra les dents.

Avisant son changement d'attitude, la jeune femme s'empressa maladroitement de boutonner sa chemise. La respiration bruyante du jeune homme lui parvenait néanmoins, témoignage de la fureur qu'il contenait.

— Qui es-tu vraiment? Quel est ton véritable nom? Ta vraie histoire? Tout ce que tu m'as raconté à ton sujet n'était donc que mensonges? Tu t'es bien fichue de moi!

— Non! Comment peux-tu dire cela, Alexander? Tu sais très bien que je ne me moquerais pas volontairement de toi. Je n'avais pas le choix! Personne ne doit savoir!

— Et comment dois-je t'appeler dorénavant?

— Leticia…

« Leticia, Leticia… » Le nom martelait l'intérieur de sa tête, son cœur, son sexe. Leticia-William ou William-Leticia? Une femme ou un homme? Il ne savait plus où il en était. Il détailla la finesse du cou, la carrure des épaules, la délicatesse des poignets. Ses yeux glissèrent lentement sur le renflement du sein qu'il avait osé toucher, s'attarda sur les jambes, longues, fuselées et musclées, qui dépassaient du kilt. Quelle que fût cette femme devant lui, il avait une folle envie de la prendre là, sur le plancher, de l'entendre gémir sous lui pendant qu'il déverserait en elle toute sa frustration, juste pour se prouver qu'il n'avait jamais vraiment eu de désir pour William.

— Leticia. D'accord… Leticia. Et Evan, qui est-il? Ton mari?

— Oui.

Ne pouvant le retenir, il laissa son regard glisser de nouveau sur les cuisses de la jeune femme, puis remonter jusqu'à la gorge. D'un coup, il lui sembla que tous les étranges comportements de William s'expliquaient: ses silences lorsque les hommes racontaient des histoires salaces; son refus de faire sa toilette corporelle avec les autres. Il comprenait aussi maintenant les regards teintés de malaise qu'Evan posait sur elle lorsque les hommes allaient nus devant elle et balançaient presque sous son nez leurs parties génitales. Réalisant en même temps qu'elle avait pu à plusieurs reprises voir de près ses propres attributs masculins, il sentit brusquement ses joues s'empourprer.

— Finis de te rhabiller! lui lança-t-il rudement pour masquer son

embarras. Tu devrais te dépêcher de remonter sur le pont avant
que...

— Que l'on remarque notre absence? rétorqua-t-elle, offusquée.

Puis, se penchant pour ramasser son béret, elle jura entre ses
dents, retenant un sanglot. La colère la gagnait à son tour.
Alexander n'avait pas le droit de la juger sans la connaître. Il pouvait
penser ce qu'il voulait de William, mais il ne pouvait pas traiter ainsi
Leticia. Lui tournant le dos, elle ajusta son uniforme. Le silence
était revenu dans la petite pièce. Croyant le jeune homme parti, elle
se préparait à sortir quand elle l'aperçut qui l'observait, adossé à la
cloison, les bras croisés. N'arrivant plus à masquer le trouble qui
l'habitait toujours, Alexander se força à se détourner, cherchant
refuge dans la contemplation de l'eau glauque et croupie d'un baril-
let qu'on n'avait pas vidé depuis belle lurette.

— Maintenant tu sais la vérité, Alex. Mon histoire est telle que je
te l'ai racontée. Celle d'Evan aussi. Nous avons jugé préférable de
conserver cette vérité. Le mensonge est dangereux, car on l'oublie
trop facilement. Seulement, ma mère n'est pas la mère d'Evan, mais
la cousine d'Evan. Lorsque mes parents sont morts, Evan était de
passage dans la vallée. Il avait perdu sa femme trois mois plus tôt, et
sa fille de cinq ans, Mary Hellen, deux années avant. Moi, j'avais
douze ans. Nous étions seuls et perdus. Il m'a prise sous son aile et
m'a emmenée avec lui. J'ai en quelque sorte remplacé sa fille.

— Et maintenant tu remplaces sa femme?

— Je « suis » sa femme, Alexander. Ne te méprends pas sur mes
sentiments pour lui. J'aime Evan et je lui suis fidèle. C'est seulement
que... je voulais que tu saches. Je sais, j'aurais dû te dire la vérité bien
avant. Que tu l'apprennes de cette façon m'attriste et me fait honte.
Mais je n'arrivais pas à...

Le tambour résonna, leur imposant le silence. Alexander contempla longuement cette femme-garçon, se demandant finalement
s'il n'aurait pas tout simplement préféré qu'elle restât William.
Leur relation ne serait plus la même. Comment oublier que sous
l'uniforme de William se cachait la peau de Leticia?

— Allons, soldat MacCallum, il faut former les rangs.

***

Le sable s'écoulait inexorablement dans un sens et dans l'autre
dans le sablier, gardien du temps sur le navire. Le timonier piquait
la cloche à la fin de chaque quart de service depuis le départ de
Cork, c'est-à-dire depuis un mois. La lourdeur d'un quotidien

ennuyeux et l'espace restreint devenaient de plus en plus difficiles à supporter pour les soldats qui, pour la plupart, étaient des recrues. Un certain nombre souffraient du mal de mer et affichaient un teint cireux tirant sur le vert. D'autres, l'estomac malmené par un régime douteux, couraient régulièrement aux poulaines pour vider leurs entrailles sous les regards amusés des marins.

Vers la moitié du trente-huitième jour de voyage, le ciel était toujours un écran opaque et l'entrepont se trouvait dans une obscurité proche de la nuit. Un vent modéré soufflait par les sabords laissés ouverts pour disperser les odeurs accumulées au cours des jours précédents. Parfois une bourrasque faisait sourciller d'inquiétude; les tempêtes se levaient sans crier gare en haute mer. Les lanternes se balançaient à un rythme soporifique, projetant des ombres mouvantes sur le sol.

Le roulis berçait d'une main maternelle les hamacs dans lesquels plusieurs hommes s'étaient allongés pour faire la sieste. Certains soldats restaient assis près d'un seau, l'estomac trop fragile pour leur permettre de faire autre chose. Seuls les marins semblaient immunisés contre ce mal qui changeait l'être humain en un tas de chair dolente.

Las d'observer les puces qui sautaient d'un hamac à l'autre, incapable de dormir, Alexander se tourna avec difficulté dans sa couche oscillante. Non loin de lui, Evan ronflait. Plus près, Leticia était allongée à même le sol. Elle avait le visage tourné vers les baux et pianotait un air quelconque sur sa jambe repliée. Il la considéra d'un œil qui se voulait distant, sans y parvenir vraiment. « Elle t'estime, je ne sais pour quelle raison, Macdonald. Je te fais donc confiance, lui avait déclaré Evan quelque temps après sa découverte de la véritable identité de Leticia. Mais n'oublie jamais qu'elle est *ma* femme, mon ami. » Evan le tuerait s'il osait toucher à Leticia.

Elle se retourna et se mit en chien de fusil, croisant dans son geste le regard qui la caressait. Embarrassé, Alexander lui sourit et se tourna vers l'ouverture du sabord pour contempler les flots gris acier.

Des cris et des rires leur parvenaient du pont supérieur. Il s'agissait sans doute de marins qu'avait rejoints Munro. Le trouble ne quittait pas Alexander, qui avait toujours en tête l'image de la jambe repliée de Leticia. Bon Dieu! Ce qu'il avait besoin de se soulager!

C'est alors qu'il s'aperçut qu'un minois était tourné vers lui et semblait deviner ses pensées concupiscentes. La femme sans âge aux cheveux filasse ramenés sous un bonnet gris sale se leva du sol où elle était assise et le fixa. Se caressant la gorge avec éloquence, elle lui sourit obséquieusement. Puis, après une dernière moue sensuelle destinée à l'émoustiller, elle se dirigea vers le couloir en lui coulant un regard enjôleur et plein de promesses. Le cœur battant d'un désir charnel depuis trop longtemps inassouvi, Alexander se laissa tomber de son hamac et, se courbant pour ne pas se heurter la tête aux baux, il la suivit dans la pénombre du navire.

Le beuglement d'une vache et le caquètement des poules lui indiquèrent qu'ils ne se trouvaient pas très loin des parcs à bétail. Cet endroit était interdit à quiconque ne portait pas une requête du maître commis de bord. S'ils étaient surpris là, ils se trouveraient en bien mauvaise posture. Tirant la femme par la main, il longea le mur à pas furtifs, l'oreille à l'affût. Rien ne servait de refouler plus longtemps le désir violent qui le tenaillait depuis des semaines.

Balayant l'espace du regard, il chercha un coin où s'installer. Des cages à poules, des enclos grouillants de porcs et de moutons, des vaches retenues au vaigrage par des chaînes. Il n'y avait là que de la paille souillée et du fumier qui baignaient l'endroit d'effluves fétides. Il grogna d'impatience et, pressé d'en finir, entraîna la femme dans le couloir qui menait aux soutes à cordages.

Lorsqu'ils trouvèrent enfin un coin obscur qu'il jugea acceptable, il la fit brusquement basculer sur le ventre par-dessus un gros tonneau. Elle n'opposa aucune résistance quand il retroussa sans douceur ses jupons et lui écarta les cuisses en glissant sa main rugueuse entre elles. Elle n'était pas jolie et puait affreusement. Mais il ne s'en souciait pas. Elle n'était là que pour recueillir l'obole de sa semence et d'une pièce sonnante. Il releva son kilt et, les doigts posés sur les larges hanches mollasses, poussa un profond gémissement de satisfaction.

Il marmonnait et respirait fort. Il aurait pu l'appeler Mary, Jane ou Margaret, elle s'en moquait royalement. Les hommes à qui elle s'offrait avaient tous sur les lèvres un nom différent. L'étreinte fut sauvage, et en quelques secondes il se soulagea de son besoin physique.

La femme, qui n'avait dit mot depuis le début, rajusta ses vêtements crasseux et tendit la main. Le front appuyé contre le mur, haletant, Alexander pêcha une pièce dans son *sporran* et la laissa tomber en refermant les paupières. Satisfaite, elle pivota, faisant bouffer ses jupes dans son mouvement, et se dirigea vers l'échelle la tête haute.

— Pervers voyeur!

Relevant d'un coup la tête, les joues encore brûlantes, il aperçut la silhouette d'un soldat qui se découpait dans la faible lumière des parcs à bétail. Son cœur s'arrêta net. Les bras croisés, Leticia le toisait froidement. Elle les avait suivis jusqu'ici... Rien ne lui servirait de chercher à nier ce qu'elle avait pu voir.

— Que fais-tu ici? s'enquit-il sèchement, à la fois honteux et agacé.

— Je me demandais où tu allais. Je croyais que tu aurais envie de parler... Mais, apparemment, ce n'est pas ce dont tu avais besoin.

Il accusa le coup sans ciller.

— Alors, continua-t-elle sur le même ton acerbe, tu es satisfait?

— Et toi? laissa-t-il tomber avec dégoût.

Il n'allait quand même pas lui faire le rapport de ses débauches!

— Dois-je te demander la permission avant de prendre ce que d'autres m'offrent?

L'allusion fit mouche, et il regretta cet accès de méchanceté. Il se détourna et frappa rudement le mur de son poing en jurant. Pourquoi avait-il la mauvaise habitude de tomber amoureux de la première femme qui lui portait la moindre attention? Les paroles de son ami O'Shea ressurgirent dans son esprit et se firent l'écho du sentiment qu'il éprouvait maintenant : « Alasdair, n'oublie jamais cela. La femme est la main qui guérit le cœur, mais elle peut aussi être le poignard qui le fait saigner. » Jamais il ne pourrait aimer Leticia au grand jour.

Il en était là de ses méditations lorsqu'il entendit des chuchotements dans l'obscurité du couloir. Sans réfléchir plus longtemps, il se précipita vers Leticia et l'entraîna vers les parcs à bétail, la forçant à s'accroupir sous une cage à poules. Se cachant à son tour, il mit un doigt sur la bouche de la jeune femme pour l'empêcher de protester. Les yeux gris qui brillaient de larmes le fixaient avec tant de chagrin qu'il s'astreignit à diriger son attention sur les visiteurs dont les chaussures lui passaient justement sous le nez.

Il s'agissait, d'après leurs chaussettes à carreaux, de soldats du régiment highlander. Les deux hommes conféraient à voix basse, mais le caquètement incessant des poules au-dessus d'eux empêchait Alexander de comprendre ce qu'ils disaient. L'un des deux revint sur ses pas et fit halte devant la cage sous laquelle ils s'étaient réfugiés. Les volatiles s'affolèrent, faisant voler leurs plumes tout autour.

— J'en ai deux.

— Trois pour moi. Fichons le camp!

Et ils disparurent aussitôt en ricanant. Alexander attendit quelques minutes pour être bien certain qu'ils ne reviendraient pas. Puis il rampa hors de son abri. Leticia le suivit en éternuant.

— Pouah! C'est dégoûtant! fit-elle en crachant une plume qui lui était restée collée sur la bouche. Oh! Alexander, je crois que...

Occupé à secouer son kilt pour en faire tomber les brindilles de paille et la fiente séchée, Alexander ne remarqua pas la silhouette qui s'était figée à quelques pas de lui. Le bruit d'un objet qui s'écrase au sol lui fit redresser la tête. Il s'immobilisa alors, sidéré. La terre aurait cessé de tourner, le ciel lui serait tombé sur la tête qu'il n'aurait pas ressenti plus grand désarroi. Fixant le regard de saphir aussi éberlué que le sien, il reçut comme un coup au ventre, expira et eut une telle douleur dans la poitrine qu'il dut se retenir à la cage pour ne pas s'effondrer.

Aucune parole ne fut prononcée. John avait perdu toutes ses couleurs devant son double qu'il croyait mort depuis tant d'années. Il cligna des yeux, incrédule. Puis le deuxième œuf qu'il tenait dans ses doigts alla rejoindre le premier sur le plancher. La trop vive émotion empêchait le jeune homme de réfléchir. Était-ce un fantôme? Une vision?

Comme pour s'assurer de la réalité de ce qu'il voyait, John avança sa main vers Alexander, qui eut un mouvemant de recul. Combien de temps restèrent-ils ainsi? Aucun des deux n'aurait su le dire. Mais ce fut assez long pour inquiéter le compère de John, qui appela du haut de l'échelle. Profitant de la distraction, Alexander s'enfuit dans l'ombre du couloir. À sa grande surprise, John ne le poursuivit pas. Loin des regards, il se laissa alors choir sur le sol et pleura comme un enfant.

Il courait, fou de douleur. La vue brouillée par les larmes, il trébuchait sur les obstacles qui se dressaient sur son chemin et s'affalait de tout son long dans la boue. Récupérant son mousquet, il se relevait et reprenait sa course. Il dévala le sentier qui descendait vers la rivière, la tête encore pleine de coups de feu et de la vision de son grand-père qui basculait dans le vide, le corps transpercé par une balle. Son grand-père Liam était blessé, par sa faute. PAR SA FAUTE!

— *Non!* hurla-t-il en tombant de nouveau.

Un cri répondit au sien, et il se figea dans l'instant. John! L'avait-il suivi jusque-là? Qu'avait-il vu?

— *Alas! Où es-tu, bon sang? Ils ont tiré sur eux! Ils ont tiré sur eux! Alas!*

John surgit dans le sentier, haletant, aussi blême que lui. Il avait vu.

— *La Garde noire... Elle a attaqué père et grand-père... Il y a des blessés.*

— *Que s'est-il passé?* demanda prudemment Alexander.

– Euh... L'un des hommes a tiré sur les soldats, je crois, et ils ont riposté, expliqua-t-il d'un drôle d'air. Ils ont blessé grand-père. Viens!

Avisant le mousquet dans l'herbe, il le prit par le canon et le relâcha aussitôt.

– Aïe! Il est tout chaud! T'as tiré sur quoi? Tu sais que tu n'as pas le droit de...

– Je l'ai trouvé, mentit Alexander.

– Mais il a servi, Alas. C'est toi?

– Non, ce doit être un rôdeur... J'ai vu quelqu'un se sauver, et je l'ai suivi. Puis j'ai trouvé le mousquet. C'est sans doute cet homme qui a tiré sur les soldats... Peut-être est-ce un prisonnier évadé, qui sait?

Il se détourna, fuyant le regard braqué sur lui. John savait qu'il lui mentait. Il lui était impossible de lui mentir, et inversement.

– Filons avant qu'on ne découvre notre présence.

– Et grand-père? Il faut lui venir en aide, John!

– Les autres s'en occuperont, Alas. Nous ne pouvons rien pour sa blessure et les soldats se sont dispersés dans les collines. S'ils nous trouvent, c'en est fait de nous...

Le temps s'écoula; les souvenirs ressurgissaient. Ce fut le poids d'une main sur sa nuque qui le tira de ses pensées cauchemardesques. Sur la plaine de Drummossie Moor, parmi les visages épouvantés des hommes qui se faisaient déchiqueter pour la gloire d'un prince, John le fixait alors derrière la gueule sombre d'un canon. Il avait toujours su la vérité.

Conscient de la douceur des doigts qui caressaient ses cheveux, Alexander ne bougea pas immédiatement. L'odeur de Leticia l'enveloppait. Après un long moment, il respira profondément et se leva.

— Il est parti, murmura-t-elle doucement dans l'espoir de le faire sortir de sa torpeur. Il n'en menait pas plus large que toi, je t'assure. Je ne savais pas... que tu avais un frère jumeau.

— Il t'a dit quelque chose? lui demanda-t-il faiblement.

— Non. Il m'a regardée, puis il a tourné les talons.

Soudain furieux de sa faiblesse, Alexander grogna. La jeune femme à sa suite, il se traîna avec difficulté vers l'écoutille. Le tumulte de ses pensées et de ses émotions l'épuisait. Quand il avait vu son jumeau, la première chose qui lui était venue à l'esprit, c'était que ce dernier allait se jeter sur lui pour achever sa besogne. Mais John n'avait pas bougé. Une fois le choc de la surprise passé, Alexander avait lu de la peur sur le visage qui lui faisait face. John avait-il des remords? Avait-il compris que lui, Alexander, savait ce qu'il avait fait douze ans plus tôt? Le regrettait-il?

Vacillant sur ses jambes molles, il avançait dans le couloir vers la faible lumière qui filtrait à travers le caillebotis comme s'il marchait vers son jugement dernier. Le souffle court, les yeux hagards, l'esprit envahi par une pléthore de souvenirs, il allait. La peur de revoir le visage de son frère dans l'ouverture de l'écoutille lui nouait la gorge. Il ralentit, posa les mains à plat sur le mur et respira profondément. Il resta longtemps dans cette position à fixer son ombre.

— Tu veux me raconter?

Il se tourna d'un coup vers la jeune femme, qu'il foudroya du regard. Elle sursauta.

— Te raconter? Mais te raconter quoi? En quoi ma vie t'intéresserait-elle, MacCallum?

Pourquoi lui parlerait-il de son passé de criminel, la mettrait-il en position de faire son procès? Voulait-elle qu'il lui explique les raisons pour lesquelles il n'était pas retourné chez lui depuis douze ans? Qu'il lui confie son amour pour Connie et la triste fin de cette histoire? Qu'il lui nomme et décrive ses compagnons, Donald Macrae, Ronnie Macdonnell et Stewart MacIntosh, avec qui il avait fait les quatre cents coups? Désirait-elle avoir les détails de ses attaques sournoises contre de petits détachements militaires? Voulait-elle vraiment savoir comment fonctionnait son commerce illicite de bétail volé dans les Lowlands et revendu en Angleterre? Et que faisait-il des profits? Il les gaspillait en femmes et en alcool et dilapidait le reste au jeu.

Allait-il lui narrer sa rencontre avec la délicieuse Kirsty Campbell, après qu'il eut reçu une raclée lors d'une beuverie qui avait mal tourné, dans le Knapdale? Kirsty... Elle l'avait caché et soigné dans une grange cette nuit-là. Puis, pendant près de deux ans, ils s'étaient rencontrés de temps à autre, lorsque le commerce d'Alexander l'amenait dans la région. Il n'avait jamais rien promis à la jeune femme et n'avait rien exigé en retour. Depuis Connie, il se refusait à s'attacher.

Non, il ne pouvait raconter à Leticia l'horrible meurtre : le poignard plongeant dans le cou si tendre, le sang se répandant sur la peau si pâle, dans les cheveux si soyeux... La vie de Kirsty s'échappant de ce corps qu'il avait aimé cajoler...

Il regarda ses mains. De combien de morts étaient-elles responsables? Combien de vies avaient-elles prises pour conserver la sienne, pourtant si misérable? Il n'avait retiré aucun plaisir à tuer et il n'avait aucun regret. Il l'avait fait uniquement parce qu'il n'avait pas le choix. Non, décidément, il n'avait vraiment rien à dire de tout cela à Leticia.

— Alexander, je m'intéresse à toi… beaucoup plus que tu ne le crois.

— Tu ne devrais pas, Leticia, murmura-t-il avec tristesse. Je n'ai rien de bon à apporter à qui que ce soit. Je traîne le malheur dans mon sillage.

Elle prit son visage entre ses mains et l'amena face au sien, tout près.

— Je t'en prie, Alex, ne sois pas si cynique. Ce n'est pas le mal qui t'habite, mais le tourment. Laisse-moi t'aider.

— Tu ne peux rien pour moi…

« Si, en fait, mais ce que je veux de toi, tu ne peux me le donner. » Le souffle léger de Leticia, dont la bouche lui arrivait à la hauteur du menton, lui réchauffait les joues. À la voir ainsi, bien qu'elle fût presque aussi grande que lui et qu'une force inhabituelle pour une femme l'habitât, il se demanda comment William avait pu le tromper. Elle n'était certes pas mignonne comme Kirsty ni coquine comme Connie. Mais elle possédait une beauté plus subtile que l'œil ne pouvait percevoir : celle de l'âme. Elle avait aussi cette force et cette capacité de compréhension dont seules étaient capables les femmes de cœur. Au fond, peut-être avait-il toujours senti la vérité sur Leticia.

Le corps n'avait-il pas ce pouvoir de pressentir ce que l'esprit, obnubilé par des idées préconçues, repoussait lorsque ce n'était pas « dans la norme » ? Ce désir qu'il avait d'elle depuis le début, il l'avait refoulé et n'avait pas cherché à l'expliquer. Maintenant qu'il savait… Evan, son mari, se dressait entre eux.

Soupçonnant qu'il allait s'enfuir, la jeune femme le plaqua contre le mur avec son corps et empoigna le col de sa veste.

— Ne me fuis pas !

Il ferma les yeux, souffrant de l'envie qu'il avait de la prendre et de la faire sienne malgré son étreinte avec la ribaude. Il avait honte de lui.

— Pourquoi fais-tu cela ? demanda-t-il dans un murmure.

Les mains montèrent petit à petit jusqu'à ses joues. Il tourna légèrement la tête et sentit les doigts effleurer ses lèvres.

— Oh, Leticia ! Je voudrais…

Il y avait des mots, des gestes interdits entre eux. Telles des ronces s'enfonçant sous la peau, ils les écorchaient jusqu'au cœur. Leticia se pressa un peu plus contre lui, et la douleur s'intensifia. Le lainage rêche de sa veste glissait sous les doigts d'Alexander. Plaquant ses paumes sur les reins qui se courbèrent, il la tint contre lui.

Elle était tout à fait consciente de l'effet qu'elle lui faisait sans même l'encourager. Tout comme William l'avait toujours su. Ce besoin de chair d'Alexander s'apparentait à une quête spirituelle pour sauver son âme. Elle reconnaissait vaguement ce sentiment et avait brusquement envie d'apaiser le jeune homme. Non qu'elle n'aimât pas Evan, loin de là. Mais, avec lui, c'était différent. Il avait été un père pour elle. Il était maintenant un mari, ce qui lui laissait parfois un goût d'inceste sur la langue.

Doux et câlin, Evan lui avait apporté la tranquillité de l'esprit et la sécurité du corps. Il lui avait aussi appris à aimer d'amour tendre. Cependant, elle devinait chez Alexander une sorte de misanthropie masquée par cette quête obsessionnelle de la chair salvatrice. Et cette violence assoupie l'attirait. Quand il posait sur elle ses yeux emplis de cette soif d'amour, une facette inconnue de sa personnalité se réveillait, et lui faisait peur.

Pouvait-on avoir envie d'autre chose? Pouvait-on aimer différemment? Tout à l'heure, lorsqu'elle l'avait surpris à se démener comme une bête sauvage sur la gueuse, elle s'était sentie envahie d'un désir intense. Pouvait-on vouloir étreindre avec autant de frénésie, de débridement? Elle aurait voulu qu'il la prenne de la même manière, avec la même bestialité, pour se sentir tellement vivante dans le plaisir...

Les lèvres d'Alexander frôlèrent son front, réveillant son désir et lui arrachant un profond soupir. Il l'embrassa à profusion, sur tout le visage, sans qu'elle le repoussât. Encouragé par l'abandon dont elle faisait montre, il s'empara de sa bouche, exigeant plus encore, l'explorant avec voracité.

Il chercha à s'introduire en elle, lui coupant le souffle. Dans le corps de la femme se trouvait le refuge qui accueillait l'enfant qu'il avait jadis été et qui résidait toujours en lui. Là, il oubliait tous ses cauchemars et trouvait la paix. Il en avait toujours été ainsi.

Leticia sentit la main d'Alexander, directe, glisser entre ses cuisses. Elle en avait envie, tellement envie... Mais il y avait Evan à qui elle avait juré fidélité. Repoussant brusquement le jeune homme, pantelante, elle mit une distance entre leurs corps que les serments laissaient indifférents.

— Je ne peux pas, Alex... Je suis vraiment... désolée. Pardonne-moi. Je n'aurais pas dû te permettre, je...

Des larmes de honte et de frustration lui brouillaient la vue. Elle s'enfuit et courut vers la lumière, heurtant presque la haute silhouette que dans son affolement elle n'avait pas remarquée. Resté seul, frustré et furieux, Alexander frappa du poing sur le mur en rugissant. Chercher dans la douleur physique un dérivatif à celle de l'âme était futile. Mais cela le soulageait de son besoin de détruire tout ce qui lui tombait sous la main lorsqu'il avait mal.

— Alasdair?

Sursautant, Alexander se retourna d'un coup et se trouva face à un soldat qui s'approchait prudemment de lui. Vraiment! On ne pouvait avoir aucune forme d'intimité sur ce damné navire!

— Qui es-tu? demanda-t-il sèchement, inquiet de ce qu'il avait pu voir.

— Coll Macdonald... fils de Duncan Coll, de Glencoe.

Sa main qui frottait ses jointures endolories s'immobilisa sur-le-champ. Il cessa de respirer et de penser, les yeux fixes. L'homme, qui laissa une certaine distance entre eux, reprit d'une voix mal assurée :

— John m'a dit qu'il avait vu ton fantôme. Je n'ai pas voulu le croire...

Quelle journée! L'esprit d'Alexander fonctionnait au ralenti, cherchant à se souvenir de la date. Ce serait certainement celle qu'on allait graver sur sa pierre tombale. Cette dernière pensée le fit rire et il émit un ricanement sarcastique. Non, vraiment, il devait rêver...

— Dans ce cas, ne le crois pas, Coll. Il t'a menti. Ha! ha! Ai-je l'air d'un fantôme?

Coll pencha la tête de côté, cherchant à percer l'obscurité pour examiner les traits d'Alexander. John lui avait dit que leur frère avait l'air très perturbé. Mais il considérait que c'était un peu normal lorsqu'on voit son jumeau après une si longue séparation. Cependant, l'homme qui lui faisait maintenant face avait vraiment l'air dérangé, et il était soudain inquiet de la santé de son frère.

— Tu vas bien, Alasdair?

Un petit ricanement retentit. Puis un silence de plomb tomba sur les deux hommes qui se jaugeaient mutuellement.

S'approchant encore, Coll put voir un peu mieux le regard des plus lucides qui cherchait à se dérober. Soudain furieux, il attrapa Alexander par les épaules et le poussa contre le mur, qui vibra sous la force de l'impact. Sonné, le jeune homme ne résista pas. Immense comme il l'était, Coll le dépassait d'une tête; il savait bien qu'il ne ferait pas le poids.

— Douze ans! Douze ans sans un seul mot de toi, Alasdair! Pourquoi? Nous t'avons tous cru mort! Pourquoi?

— Tu ne comprendrais pas... C'est... trop compliqué.

— Trop compliqué? Essaie toujours. Tu nous dois des explications, à moi, à John, à père...

La voix de Coll se brisa. Cela faisait trop d'émotions d'un coup. Il lâcha Alexander avec rudesse, le laissant ébranlé et haletant. Ce dernier sentit le tranchant des mots lui lacérer le cœur. Comment expliquer? Comment dire que John lui avait tiré dessus, qu'il avait tenté de le tuer ce jour-là? Comment expliquer qu'il était tout de même mort sur la plaine de Drummossie Moor, que celui qu'on appelait Alasdair n'existait plus dans ce corps fatigué de la vie?

— Ce que j'ai vu, tout à l'heure... demanda encore Coll sur un ton teinté de mépris, est-ce que ce serait la raison?

— Quoi?

Alexander, tellement bouleversé, en avait oublié Leticia.

— John m'a dit que tu te trouvais avec un autre soldat dans une situation... enfin... Est-ce que c'est ça qui t'a empêché de revenir au bercail? Tu avais honte?

Il comprit à cette question combien le tableau que Leticia et lui avaient offert à Coll devait être éloquent. L'absurdité de la situation fit monter en lui un fou rire qu'il ne put réprimer. Il éclata, presque hystérique, plié en deux, se tenant le ventre. Perplexe, Coll fronçait les sourcils, attendant patiemment.

Enfin, s'essuyant les yeux, Alexander se calma un peu, se remettant les idées en place. Coll n'avait pas bougé et le regardait toujours aussi fixement. Il semblait décidé à lui faire vider son sac et ne le laisserait pas repartir avant d'avoir entendu toute l'histoire.

— Je suis désolé, mais Leticia est... partie un peu brusquement, ironisa-t-il. Je te l'aurais bien présentée... Enfin, ce sera pour une autre fois.

— Leticia?!

Coll arqua les sourcils, stupéfait. Il avait reconnu le jeune homme qui avait si « brusquement » quitté Alexander. On disait de lui qu'il servait l'armée de bien des façons qui étaient étrangères à l'art militaire. Lorsqu'il les avait vus s'étreindre, le diable au corps, et s'embrasser à pleine bouche, il en avait ressenti un profond dégoût et une indicible tristesse. Alexander aimait-il les hommes? Mais s'agissait-il vraiment d'un homme?

— Leticia est tout ce qu'il y a de plus femme, Coll, laisse-moi te rassurer. Mais elle est mariée, vois-tu?

— Une femme? Oh! Mariée?

— Avec Evan Cameron, un homme de ma compagnie.

— Je... vois.

Cela mis au clair, restait le plus difficile. La tension était palpable dans l'étroit couloir. Alexander, résigné, se dit que, comme pour une exécution, le plus vite serait le mieux.

— Que vous a raconté John concernant ce qui s'est passé le jour de la bataille de Culloden, Coll?

— John? Mais... rien de plus que ce que nous avons vu...

— Ce qu'il a fait, il ne vous l'a pas dit, hein? Bien sûr, pourquoi aurait-il été vous raconter une telle chose? Et vous a-t-il parlé de la mort de grand-père? Vous a-t-il avoué ce qui s'était passé ce jour-là? Non! Il était certainement trop heureux de me voir disparaître!

— Mais de quoi parles-tu? Grand-père est mort bien avant Culloden, Alas. Je ne vois pas le rapport. Et puis, John a souffert de ton absence. Père et lui t'ont cherché pendant des jours autour du champ de bataille, au mépris de la menace que faisaient peser sur eux les hommes de Cumberland qui achevaient tous ceux qu'ils retrouvaient encore vivants. Ils sont retournés à l'endroit où ils t'ont vu tomber, mais tu n'y étais plus. Comme les brigades d'exécution n'étaient pas encore passées à cet endroit, nous avons espéré que tu t'en sois tiré et que tu finirais par nous rejoindre. Mais les jours se sont succédé, et tu ne te montrais pas. Alors, nous avons craint que tu ne sois détenu... John, désobéissant à père, est parti pour Inverness, où il savait les prisonniers enfermés; ceux qu'on gardait vivants... Il t'a cherché pendant trois semaines. Mais rien!

Un rire de dérision resta bloqué dans la gorge d'Alexander, et avec lui les remarques acerbes qui se bousculaient. Il demeura silencieux, réfléchissant à ce que venait de lui révéler Coll. John n'avait de toute évidence rien raconté de son secret. Il l'avait même recherché au risque de se faire prendre... Pourquoi? Pour le ramener dans leur vallée où il serait banni publiquement? Ou tout simplement pour vérifier s'il était bel et bien mort? Coll n'en savait certainement rien. Seul John pourrait confirmer ou non ses présomptions. Mais, pour le moment, il préférait ne pas trop y penser.

— J'ai été fait prisonnier, avoua-t-il lentement. Mais seulement quatre mois après la bataille.

— Quatre mois? s'étonna Coll, les yeux agrandis par la surprise. Où étais-tu donc pendant tout ce temps?

— Un vieil homme m'a recueilli sur la plaine lors de la déroute de notre armée. J'étais blessé; il m'a soigné. Puis nous avons erré. Les dragons nous ont finalement rattrapés et nous ont emmenés au Tolbooth d'Inverness. Nous y sommes restés enfermés pendant quelques mois. O'Shea y est mort...

— On t'a libéré?

— Non... je me suis évadé.

Les images affluaient dans son esprit, sans respect aucun pour la chronologie des événements. Elles lui inspiraient horreur et tristesse.

— Alas, dit Coll après un long silence, j'aimerais comprendre ce qui s'est passé. Bon sang! Tu as disparu pendant douze ans! Pourquoi n'es-tu jamais revenu chez nous? Père se morfondait; et mère...

— Je sais pour maman, avoua Alexander d'une voix ténue. Elle est morte à la fin de l'été 1748. J'étais dans la vallée le jour de son enterrement...

— Tu... tu étais là?! Et tu ne t'es pas montré? Alas!

— Je n'ai pas pu... C'était trop difficile.

Coll fit un pas en avant; une distance d'un bras les séparait maintenant. Le cœur d'Alexander cognait frénétiquement dans sa cage thoracique, tel un petit animal affolé cherchant à fuir un monstre qu'il savait tapi dans le noir. Une goutte de sueur glissa le long de son échine, qui se courbait.

— Comment va père?

— Ça peut aller. Notre départ l'a grandement affecté. Tu sais ce qu'il pense de ceux qui mangent dans la main des *Sassannachs*! Mais il comprend les raisons de notre engagement. Les Highlands n'offrent plus rien, ne laissant à leurs enfants que le désespoir. Duncan Og et Angus vivent toujours dans la vallée et s'occupent de lui. Ils ont été grandement éprouvés depuis Culloden. Tu sais que notre frère James est mort au combat? Rory aussi. Ensuite Thomas, le fils d'Angus, a été pendu par la Garde noire il y a quatre ans. Il avait tiré sur un détachement et s'était fait prendre. Notre sœur Mary, elle, est partie vivre à Glasgow avec son mari Donald, qui travaille pour un gros importateur de tabac. Ils ont deux enfants et vivent chichement dans un quartier mal famé. Mais tu la connais, elle prend tout avec philosophie...

— Et toi, Coll? Tu n'es pas marié? ricana Alexander, réalisant avec amertume qu'il était et resterait toujours l'Étranger dans cette famille.

— Non. J'ai laissé une fiancée, Peggy Stewart, mais elle n'a que quatorze ans.

Alexander émit un sifflement.

— Quatorze ans?!

— Elle est follement amoureuse de moi. Pour la satisfaire, je lui ai laissé entendre que nous étions fiancés. Mais il n'y a rien d'officiel. Peggy est une fille très bien, mais elle est trop jeune encore pour que nous nous mariions. Le temps que cette guerre se termine, elle aura pris de la maturité. Si elle veut toujours de moi, je l'épouserai. Peut-être la ferai-je venir en Amérique. On dit que la culture y est bonne et que tout y pousse à profusion.

— Elle doit être jolie pour que tu veuilles la retrouver après la guerre, Coll...

Son frère resta songeur un instant. Puis, dans un soupir, il acquiesça.

— Et toi? Une femme t'attend?

« Dans l'Autre Monde, oui », répondit-il dans sa tête.

— Non.

Respectant une entente tacite, ils n'évoquèrent pas John outre mesure. Mais la présence du jumeau se faisait sentir entre eux. Coll ne voulait pour rien au monde contrarier Alexander avec des questions et des propos qui l'auraient fait fuir. Il était tellement heureux de revoir son frère après tant d'années.

— Tu me permettras d'écrire à père que tu es toujours vivant et que tu te portes bien?

La question agaça Alexander, qui serra les mâchoires pour s'empêcher de répondre trop rapidement.

— Si tu crois que cela pourrait le soulager d'un chagrin quelconque, je ne peux m'y opposer.

La réplique lancée avec une nonchalance feinte mit la puce à l'oreille de Coll. Brusquement, un coin de voile se leva sur le mystère de la longue absence d'Alexander. Son frère avait sans cesse recherché l'attention de leur père, qu'il avait toujours eue sans s'en rendre compte. Quelque chose le rongeait, l'éloignait de la vallée, et cela avait un rapport avec leur père et avec John. Jalousie? Remords? Il s'était produit un incident entre les jumeaux. Avec le temps, il finirait bien par apprendre la vérité. Pour l'heure, il n'avait qu'un souhait: refaire la connaissance d'Alexander.

Il tendit une main, invitant son frère à faire la trêve et à mettre fin à cet éloignement dont il ignorait la cause. Alexander regarda la main tendue et la serra. Le contact réveilla leurs sentiments fraternels et fit bouillonner dans leurs veines le sang qui les unissait. S'étreignant énergiquement et avec émotion, ils versèrent des larmes de joie sur leurs retrouvailles et pleurèrent tout ce qu'ils savaient irrémédiablement perdu.

***

Avant que la huitième semaine ne fût terminée, les soldats virent émerger de la brume la côte en dents de scie d'un petit bout de terre aussi têtu devant les attaques de la mer que l'était le peuple qui l'habitait devant l'envahisseur: l'Acadie. On ne leur avait révélé leur destination qu'au bout de six semaines de navigation.

L'ancre fut jetée dans la rade de Halifax. Fondée en 1749 par le général Edward Cornwallis, Halifax servait de base navale militaire en raison de la présence française sur la péninsule acadienne. Depuis peu s'y greffait une communauté civile de jour en jour grandissante. Des immigrants attirés par l'industrie en développement du commerce et de la pêche venaient de Nouvelle-Angleterre, d'Écosse, d'Irlande et même d'Allemagne pour s'installer autour du fort.

Dans la ville étaient rassemblés douze mille soldats au service de George II. Leur premier objectif militaire serait la forteresse de Louisbourg, sise à l'est dans une enclave française que les Français appelaient l'île Royale depuis la mort de Louis XIV et que les Anglais nommaient le Cap-Breton. Cette construction née du caprice d'un roi était un gouffre sans fond dans lequel se perdaient les louis d'or qui auraient dû servir à ravitailler et à armer la ville de Québec, capitale de la Nouvelle-France.

Au bout de quelques semaines d'un entraînement intensif, les troupes rembarquèrent et la flottille mit le cap sur la forteresse. Avertis on ne sait comment de leur arrivée, les Français les attendaient de pied ferme. Les chefs militaires, qui comptaient beaucoup sur l'effet de surprise, remirent l'attaque à l'année d'après, à la grande déception des soldats qui jubilaient à l'idée de participer à la première grande bataille qui les mettrait sur le chemin de la victoire.

Début octobre, les régiments des Fraser Highlanders reprirent la mer pour un court périple jusqu'à New York, où ils passèrent l'hiver.

**

Boston, avril 1758. Les troupes remontèrent sur les ponts fraîchement brossés des navires, sous l'œil attentif de l'amiral Edward Boscawen. Le général Jeffrey Amherst, qui commandait l'expédition à destination de Louisbourg, avait ordonné le ralliement des troupes à Halifax pour l'entraînement. Le jeune brigadier James Wolfe dirigeait la division dont faisaient partie les Fraser Highlanders. Au terme du mois de mai, les troupes rembarquèrent et les navires se dirigèrent vers le Cap-Breton, où on jeta l'ancre le 2 juin.

Louisbourg, inexpugnable repaire des corsaires français longtemps craints des navires anglais, se dressait sur son roc au milieu de la brume et des marécages. Située à un endroit stratégique, à l'entrée du golfe du Saint-Laurent, au sud, la forteresse était un objet de dispute entre les Anglais et les Français, les premiers voulant l'arracher aux seconds. Elle était tombée une première fois en 1745, lors de la guerre de Succession d'Autriche. Mais à la signature du traité de paix d'Aix-la-Chapelle, en 1748, au grand dépit des vainqueurs, elle avait été rendue à la France. Mais tout n'était pas immuable...

Six jours de brume opaque et de grands vents. Les éléments, complices de la garnison française forte de trois mille cinq cents soldats réguliers, miliciens et Sauvages, s'escrimaient à disperser les soixante navires de la flotte anglaise dans la baie de Gabarus. Cependant, les Anglais tenaient bon, accrochés à leurs ancres et à leur conviction que l'Amérique se porterait mieux sans ces « Français au sang aussi impie que les Sauvages avec qui ils pactisaient »!

La nuit était fort avancée lorsqu'Alexander descendit dans la barge à fond plat. L'approche des premiers vrais combats rendait le bataillon flottant fébrile. Les brises du sud avaient chassé la morosité de l'hiver. Ainsi sortis de leur langueur, les hommes se sentaient l'âme guerrière et avaient hâte de respirer enfin l'odeur de la poudre. Ils y étaient. La côte déchiquetée et peu hospitalière n'offrait point d'endroit sûr pour un débarquement. Seule l'anse de la Cormorandière sur laquelle un éperon rocheux jetait son ombre semblait prête à les accueillir.

Rompus à ce type d'exercice grâce à l'entraînement reçu à Halifax, les soldats savaient comment se comporter dans les petites embarcations balancées sans ménagement par une houle tumultueuse. Alexander ne portait sur lui que son fusil chargé, sa réserve de munitions, son épée et son poignard, et du pain et du fromage pour deux jours. Il y aurait un ravitaillement lorsqu'ils auraient pris possession d'un terrain assez sûr pour monter un campement.

C'était une nuit sans lune; la terre n'avait plus de visage. Seule une masse noire devant eux leur indiquait où était la côte. La mer exhalait son haleine piquante et postillonnait un embrun salin sur leur peau. Alexander ferma les paupières un moment. Il sentait dans son dos le poids du regard de Leticia. Il avait peur pour elle. Comment arriverait-elle à s'en sortir? Comment Evan pouvait-il accepter de la laisser le suivre au combat? Elle était une femme!

Douce Leticia... Avec le temps, il avait appris à contrôler un peu ses pulsions, mais il éprouvait toujours pour elle le même désir. Après leur rencontre dans l'ombre du couloir, sur le *Martello*, ils avaient mis une certaine distance entre eux. Puis, prudemment, ils s'étaient rapprochés. Alexander ne savait pas si son mari était au courant de ce qui s'était passé entre eux. Quoi qu'il en soit, Evan n'avait rien laissé paraître et leur amitié s'était développée.

Alexander était soulagé, car il aimait beaucoup cet homme; avec lui il avait partagé de bons moments au cours de l'hiver passé en Nouvelle-Angleterre. C'est pourquoi il n'avait plus cherché à entraîner Leticia sur le chemin de l'infidélité. Elle aimait son mari, il en était certain. Mais il savait aussi sa volonté fragile; il n'aurait pas eu à insister bien longtemps pour qu'elle succombe. Cependant, ils l'auraient regretté tous les deux.

L'œil dans le vague, il caressait son *sporran* dans lequel il avait glissé sa montre : la montre de son grand-père John Campbell... Coll la lui avait remise la veille.

La palpant avec émotion, le jeune homme serra les paupières pour endiguer les larmes qui lui montaient brusquement aux yeux. Le père de sa mère lui avait lui-même offert cette montre le jour de ses cinq ans.

Coll lui avait appris que le vieux laird de Glenlyon était mort peu de temps après Culloden, dans les montagnes où il s'était caché. Cette nouvelle l'avait grandement affecté. L'homme lui avait témoigné une réelle affection, malgré son aversion pour tout ce qui venait de la vallée maudite; cela représentait donc beaucoup pour Alexander. Comment Coll avait-il récupéré la montre? Alexander l'avait pourtant enterrée avant de partir pour le campement des jacobites, à l'automne 1745. Il craignait que le jeune Iain MacKendrick, qui la convoitait et restait dans la vallée avec sa mère, ne cherche à la lui voler. La mécanique résonnait toujours avec précision.

Par son geste, Coll avait espéré faire comprendre à Alexander que sa place était encore parmi les siens, qu'il ne l'avait jamais perdue, contrairement à ce qu'il croyait. C'était John qui lui avait donné la montre, deux jours plus tôt. Le jumeau la gardait sur lui depuis son retour dans la vallée, après le désastre de Culloden. Coll avait souhaité qu'il la donne lui-même à Alexander et que les frères se réconcilient. Mais... c'était peut-être encore trop tôt.

Coll avait pressé John de questions concernant les événements de Culloden qui avaient fait se brouiller d'une façon si irrévocable les jumeaux. Mais son frère avait refusé de lui donner des explications. « C'est pas vrai! s'était-il exclamé, excédé. Vous avez la tête aussi dure l'un que l'autre, c'est inouï! » « Tu oublies que nous sommes jumeaux », lui avait répliqué Alexander en souriant amèrement. Coll s'était ainsi résigné à ne plus poser de questions, espérant que le temps ferait son œuvre.

La baie de Gabarus ne semblait pas prête à se laisser envahir, ce matin-là. La brume les enveloppait et leur masquait les centaines de petites embarcations identiques à la leur. Les vagues les secouaient comme pour les repousser. La division du brigadier Wolfe se dirigeait avec difficulté vers la masse sombre émergeant lentement des volutes laiteuses que le vent déchirait en fins lambeaux. Au loin, les batteries navales anglaises conversaient avec leurs homologues français, et l'écho de leurs échanges leur parvenait comme le tonnerre. Les dents serrées, Alexander cherchait à chasser les images horrifiques d'un champ de bataille qui surgissaient dans sa tête. La main sur le manche en forme de crucifix de son poignard, il murmura une courte prière. Puis, comme si Dieu cherchait à lui répondre, le grondement de la canonnade se tut.

Il lui parut brusquement que ce silence était beaucoup plus angoissant que l'infernale pétarade. Le clapotis de l'eau, le grincement des rames, tout rappelait leur position vulnérable au milieu des flots agités. Devant, le relief de la côte se découpait maintenant sur un ciel pâlissant. Aucun mouvement n'indiquait la présence du maître des lieux. Pourtant, un sentiment indéfinissable faisait croire à Alexander que des milliers de paires d'yeux convergeaient sur lui derrière des fusils prêts à se décharger.

Le chant grinçant des rames s'élevait dans l'aube qui les baignait d'une lumière blafarde. Un goéland cria au-dessus des arbres qui coiffaient le cap Rouge. Alexander posait juste le regard sur les abattis situés au pied du rocher haut d'environ quinze ou vingt pieds lorsqu'un coup de tonnerre résonna tout près. Le ciel se déchirait. Tomba alors sur eux une pluie de plomb et de fer. Les Français les bombardaient allègrement.

Une vague de panique déferla sur la flottille de barges qui menaçaient de chavirer et d'entrer en collision les unes avec les autres dans leur tentative de virer de bord. L'averse de plomb s'abattait inexorablement, fauchant les hommes les uns après les autres. Les officiers exhortaient au calme avec un flegme effarant. Un homme qui est prêt à donner sa vie considère rarement celle des autres.

Contre toute attente, Wolfe donna l'ordre de battre en retraite, ce que la plupart des embarcations avaient déjà commencé à faire dans un indescriptible chaos. Puis, brusquement, il ordonna de se diriger vers une anfractuosité de la côte où trois barges s'étaient déjà abritées.

Fixant la rive, Alexander fit le vide dans son esprit pour contrôler la peur qui lui dévorait les entrailles. Munro, imperturbable, boucha avec un coin de son plaid le trou qu'avait fait une balle dans la coque et par où pénétrait l'eau. Puis il se mit à chanter un air gai. Mais ses jointures, blanches sur son fusil, le trahissaient. Il y eut un sifflement terrifiant, puis le choc et l'onde de choc les giflèrent, faisant dangereusement osciller l'embarcation. Un hurlement déchira les tympans d'Alexander. Affolé, le jeune homme se retourna. Du sang... beaucoup de sang! Deux yeux exorbités roulaient au milieu d'une masse noire et visqueuse.

Gesticulant en tous sens, un soldat blessé risquait de passer par-dessus bord ou, pire, de faire chavirer la barge avec tous ses passagers. Un horrible gargouillis s'échappait d'une plaie béante à la place de la bouche. C'est alors qu'Alexander se rendit compte qu'une partie de la mâchoire avait complètement disparu en même temps qu'une partie de l'épaule d'où pendait curieusement le bras dans un angle impossible. Ne sachant que faire, les hommes s'agitaient et criaient. D'une certaine manière, le voisin du malheureux avait eu de la chance. Le boulet l'avait atteint en plein milieu du corps et l'avait entraîné dans l'eau. Au moins n'avait-il pas souffert.

On maintenait le blessé pour l'empêcher de causer la perte de tout l'équipage. Leticia, assise juste devant, observait la scène en affichant une impassibilité étonnante. Elle sortit son poignard et se tourna vers le sergent Campbell posté au gouvernail.

— Il faut faire quelque chose. On ne peut pas le laisser dans cet état!

Le sergent avisa le couteau, puis tourna la tête de tous les côtés pour trouver un officier supérieur en grade qui pourrait répondre à sa place. Il n'en vit aucun. Seul le caporal Watson se tenait à l'avant de l'embarcation. Leticia attendait.

— Faites, MacCallum... Mais que ce soit rapide.

Guidé par une main drôlement assurée, le poignard plongea dans la poitrine du blessé, juste sous le sternum. Un chuintement se fit entendre, puis le corps cessa de bouger. On murmurait des prières. Leticia ferma les paupières du mort, qu'on poussa ensuite dans l'eau. Sans plus de cérémonie, le sergent Campbell cria aux rameurs de se remettre à l'œuvre.

Lentement, Leticia reprit sa place. Elle était pâle et son regard fixe ne semblait plus voir que l'horreur de son geste. Evan lui dit quelques mots; elle réagit en baissant les yeux sur sa main qui tremblait sur son poignard rougi: le poignard qu'Alexander lui avait sculpté... Evan lui prit doucement l'arme et l'essuya sur son kilt, pour ensuite la glisser dans le fourreau qui pendait à la ceinture de Leticia. Le visage de la jeune femme se releva vers Alexander, et leurs regards s'accrochèrent un court instant. Il lui sourit faiblement pour l'encourager.

La Providence voulut que leur barge, quoique criblée de balles, ne coulât pas sous le choc du boulet qui les avait touchés. Ils approchaient de la côte, que plusieurs embarcations avaient maintenant atteinte. Les soldats, lorsqu'ils étaient assez près, se jetaient à l'eau, poudre et armes placées au-dessus de leur tête, et pataugeaient jusqu'à la grève sablonneuse sous le feu nourri de l'ennemi. Les balles, dans un sifflement continu, blessaient résolument sans toutefois causer de pertes sérieuses.

Levant le regard sur l'éperon de roc du cap Rouge, Alexander vit un nid de poule[31]. Des silhouettes se dressaient à tour de rôle derrière un ruban de fumée blanche. Dans la forme et l'allure de l'une des silhouettes qui leur tiraient dessus, il reconnut un Sauvage à la taille gigantesque. Il savait que l'ordre était de ne pas tirer depuis les barges. Mais la tentation était trop forte. Il épaula son fusil et retira le cran de sûreté.

— Que fais-tu? lui cria Munro.

— Alas! appela Evan à son tour.

Alexander fit la sourde oreille et mit en joue le Sauvage qui, par sa taille, faisait une cible parfaite malgré la grande distance.

— Macdonald! Baissez votre arme! hurla Campbell dans son dos.

La barge tanguait, bercée par la grosse mer et le vent qui soufflait. Néanmoins, Alexander garda les yeux rivés sur le Sauvage. Son doigt ne tremblait plus sur la détente. Il appuya. Le colosse se pencha vers l'avant, lentement. Puis il bascula dans le vide, tombant vingt pieds plus bas, dans l'enchevêtrement des branches d'arbres de l'abattis. Un silence suivit le claquement du fusil dans l'embarcation. Munro émit un sifflement admiratif que d'autres imitèrent.

— *Mac an diabhail*[32]! murmura un homme près de lui.

— Si un autre d'entre vous tente d'enfreindre les ordres, je le fais passer en cour martiale! avertit le sergent sur un ton comminatoire.

Le débarquement se déroula sans autre incident. Un mur de roc se dressait devant les soldats, et aucune sente ne marquait la végétation qui les entourait. Des Français étaient assurément postés là-haut. Munro fut envoyé en reconnaissance avec deux autres hommes. Le trio revint plusieurs minutes plus tard, confirmant ce qu'on soupçonnait. Le sergent analysa la situation.

— Œil de faucon! cria-t-il en s'adressant à Alexander, abattez-moi ces bâtards et j'oublie votre écart. Compris?

— Oui, monsieur!

Œil de faucon... La voix grave de grand-père Liam lui parvint aux oreilles depuis le fond de sa mémoire. Il se revit embusqué dans les bruyères, à l'affût d'une grouse qu'il avait traquée pendant près d'une heure...

---

31. Tour de guet.
32. Fils du diable!

– Garde ton œil bien fixé sur ta cible, mon grand. Si tu sens ta main trembler, prends appui sur quelque chose. John et toi avez l'œil juste, comme celui d'un aigle. Vous êtes doués; la précision de vos tirs est exceptionnelle. Vous ferez de bons soldats...

Dans ses retranchements, protégé par des abattis de branches taillées en pointe, l'ennemi était sur deux lignes. Les Highlanders se postèrent à différents endroits sur toute la longueur de l'écran broussailleux, attendant l'ordre de faire feu. Ils tireraient en deux groupes, le premier rechargeant ses armes pendant que le second ferait feu. L'effet produit ferait croire à l'ennemi qu'il était attaqué par un corps beaucoup plus nombreux qu'il ne l'était en réalité.

Moins de dix minutes plus tard, le détachement français abandonnait armes et terrain à l'ennemi pour courir rejoindre la garnison. Alexander, qui avait touché juste deux coups sur trois, fut chaleureusement félicité pour son habileté. On le recommanderait certainement au capitaine pour qu'il soit transféré dans le détachement des tireurs d'élite. Enfin, fiers de leur performance, les hommes se congratulaient.

— Qui n'irait pas en enfer pour goûter pareille victoire? cria un grand gaillard répondant au nom de Gibbon en brandissant son fusil.

Un claquement sec le fit taire, et il s'effondra en gémissant sur les pointes des branches. Alexander se tourna vers l'endroit d'où le coup était parti. Le fourré bougea; deux autres coups partirent. Une brûlure lancinante lui arracha un cri, et il tomba à genoux. Incrédule, il regarda la tache de sang imbiber sa manche. Son compagnon, moins chanceux, avait reçu une balle en plein front.

Hurlant de rage, Munro dégaina son épée. D'autres Highlanders courroucés l'imitèrent, et tous se mirent à la poursuite des tireurs. On sortit Gibbon des branchages et on l'allongea sur le sol. Sa cuisse blessée gonflait à vue d'œil; il hurlait de douleur, se tortillant comme un asticot. Comprenant que les projectiles étaient empoisonnés, Leticia blêmit et se pencha sur Alexander. Elle se dépêcha de retirer la veste et de déchirer la manche de la chemise jusqu'à l'épaule pour pouvoir vérifier l'état de la blessure.

— Rien qu'une éraflure, murmura-t-elle avec soulagement.

Mais le poison avait tout de même pénétré l'organisme du jeune homme, dont le bras le brûlait et le faisait atrocement souffrir. La peau autour de la plaie enflait énormément. Evan porta son ami à l'ombre d'un arbre. Les hurlements de Gibbon s'intensifiaient, se transformant en des sons inhumains qui leur donnèrent à tous la chair de poule. Mais personne n'osait abréger les souffrances du pauvre homme, qui mourut quelques minutes plus tard, le visage toujours grimaçant de la torture qu'il avait dû endurer.

— Qui n'irait pas en enfer pour ne pas vivre cela? marmonna une voix empreinte de compassion.

Leticia, sous l'œil inquiet d'Evan qui se tenait à quelques pas, s'appliquait à calmer Alexander que l'intense douleur faisait gémir. De retour de sa course derrière les deux Sauvages qui les avaient pris par surprise, Munro, essoufflé, venait s'informer de l'état de son cousin. Constatant l'effet du poison sur Gibbon, il fut pris de panique. Alexander, lui, ne cessait de se lamenter; son bras enflait de plus en plus jusqu'à atteindre deux fois le volume normal.

— Coupez-le! Coupez-le-moi! suppliait-il d'une voix altérée.

— Tiens bon, Alex, chuchota Leticia en examinant l'enflure.

— Le mal va se propager, fit observer Munro dont la sueur perlait au front. Il vaudrait mieux faire ce qu'il demande...

— Non! trancha rudement Leticia. Il faut attendre. Cela fait plus de vingt minutes que Gibbon est mort. Bien que tous les deux aient été touchés à quelques secondes d'intervalle seulement, Alexander est toujours en vie. Cela veut peut-être dire que la quantité de poison qui a pénétré son organisme à lui n'est pas assez grande pour le tuer. Il faut attendre... Regarde, son bras a cessé d'enfler.

Munro, l'épée tremblante, baissa les yeux sur Alexander qui geignait. Il hocha la tête.

— D'accord, attendons.

Bien avant que le soleil fût à son zénith, l'armée française avait regagné la sécurité des murs de la forteresse et mis le feu aux habitations qui se trouvaient sur le chemin de sa retraite. De la ville fermée, elle tint l'armée anglaise en respect par une canonnade, lui indiquant la limite à ne pas franchir pour l'établissement du camp de siège.

Les vents violents empêchèrent tout débarquement d'équipement militaire lourd pendant deux jours. Temps précieux que les Français ne crurent pas bon d'employer pour débarrasser l'île de ses envahisseurs pourtant encore vulnérables. Les Anglais, deux fois plus nombreux, eurent le contrôle total du terrain et purent l'étudier à leur aise. Lorsqu'ils arrivèrent enfin à installer l'artillerie sur les batteries hâtivement construites, ils étaient plus que sûrs d'obtenir la victoire. Ce n'était plus qu'une question de temps: avant longtemps, Louisbourg tomberait.

***

Les cauchemars étaient revenus hanter ses nuits. En ce moment même, l'image du malheureux soldat déchiqueté par un boulet faisait battre son cœur à grands coups. Le visage de John s'était superposé à celui de l'autre. L'œil ouvert sur le soleil de nuit auréolé d'un halo brumeux, Alexander tenta de se calmer, comptant ses respirations pour tromper son esprit fantaisiste. Le silence l'enveloppait comme un cercueil dans lequel il aurait été enfermé vivant avec ses monstres.

Le cri d'un engoulevent le figea; il expira lentement. C'était comme ça depuis ses retrouvailles avec ses frères. Il avait peur. Ce qu'il craignait, il ne le savait plus très bien, en fait. John n'avait pas cherché à reprendre contact avec lui; il le fuyait même autant que lui. S'il avait voulu tenter quelque chose contre lui, il l'aurait fait depuis belle lurette. Les occasions n'avaient pas manqué au cours de l'hiver. Mais alors, quoi?

Il avait passé la moitié de sa vie à fuir quelque chose qui lui échappait totalement aujourd'hui. Peurs irraisonnées d'adolescent qui avaient grandi avec lui, qui s'étaient peut-être égarées, comme lui... Alexander se trouvait maintenant à cheval entre son passé et son avenir. Il lui fallait choisir un côté. Mais, comme toujours, la peur l'en empêchait.

Il se retourna en prenant soin de ne pas mettre son poids sur son bras. La tuméfaction avait complètement disparu depuis une semaine et la fièvre qui l'avait cloué sur sa couche pendant près de quatre jours était tombée. L'effet du poison s'était rapidement estompé; seule une sensibilité persistait dans sa blessure. Mais cela ne l'avait pas empêché de reprendre ses activités au sein de sa compagnie et de participer à la construction des fortifications des retranchements.

Le souffle du vent activait le feu autour duquel étaient assis quelques compagnons, provoquant des gerbes d'étincelles qui montaient en spirales, aspirées par la nuit. La voix de Munro lui parvenait, forte et grave. Il chantait. Alexander lui disait souvent qu'il ferait un merveilleux barde, ce qui ne manquait pas de le faire rire. Quoi? Lui, le balourd Munro, sans manières ni dans ses gestes ni dans ses paroles, un barde?! Il était vrai que son allure rustique n'annonçait pas un esprit particulièrement sagace. Mais sa verve était étonnante et sa voix, magnifique, avait fait pleurer plus d'un homme.

Ce soir, après une journée éprouvante physiquement, Alexander s'était allongé à l'écart pour se reposer et avait écouté son cousin raconter ses histoires. Fourbu, il s'était endormi aussitôt pour se réveiller en sursaut, comme il lui arrivait trop souvent.

Il dirigea ses yeux vers Leticia, qui fumait sa pipe près du feu. Se sentant observée, elle tourna la tête vers lui et lui sourit. Il avait très envie de la rejoindre, de s'asseoir à ses côtés, en silence, rien que pour sentir son odeur. Mais Evan était là, à sa place. Son ami approcha sa bouche de l'oreille de Leticia et lui dit quelques mots. Puis, voyant que l'attention de sa femme était ailleurs, il suivit son regard et rencontra celui d'Alexander. Le jeune homme se détourna aussitôt, tel un enfant pris en défaut.

— Tu as recommencé ton entraînement cette semaine? demanda la voix d'Evan quelques minutes plus tard.

Son ami s'assit près de lui. Puis, après lui avoir offert sa gourde de rhum, il s'enquit de son état.

— Je crois pouvoir reprendre les armes dans quelques jours, lui assura Alexander en lui rendant la bouteille de cuir.

— Hum... MacCallum en sera heureuse, déclara l'autre sur un ton détaché. Elle s'en fait beaucoup pour toi.

Alexander s'assit et s'agita, ce qui n'échappa pas à Evan qui scrutait toujours son visage lorsqu'ils parlaient de Leticia. Puis, ne voulant pas le mettre dans l'embarras, son ami préféra changer de sujet pour le moment. Il y reviendrait plus tard.

— Ton cousin Munro fait parler de lui. Il est très... spécial.

Soulagé, Alexander émit un rire rauque et acquiesça de la tête.

— Je crois même qu'il a attiré l'attention du brigadier Wolfe par sa dernière frasque.

— Ah? Il ne m'a pas raconté, dit Alexander, subitement intéressé.

En effet, Munro, qu'il découvrait de jour en jour, l'étonnait par son apparente bonhomie toute naïve, derrière laquelle se cachait néanmoins un esprit vif et rusé. Il ne parlait que très peu l'anglais. Mais, curieusement, il arrivait à glaner une quantité surprenante d'informations en écoutant parler les officiers anglais. Ces derniers, le considérant comme simplet, ne faisaient que peu de cas de sa présence lorsqu'ils s'entretenaient à voix basse. Le soir, autour du feu, moyennant quelques extras, Munro divulguait les dernières nouvelles militaires. Hum... niais, vraiment?

— Lors de son tour de garde, il a fait rire tout le monde aujourd'hui. Il a pris son poste sur la grève à la marée montante et s'est rapidement retrouvé les deux pieds dans l'eau. Fletcher s'est reculé pour rester au sec et lui a conseillé de faire de même. Munro, très sérieux, lui a demandé pourquoi. L'autre, un peu dérouté, lui a répondu que c'était pour rester au sec, quoi d'autre? Et tu sais ce qu'a répliqué ton cousin? Il a dit à Fletcher qu'il devrait se faire expliquer le règlement militaire, en particulier les articles qui punissent de mort toute sentinelle quittant son poste. Tu imagines? Fletcher en est resté bouche bée. Jamais personne n'a été traduit en cour martiale pour s'être mis à l'abri pendant son tour de garde! Mais tu sais quoi? Johnston a vérifié, et il paraît que Munro dit vrai. Fletcher est resté sur le sable. Quand la relève est venue, elle a trouvé ton fameux cousin immergé dans l'eau jusqu'aux épaules. Pas besoin de te dire que l'histoire a vite fait le tour du camp! Mais la meilleure, c'est que l'affaire est parvenue aux oreilles de Wolfe, qui s'est personnellement déplacé pour rencontrer Munro.

— Wolfe, en personne?

— Hum, hum... acquiesça Evan en souriant. Il l'a félicité pour sa droiture et sa connaissance des règlements, auxquelles il ne s'attendait pas de la part d'un simple soldat illettré.

Alexander trouva très drôle l'idée de son hurluberlu de cousin en face du fluet et pincé brigadier Wolfe. Il éclata de rire.

— Je suis prêt à parier que Munro ne lui a pas adressé plus de trois mots d'anglais. Je me demande bien de quoi ils ont discuté... À moins que Wolfe ne parle le gaélique[33] ou le scots[34], ce qui me surprendrait beaucoup.

Ils passèrent encore un moment à bavarder de choses et d'autres, histoire de meubler la conversation agréablement. Cependant, Alexander voyait bien qu'Evan était mal à l'aise. Il comprenait que son ami désirait lui parler d'un sujet précis et devinait aisément de quoi il s'agissait. Ils épuisèrent à peu près tous les sujets, puis écoutèrent en silence le chant nocturne des grillons. Finalement, Evan en vint à l'objet de son malaise.

— Je voudrais te parler de ma femme, Alexander. Tu sais que je l'aime et que je suis prêt à bien des sacrifices pour qu'elle soit heureuse. Je ne sais pas ce qu'elle t'a raconté sur nous deux et sur nos projets; je ne lui demande pas de me dire tout ce dont elle et toi discutez. Mais je lui fais confiance... tout comme à toi.

— Je respecte Leticia, Evan, et je ne ferai jamais rien qui pourrait la blesser.

— Je sais.

Evan leva la tête et parcourut les environs d'un regard nerveux. Le campement était tranquille. Munro se reposait et les bombardements ne reprendraient qu'à l'aube. Plusieurs hommes étaient

---

33. Langue d'origine celte parlée dans les Highlands.
34. Langue écossaise dérivée du vieil anglais et parlée dans les Lowlands.

partis se coucher. Le couvre-feu allait bientôt être annoncé. Reportant les yeux sur lui, Evan reprit sur un ton grave :

— Nous avons l'intention de déserter...

Alexander crut qu'il avait mal entendu.

— Quoi ?

Il dévisagea son ami, bouche bée, tandis que les mots faisaient leur chemin dans son esprit. C'était bien la dernière chose à laquelle il s'attendait.

— Qu... quand ?

— Dès que possible. Le plus tôt sera le mieux. Je sais bien qu'on se doute de la véritable identité de MacCallum, bien qu'on se garde d'en faire mention. C'est un bon soldat qui ne cause jamais de problèmes. Mais un jour quelqu'un ouvrira la bouche, et elle devra quitter l'armée.

— Pourquoi as-tu accepté qu'elle s'engage, dans ces conditions ? s'informa Alexander, qui se posait la question depuis longtemps.

Evan haussa les épaules.

— Disons qu'elle ne m'a pas vraiment laissé le choix. Je sais, c'est insensé d'avoir laissé ma femme me suivre dans une guerre, à l'autre bout du monde. Mais nous voulions quitter l'Écosse à tout prix. N'ayant pas d'argent, je ne voyais pas d'autre solution que de m'engager dans l'armée. J'ai cru qu'elle pourrait venir avec moi en tant qu'épouse. Mais le nombre de femmes admises dans la compagnie était déjà atteint. Et elle ne voulait pas rester seule à attendre que je revienne la chercher. Tu sais, MacCallum est plutôt rusée. Elle s'est engagée à mon insu, Alexander, et m'a mis devant le fait accompli une semaine seulement avant le rassemblement à Inverness. Au début, j'étais très en colère. Puis elle m'a exposé son plan : se servir de l'armée pour traverser l'océan et la quitter au moment propice.

— C'est son idée à elle ?

Un sourire amer étira la bouche d'Evan, dont le regard se perdit dans les profondeurs de l'obscurité.

— Oui. Je ne lui aurais jamais imposé un tel risque. Tu sais comme moi ce qui nous attend si on se fait prendre : la corde. Ce n'est pas exactement ce que je désire pour elle. Elle devrait avoir un ou deux enfants à l'heure qu'il est et être sagement à la maison pour les élever.

— Mais alors, pourquoi avoir quitté l'Écosse ?

Alexander se perdait dans toute cette histoire.

— Je suis recherché, avoua Evan sans quitter des yeux le profil de la ville assiégée qui se découpait sur la baie, illuminée par une grosse lune bien ronde. Parfois, se trouver au mauvais endroit au mauvais moment peut causer des ennuis.

Il fit une pause et tourna son visage grave vers Alexander.

— Je sais quelque chose que bien des gens aimeraient savoir. On veut me faire parler.

— Autrement dit, on veut ta peau.

— C'est un peu ça.

— Leticia est au courant?

Evan hocha la tête de haut en bas.

— En partie. Je ne veux pas l'impliquer plus que nécessaire dans cette histoire. C'est trop dangereux. Ces gens ne badinent pas.

— Mais qui sont-ils?

Evan hésita à répondre.

— Tu te rappelles l'affaire du meurtre d'Appin qui a eu lieu en 1752?

— Oui, vaguement.

Alexander avait effectivement entendu parler de ce sordide meurtre qui avait ébranlé les partisans de la cause jacobite dans les Highlands et en France. Mais, trop occupé à survivre, il n'avait accordé que très peu d'attention à cette histoire. Stewart d'Ardshield en Appin était un chef jacobite persécuté dont les propriétés avaient été saisies par la Couronne après 1746. Le collecteur des loyers des tenanciers désigné par le gouvernement, Colin Campbell de Glenure, qu'on avait surnommé le Renard rouge, fut assassiné lors de l'expulsion de manants qui n'avaient pas payé. Le meurtre ne fut jamais entièrement résolu. Mais l'homme qu'on accusa du méfait, Allan Breck Stewart, s'enfuit en France. On pendit son demi-frère à sa place et personne ne sut ce qu'il advint de lui.

— J'étais dans la région lorsque ce meurtre fut commis. Je connais Allan... celui qu'on a accusé du méfait.

— Je vois.

Evan le scrutait comme s'il cherchait dans sa réaction un indice quelconque sur son point de vue à propos de cette affaire. Mais Alexander, qui n'avait cure des tribulations des chefs jacobites, restait impassible, attendant la suite. Evan, jugeant qu'il en avait assez dit pour que son ami comprenne qu'il savait où se cachait Stewart, se tut.

— Alexander... J'ai une question à te poser et je veux que tu sois honnête dans ta réponse. C'est important pour moi. Tu te doutes bien que cela concerne MacCallum.

— Que veux-tu savoir, Evan? demanda nerveusement Alexander.

— Est-ce que tu l'aimes? Je veux dire... Je sais que tu es attaché à ma femme. Mais ce que je veux savoir, c'est si tu l'aimes d'amour, comme moi.

Alexander agrandit les yeux de stupéfaction et déglutit.

— Je ne comprends pas... Je...

— Je veux une réponse franche.

— Mais...

Il s'était tourné vers son ami, pris au dépourvu, cherchant pourquoi il lui demandait une telle chose et sachant que sa réponse ne pourrait que le blesser. Mais, lorsqu'il vit de l'indulgence dans le regard d'Evan qui le fixait avec détermination, il ne put s'empêcher de dire la vérité.

— Oui, Evan, je l'aime. Néanmoins, je vous respecte, Leticia et toi, lui rappela-t-il pour qu'il comprenne bien qu'il ne ferait jamais rien pour les séparer.

— Ça, je le sais. Ne t'en fais pas. Mais j'avais besoin de m'assurer de tes sentiments pour elle.

Mal à l'aise, Alexander hocha la tête. À son grand soulagement, le tambour annonça le couvre-feu. Evan se leva en s'étirant.

— Bon... bonne nuit, mon ami.

— Bonne nuit, Evan.

***

Deux jours plus tard, trois navires français, le *Célèbre*, l'*Entreprenant* et le *Capricieux*, brûlaient dans le port de Louisbourg. Les bombardements continuèrent de plus belle, causant de lourds dommages aux fortifications de la ville. Le 26 juillet, à bout de souffle, la garnison française hissait le drapeau blanc. Louisbourg se rendait.

DEUXIÈME PARTIE

1759

Annus mirabilis[35]

*Les Highlanders sont hardis, intrépides, accoutumés à un pays rude
et ce n'est pas un grand mal s'ils tombent.
Comment mieux utiliser un ennemi secret qu'en faisant
en sorte que sa fin contribue au bien commun?*

Général James Wolfe

---

35. L'Année merveilleuse. Les Anglais ont ainsi baptisé l'année 1759 pour toutes les victoires qu'elle leur a apportées.

5

Les Anglais!

Les rues de Québec étaient boueuses et ruisselaient de la dernière pluie qui avait emporté les ultimes vestiges d'un hiver qui s'étirait. L'air était encore un peu froid, mais la brise qui venait du large annonçait un printemps doux. La joie de pouvoir sortir illuminait les traits fatigués des citadins. L'hiver 1758-1759 avait été rude. Les vivres manquaient et la menace anglaise se faisait de plus en plus sentir. La situation était si catastrophique que le gouverneur Vaudreuil avait dû envoyer deux émissaires à la cour de France pour demander des renforts.

Ainsi, le 11 novembre 1758, l'*Outarde* et la *Victoire* avaient quitté la rade de Québec avec à leur bord messieurs André Dorel et Louis Antoine de Bougainville. Mais on avait peu d'espoir. William Pitt, ministre de la Guerre de l'impérialiste Grande-Bretagne, n'avait qu'un but: s'approprier la Nouvelle-France, à grands frais si nécessaire. On disait la France ruinée. Qu'allait-elle offrir à sa colonie d'Amérique pour défendre un territoire qui avait la taille d'un continent? La réponse que devaient ramener les deux émissaires se faisait attendre.

Le fleuve Saint-Laurent était navigable depuis maintenant quelques semaines. Les premiers navires apparaissaient à l'horizon. Mais on n'avait encore aucune nouvelle de l'*Outarde* ou de la *Victoire*. Isabelle resserra les pans de son mantelet de drap gris sur ses épaules et pressa le pas derrière un papillon jaune, sautant par-dessus une flaque de boue, évitant une ornière dans laquelle viendrait certainement se briser la roue d'une calèche. La chaussée était en piteux état. Le grand voyer aurait beaucoup à faire dans les semaines à venir.

Le trajet se faisait plus aisément à pied qu'en voiture. De toute façon, Isabelle préférait marcher. Et puis, revenir à la maison les sabots et les bas tout sales ne la dérangeait guère, du moment qu'elle pouvait flâner à sa guise en faisant quelques courses. Il n'y avait pas de marché aujourd'hui. Cependant, elle connaissait tous les endroits où se procurer le nécessaire pour préparer un festin. C'était un jour de fête. Dansant presque, elle descendit la rue Saint-Jean jusqu'à la côte de la Fabrique, qui était plus un ruisseau qu'un chemin.

Des enfants chaussés de sabots et crottés jusqu'à la taille s'amusaient à sauter par-dessus l'eau, éclaboussant les passants dans un joyeux clapotis, lorsqu'ils ne tombaient pas carrément sur eux. La côte de la Fabrique était le seul chemin dallé de grès, sans doute justement à cause de l'érosion du sol provoquée par l'eau qui avait creusé son lit. Mais elle était toujours sale, car le ruisseau y amenait tous les déchets après les fortes pluies.

— Bonjour, mademoiselle Lacroix! Belle journée pour une promenade!

Isabelle leva la tête. Un vieil homme à la chevelure neigeuse lui souriait en faisant, depuis une fenêtre, des signes de la main.

— Ah! Bonjour, monsieur Garneau! C'est très agréable en effet. Comment va Catherine?

— Beaucoup mieux. Elle ne tousse plus et reprend des couleurs.

— Voilà qui est bien. Dites-lui que je viendrai la voir la semaine prochaine pour lui porter des herbes à tisanes et des biscuits de Mamie Donie.

— Merci ben, mademoiselle Lacroix. J'manquerai pas de le lui dire. Merci ben gros.

Isabelle salua l'homme de la main et évita de justesse deux soldats un peu gris qui sortaient de l'auberge du Chien bleu. Ces dernières années, Québec ressemblait plus à un camp militaire qu'à une ville. Depuis 1748, près de quatre mille soldats avaient défilé dans ses rues. La plupart étaient maintenant en poste dans les différents forts d'avant-garde disséminés dans le pays. Mais il restait encore dans la garnison de Québec treize compagnies dont la plupart des soldats, heureusement pour le pauvre citadin dont l'habitation n'était souvent pas très grande, vivaient dans des casernes récemment aménagées pour eux dans la Haute-Ville. Il n'en restait donc que très peu qui possédaient un billet de logement et qu'on devait accueillir.

Isabelle ignora les remarques salaces lancées dans son dos. Elle rajusta son mantelet et souleva légèrement sa jupe pour éviter de trop se salir, ce qui ferait maugréer Perrine le jour de la lessive. Elle reprit sa promenade et longea le collège des jésuites où étudiait son frère Guillaume.

— Pauvre Guillaume! Rester à l'intérieur le nez plongé dans des livres de rhétorique et de latin par une si belle journée, quel dommage!

Elle pensa au couvent des ursulines, qu'elle ne regrettait point. Peut-être sa cousine, sœur Clotilde – Marguerite Bisson, de son nom de baptême –, lui manquait-elle. Mais la liberté toute nouvelle que lui avait rendue le printemps lui donnait des ailes...

La bonne odeur qui montait de la boulangerie du séminaire et qu'elle savoura dans une profonde inspiration lui rappela qu'il lui fallait passer chez son frère Louis pour prendre les brioches que son père aimait tant. Elle se tourna vers l'horloge de l'église attenante au Collège des jésuites : presque onze heures. Elle n'avait pas de temps à perdre. D'un pas énergique, elle traversa la Grande Place et se signa rapidement en passant devant la belle cathédrale Notre-Dame. Rue De Buade, elle contourna un tas de bûches qui avaient déboulé jusqu'au centre de la chaussée. Elle accéléra le pas sous l'œil vigilant du chien d'or qui surveillait fièrement l'entrée de l'imposante maison de trois étages du regretté négociant Nicolas Jacquin, dit Philibert. Des écrits datant de la Grèce antique prétendaient que ces chiens d'or gardaient la maison de celui qui la possédait. Cependant, Philibert avait été assassiné en 1748; une affaire obscure. Il y avait de quoi remettre en question la légende.

Isabelle s'arrêta un moment pour reprendre son souffle et profiter de la vue qui s'offrait à elle. Du haut de l'escalier de la Basse-Ville, elle pouvait admirer, entre les colonnes de fumée qui s'élevaient des habitations et au-delà des toitures pentues couvertes de bardeaux de cèdre et garnies d'échelles, le majestueux fleuve qui glissait doucement dans son lit, au soleil. Quelques cageux[36] et une pinasse naviguaient dessus. En amont, une flottille de canots avançait tranquillement. Sans doute des Sauvages. Les mâts nus, perdus dans un enchevêtrement de vergues et de haubans, de deux brigantins et d'une goélette ancrés en rade se balançaient doucement.

Bientôt, une armada de navires marchands et assurément de bâtiments de guerre formeraient un village devant Québec. La forêt de mâts accueillerait les goélands, ravis. Isabelle admirait sa ville avec un sentiment de fierté. « Québec, reine de la Nouvelle-France. Que Dieu te préserve encore longtemps des Anglais. » Fermant les paupières, elle imprima cette vision dans sa mémoire, soupira puis, retroussant ses jupes, entreprit en chantonnant la périlleuse descente menant à la Basse-Ville.

---

36. Train de bois ou radeau se déplaçant au fil de l'eau.

Lorsqu'elle arriva en bas, un personnage à l'allure inquiétante sortit de l'ombre et s'avança vers elle en boitant.

— Z'our, mam'zelle Lacoua!

La voix nasillarde la fit sursauter, et elle pivota sur ses talons pour se retrouver face à face avec une créature aux traits disgracieux couronnée d'une tignasse brune coupée court. Une terrible erreur de Dieu, avait-elle pensé la première fois. L'homme lui sourit de travers, lui dévoilant ses dents mal plantées dont la moitié n'étaient plus que des chicots noircis.

— Ah! Bonjour, mon Toupinet! Veux-tu m'aider à porter les courses?

La créature sans âge hocha la tête dans l'affirmative, rêvant déjà en salivant aux gâteries que la jeune femme ne manquerait pas de lui offrir pour ses bons services. Cette dernière lui tendit son panier vide et se dirigea vers la place du Marché, où était sise la boulangerie Lacroix. Les étals du marché étaient vides aujourd'hui. Mais demain, vendredi, ils seraient bien garnis. Il y aurait foule et les marchands, qui vendaient souvent à la criée, feraient un vacarme à réveiller les morts.

Tournant à l'angle de la rue Notre-Dame, Isabelle croisa trois officiers qui marchaient d'un pas rapide, une mallette en cuir ou une baguette sous le bras, soulevant constamment leurs tricornes pour saluer les gens qu'ils croisaient. Devant l'auberge de la Pomme d'or, deux Sauvages enveloppés dans des couvertures colorées fumaient tranquillement la pipe. Un peu partout, des hommes et des femmes trottaient, vaquaient à leurs occupations. Parmi eux, de jeunes garçons coltinaient de l'eau ou du bois sous l'œil paresseux de soldats en permission. Des recrues qui étaient de corvée enlevaient les sédiments fangeux qui s'étaient accumulés le long des bâtiments. Dans sa course depuis la Haute-Ville jusque vers le fleuve, l'eau de la fonte des neiges emportait avec elle tous les détritus et toute la crasse qui s'amoncelaient au cours de l'hiver.

La jeune femme entra dans la boulangerie, laissant derrière elle la rumeur tranquille du jeudi matin. L'odeur du pain frais l'accueillit et réveilla son estomac. D'un œil gourmand, elle lorgna les galettes et les croquignoles encore toutes chaudes et fraîchement saupoudrées de sucre. Toupinet se posta devant l'étalage des brioches comme un chien attendant son dû. Deux clients sortirent avec leur demi-livre de pain de froment quotidienne bien coincée sous le bras. Françoise, les mains blanches de farine, se frotta les reins en soufflant sur la mèche qui lui tombait devant les yeux et sourit à Isabelle après avoir jeté un regard vers Toupinet, qui n'avait pas bougé d'un poil.

— Te voici, ma belle Isabelle! Quel grand jour pour toi! Pis c'est toi qu'on charge des courses le jour de ton anniversaire? Tu n'aurais pas mieux à faire que de te promener dans la bouette d'un bout à l'autre de la ville? Viens ici que je t'embrasse.

La jeune femme se pencha au-dessus du comptoir et offrit sa joue, rouge de plaisir. Sa belle-sœur l'embrassa bruyamment et lui tapota l'autre joue, y laissant l'empreinte de ses doigts enfarinés.

— Vingt ans, ma belle! Tiens, rien que pour toi. De la dernière fournée.

Ce disant, elle s'était baissée puis avait posé sur le comptoir un ballot de lin qu'elle avait ouvert: une belle grosse brioche, dorée à point, piquetée de fruits secs et glacée à la gelée de pommes se dressait fièrement.

— Merci, ma bonne Françoise! s'exclama Isabelle en humant la pâtisserie. Je vais devoir la cacher sous mon lit si je ne veux pas que Ti'Paul me la chipe.

— Sous le lit? Mais c'est Museau qui va l'enfourner, alors.

Isabelle rit. Ce sacré Museau était tout aussi gourmand qu'elle. De toute façon, le problème ne se poserait pas. Avant même le retour à la maison, la brioche serait chose du passé. Louis quitta ses fourneaux quelques minutes pour venir lui souhaiter un joyeux anniversaire, lui promettant d'être chez leur père pour le souper.

Tout en causant avec sa belle-sœur, la jeune femme remplit son panier que Toupinet, toujours aussi immobile, tenait de ses deux mains. Juste avant de prendre congé, elle demanda deux des appétissantes croquignoles, que Françoise emballa dans un cornet de papier.

Prochain arrêt: le cabaret de Gauvain, rue De Meules[37]. L'établissement occupait le rez-de-chaussée de l'immeuble voisin du magasin de son père. Chaque fois qu'elle passait par là, des images de son enfance refaisaient surface. C'était là qu'elle était née et avait passé sa petite enfance avant que son père, dont la fortune ne cessait de croître, se porte acquéreur d'un terrain situé dans la rue Saint-Jean.

À l'origine, on devait construire sur la nouvelle propriété un hangar qui servirait à l'entreposage de marchandises. Ces dernières étaient de plus en plus nombreuses et le magasin de la rue De Meules devenait trop étroit. Mais, après sa nomination au Conseil du roi, Charles-Hubert Lacroix en avait décidé autrement. Ses nouvelles fonctions exigeaient, selon lui, que sa position sociale fût plus·visible au sein de la communauté. De plus, il allait devoir se rendre fré-

---

37. Aujourd'hui, la rue De Meules s'appelle la rue du Petit-Champlain.

quemment au Palais de l'intendant pour les sessions hebdomadaires du Conseil. Or la montée et la descente de la côte de la Montagne et de la rue des Pauvres étaient un exercice pénible, surtout en hiver. C'est ainsi que la vocation du terrain avait changé. Son père y avait plutôt fait construire une belle grande maison pourvue d'un équipement moderne. Le bâtiment de la rue De Meules, à quelques pas des quais, servirait exclusivement à l'entreposage des marchandises. Voilà qui était judicieux!

Isabelle resta quelques minutes à contempler la façade de pierres de la maison de son enfance. Pour l'enfant qu'elle était, dotée d'une curiosité insatiable, le magasin était une véritable caverne aux trésors. Les odeurs et les textures des denrées entreposées, que ce fût dans le magasin ou dans les caves voûtées, constituaient ses souvenirs les plus vivants. Elle était déjà bien gourmande! Elle sentait encore les effluves tantôt douceâtres, tantôt piquants des épices : cannelle, girofle, muscade, poivre. Le ranci âcre des viandes et du suif, celui des graisses animales servant aux usages domestiques. L'aigreur des vinaigres, des salaisons. Et combien d'autres parfums encore qu'elle ne pouvait identifier. Tout cela s'amalgamait pour former ce qu'elle appelait tout simplement « l'odeur du magasin à papa ».

Elle sourit doucement en se remémorant les heures qu'elle passait avec Madeleine à jouer dans cette grotte remplie de trésors d'outre-mer. « Reine Isabelle de Castille », l'avait baptisée sa cousine. Toutes deux s'amusaient ainsi des journées entières à transformer l'endroit en un véritable palais, au grand dam de son père qui ne s'y retrouvait plus par la suite. Des ballots de velours et de draps fins de Lyon, des cuivres rutilants d'Espagne, quelques pièces d'argenterie faisaient office de trésors. Parfois, elles avaient même à leur disposition un canapé tendu de damassé ou encore un bureau garni de bronzes fins. Quels doux souvenirs!

— Mam'zelle Lacoua? C't'icitte qui faut ent'er.

Toupinet tirait sur son mantelet et montrait du doigt l'entrée du cabaret de Gauvain. Elle hocha la tête et poussa la porte de l'établissement. Quelques clients, des débardeurs désœuvrés, des marchands négociant un contrat et des voyageurs en escale, étaient attablés et ne se préoccupèrent pas de son arrivée. Elle se dirigea d'emblée vers le comptoir, où une jeune fille essuyait des gobelets d'étain avant de les ranger avec soin sur les étagères situées derrière elle. Cette dernière leva le menton et sourit aussitôt en apercevant Isabelle qui approchait.

— Ben le bonjour, ma Isa! C'est-y pour le vin de madame Perthuis que tu viens aujourd'hui?

— Pour ça et pour autre chose, Marcelline. J'aurais aussi besoin d'une bouteille d'eau-de-vie de prune, s'il t'en reste.

La jeune fille fronça les sourcils.

— Vot' père en a pus? C'est lui qui nous les fournit, d'habitude.

— Il ne lui en reste qu'une bouteille, et mes frères viennent à la maison ce soir pour souper...

— M'sieur Étienne aussi?

Isabelle esquissa un sourire.

— Étienne aussi, Marcelline. Tu n'as quand même pas dans l'idée de mettre le grappin sur mon frère!? Il aura trente-six ans cet été, et toi, tu n'as que quatorze ans. Tout de même, il pourrait être ton père!

La jeune fille haussa les épaules dans un geste nerveux et avança une lippe boudeuse.

— Assiez-vous, j'vas chercher vot' vin.

Elle disparut dans la réserve. Isabelle avait pris l'habitude de porter elle-même, une fois par semaine, sa pinte de vin à madame Perthuis, histoire de faire un brin de causette. Marie-Madeleine Perthuis était l'épouse d'Ignace Perthuis, procureur du roi. Benjamin de Charles Perthuis, ancien associé du grand-père d'Isabelle, Charles Lacroix, était aussi le filleul du père de la jeune femme.

Le couple rendait souvent visite à la famille par le passé, et Marie-Madeleine – Tante Marie – s'était particulièrement attachée à Isabelle. Elle lui avait offert à maintes reprises de beaux objets venant de la vieille patrie et dont elle disait ne plus avoir besoin. La jeune femme se souvenait surtout d'une merveilleuse poupée de cire offerte pour son cinquième anniversaire. Elle devinait que ce cadeau-là avait été commandé expressément pour elle.

Au bout d'un moment, Marcelline revint avec une cruche calée contre sa hanche. Elle ressemblait beaucoup à sa mère, dont elle avait le brillant regard couleur d'obsidienne, le teint sombre et les cheveux de jais, qui débordaient de son bonnet négligemment posé sur sa tête. La belle Marie-Eugénie, jeune Huronne au service des Guillimin, était malheureusement morte en mettant au monde sa fille. L'enfant fut adoptée par Mathieu et Marie Gauvain. Cette dernière est décédée au cours de l'hiver 1757. Personne n'avait jamais su qui était le père naturel de Marcelline. Mais, vu le teint plus clair de l'enfant, c'était certainement un homme blanc.

La jeune fille posa bruyamment la cruche sur le comptoir et vérifia la solidité de son bouchon. Isabelle s'était tournée vers la rade, visible depuis la fenêtre qui donnait sur la baie du Cul-de-sac.

— Marcelline, sais-tu si des navires sont attendus dans les prochains jours?

— À ce qu'on dit, y en a trois qui remontent le fleuve. On ne devrait pas tarder à voir leur proue apparaître de l'aut'bord de l'île.

Depuis que le pont de glace avait sombré, Isabelle ne cessait de scruter l'horizon dans l'espoir d'apercevoir un deux-mâts. Les émissaires du gouverneur étaient attendus avec fébrilité.

— Sais-tu de quels navires il s'agit?

Marcelline secoua la tête.

— Ben non.

La jeune femme se mit à espérer de bonnes nouvelles. Toupinet s'agita. Il voulait repartir, car il savait qu'il n'aurait sa récompense qu'une fois les courses terminées. Isabelle embrassa chaleureusement Marcelline et sortit.

— As-tu entendu parler de ces bateaux, Toupinet?

— Pas entendu pa'ler, mam'z'elle.

Ils étaient à l'angle des rues De Meules et Sous-le-Fort. Isabelle leva la tête et porta son regard rêveur au-delà de la batterie royale, située au bout de la rue. La rade était déserte à cet endroit. Devant une porte, deux amoureux s'embrassaient. Isabelle pensa au beau Nicolas des Méloizes, et son cœur se mit à battre un peu plus fort.

L'étrange créature émit un gloussement comique et se mit à se dandiner et à battre des bras tel un jars. La bouche pincée, il imita le bruit d'un baiser. Isabelle éclata de rire. « Pauvre Toupinet, pensa-t-elle, la nature ne lui a pas offert grand-chose. Mais il est tellement gentil et ne ferait pas de mal à une mouche. »

Abandonné dès sa naissance, Jean Toupin, de son vrai nom, avait été élevé par les sœurs augustines de l'Hôpital général. Doté d'une intelligence limitée mais d'un infini désir de plaire, il avait été en quelque sorte adopté à quatorze ans par les pères récollets, pour qui il faisait office d'homme à tout faire. Les habitants s'étaient habitués à sa présence dans la Basse-Ville, où il aimait traîner. Surtout lorsque les navires arrivaient. Les grands bâtiments flottants qui régurgitaient sur les quais leurs trésors le fascinaient au plus haut point.

Les cloches de Notre-Dame-des-Victoires se mirent à sonner. Isabelle sursauta. L'angélus! Elle devait se dépêcher si elle voulait avoir le temps de mettre la main à la pâte pour aider Perrine et Sidonie à préparer le repas. Au pas de course, elle se rendit rue Saint-Pierre avec Toupinet. Là elle reprit son panier et tendit à l'homme qui sautillait les deux croquignoles soigneusement emballées.

— Merci, mon Toupinet. C'est toujours un plaisir de faire les courses avec toi.

Il rougit du compliment en serrant les douceurs dans ses grosses mains velues.

— Me'ci, mam'z'elle Lacoua.

Isabelle posa un petit baiser sur une joue mal rasée et s'engouffra à la hâte dans l'entrée des Perthuis, laissant derrière elle un Toupinet tout ébaubi.

***

Le bruit de la faïence qui éclate retentit dans la cuisine.

— Batèche!

— Perrine! Tiens ta langue, ma fille. C'est pas un chantier naval, icitte!

Perrine fit la grimace dans le dos de Sidonie qui s'affairait devant la table. La vieille femme finit de rouler sa pâte, la retourna d'une main experte dans un nuage de farine et reprit son rouleau. La jeune servante laissa passer un autre juron à travers ses lèvres pincées et se pencha pour ramasser les morceaux de la faisselle et le fromage désormais perdu.

— En v'là encore pour Museau. C'te chien-là se gave comme une oie. Betôt, y pourra même pus se lever pour aller faire sa p'tite affaire dehors! Pis moé qui venais tout juste de fourbir le plancher... Batèche!

Un avertissement sonore parvint de la table où Sidonie habillait maintenant de pâte des poulardes gonflées d'herbes. Isabelle rit sous cape en lançant un regard complice à Ti'Paul, qui se mirait dans un cul-de-poule aussi brillant qu'un miroir et s'amusait à se faire des grimaces. Elle était aux anges. Les odeurs de la tarte aux œufs et de la tarte aux pommes à la crème chatouillaient agréablement ses narines si sensibles aux délices de la gastronomie.

— Mamie Donie, est-ce qu'il y en a assez? demanda-t-elle en reposant la râpe et le chou.

Sidonie se pencha au-dessus de la jatte pour en vérifier le contenu. Dans la cuisine, aucune décision ne se prenait sans elle.

— Je crois bien que cela devrait suffire. Mettez-moi cela dans le chaudron et couvrez le tout de vin. Mais couvrez seulement; ne noyez pas le chou dans le vin.

Isabelle s'exécuta. La vieille servante ajouta quelques ingrédients dont elle avait le secret, posa le couvercle sur le chaudron et se dirigea vers le fourneau.

— Ti'Paul, allez dire à Baptiste d'apporter du bois. J'veux pas servir des poulardes crues pour le repas de fête de votre sœur.

— À vos ordres, Mamie Donie!

Ti'Paul sortit en courant de la cuisine, par la porte qui menait à la cour arrière. Le vieux Baptiste Lefebvre, homme à tout faire de la maison, travaillait là depuis une bonne heure, fendant des bûches. Selon les besoins, il faisait office de cocher, de jardinier, de menuisier ou même parfois d'arbitre lorsque les enfants se querellaient. Né à Sorel, où il avait passé son enfance, à l'instar de bien des habitants de cette région, il avait troqué la faux et le râteau pour des mocassins et des mitasses[38] afin de courir les bois en quête de l'or brun : le castor. Il aurait certainement fait fortune s'il n'avait été un joueur invétéré.

Sans un sou, perclus d'arthrite et ne pouvant plus continuer à dormir à la dure dans les bois humides, il avait rencontré Étienne, qui lui avait conseillé d'offrir ses services à son père. La famille venait alors de perdre son fidèle Michel, qui avait été à son service pendant plus de vingt-huit ans. Ayant longtemps connu la liberté que lui apportaient les grands espaces, Baptiste avait eu du mal au début. Mais, avec le temps, il s'était habitué à la vie sédentaire et y avait même pris goût.

Charles-Hubert Lacroix estimait grandement cet homme fiable, honnête et tout aussi fidèle que le regretté Michel. Il n'hésitait même pas à lui confier sa mallette à l'occasion, lorsqu'il ne souhaitait pas rentrer directement à la maison après une longue journée au Palais de l'intendant.

Ti'Paul revint en sautillant et reprit sa place devant le cul-de-poule, sortant la langue jusqu'au menton. Perrine prit l'objet.

— Arrête de baver dessus! J'vas devoir l'écurer de nouveau, p'tit monstre! Tiens, épluche donc plutôt les carottes.

Elle lui fourra un couteau à éplucher dans les mains et posa le bol de carottes devant lui.

— Quoi? Moi, éplucher des légumes? Mais c'est pour les femmes, ça!

— Ben, qu'est-ce que tu fais icitte, d'abord? Va faire des affaires d'homme alors! Pis ôte tes doigts de ma vaisselle.

Ti'Paul, déterminé à rester dans la cuisine, se tut et s'empara d'une carotte. Perrine vérifia le lait qui chauffait sur le feu. Elle y ajouta une pincée de sel, un fragment de gousse de la précieuse vanille qu'Isabelle aimait tant et un morceau de citron confit pour le parfumer. Ensuite, elle cassa quatre gros œufs, prenant soin de séparer les blancs des jaunes et déposant les premiers dans une terrine calée sur une serviette humide et les seconds dans un bol.

---

38. Jambières de toile, de laine ou de cuir, souvent ornées de franges.

Curieuse, Isabelle s'approcha et observa. D'une main vigoureuse, la servante entreprit la tâche de faire monter les blancs en un léger nuage, ce en quoi elle excellait.

— Que fais-tu, Perrine?

Tout absorbée dans son travail, Perrine n'avait pas vu ni entendu Isabelle arriver dans son dos. Elle poussa un cri de frayeur et faillit laisser tomber son fouet.

— Aïe! Mam'zelle Lacroix! Vous allez me faire rater ma neige!

— Désolée, Perrine. Tu me fais des meringues pochées?

La servante tentait de se composer un air revêche, mais ne pouvait empêcher les coins de sa bouche de se retrousser.

— Allez, déguerpissez, p'tite écornifleuse! Allez sortir les couverts. Vous s'rez plus utile de même.

Isabelle renifla le lait dont la surface se parsemait de minuscules bulles. Sans lâcher son fouet, Perrine retira le chaudron du poêle et jeta dedans une mesure de riz. Le visage de la jeune femme s'éclaira d'un coup.

— Tu fais un gâteau de riz à la Condé? C'est ça, Perrine?

— On ne peut jamais rien lui cacher, à celle-là, grogna gentiment la domestique. Bon, astheure que vous savez tout, vous pouvez sortir les couverts? Vos frères ne vont pas tarder à arriver avec les marmots, que vous devrez occuper pour pas qu'ils nous tournaillent autour.

Isabelle se dirigea vers le dressoir pour en retirer les assiettes du magnifique service de porcelaine de Sèvres de sa mère. Son père le lui avait offert six ans plus tôt et elle le sortait pour les grandes occasions seulement. La jeune femme jugea que la vingtaine était un cap dont la célébration justifiait l'utilisation de la belle vaisselle. Elle empila une demi-douzaine d'assiettes et passa à la salle à manger, où la nappe des grands jours avait été étalée sur l'immense table de noyer.

Son père entra au même moment en grande pompe, agitant sa canne à pommeau d'argent et fouettant l'air de son tricorne en feutre. Il se courba devant sa fille en une profonde révérence. Une épée battait sa cuisse : privilège réservé habituellement aux nobles et aux officiers mais que s'octroyaient les roturiers qui étaient conseillers du roi. Il la portait avec une fierté non dissimulée les jours de conseil.

— Papa! s'écria Isabelle, tout émue. Vous rentrez tôt, j'en suis heureuse!

Charles-Hubert se redressa, rajusta ses vêtements et laissa son tricorne et sa canne à Baptiste, qui le délesta également de sa redingote.

— Pour ma fille adorée, j'ai écourté la réunion.

147

— Allons, papa, pouffa Isabelle en sautant au cou de l'homme, est-ce que ce ne serait pas la réunion qui se serait terminée plus tôt? Vous ne pouvez pas quitter le conseil pour une bagatelle comme...

— Une bagatelle? Ma fille a vingt ans aujourd'hui, et tu appelles cela une bagatelle?

Il rit de bon cœur et déposa un tendre baiser sur la joue de la jeune femme. S'écartant, il l'examina de haut en bas puis de bas en haut, plissant le nez et haussant les sourcils.

— Tu as changé, je crois bien.

— Je suis la même qu'hier, je vous assure.

— Peut-être...

Une ombre de tristesse passa rapidement dans le regard de Charles-Hubert.

— Mais il me semble qu'hier encore tu étais toute petite... Et aujourd'hui... je vois déjà les prétendants se presser à notre porte pour t'enlever à moi.

Isabelle baissa les yeux et rougit légèrement.

— Je ne suis pas si pressée, papa.

Il lui caressa la joue et lui prit le menton pour la forcer à le regarder.

— Peut-être que non. Mais moi, je sais que le moment approche où ma fille unique quittera le nid familial. Je souhaite que lorsque ce jour arrivera, celui qui te volera à moi sera digne de toi.

Isabelle repensa à Nicolas Renaud des Méloizes de Neuville et sentit une bouffée de chaleur monter à ses joues. Le jeune homme appartenait à une éminente famille originaire du Nivernais, dont les fils embrassaient la carrière militaire. Son grand-père, François-Marie, était arrivé en Nouvelle-France en 1685. Il avait été capitaine dans les Compagnies franches de la marine. Peu avant sa mort, en 1699, il avait eu un fils, Nicolas-Marie. Ce dernier, père de Nicolas et capitaine dans les troupes coloniales, avait hérité de sa mère la seigneurie de Neuville.

— Il le sera certainement.

Elle étreignit son père, un pincement au cœur. Dans sa naïveté, elle n'avait jamais imaginé que ses fréquentations avec Nicolas pussent la mener un jour au pied de l'autel. Tout à coup, une pensée encore plus troublante lui vint à l'esprit. Si elle devait un jour devenir madame Nicolas Renaud d'Avène des Méloizes, elle devrait quitter la maison et tout ce qui constituait son monde jusqu'à aujourd'hui. Quelle vie aurait-elle alors?

***

Isabelle versait une louche de potage aux poireaux dans son bol. Anne, neuf ans, et Pierre, douze ans, couraient autour de la table en chantant à tue-tête :

— Sergent Lacroix, sergent Lacroix ! Papa est sergent, rantanplan ! Papa est officier, oyez, oyez !

— C'en est assez, les enfants ! les gronda en souriant Françoise.

— Il aurait pu être officier dans la marine, fit remarquer Justine avec un air sombre en attrapant au passage le bras d'Anne pour la forcer à s'arrêter. Allez vous asseoir, vous allez nous donner le tournis. Et puis, ce ne sont pas des manières, à votre âge.

Tous s'assirent à leur place, dans un vacarme de grincements de chaises. Puis ce fut le silence. Après s'être assurée que les enfants tenaient le bon ustensile, Justine replaça les plis de sa jupe et regarda Louis.

— François-Marc-Antoine Le Mercier vous considérait comme un candidat intéressant. Votre père aurait pu vous acheter une charge d'enseigne ou de lieutenant.

Louis soupira.

— Mère, vous savez très bien que je n'ai jamais voulu faire de carrière militaire. Je ne me sens pas à l'aise dans un uniforme. De plus, je préfère l'odeur du pain et du levain à celle de la poudre et de la corruption. Tout le monde sait que Le Mercier se livre à des manigances avec l'intendant Bigot.

Étienne rit, sarcastique.

— T'as pourtant aucun scrupule à tenir l'échelle de père dans son ascension dans not' belle société, Louis. Tu profites assez ben de ses largesses...

— Je fais c'que j'peux pour nourrir mes enfants, Étienne, le coupa vivement Louis. On peut pas en dire autant de toi. À enfourcher les Sauvagesses comme tu le fais, tu dois avoir laissé derrière toi ben des marmots...

Une main frappa rudement le bois de la table, et le potage tremblota dans les bols. Étienne, blême de rage, se leva d'un bond, prêt à lancer son poing vers son frère. Charles-Hubert, rouge de colère et de honte, foudroya les deux jeunes hommes du regard, tandis que les autres baissaient le nez en retenant leur respiration. Le petit Luc, dernier-né de Louis, se mit à pleurer dans les bras de Françoise, qui sortit. Les sanglots s'assourdirent derrière la porte de la cuisine.

— C'en est assez ! tonna Charles-Hubert. Étienne, Louis, je ne

149

tolère pas ce genre de comportement sous mon toit. Ce n'est ni le moment ni l'endroit! Vous frapper dessus ne vous aidera en rien lorsque les Anglais seront à nos portes, mes garçons. Gardez donc vos forces.

Étienne se rassit en lançant un regard amer à Louis qui, conscient de sa maladresse, s'excusa auprès de tous. Charles-Hubert, satisfait, plongea sa cuillère dans son potage. Isabelle serra les dents en fronçant les sourcils. Ses frères allaient-ils lui gâcher sa fête? Mieux valait orienter la conversation vers un sujet moins épineux. Elle posa la main sur celle de son père.

— Marcelline m'a dit que trois navires remontaient le fleuve. En auriez-vous eu vent?

— Marcelline?

Étienne la dévisageait d'une drôle de façon, ce qui lui fit penser que, finalement, il y avait peut-être quelque chose entre les deux. Son frère devrait avoir honte d'entretenir une relation avec une si jeune fille, aussi jolie fût-elle.

— Oui, c'est Marcelline qui m'a parlé de ça. Tu me sembles bien intéressé par elle, mon bel Étienne...

Le visage d'Étienne resta un moment indéchiffrable. Puis, brusquement, il se détourna et entreprit de vider son bol.

— Des navires?! s'enthousiasma Ti'Paul. Ils arrivent de France?

— Il semblerait, acquiesça Charles-Hubert.

— Ce sont les émissaires qui reviennent avec la réponse du roi, alors!

— C'est fort probable. Peut-être s'agit-il des renforts tant attendus. Nous le saurons bien assez tôt. Ce matin, on les voyait depuis l'île d'Orléans. Si tout a bien été, ils devraient être en rade à l'heure qu'il est.

— N'espérez rien qui soit inaccessible, dit l'homme dans un soupir. Isabelle baissa la tête.

— Hé! Isa, ton des Méloizes va-t-il venir te souhaiter un joyeux anniversaire? Il sera certainement au courant de ce que nous donne le roi.

La jeune femme se redressa brusquement. Ses frères la regardaient tous d'un air moqueur. Elle allait répliquer vivement lorsque Perrine fit irruption pour desservir les bols vides et les remplacer par des assiettes propres. Tout le monde attendit que les poulardes bien fumantes et les pâtés de viande eussent été déposés sur la table avec le chou braisé et les autres garnitures.

— Alors Isa, insista Ti'Paul pour faire l'intéressant, tu as hâte de revoir ton beau des Méloizes, oui ou non?

Isabelle lui écrasa le pied de son talon. Le garçon poussa un cri aigu et lui lança un regard noir accompagné d'une grimace. Justine, qui n'avait de cesse de surveiller les bonnes manières de ses enfants, le sermonna et l'obligea à s'excuser auprès de sa sœur et des autres. Ce qu'il fit du bout des lèvres.

— Il t'emmènera peut-être en France, Isa. Tu y as pensé? reprit Guillaume.

— Mais que vas-tu chercher là? Nicolas est canadien et occupe un poste dans les troupes coloniales. De toute façon, il ne m'a jamais parlé de mariage.

— Voyez! Elle l'appelle déjà par son prénom. J'vous dis qu'elle est amoureuse! Isa est amoureuse de Des Méloizes! Isa est...

— Ça suffit!

La voix de Justine résonna si fort que tous en restèrent stupéfaits. Françoise, qui revenait à table, hésita un moment et faillit retourner à la cuisine. Justine reprit contenance et se servit un morceau de poularde avant de se remettre à parler:

— Monsieur des Méloizes ferait un très beau parti pour Isabelle. Il est l'aîné d'une bonne famille et l'héritier de la seigneurie de Neuville. Sa carrière militaire est des plus prometteuses. Il sert brillamment notre bon commandant Montcalm. Il sera certainement bientôt promu.

— Mère... Nicolas est un très bon ami, sans plus, bafouilla Isabelle, gênée.

— Isabelle, l'amitié est une chose qui peut prendre des proportions inattendues. Attendez, et vous verrez.

Charles-Hubert scrutait les traits de sa fille. Il savait que ce des Méloizes ne laissait pas la jeune femme indifférente, et cela l'inquiétait un peu. Non qu'il désapprouvât l'homme, bien au contraire: Nicolas des Méloizes était considéré par tous comme quelqu'un d'intègre et d'honnête. Mais son père, qui jouissait d'une position sociale enviable dans l'élite sociale canadienne, était un homme ruiné à sa mort, en 1743: son entreprise industrielle de tuiles de toitures avait été un échec. Nicolas n'était donc pas riche, mais il avait des relations qui lui assuraient une place respectable au sein de la colonie. Si Montcalm lui accordait enfin la croix de Saint-Louis... L'évocation de Montcalm agaça Charles-Hubert. Il avait appris que le général et sa suite fourraient leur nez dans les affaires de l'intendance. S'ils ne le faisaient pas officiellement, ils avaient cependant chargé des connaissances d'épier les membres du Conseil du roi.

Cela inquiétait d'autant plus Charles-Hubert que le roi lui-même avait des soupçons sur les dépenses exorbitantes de la Nouvelle-France, qui ne se justifiaient pas étant donné l'importance des activités commerciales. Ces gens-là avaient-ils des preuves des opérations illicites qui se tramaient ici? Probablement pas. Chaque fois que l'intendant Bigot était convoqué en France pour expliquer, devant le roi Louis, les chiffres qui apparaissaient dans les registres financiers de la colonie, les soupçons s'estompaient. Toutefois, cela n'allait pas durer éternellement. C'est ce qui tracassait Charles-Hubert depuis quelque temps. L'homme en avait même des palpitations la nuit. Il avait de plus en plus de malaises le jour, qui se manifestaient par de vives douleurs à la poitrine.

L'inquiétude et le remords – il devait bien se l'avouer – minaient petit à petit sa santé. Pour le moment, les rumeurs concernant les associés de l'intendant s'étaient atténuées. Pour clouer le bec aux détracteurs, Bigot s'était fait plus discret qu'à l'habitude, évitant d'étaler ses richesses. Mais combien de temps cela durerait-il? Avec la famine qui sévissait depuis trop longtemps et l'édit qui obligeait à consommer de la viande chevaline, les dents grinçaient de plus en plus dans la populace.

Les affaires, elles, continuaient de prospérer, un peu trop même au goût de certains. Mais il devait s'efforcer de maintenir le train de vie qu'il avait réussi à atteindre... ne serait-ce que pour le bonheur de sa chère Justine, qui était si difficile à satisfaire. Perdu dans ses pensées, Charles-Hubert soupira bruyamment. La discussion portait maintenant sur les potins qui faisaient marcher les langues dans la ville, et l'atmosphère était plus détendue. Guillaume fit un exposé sur les pensées de Cicéron pour faire étalage de ses connaissances de la rhétorique, ce qui fit rire tout le monde.

Au dire de Justine qui était fière des résultats scolaires de son fils aîné, Guillaume maîtrisait l'art du *figuris sententiarum ad delectandum*[39], mais devait encore travailler le côté *ad docendum*[40] de son discours pour devenir un bon jésuite. Guillaume, convaincu qu'il avait fait beaucoup de progrès, se froissa de la remarque de sa mère. Pour se venger, il lui rappela qu'il ne se destinait pas à la tonsure, mais aux lettres qui, à son avis, étaient un art tout aussi noble que celui de prêcher l'abstinence. Justine se renfrogna, comme toujours lorsque ses attentes n'étaient pas satisfaites, et prit un air hautain.

Hormis cette petite parenthèse, l'ambiance fut des plus

---

39. Figure de style de pensée employée dans le but de rendre un discours plaisant, donc plus intéressant pour l'auditeur.
40. Instructif.

agréables, jusqu'au dessert que tous apprécièrent. On déboucha la bouteille d'eau-de-vie de prune pour le « p'tit coup séraphique » servi après le café. Françoise emmena les enfants à la cuisine pour les débarbouiller et Perrine desservit la table. Les hommes allumèrent leur pipe et étirèrent leurs jambes sous la table. Il y eut alors un moment de silence qu'Isabelle savoura pleinement.

Le repas, qui avait failli mal tourner, s'était en fin de compte merveilleusement déroulé. Isabelle en sut gré à ses frères aînés. Ils n'aimaient pas particulièrement les réunions de famille. Issus du premier lit de Charles-Hubert, Louis et Étienne n'avaient que dix et huit ans respectivement lorsque leur mère, Jeanne Lemelin, était morte, en 1731. Leur père les avait alors placés chez Antoine et Nicolette Lacroix, à l'Ange-Gardien, village situé à quelques lieues en aval de Québec. Puis il s'était remarié avec Justine, en 1738, et les avait repris avec lui. La relation entre les deux garçons et leur belle-mère n'avait jamais été très bonne. Justine trouvait Louis et Étienne mal dégrossis et leur reprochait continuellement leurs manières rustres d'habitants. Dans un accès de colère, elle était allée jusqu'à leur lancer que leur mère n'avait probablement été qu'une fille de colon sans manières.

À cette époque, âgés respectivement de dix-sept et quinze ans, les fils Lacroix n'avaient pas accepté de s'en laisser imposer par cette nouvelle mère froide et revêche pour laquelle ils n'éprouvaient aucune sympathie. Charles-Hubert, bien que peiné, avait simplement réussi à les faire obéir et s'était fait une raison. Justine, pour sa part, ne semblait pas s'en soucier outre mesure. N'étant déjà pas très chaleureuse avec ses propres enfants, elle ne pouvait accueillir ses beaux-fils à bras ouverts. Qu'à cela ne tienne, l'essentiel était que tout le monde se respectât.

Le tic-tac de la grande horloge et le copieux repas rendaient les convives apathiques. Isabelle était sur le point de s'assoupir sur sa chaise lorsqu'on frappa à la porte. Baptiste alla ouvrir et revint quelques minutes plus tard avec un billet à la main.

— Pour mademoiselle Isabelle, annonça-t-il cérémonieusement en tendant le pli cacheté à la jeune fille.

Isabelle se redressa, un peu surprise. Qui pouvait bien lui envoyer un message si tard dans la soirée? Sans prendre la peine de vérifier le nom de l'expéditeur, elle décacheta l'enveloppe et parcourut rapidement les premières lignes. Tout le monde attendait, tandis que le feu lui montait aux joues. Nicolas était à Québec. Il demandait à la voir ce soir même – si cela était possible, bien entendu –, lorsqu'il aurait rencontré Montcalm et tout l'état-major.

La *Chézine*, à bord de laquelle se trouvait le colonel de Bougainville, venait de jeter l'ancre. Le cœur de la jeune femme palpitait.

— C'est qui? C'est quoi? Tu es invitée à un bal? s'enquit Ti'Paul, tout excité.

— Euh... non. C'est... monsieur des Méloizes. Il est à Québec. La *Chézine* a jeté l'ancre ce soir, et il est allé aux nouvelles...

— J'vous l'avais dit! claironna Ti'Paul. C'est son amoureux!

— Arrête de raconter des bêtises, petit chenapan!

Excédée, elle referma le pli et le glissa dans sa manche.

— Que veut-il? Racontez-nous, ma fille, demanda Justine qui cachait difficilement son contentement.

— Il demande à me voir.

— Ce soir? Est-ce que ce n'est pas un peu tard?

— Je peux lui répondre de venir demain, maman, si cela...

— Non, ne contrarions pas ce beau monsieur. Soit! Il peut venir. Sidonie restera au salon avec vous.

Isabelle sentit son sang lui battre les tempes. C'était plus que ce qu'elle avait osé espérer. Nicolas désirait la voir. Plus d'un mois s'était écoulé depuis leur dernière rencontre. C'était le plus beau cadeau d'anniversaire qu'elle eût pu souhaiter. Elle verrait son Nicolas ce soir même... Elle griffonna nerveusement sa réponse sur un bout de parchemin qu'elle plia soigneusement. Baptiste porta le billet au soldat qui attendait dans l'entrée.

Les enfants jouaient aux quilles avec Museau, qui donnait de joyeux coups de queue et faisait tout tomber. Les hommes discutaient des probabilités que la France accorde une aide à la Nouvelle-France pour sa défense. Isabelle, elle, avait l'esprit bien loin de tout ça.

— Vous croyez vraiment que les Anglais vont venir jusqu'ici? demanda soudain Ti'Paul.

Isabelle, ramenée à la réalité par la voix fluctuante de son adolescent de frère, leva les yeux par-dessus son verre d'eau-de-vie coupée.

— Louisbourg est tombée, certes. Mais de là à ce qu'ils se trouvent à nos portes...

Charles-Hébert déposa sa pipe sur la table et regarda sa fille unique avec mélancolie. Elle tournait vers lui ses magnifiques yeux verts, et il se rendit compte qu'elle était devenue une femme très désirable. Depuis qu'elle avait fait ses débuts dans la bonne société, il avait entendu maints commentaires flatteurs à son sujet. Cela l'avait fortement ébranlé. Sa petite Isabelle, si espiègle et à l'imagination si débordante, soleil de sa vie... était maintenant une ravissante jeune femme.

Les hommes détaillaient sa chère fille avec des yeux de prédateurs. Telle une meute de loups affamés, ils convoitaient sa beauté et sa fraîcheur. Ses jours sous son toit étaient désormais comptés. Elle était en âge de prendre époux; les demandes ne tarderaient pas. Puis, il y avait ce des Méloizes qui lui avait tourné autour pendant tout l'hiver. Charles-Hubert pensait que l'éloignement dû aux obligations militaires, avec l'approche des Anglais, aurait refroidi les ardeurs du jeune homme. Apparemment non... Égoïstement, il désirait garder sa fille encore un peu pour lui. Il hocha la tête avec lassitude.

— Isabelle, ma chouette, ne crois pas que les Anglais vont se contenter de cette forteresse perdue dans les brumes des côtes de l'Atlantique...

— D'ailleurs, ils ont déjà commencé à la démolir, pierre par pierre, ajouta âprement Étienne. Ils veulent s'assurer de n'avoir que des ruines à restituer si jamais un traité les obligeait à nous rendre l'île Royale comme en 1748.

Justine s'agita sur sa chaise.

— La guerre n'est pas un sujet qui convienne à une dame, Isabelle. Vous devriez reprendre votre ouvrage de broderie.

La jeune femme ignora effrontément la suggestion de sa mère, qui, de toute façon, ne trouvait jamais rien de convenable pour elle, et elle tourna un regard inquiet vers son père.

— Mais de là à venir jusqu'ici! Ils savent que Québec est imprenable!

— Imprenable? Louisbourg ne l'était-elle pas? fit rudement observer Louis. T'es ben naïve, Isa. La flotte anglaise fait partie du paysage en Acadie astheure. Pis elle grossit de jour en jour à ce qu'on dit. Faudrait pas être plus idiot que Toupinet, torrieu! Betôt, ils vont nous arriver dessus à la vitesse des eaux, pis nous cerner. Ils nous veulent tout entiers, cette fois-ci, ça, j'peux te l'assurer. Pourquoi tu penses que je laisse mes fourneaux à ma pauvre Françoise pour prendre un poste de milicien?

Depuis le mois de janvier, en effet, le gouverneur Vaudreuil, sur la recommandation de Montcalm, avait fait recenser la population des trois gouvernements de la Nouvelle-France, en l'occurrence Montréal, Trois-Rivières et Québec, et avait fait constituer une milice. Tous les habitants de sexe mâle âgés de seize à soixante ans et en état de porter les armes devaient s'engager, sous peine de représailles sévères.

Perrine, qui écoutait discrètement la conversation depuis l'âtre où elle s'affairait à retirer le coquemar, poussa un petit cri.

— Désolée, j'me suis brûlée.

Isabelle capta son regard effrayé et devina ses craintes.

— Papa, deux fois déjà ils ont tenté de prendre Québec. Mais sans succès...

— Notre-Dame-des-Victoires veillera sur nous, assura Justine.

Étienne laissa échapper un petit rire amer.

— Ha! Si vous pensez que vos prières vont les faire virer, vous vous trompez, belle-mère!

Justine redressa l'échine et lança un regard assassin à Étienne. Elle détestait se faire appeler « belle-mère » et savait très bien que le jeune homme n'employait ce qualificatif que pour la provoquer.

— Si la France ne nous prend pas plus au sérieux, notre terre ne sera bientôt plus française, laissa brutalement tomber Louis. Notre armée est au plus mal. La désertion et l'insubordination sont devenues monnaie courante. Nous avons grandement besoin de soldats entraînés. Mais la France refuse chichement de nous en envoyer.

— Attendons tout de même la réponse du roi. Les émissaires de Vaudreuil sont revenus et nous la feront bientôt connaître. Il ne faut pas vendre la peau de l'ours avant de l'avoir tué.

Isabelle baissa la tête. Elle n'arrivait pas à croire que les Anglais puissent un jour se faire leurs maîtres. Nicolas ne lui avait jamais parlé ouvertement de la menace qui pesait sur eux. Il s'était contenté de la rassurer en lui disant que la guerre se jouait principalement en Europe et que la France ne craignait pas véritablement pour sa colonie d'Amérique.

La jeune femme se souvint de cette merveilleuse soirée chez l'intendant Bigot. Nicolas avait longuement discuté avec quelques autres officiers du sort de la colonie. Elle, Isabelle, plus intéressée par la musique et la danse, n'avait écouté que d'une oreille distraite. Elle n'avait pas pris au sérieux les propos de son cavalier. Bien sûr, elle savait que les Anglais s'attaquaient aux forts d'avant-postes dans la région des Grands Lacs et de l'Ohio et qu'ils foulaient aux pieds la belle bannière fleurdelisée. Mais...

L'été dernier, le poste de Frontenac était tombé. Puis, devant l'arrivée imminente de l'ennemi, on avait fait sauter Duquesne avant de se replier sur Niagara. Mais Montcalm n'avait-il pas glorieusement repoussé les assaillants devant Carillon? Cela s'était passé quelques jours seulement avant la prise de Louisbourg; Nicolas s'était particulièrement distingué lors de cette bataille. Était-ce là leur dernière victoire? Depuis, après avoir détruit quelques villages sur la côte gaspésienne, les Anglais s'étaient tenus relativement tranquilles. Mais l'hiver était maintenant terminé et le fleuve, de nouveau praticable, ouvrait la voie aux envahisseurs. Québec serait-elle la prochaine cible?

— Ces hérétiques n'oseraient tout de même pas déporter les

habitants de la Nouvelle-France dans leurs colonies du Sud comme ils l'ont fait avec nous autres, les Acadiens, dit gravement Perrine qui venait de déposer une théière fumante sur la table.

— Qui peut savoir?

— Ils ne referaient jamais une pareille chose! s'indigna Isabelle.

La servante avait raconté à la jeune femme les horreurs qu'elle avait vécues lors de la déportation des milliers d'Acadiens. Avec quelques autres, elle avait réussi à en réchapper... mais à quel prix! Son père, sa mère, ses frères et ses sœurs étaient tous dispersés dans les colonies anglaises. Elle ne les reverrait sans doute jamais. Certains Anglais avaient reconnu leur erreur. Cependant, cela ne les avait pas empêchés d'embarquer les habitants de Louisbourg pour le Vieux Pays. Vivre définitivement en France? Un frisson parcourut l'échine d'Isabelle. Ce qu'elle avait pu être naïve! La voix de Louis l'arracha à ses méditations.

— ... Avec la famine qui sévit depuis si longtemps, les Canadiens pourraient trouver un certain avantage à changer d'allégeance. La faim n'est pas bonne conseillère. On commence à penser que ce ne serait pas un si grand malheur que de troquer une servitude pour une autre...

— Louis Lacroix! s'écria Justine. Comment osez-vous dire une telle chose?

— Je ne fais que répéter ce que j'ai entendu. Les gens ont faim. Ils veulent vivre en paix. La guerre ravage ce pays depuis que c'en est un, torrieu! La population en a assez. Elle se dit qu'avec les Anglais ses malheurs seraient moindres. C'est-y avec une ration d'une demi-livre de pain par jour et de la viande de cheval que les hommes arriveront à se battre et à cultiver leurs champs? Pis, de toute façon, ils peuvent pas faire les deux en même temps. Les champs vont devoir attendre, pis la famine va continuer.

— Moi, je les trouve bien beaux, nos soldats, osa doucement la jeune Anne en rougissant.

Françoise lui fit les gros yeux. Isabelle se servit une tasse de tisane et risqua une opinion:

— Jamais les gens n'accepteront que les Anglais les gouvernent...

Étienne pointa un doigt accusateur vers elle, un sourire vague aux coins de la bouche.

— Si tu regardais un peu ce qui se passe autour de toi au lieu de t'occuper de tes fanfreluches et de ta cour de farauds, tu saurais de quoi on parle, Isabelle. Tu ne vois que tes bals et tes pique-niques où tes amis et toi faites bombance tandis que les gens du commun cherchent leur pitance au fond d'un saloir vide! Où étais-tu quand les femmes braillaient devant le château du gouverneur, en portant à bout de bras leurs marmots affamés? Probablement dans le salon de la belle dame Beaubassin à t'empiffrer de douceurs.

— Mais vous êtes en train de dire que cela vous laisserait indifférents d'avoir à servir le roi des Anglais!

— Pas du tout! T'as rien compris, pauvre Isa. T'es-tu déjà demandé pourquoi Bigot, Vaudreuil, Montcalm et même ton cher des Méloizes ne manquent jamais de pain alors qu'on ne cesse de réduire la ration de l'habitant pis du simple soldat?

— L'intendant Bigot mange du cheval comme les autres! À la table de la dame Péan, il y avait...

— J'en ai assez entendu! s'exclama soudain Justine, toute pâle, en se levant. Écouter vos blasphèmes me fait tourner la tête. Vous devriez avoir honte de douter des intentions de notre bon roi et de notre intendant. Ce cher monsieur Bigot fait tout ce qui est humainement possible pour sortir ce pays de sa malheureuse situation! Nous sommes les loyaux sujets du roi Louis, et nous devons lui faire confiance.

Charles-Hubert, blême lui aussi, terminait son verre d'eau-de-vie en évitant soigneusement de regarder ses fils aînés. Justine vida son verre d'un trait. Puis, après avoir sèchement souhaité le bonsoir, elle se retira dans sa chambre. Perrine demanda qui voulait encore de la liqueur et ramassa les verres vides. Françoise, lasse de tous ces discours, haussa les épaules et retourna à la cuisine, suivie de ses enfants et de Perrine. Isabelle se mordit la lèvre en retenant un sanglot. Finalement, ses frères avaient trouvé le moyen de lui gâcher sa fête. Louis avait posé sa tête sur une main. Guillaume et Ti'Paul ne disaient mot, trop heureux qu'on les laisse assister à une querelle de grands et qu'on ne leur ordonne pas de quitter la pièce. Étienne faisait tourner sa liqueur dans son verre avec une rage contenue. Charles-Hubert, lui, courbait l'échine sous le poids de la culpabilité.

Les allusions de ses fils quant au train de vie de la « grande société » le mettaient en colère. Comment pouvaient-ils parler de la sorte sous son propre toit, devant son épouse par surcroît? Louis n'était-il pas propriétaire d'une belle boulangerie dans la Basse-Ville? Étienne, lui, n'était-il pas un marchand-voyageur[41] prospère? Et grâce à qui? À lui, Charles-Hubert Lacroix! Certes, ses méthodes n'étaient pas toujours très honnêtes. Mais il n'avait jamais fait de mal, pas volontairement du moins. Il s'était contenté de quelques

---

41. Négociant de fourrures qui traite avec les Amérindiens sur leurs territoires.

transactions avantageuses, de quelques bons placements... N'en profitaient-ils pas tous? De plus, l'économie de la colonie ne se trouvait-elle pas au mieux ces dernières années?

Charles-Hubert n'était pas sourd ni sot. Il savait ce qu'on disait dans son dos: il faisait partie de « la clique à Bigot ». Mais la colonie avait besoin d'hommes d'affaires qui n'avaient pas froid aux yeux pour trouver de nouveaux marchés permettant à l'économie de se développer. Ne pouvaient-ils pas comprendre? N'était-ce pas normal, acceptable que ces gens en retirent de petits avantages pécuniaires?

Cependant, il n'osait pas se lever pour défendre ses intérêts. Quelque chose le retenait: ce sentiment de culpabilité qui grandissait et le rongeait. Il était vrai que le peuple avait faim tandis que lui emplissait les cales de navires venant de France et des îles de denrées rares et hors de prix. Il était vrai aussi que les soldats devaient manger de la viande de cheval s'ils ne voulaient pas être pendus, tandis que lui payait un fermier de Sillery pour qu'il lui engraisse porcs et bœufs. C'est que Justine abhorrait la viande de cheval: « Je ne mangerais pas mon chien ou mon chat; il en va de même pour mon cheval! » Comme toujours, il avait voulu lui plaire... Mais plus ça allait, plus il avait mauvaise conscience.

Rendre sa femme heureuse n'était-il pas juste et bon? Lorsque Bigot avait fait fermer la plupart des moulins pour obliger les habitants à réduire leur consommation de blé, il avait obtenu, lui, que le bâtiment de son neveu Pierre Bisson reste ouvert à Pont-Rouge. Cela lui permettait d'avoir le pain qu'ils avaient mangé ce soir même à sa table. Cette dernière pensée balaya son sentiment de culpabilité et le ramena sur la voie qu'il s'était tracée depuis son mariage avec Justine Lahaye.

— Vous ne me reprocherez rien, vous entendez! Tout ce que j'ai fait, je l'ai fait pour vous et pour votre mère. Vous devez comprendre...

— Elle est pas not' mère! Pis, ce que je comprends, c'est que cette harpie vous tue à p'tit feu. Vous n'êtes plus le même, papa. Vous aviez tant de droiture et d'honneur. Cette femme qui se donne des airs de dévote ne sait que vous avilir.

— Tais-toi, Étienne! Je t'interdis...

Le jeune homme s'était déjà levé.

— Papa, on vous reproche pas ce que vous avez fait pour nous. Mais le peuple parle de mutinerie, vous comprenez? Il faudrait penser à donner l'exemple. Plus personne ne fait confiance au gouvernement. Tout le monde est persuadé que les gens qui gouvernent ont provoqué volontairement la famine pour se remplir les poches. On dit que, si les récoltes ont été perdues, c'est parce que Dieu a voulu nous punir de ce qui se passe derrière les murs du Palais de l'intendant... Pensez-y, papa.

Étienne se tourna ensuite vers sa sœur.

— J'suis ben peiné, Isabelle. Mais j'veux pas qu'on dise que je profite moi aussi des largesses de Bigot. J'vais aller chez Gauvain rejoindre LeNoir et Julien. Joyeux anniversaire quand même.

Sur ce, il sortit. Le silence retomba sur la table. Guillaume se balançait sur sa chaise et la faisait grincer, ce qui énervait Isabelle. La jeune femme serra les dents. Ce mouton noir d'Étienne! Il avait toujours le don de semer la pagaille lors des soupers en famille. Vivant à la façon des Sauvages, il s'habillait de hardes faites de peaux qui puaient affreusement et il ne connaissait rien aux bonnes manières. En plus, elle avait découvert aujourd'hui qu'il débauchait les filles de quatorze ans! Heureusement que Louis avait plus de jugeote. S'il n'aimait pas Justine plus qu'Étienne, il savait au moins tenir sa langue. Ne pouvant contenir ses sanglots plus longtemps, Isabelle monta à sa chambre pour s'y enfermer et y pleurer tout son saoul.

***

Tout était maintenant silencieux dans la maison. Isabelle ouvrit un œil: l'obscurité l'enveloppait. Elle tendit l'oreille: rien. Tout le monde était-il parti? Elle se leva et chercha le bougeoir à tâtons. Puis, à pas feutrés, elle descendit au salon. Il faisait sombre. Une seule chandelle éclairait faiblement un coin de la pièce où Sidonie, son tricot tombé sur le sol à ses pieds, ronflait doucement. Devant l'âtre, Charles-Hubert était assis dans son fauteuil préféré. Personne d'autre.

La jeune femme observa son père pendant un long moment: son ventre proéminent se soulevait lentement, suivant le rythme de sa respiration. Elle riait souvent de cet embonpoint, déclarant que, s'il avait un si gros ventre, c'était tout simplement parce qu'il avait un trop gros cœur à loger. Oui, il avait le cœur grand comme ce pays. Trop grand, peut-être. Son épouse était tellement exigeante. Et il l'aimait tellement, elle, sa fille, qu'il ne pouvait rien lui refuser, en dépit de tout. Prenant conscience de sa présence, il se tourna dans sa direction.

— Isabelle? C'est toi, ma chouette?

Elle sortit de l'ombre.

— Oui, papa.

Il tendit un bras pour l'inviter à s'approcher.

— Ah! Ma petite fille... quel gâchis!

— Ne soyez pas triste, papa. Étienne est ce qu'il est. Nous n'y pouvons rien.

— Je sais... je sais. Ce garçon est si obstiné. Quel malheur! Pourtant, ce n'est pas faute d'avoir essayé. Je lui ai offert une place dans les affaires de la famille, et il l'a refusée. Je ne le comprends pas. Il préfère courir les bois avec une poignée de Sauvages... Parfois, je me demande...

— Cessez de vous tourmenter avec cela. Étienne est de nature fougueuse et il tient à sa liberté. Rien ne le retiendra ici. Pas même une femme.

Charles-Hubert resta silencieux. Étienne ne s'était jamais marié. Pourtant, un temps, il l'avait cru amoureux. Mais la femme – il l'avait appris par Justine – était morte. Il y avait bien longtemps de cela. Quel était donc son nom? Cela ne lui revenait pas. Enfin, Isabelle avait raison : on ne pouvait changer Étienne. Encore heureux que le jeune homme accepte de s'occuper du commerce de la fourrure.

— Il est bien tard. Je crains que ton cher des Méloizes ne vienne pas ce soir.

Isabelle avait presque oublié Nicolas. Elle jeta un œil paniqué sur l'horloge : onze heures et quart. L'avait-il oubliée ou la réunion de l'état-major avait-elle été plus longue que prévu? Pourquoi ne lui avait-il pas fait porter de message pour lui expliquer son retard? Son père se leva paresseusement et son corps, comme une vieille coque ayant trop souvent affronté la forte houle, émit des craquements.

— Je crois que je vais aller reposer mes vieux os. Demain est un autre jour.

Avisant Sidonie sur sa chaise, il plissa le nez et les yeux.

— Allez vous coucher. Je m'occuperai d'elle.

Acquiesçant avec mollesse, il déposa un baiser sur le front de la jeune femme.

— D'accord. Bonne nuit, ma chouette.

— Bonne nuit, papa.

Les marches grincèrent sous le poids de Charles-Hubert. Isabelle s'approcha de la cheminée pour sentir la chaleur du feu. Le regard perdu dans les flammes, elle resta ainsi debout. Une vague de tristesse la submergea. Quelle désolante façon de terminer une journée qui avait pourtant si bien commencé! Étienne avait fait de son souper d'anniversaire un désastre et, comble de malheur, Nicolas ne s'était pas présenté. Vraiment, ce jour était des plus chagrinants.

Lasse, la jeune femme se laissa tomber dans le fauteuil. Sidonie ronflait toujours. Cette bonne Mamie Donie! Elle était probablement pour elle la mère que ne serait jamais Justine. Avec Justine, Isabelle n'avait jamais réussi à établir une relation chaleureuse. Il semblait que, quoi qu'elle fît, ce n'était jamais assez bien. Sa mère ne cessait de lui rabâcher ses sempiternelles remontrances quant à sa tenue, à la qualité de ses travaux manuels ou même à son langage. « Tu parles à la façon d'un charretier, Isabelle! » « Regarde-toi, on dirait que tu as passé la journée à te rouler dans une ruelle pleine de crottin comme une petite va-nu-pieds! »

Il y avait des jours où elle enviait sa cousine Madeleine d'être orpheline. Elle le regrettait aussitôt, sachant que Madeleine la jalousait, elle, d'avoir une mère à embrasser... Cependant, Justine n'était pas portée sur les démonstrations d'affection. Quand, pour la dernière fois, lui avait-elle donné une accolade chaleureuse ou lui avait-elle simplement murmuré un petit mot témoignant de ses sentiments pour elle? Elle devait bien pourtant l'aimer un peu... Comment une mère pourrait-elle ne pas aimer ses enfants? Peut-être que si elle, Isabelle, avait été un garçon... À Guillaume et à Ti'Paul, en effet, Justine accordait parfois des marques de tendresse. La jeune femme n'était pas vraiment jalouse de ses frères, mais... Heureusement, l'amour que lui portait son père compensait largement.

Sidonie grogna et remua sur sa chaise, qui craqua. Il était peut-être temps de la réveiller et d'aller se coucher. Isabelle se leva. Elle était sur le point de souffler la chandelle lorsque le vacarme d'un équipage lui parvint de la rue. Elle jeta un coup d'œil par la fenêtre. Il faisait trop noir pour voir quoi que ce soit. Toutefois, il lui sembla que la voiture s'était arrêtée devant la maison. Elle attendit quelques secondes. Des voix résonnèrent. Était-ce Nicolas? Il était si tard...

Sans se poser plus de questions, elle se dirigea vers la porte, qu'elle entrebâilla. À la lueur des lampes qui éclairaient la voiture, elle distingua trois silhouettes. L'une d'elles se détacha. Un homme. Il était de taille moyenne, mais de corpulence solide. Il semblait regarder vers la maison, mais ne bougeait pas. Après quelques secondes d'hésitation, il fit demi-tour. Isabelle n'osait sortir. Près de grimper dans la voiture, l'homme s'adressa à l'un de ses compagnons. C'était bien lui, elle avait reconnu sa voix. C'était Nicolas! Seulement, était-il convenable de sortir dans la rue à cette heure?

Faisant fi des règles de la bienséance, elle bondit dans l'air vif et s'arrêta sur la dernière marche, indécise. Devait-elle l'appeler? Des Méloizes se retourna.

— Mademoiselle Lacroix?
— Monsieur des Méloizes, c'est bien vous?

Il s'approcha, laissant cependant entre eux une certaine distance. Isabelle reconnut son sourire à la lueur de la lune. Il s'inclina bien bas, son tricorne sous le bras.

— Mademoiselle Lacroix, je suis... vraiment navré de vous avoir fait attendre. J'ai été retenu plus longtemps que prévu, et il m'était impossible de vous envoyer un billet. Veuillez me pardonner.

— Je vous pardonne bien volontiers, mon ami. Je comprends que les affaires qui concernent la Nouvelle-France sont de la plus haute importance et passent avant tout.

— Vous êtes trop indulgente, mademoiselle.

La lueur de la lanterne d'un veilleur apparut au bout de la rue. Un malaise s'était installé entre eux. Les deux compagnons de Des Méloizes attendaient toujours près de la voiture; Isabelle sentait leurs regards posés sur elle.

— Voulez-vous entrer un moment? proposa-t-elle sans réfléchir.

Des Méloizes triturait le bord de son tricorne.

— Est-il convenable, mademoiselle, que j'entre chez vous à cette heure?

Isabelle haussa les sourcils. Pourquoi était-il donc venu jusqu'ici s'il ne trouvait pas convenable d'être invité chez elle?

— Sidonie est encore au salon. Nous ne serons pas seuls. Cela vous va-t-il?

— Je ne resterai que quelques minutes.

Il fit signe à ses compagnons, qui s'engouffrèrent aussitôt dans la voiture, et suivit Isabelle à l'intérieur d'un pas raide et hésitant. La jeune femme lui indiqua un fauteuil. Mais il préféra rester debout. Elle fit donc de même. Sidonie dormait toujours sur sa chaise.

— Ne devriez-vous pas la réveiller?

Isabelle se tourna vers sa bonne vieille nourrice.

— Elle dort d'un sommeil si profond... Est-ce vraiment nécessaire?

Mal à l'aise, Nicolas passa son doigt entre son col et son cou, regardant la femme qui devait leur servir de chaperon. Non, pour être franc, il n'avait pas envie de la réveiller. Mais sa présence ici était déjà inconvenante. Isabelle s'approcha de lui et tendit sa main ouverte, paume vers le haut. Il observa sans réagir cette main qu'il avait tellement envie de prendre entre les siennes. Elle s'agita.

— Votre chapeau!

— Ah! Dé... désolé.

Leurs doigts se frôlèrent, rallumant la flamme du désir dans le ventre des deux jeunes gens. Nicolas redressa les épaules et baissa les yeux, de peur qu'Isabelle n'y voie le trouble qui l'habitait.

Cependant, s'il avait regardé la jeune femme, il aurait vu dans son regard le même tourment.

Tandis qu'elle posait le tricorne sur une petite table, près du fauteuil, il détailla les courbes de sa silhouette. Une petite voix tenta de le raisonner. Il devait partir dans l'instant. Que faisait-il ici au milieu de la nuit? Quel imbécile! Dans son empressement à retrouver la jeune femme, il ne s'était rendu compte de l'heure tardive qu'une fois devant la maison. Si Isabelle n'était pas sortie, il serait reparti.

— Le voyage de monsieur de Bougainville a-t-il été agréable?

Elle s'était retournée vers lui et le dévisageait avec ce magnifique sourire qui l'avait charmé dès leur première rencontre. Il avait terriblement envie d'effleurer, de goûter cette bouche...

— Autant que peut l'être la traversée de l'Atlantique... Il serait arrivé plus tôt si le navire n'avait pas été pris dans les glaces après le cap Nord. Mais, enfin, il est arrivé...

— Et sa mission là-bas? A-t-elle été un succès?

— Succès mitigé, si on peut dire.

— Le roi n'a pas agréé nos demandes?

Des Méloizes soupira. Il hésitait à avouer à la jeune femme ce que Bougainville leur avait raconté: que le roi ne se souciait plus guère du sort de cette colonie qui lui coûtait une fortune et ne lui rapportait que des broutilles. Au cours de la traversée vers la France, Bougainville avait rédigé un rapport expliquant la situation délicate de la Nouvelle-France, l'opiniâtreté avec laquelle les Anglais s'attaquaient à eux, la nécessité de les chasser... Mais rien de tout ce qu'il avait pu dire ou écrire n'avait réussi à traverser l'épais crâne du ministre Berryer. L'homme lui avait fait comprendre que le roi avait d'autres chats à fouetter.

— En partie, uniquement. Les ressources de notre vieille patrie sont limitées. La France est essoufflée, à cause de la guerre qui a lieu sur le continent. Quant à nous, nos forces s'affaiblissent et nous payons cher nos victoires. Je crains d'avoir à vous annoncer, chère amie, que la France abandonne ses « écuries ». Le ministre Berryer a clairement fait comprendre à Bougainville que les intérêts du roi ne sont pas ici, mais en Europe où, a-t-il dit, tout se joue : « On ne cherche point à sauver les écuries lorsque le feu est pris à la maison! » Le ministre n'a même pas jugé bon de soumettre la demande au roi. Nos troupes manquent de munitions. Nos soldats ont faim et sont découragés. On ne nous a accordé que le minimum en munitions et en nourriture, ainsi qu'un maigre régiment de quatre cents recrues.

— On m'a dit que trois navires seulement remontaient le fleuve... Où se trouve cette armée?

— Selon Bougainville, elle devrait arriver sous peu, si Dieu le veut. L'océan fourmille de corsaires au service du roi George. La course qu'ils font et le blocus qu'exerce sur nous la flotte anglaise à l'embouchure du Saint-Laurent nous menacent d'autant plus que leur armée grossit. Leurs renforts arrivent par milliers.

— C'est terrible, monsieur des Méloizes! Pourtant, je croyais que la France tenait à son marché de fourrures qui lui a tant rapporté par le passé.

— Ce marché est beaucoup moins lucratif par les temps qui courent. Et puis, les idées et les manières changent. Ces beaux esprits qui pullulent à la cour veulent gouverner la France avec philosophie. Ils ne se soucient guère des colonies. Rousseau, Voltaire, Montesquieu... Les ministres du roi tombent sous le charme de leur verve. Une écurie! Non, mais...! Pour eux, le Canada n'est qu'une dépendance. Ils s'en mordront les doigts, les prétentieux! Ils croulent sous les dettes, certes. Allez savoir pourquoi! Ils étouffent dans le faste. Le duc d'Orléans a vidé avec grand soin les coffres de notre bonne patrie. Pour notre plus grand malheur, notre bien-aimé roi ne fait pas mieux. Et nous, nous crevons de faim.

Il la vit baisser les yeux. Les belles joues rondes s'empourprèrent légèrement. Soudain, il se demanda ce qu'elle savait du commerce de son père, des manigances et des malversations de la société de Bigot. Bougainville avait fait un rapport au roi de ce qu'il en savait. Ce soir, il lui en avait parlé. Cela lui avait brisé le cœur, mais il savait que Bougainville n'avait pas eu le choix. Il avait dénoncé ceux qui participaient à la dilapidation des fonds royaux... Charles-Hubert Lacroix en faisait malheureusement partie. Bougainville et Montcalm avaient des preuves : des navires marchands provenant des Antilles étaient arraisonnés en pleine mer, bien avant leur arrivée à Québec. Les commissionnaires de l'intendant achetaient leur cargaison pour ensuite la revendre dans la capitale à bon profit. Le marchand Lacroix prenait une part active dans ce commerce. C'était scandaleux! Il était temps que cela cesse. Nicolas était triste pour Isabelle, qui allait en faire les frais. Mais il la protégerait. Oui, il la mettrait à l'abri des calomnies...

Isabelle était songeuse. Ses frères avaient-ils raison? Elle n'avait pas très envie de pousser plus loin cette conversation qui n'annonçait rien de bon. Cependant, cela l'empêcherait au moins de se précipiter vers Nicolas pour lui dire combien il lui avait manqué.

Sidonie grogna et remua. Les deux jeunes gens se figèrent. Si elle les surprenait, que lui dirait Isabelle pour expliquer la présence du jeune homme dans le salon, à cette heure? Heureusement, la nourrice ne se réveilla pas.

— J'ai... quelque chose pour vous.

Des Méloizes plongea sa main dans son justaucorps et en ressortit des papiers qu'il se mit à triturer nerveusement entre ses doigts.

— À Paris, Bougainville a eu le plaisir de rencontrer maître Couperin. Avant son départ, je m'étais permis de... lui demander... enfin... Je sais combien vous aimez jouer du clavecin... Alors, voici quelques notes de sa musique pour vous.

Isabelle regarda les feuilles qu'il lui tendait avec une joie indicible. Un air nouveau pour son clavecin? Elle s'élança vers lui et prit la partition pour la serrer sur son cœur.

— Oh! Nicolas... Heu... Pardon... se reprit-elle, rougissant de cette familiarité qui lui avait échappé. Monsieur des Méloizes, je voulais dire...

Il s'approcha d'elle.

— Nicolas est très bien... Me permettez-vous de vous appeler Isabelle à mon tour?

Il la dévisageait avec tant d'insistance qu'elle en eut les jambes toutes molles.

— Heu... oui... Dans les circonstances... je suppose que ce serait convenable...

Elle s'accrochait aux feuilles qu'elle tenait pour se donner une contenance. Nicolas, lui, ne disait plus rien, mais plongeait son regard dans le vert si vif de celui de la jeune femme. Devait-il oser? Il s'approcha, lorgnant de biais la vieille femme qui ronflait.

— J'ai autre chose pour vous, Isabelle.

— Vous m'avez déjà beaucoup offert!

— La raison pour laquelle je tenais tant à vous voir ce soir... Joyeux anniversaire!

Fouillant en même temps d'un geste malhabile dans une poche intérieure de son justaucorps, il sortit une pochette de soie moirée fermée par un ruban de velours.

— Oh! Qu'est-ce que c'est?

Isabelle ne pouvait cacher son excitation.

— Voyez vous-même.

Elle prit puis ouvrit la pochette, et ne put contenir un cri devant la merveille qu'elle découvrait: un joli petit flacon de verre couleur d'ambre emprisonné dans une résille de fils d'or. Nicolas lui prit l'objet des mains. Il défit le scellé de cire et tira précautionneusement sur le bouchon orné d'une perle aux reflets irisés. De suaves effluves caressèrent les narines frémissantes de plaisir d'Isabelle.

— Je peux?

La jeune femme acquiesça et tendit son poignet. L'applicateur de verre était froid sur sa peau, et cela lui procura un délicieux frisson que Nicolas ne manqua pas de remarquer. Il prit le délicat poignet entre ses doigts et le huma, se remémorant ce fameux soir de bal où il avait posé les yeux sur Isabelle pour la première fois. Ébloui par la divine créature assise sur un canapé, à l'autre bout du salon de musique de la dame de Beaubassin, il écoutait d'une oreille distraite Joseph Dufy-Charest, qui n'en finissait plus de discourir sur la situation économique de la colonie. Notant son manque d'attention, Charest avait suivi son regard.

— *Vous me semblez ailleurs, mon ami. À l'autre bout du salon, peut-être?*

Nicolas se redressa brusquement. Tel un enfant pris en défaut, il bredouilla quelques excuses et tenta maladroitement de revenir au sujet de leur conversation.

— *Elle s'appelle Isabelle Lacroix.*

Nicolas s'interrompit au milieu de sa phrase.

— *Quoi?*

— *La jeune femme que vous admirez depuis un moment s'appelle Isabelle Lacroix. C'est la fille du marchand et conseiller du roi Charles-Hubert Lacroix, de Québec.*

— *Ah! fit Nicolas en reportant son regard vers la jeune femme, qui le lorgnait discrètement derrière son écran de plumes. C'est la première fois que je la remarque. Je me demandais...*

— *Si elle était fiancée?*

Nicolas resta un court instant bouche bée.

— *Elle l'est?*

L'homme rit en hochant la tête de droite à gauche.

— *Ah, non, mon ami! Vous avez choisi le plus beau fruit qui pousse dans les vergers de Québec. Ah! quel fruit! Encore vert, certes, mais qui promet de mûrir avec grâce. Heureux celui qui le cueillera le premier.*

— *C'est un fruit défendu, Joseph! intervint brusquement Étienne Charest, qui venait de s'approcher. Sa mère veille sur elle comme une louve sur son louveteau. Gare à celui qui osera la toucher sans avoir préalablement demandé sa main. Le lit qui l'accueillera devra être béni.*

— *Heureusement que sa mère, la Belle Dévote, ne l'a pas contrainte à prendre le voile pour se garantir les indulgences du Ciel. Elle mise sur son plus jeune fils, Paul, pour se réserver une place de choix aux côtés de Dieu.*

Non, mais... vous imaginez cette gorge cachée sous du drap noir et ces cheveux blonds et soyeux recouverts d'un voile?

Le concert s'était terminé et la jeune femme avait suivi les invités dans la salle de bal, passant tout près... si près de lui.

Il n'arrivait plus à détourner les yeux d'elle. Elle se mouvait avec tant de grâce qu'elle paraissait flotter au-dessus du parquet. Sa robe de moire rose chuchotait des mots doux sur son passage et le balancement de ses hanches invitait à la suivre dans le sillage parfumé qu'elle laissait derrière elle. Le cœur de Nicolas se débattait furieusement dans sa poitrine. « Un bouquet de fleurs blanches... »

— Tubéreuses, jasmin et roses. Leur parfum m'a fait penser à vous... murmura le jeune homme en prenant soudain conscience de la main qu'il tenait toujours. Ou plutôt devrais-je dire que vous me rappelez ces fleurs.

— Nicolas... vous êtes trop généreux! Cela me gêne beaucoup.

Il se pencha vers elle jusqu'à frôler ses cheveux de ses lèvres.

— Ne soyez pas embarrassée. Vous m'avez manqué, Isabelle... Il me tardait de vous retrouver, ce soir.

Sa voix, qui n'était plus qu'un murmure, était basse et tremblante. Isabelle n'osait pas bouger, de peur de mettre un terme à ce moment magique. Elle était enivrée par le parfum et par l'odeur de tabac et d'épices qu'il dégageait. Elle baissa les paupières et appuya ses mains sur la poitrine du jeune homme.

— Vous m'avez manqué aussi, Nicolas. Depuis notre dernière rencontre... j'ai trouvé le temps très long.

— Isabelle... je chavire de bonheur! Accepteriez-vous que je prenne rendez-vous avec votre père pour lui demander la permission de vous revoir officiellement?

Elle sentait le cœur de l'homme battre sous le gilet de son uniforme d'officier. À ce moment-là seulement, elle remarqua les nouveaux galons dorés qui paraient le justaucorps.

— Vous avez été promu? Vous êtes capitaine? demanda-t-elle, tout ébahie.

Elle en avait oublié de répondre à la question qu'il venait de lui poser. Il se racla la gorge, un peu contrarié.

— Le roi m'a généreusement offert un brevet de capitaine et aide-major de la garnison de la ville. À ce qu'on dit, ce serait le gouverneur Vaudreuil qui m'aurait recommandé au roi pour cette promotion.

— Toutes mes félicitations, capitaine des Méloizes!

Il la remercia et, n'en pouvant plus, lui prit les mains, froissant les feuilles de la partition.

— Vous n'avez pas répondu à ma demande, Isabelle. Mais... peut-être désirez-vous un peu de temps... Je comprendrai.

— Oh, non, Nicolas! Vous pouvez prendre rendez-vous avec mon père. Je suis très flattée de l'attention que vous me portez et je serai ravie de vous revoir.

Il la regardait fixement. Ses yeux se posèrent sur ses lèvres entrouvertes. Depuis leur première rencontre, Isabelle attendait avec fébrilité le moment où il l'embrasserait. Ce moment arrivait enfin. Nicolas porta ses mains à sa bouche et y posa doucement ses lèvres. Elle en éprouva un délicieux frisson. Toutes les feuilles s'éparpillèrent à leurs pieds dans un doux bruissement. Sidonie pouvait les surprendre; il était plus sage d'en rester là. À regret, elle se contenta de ce simple baiser. Ils avaient le temps...

— Je viendrai vous rendre mes hommages, mademoiselle Isabelle, aussi souvent que mon emploi du temps me le permettra. Demain, je dois prendre possession de ma compagnie et la passer en revue. Et avec la guerre qui se prépare... Je... je trouverai un moyen de vous revoir bientôt.

Isabelle soupira, un peu déçue.

— J'y compte bien, mon ami.

***

Il faisait beau. Une brise légère gonflait les jupes d'Isabelle, qui allait d'une fille à l'autre, les mains devant et les yeux bandés. Elle riait; l'écho d'un bonheur sans nuage. Clair et limpide comme une source jaillissant du sol dans l'air tiède de ce vingt-sixième jour de juin, son rire éclaboussait le feuillage vert tendre de l'énorme érable sous lequel elle se trouvait.

— Où êtes-vous? Je suis perdue, mes amies! Mais où êtes-vous donc? Ah! En voilà une!

À tâtons, elle parcourut les reliefs du visage de sa captive, afin de deviner son identité. La jeune femme ne put s'empêcher de pousser un cri de protestation lorsqu'Isabelle lui pinça le nez.

— C'est Mado! C'est Mado! Tu me dois un gage!

Toutes les demoiselles s'esclaffèrent en chœur.

— Tu as triché, Isa!

— Il ne fallait pas crier, Mado. C'est le jeu. Allons, mets le mouchoir.

Madeleine Gosselin, qui s'apprêtait à se bander les yeux, arrêta son geste et fixa un point tout au bout du cap.

— Qu'est-ce qu'il y a? lui demanda Jeanne Crespin.

— Ce serait-y pas mon Julien, là-bas? Regarde, il me fait de grands signes comme s'il voulait me dire quelque chose. J'pensais que le cas de la veuve Pellerin l'occuperait au moins jusqu'à l'angélus... pis qu'après il irait avec Ti'Paul voir les manœuvres sur la place d'Armes!

— Laisse donc ton Julien. Il veut probablement te dire bonjour, c'est tout. Il viendra nous rejoindre plus tard avec Ti'Paul. Il a certainement réglé plus rapidement que prévu sa petite affaire avec la veuve Pellerin.

— Hum... fit Madeleine en se tournant vers Isabelle. Cela fait dix ans que cette histoire traîne. Pour un minot[42] de blé que le grand-père de Julien a oublié de lui moudre, la Pellerin a refusé de payer la redevance due au seigneur pour la banalité. Ça me surprendrait beaucoup que tout cela se soit réglé aussi vite. C'est qu'elle a la dent dure, la veuve!

Inquiète, elle reporta son attention du côté du mont Carmel. Julien avait disparu.

— Je me demande bien...

— Allons, Mado. Il fait trop beau pour broyer du noir. Chasse les petits nuages de ton esprit. Nous attendons toutes impatiemment que tu te bandes les yeux.

Madeleine poussa un soupir. Chère Isabelle! Tout semblait si simple pour elle. Mais elle n'avait pas tort. Le soleil brillait trop aujourd'hui pour qu'elle se laisse assombrir par des choses sans importance. Elle éclata de rire, mit le bandeau et partit à la chasse en trébuchant sur les irrégularités du terrain. Les jeunes filles élevées au couvent des ursulines s'étaient réunies pour pique-niquer sur le cap Diamant en ce jour de vacances. Sidonie et trois autres dames de compagnie des demoiselles surveillaient de loin le groupe d'un œil protecteur.

Les boucles qui dansaient joyeusement autour des bonnets blancs bordés de dentelle encadraient les visages rayonnants et rouges. Tout essoufflées après avoir couru ici et là pendant une heure, les jeunes filles, assoiffées, se regroupèrent et se laissèrent tomber sur les couvertures étendues sur l'herbe à leur intention. Isabelle, elle, tournoyait toujours autour.

— Et si tu me racontais un peu ta belle soirée chez madame Péan de Livaudière, Isabelle, au lieu de nous donner le tournis, demanda Gillette Daine. J'ai bien envie de savoir qui a fait quoi et qui a dit quoi.

Isabelle gloussa, sauta par-dessus un panier de victuailles et exécuta deux pirouettes avant de s'immobiliser, haletante. Elle

---

42. Mesure de capacité pour matières sèches valant 34 livres, ou 15,4 kg.

ferma les paupières et huma l'air qui venait du large. Sa poitrine bien galbée moulait son casaquin vert qui s'harmonisait parfaitement avec son regard pétillant.

— Ah! Mes amies... Quelle soirée j'ai passée! La vie est si belle! Chaque jour est une nouvelle promesse de plaisirs. J'en remercie notre bon Dieu tous les soirs.

— M'est avis que le frère de la dame Angélique Péan, ton cher capitaine des Méloizes, fait partie de ces plaisirs. Tu devrais me remercier de t'avoir poussée dans ses bras, la taquina Jeanne.

Nicolas des Méloizes... Isabelle sourit; ses joues rosirent au souvenir de cette fameuse soirée chez madame de Beaubassin, en janvier 1758. Elle était avec son amie d'enfance, Jeanne Crespin, et la mère de celle-ci. C'était lors de cette deuxième sortie officielle dans la bonne société de Québec qu'elle avait rencontré le jeune homme pour la première fois...

Les chandeliers étincelaient de mille étoiles et le petit quatuor des frères Raudot jouait divinement. Confortablement assises sur un canapé, dans le petit salon, Isabelle et Jeanne sirotaient leur vin en écoutant religieusement la voix séraphique de Louise Juchereau. Isabelle avait conscience des regards qui se tournaient constamment vers elle, mais n'en avait cure. Seuls la musique et les transports qu'elle provoquait occupaient son esprit. Les paupières baissées, la jeune femme se délectait de la voix mélodieuse qui s'élevait. Ce qu'elle aurait aimé savoir chanter si merveilleusement!

Sidonie avait l'habitude de la taquiner gentiment lorsqu'elle tentait de fredonner : « Isabelle, ma douce, laissez donc vos doigts chanter... » Il était vrai qu'elle arrivait à faire jaillir de son clavecin des notes plus justes, des musiques plus agréables. Peut-être jouerait-elle un jour dans une soirée comme celle-ci...

– Isabelle! lui chuchota Jeanne.

Tirée de son état de grâce, Isabelle ouvrit les yeux. Deux jeunes femmes l'épiaient derrière leurs éventails, à l'autre bout de la pièce. Elle leur sourit, par politesse, et se tourna vers son amie.

– Qu'y a-t-il qui mérite plus mon attention que cette magnifique voix, ma chère?

– Nicolas des Méloizes. Regarde, il vient d'arriver. N'est-il pas beau?

Du bout de son éventail fermé, Jeanne pointait discrètement des officiers et des notables qui devisaient dans l'entrée du salon. Isabelle reconnut le gouverneur Vaudreuil ainsi que le major général et commandant des troupes régulières, Montcalm. Le second quittait au même instant le groupe pour rejoindre madame de Beaubassin, qu'on disait sa maîtresse. La jeune femme identifia aussi le brigadier Senezergues, le major de la ville Armand de Joannès, le seigneur de Lauzon Étienne Charest, et son frère Joseph Dufy-Charest. Ces deux derniers avaient hérité de l'une des plus grosses fortunes de la Nouvelle-France à la mort de leur père.

Près d'eux, droit comme un piquet, se tenait un homme brun de taille moyenne, un peu trapu mais assez bien fait. Il penchait la tête en acquiesçant au propos qu'on lui tenait. Lorsqu'il leva les yeux, il rencontra le regard d'Isabelle. La jeune femme sentit le rouge lui colorer les joues et cacha vite son embarras d'avoir été surprise à épier derrière les plumes de son éventail.

D'après la description détaillée qu'elle avait eue du personnage, c'était certainement monsieur des Méloizes. L'homme d'une trentaine d'années lui sourit, puis reporta son attention sur son interlocuteur qui, d'après ses grands gestes et les expressions de son visage, semblait lancé dans une explication des plus sérieuses.

– Alors? lui demanda Jeanne.

– Il me paraît en effet très charmant. Mais il a certainement une fiancée qui l'attend quelque part. Il ne peut en être autrement d'un homme aussi en vue que lui.

– À ce qu'on dit, son cœur est aussi libre qu'une hirondelle de printemps. Et je vois qu'il t'a remarquée, ma chère. Je peux peut-être demander à mon frère Jean de vous présenter l'un à l'autre...

Isabelle fit claquer son éventail, ce qui fit tourner la tête des dames de Ramezay, assises devant elles.

– Jeanne, je t'interdis de jouer les entremetteuses.

La jeune Crespin étouffa un ricanement derrière une main et tapota le bras d'Isabelle de l'autre.

– Je vois qu'il ne te laisse pas indifférente.

– Là n'est pas la question, Jeanne, continua Isabelle en agitant son éventail pour rafraîchir son visage congestionné par l'embarras. Si tu crois que le seigneur des Méloizes de Neuville pourrait s'intéresser à une petite roturière comme moi alors que Québec compte plus d'une belle et élégante jeune fille de sang noble...

– Roturière, peut-être. Mais riche et belle comme un cœur. Le sang bleu coule peut-être dans ses veines, mais je te signale qu'il est endetté jusqu'au cou.

– Il demeure tout de même le seigneur de Neuville. On dit qu'un de ses ancêtres maternels était médecin du roi Louis XIII.

– Quelle importance? Isabelle! Il te dévore littéralement des yeux depuis une demi-heure.

– Et si ce n'était pas moi qu'il regardait ainsi?

– Qui d'autre? Pas moi, je suis déjà fiancée. De plus, tu es bien plus jolie que Marie-Anne Duchesnay. Même Geneviève Michaud ne t'arrive pas à la cheville.

– Tu dis cela pour me faire plaisir. Tu te moques de moi.

– Le regard des hommes ne ment pas, ma chère...

Isabelle rougit de plus belle. Les galants s'étaient en effet empressés autour d'elle dès son premier bal, en octobre, chez le gouverneur. Il y aurait même eu un esclandre qui aurait pu dégénérer en duel si son bon sens ne l'avait pas poussée à prétexter un malaise et à quitter la soirée précipitamment. Plutôt remarqué, pour un début.

Le jeune Antoine Michaud et le beau Philippe Amiot se disputaient sans relâche ses faveurs lors de cette première soirée. Lasse, elle avait finalement accepté l'invitation de Marcel-Marie Brideau pour danser un menuet. Les deux éconduits, ébahis de l'audace du nouveau venu, s'étaient réconciliés d'emblée pour se liguer contre Marcel-Marie. Ils avaient au moins eu la décence d'attendre la fin de la danse pour s'en prendre à lui.

La musique avait cessé; les applaudissements fusaient. Isabelle battit des mains telle une enfant, les joues roses de plaisir. Tous les auditeurs se levèrent en papotant bruyamment les uns avec les autres, et se dirigèrent vers les tables de jeux et la salle de bal, d'où l'on entendait les sons discordants des instruments qu'on accordait. Les deux amies prirent cette direction. Passant devant le jeune des Méloizes, Isabelle, les joues en feu, garda le regard baissé. Mais elle pouvait sentir le poids de ses yeux sur sa nuque. Des Méloizes esquissait un geste pour la suivre lorsque le comte de Montreuil barra la route du jeune homme.

Quelque temps plus tard, Isabelle, debout au centre d'une nuée de faux-bourdons qui se disputaient la plus délicieuse des fleurs, riait des bouffonneries de Marcel-Marie parodiant l'air suffisant de l'intendant Bigot lorsque Jeanne lui pinça légèrement le bras.

– Il vient vers nous, Isabelle.

Encore secouée par son fou rire, Isabelle se tourna vers son amie, qui affichait une mine grave.

– Qu'y a-t-il, Jeanne? Tu te sens mal?

– Le sieur des Méloizes... il vient vers nous.

Le cœur d'Isabelle fit un bond. La jeune femme lissa les plis de sa robe et tira sur les dentelles de ses engageantes.

– Tu... tu en es bien certaine?

Elle n'osa pas se retourner et adressa un sourire crispé à Jean Couillard, dont elle n'avait pas entendu la tirade. Les musiciens avaient entamé une gigue, et les danseurs s'avançaient sur la piste. Devançant les autres pour inviter la jeune femme à danser, Marcel-Marie s'inclinait déjà devant Isabelle qui replaçait son corsage lorsqu'une ombre se dressa entre eux.

– Si mademoiselle Lacroix veut bien me faire l'honneur...

Ne reconnaissant pas la voix du jeune Brideau, Isabelle redressa d'un coup la tête et le buste, et se figea devant le sourire enjôleur que lui adres-

sait Nicolas des Méloizes. Marcel-Marie ne put retenir une exclamation de colère, que les autres farauds répétèrent en écho. Puis, prenant note de l'identité du personnage qui s'était effrontément imposé, il s'éclipsa discrètement.

— Oh! Je... bafouilla Isabelle, confuse.

Jeanne lui donna un coup de coude et sourit à Nicolas.

— Je suis certaine que mademoiselle Lacroix adorerait vous accorder cette danse...

Le visage d'Isabelle vira brusquement au pourpre. La jeune femme fit une petite révérence maladroite et prit le bras que lui présentait Nicolas. En s'éloignant, elle lança un regard noir à son amie qui, elle, se frottait les mains de satisfaction.

— Hou! hou! Il y a quelqu'un?

Madeleine tira sur l'une des boucles qui s'échappaient du bonnet en piqué d'Isabelle. La jeune femme tressaillit et ouvrit les yeux.

— Alors, mademoiselle Lacroix, nous attendons toujours que tu nous rapportes les derniers ragots, et surtout que tu nous parles de ton soupirant. As-tu pu enfin être seule quelques instants avec ton beau Nicolas?

Gillette et Marie-Françoise Daine, les filles du lieutenant général et directeur du domaine du roi, François Daine, se mirent à rire d'excitation. Elles avaient respectivement quatorze et treize ans. Comme toutes les jeunes filles qui ne fréquentaient pas encore les bals, elles mouraient de curiosité d'en entendre parler.

— Oh! Mais que fais-tu des convenances, Madeleine Gosselin?

— Et toi, depuis quand t'encombres-tu des convenances, chère cousine?

— Pourquoi te donnerais-je tous les détails de ce tête-à-tête clandestin?

— Parce que je sais que tu en meurs d'envie!

— Pt'êt' ben qu'oui, pt'êt' ben qu'non...

— Allons, Isa! Arrête de nous faire languir! Raconte-nous tout. Tu l'as vu, oui ou non?

— Oui, soupira Isabelle, je l'ai vu seule à seul.

— Seule à seul? Et il t'a embrassée?

— Hé! C'est qu'elle est curieuse, la Madeleine!

Madeleine lui prit les mains avec empressement. Isabelle put lire sur les traits de sa cousine de l'impatience et de l'excitation. Elle adorait la faire attendre jusqu'à ce qu'elle soit près d'exploser.

— Pis? Il t'a demandée en mariage?

— Madeleine! Tout de même! Je ne pense pas que le temps se

prête aux demandes en mariage. C'est un peu tôt, et avec la menace de l'Anglais, il a bien d'autres choses en tête. Peut-être que lorsque la menace sera écartée...

Isabelle dégagea ses mains de celles de Madeleine pour s'échapper et cabrioler sur l'herbe comme une gamine. Madeleine la rattrapa bien vite et la coinça devant un hallier de cornouillers.

— Astheure tu vas parler, ma petite vlimeuse!

Isabelle jeta un coup d'œil sur sa droite. L'eau du fleuve scintillait au pied du cap Diamant.

— Bon... d'accord, je te raconte tout.

— Tout?

— Oui, promis, juré, croix de bois, croix de fer, si je mens, je vais en enfer!

Elles éclatèrent toutes deux de rire. Isabelle fit tourner sa jupe autour d'elle avec une grâce qui fit envie à sa cousine. C'est qu'elle était belle, Isabelle Lacroix. Le regard vif et curieux qu'elle posait sur tout ce qui l'entourait ne se lassait jamais d'interroger la vie, dans laquelle elle croquait si avidement. La jeune femme respirait une joie de vivre telle qu'elle se propageait à tous ceux qui la côtoyaient. Cependant, elle ne semblait pas avoir conscience de l'effet qu'elle produisait sur les autres, particulièrement sur les hommes.

À vingt ans, tout ce qu'Isabelle attendait de la vie, c'était les plaisirs qu'elle pouvait lui offrir. Bien sûr, il y avait le jeune, intelligent et très charmant Nicolas des Méloizes. Mais elle ne se faisait pas d'illusions : les salons que fréquentait la petite noblesse canadienne ne manquaient pas de jolies jeunes femmes en quête d'un mari. Madeleine avait beau l'assurer qu'elle éclipserait toutes les belles le jour où elle mettrait les pieds dans l'un de ces salons, elle n'y croyait pas. Isabelle était de celles qui n'avaient pas pleinement conscience du pouvoir de leur beauté. Peut-être était-ce justement cela qui la rendait si attirante aux yeux de tous.

Madeleine trouvait Isabelle exquise et rafraîchissante. L'amour qu'elle lui vouait balayait toute jalousie de son cœur à son égard. De deux ans son aînée, elle avait toujours partagé les jeux de la jeune femme. Toutes deux avaient grandi à quelques portes l'une de l'autre, dans la rue De Meules, dans la Basse-Ville de Québec. Depuis leur plus tendre enfance, on les appelait les sœurs Lacroix. C'est qu'elles se ressemblaient beaucoup. Bien que Madeleine fût un peu plus grande et plus mince, elles avaient toutes deux la même chevelure ensoleillée qui cascadait dans leur dos. Et ce même regard d'un vert si lumineux qu'il rivalisait avec les plus belles émeraudes du royaume.

Les deux jeunes femmes étaient cousines par leur père, mais se considéraient comme sœurs. La mère de Madeleine avait mis au monde six enfants, dont deux seulement avaient survécu. François, le cadet de quatre ans, était mort de la petite vérole en janvier 1755. Un mois après, sa mère succombait à son tour. Étant canonnier dans la marine et posté au fort Duquesne sous les ordres de Claude-Pierre Pécaudy de Contrecœur, Louis-Étienne, le père de Madeleine, s'était vu obligé de confier la jeune fille à son frère aîné, Charles-Hubert. Il n'était jamais revenu à la maison. À l'automne de 1757, il avait bêtement trouvé la mort lors d'un exercice de tir : il avait été écrasé par un canon mal calé, alors qu'il s'apprêtait à profiter d'une permission de quelques jours pour assister à l'union de sa chère fille avec Julien Gosselin, apprenti meunier de la paroisse Saint-Laurent d'Orléans.

Rejoignant les autres jeunes femmes, Isabelle fit une dernière pirouette et se laissa tomber dans l'herbe.

— Des pyramides de petits pâtés, Madeleine! Je te le dis! De la nougatine, des tartes aux fraises! Les robes rivalisaient de beauté et d'audace. Madame Angélique Péan était la plus belle, comme toujours. Elle portait une splendide robe d'étamine sur soie jaune de Naples, garnie de quatre rangs de valenciennes aux coudes.

— Quatre rangs? Ma plus belle robe n'en possède que deux. Et encore, ce ne sont pas des valenciennes!

— Si tu étais la maîtresse de ce vieux Bigot, tu aurais toi aussi quatre rangs de valenciennes aux coudes, Gillette.

— Et Geneviève Couillard, comment était-elle?

Jeanne étira un bras en affectant un air hautain.

— Comme à son habitude, ma chère...

Les jeunes filles s'en donnaient à cœur joie, caquetant sur monsieur Untel, mimant madame Unetelle.

— Tu savais que monsieur le marquis de Vaudreuil avait fait des remontrances à monsieur Bigot concernant les fastes de ce bal? « Quel scandale! Nous qui n'avons que des miettes à donner à nos vaillants soldats! » Pourtant, le gouverneur en profitait lui aussi sans gêne.

— Il n'a pas tort, Isa, tu sais? Julien m'a décrit les conditions dans lesquelles vivent les miliciens.

Isabelle n'aimait pas se faire rappeler qu'elle profitait sans scrupules des largesses de l'intendant. Que pouvait-elle faire? Refuser d'aller à ces soirées n'améliorerait en rien le sort des nécessiteux. Faute de mieux, elle soulageait sa conscience en portant des denrées aux ursulines, qui les distribuaient aux pauvres. N'ayant pas du tout envie de voir sa belle journée s'assombrir, elle montra son agacement en poussant un bruyant soupir.

Madeleine, qui voulait entendre les derniers ragots, jugea préférable de laisser tomber ce sujet épineux pour la famille Lacroix depuis quelque temps.

— Bon... Raconte-nous des détails amusants! Au marché, j'ai entendu jaser sur monsieur Descheneaux. Est-ce vrai, ce qu'on dit?

Isabelle et Jeanne, qui avaient été témoins de la scène, se mirent à rire.

— Rien de plus vrai, cousine! Monsieur Descheneaux, qui coulait un pas de menuet, s'est pris les pieds dans la jupe de madame Panet. Il tanguait à nous en donner le mal de mer. Il est alors tombé sur madame Arnoux, l'épouse du médecin. Ha! ha! ha! Sa perruque a volé et a atterri dans le verre de monsieur de Vienne, qui l'a replacée sur la tête du pauvre homme assis par terre au beau milieu de la piste de danse. Elle lui dégoulinait sur les épaules! De plus, monsieur de Vienne la lui avait remise à l'envers... Tu imagines un peu le tableau! C'était à en pleurer! Je riais tellement que Nicolas a dû me faire sortir du salon. Inutile de dire qu'on a immédiatement rhabillé monsieur Descheneaux et qu'on l'a prestement fait remonter dans sa calèche.

— Est-ce que c'est à ce moment-là que tu t'es retrouvée seule avec ton cher des Méloizes?

Isabelle, l'air songeur, sourit doucement.

— Hum...

— Raconte-moi, Isa! Il t'a embrassée?

— Quelle indiscrète tu...

Interrompues par des cris leur parvenant de la terrasse du château Saint-Louis, Isabelle et ses camarades d'étude se retournèrent d'un bloc. Elles aperçurent Ti'Paul et Julien, qui remontaient la rue du Mont-Carmel, arrivant de la place d'Armes où avaient eu lieu les exercices militaires du régiment de la Sarre. Le frère d'Isabelle courait en agitant les bras au-dessus de sa tête.

— Les Anglais! Les Anglais!

Isabelle blêmit, tout comme sa cousine. Les sœurs Daine s'étreignaient, horrifiées. Sidonie, qui finissait de ramasser les restes de leur pique-nique avec les autres dames, poussa un cri. Ti'Paul arriva le premier à leur hauteur, ahanant, une main sur son cœur qui menaçait d'éclater dans sa frêle poitrine. À treize ans, il avait la constitution d'un enfant de dix ans. Les diverses maladies qui avaient ponctué son enfance l'avaient affaibli et avaient ralenti sa croissance. De toute évidence, il devrait renoncer à la carrière militaire dont il avait toujours rêvé. Par contre, il avait l'esprit vif, le regard intelligent et une très grande détermination. Il pourrait donc devenir un homme de robe, voué soit au culte de Dieu, soit à celui de la Justice. Mais, à s'éreinter ainsi, il risquait d'aggraver son état.

Isabelle se pencha sur lui et le prit par les épaules en le regardant d'un air inquiet.

— Reprends ton souffle, Ti'Paul. Tu vas finir par cracher tes poumons si tu...

— Ils sont là, Isa! s'écria Ti'Paul entre deux grandes inspirations. Ils sont arrivés...

Julien les rejoignit. Sa mine sombre ne présageait rien de bon. Sur le point de paniquer, Madeleine se rua vers lui pour en savoir un peu plus.

— Qu'est-ce que c'est que cette histoire d'Anglais dans le fleuve, mon Julien?

— On a entendu des clameurs qui venaient du château. Alors on est allés voir...

D'un doigt tremblant, il désigna le fleuve. Le brouillard d'humidité qui s'installait parfois les jours de grandes chaleurs ne masquait pas le paysage. On pouvait ainsi voir, à la pointe sud-ouest de l'île, une pléthore de voiles éclatantes. Isabelle laissa échapper un gémissement. Il n'y avait pas de doute : c'était la guerre; Québec allait être assiégée.

— Il paraît que ce que nous voyons n'est que l'avant-garde de leur flotte, continua gravement Julien. Même les plus gros vaisseaux ont réussi à franchir la Traverse[43], qu'on disait infranchissable à cause de ses hauts-fonds. Il y aurait au moins encore une bonne soixantaine de gros navires et plus d'une centaine de petits près de l'île Madame. C'est terrible, ils déjouent toutes nos prédictions!

Des femmes couraient vers le cap en poussant des cris de détresse; des enfants épouvantés se réfugiaient dans les buissons lorsque les jupes de leur mère n'étaient pas à proximité. C'était la panique sur le cap Diamant. Pourtant, on s'attendait à cette invasion. Un mois plus tôt, on avait aperçu l'avant-garde de la flotte anglaise au large de Rimouski. Montcalm avait aussitôt donné l'ordre aux habitants de la Côte-du-Sud de quitter leurs maisons et de s'enfoncer dans les terres avec tout ce qu'ils pouvaient emporter avec eux. Il avait aussi demandé à tous les hommes valides de se rendre à Québec dans les plus brefs délais.

Les gens avaient caché leurs maigres provisions et enterré les objets sacrés des églises : calices, ostensoirs, bibles, tabernacles,

---

43. Partie du fleuve qui sépare l'île d'Orléans de la Côte-du-Sud.

178

tout ce que ces hérétiques de protestants pourraient vouloir voler. On avait évacué l'île d'Orléans. Madeleine avait ainsi été accueillie sous le toit de Charles-Hubert avec son mari. Mais elle ne voyait plus Julien que très peu. Engagé dans la milice comme tous les autres hommes, il participait au renforcement de l'enceinte de la ville et à la construction de nouvelles fortifications sur la côte de Beauport.

En l'espace de quelques semaines, des palissades, des tranchées et des redoutes étaient apparues sur trois lieues, entre la rivière Saint-Charles et le Sault de Montmorency, en aval de Québec. Montcalm n'avait pas jugé nécessaire de faire construire des fortifications en amont : les Anglais n'arriveraient jamais à aller plus loin que l'île d'Orléans. De plus, les batteries stratégiquement disposées repousseraient les navires qui tenteraient de passer devant la ville.

Le cœur d'Isabelle battait la chamade. Nicolas attendait assurément en ce moment même les décisions du conseil de guerre du général Montcalm et de son état-major. Allaient-ils riposter immédiatement ou attendre les premiers mouvements de l'ennemi ?

Un étrange silence se fit soudain sur les hauteurs de Québec. Même les carouges à épaulettes, qui chantaient un peu plus tôt, s'étaient tus. C'était comme si la terre s'était arrêtée de tourner. Tous les habitants qui s'étaient réunis là pour profiter de cette si belle journée étaient muets de stupéfaction. Des images d'apocalypse défilaient dans leurs esprits bouleversés. Isabelle se laissa tomber mollement sur l'herbe, dans un amas de rayures et de dentelle : les Anglais devant Québec... Bêtement, elle pensa qu'on ne pourrait cueillir les framboises sur l'île de Bacchus[44], cette année, et que ce serait les Anglais qui s'en régaleraient. Elle fixa l'horizon azuré, s'attendant à voir surgir d'un instant à l'autre des milliers d'autres voiles blanches. Son estomac se noua. Qu'allaient-ils tous devenir ?

— Ils vont débarquer sur l'île, souffla Madeleine d'un air horrifié. Notre maison, Julien... Ces démons vont tout saccager !

---

44. L'un des noms qu'on donnait alors parfois à l'île d'Orléans, à cause de ses vignes sauvages.

6

Le chant du cygne

Le fanion bleu portant une croix rouge claquait dans le vent au sommet du mât de misaine du navire de ligne, le *HMS Prince Frederick*. Ce trois-ponts de mille sept cent quarante tonnes qui était armé de soixante-quatre canons en était à sa vingt-troisième journée de navigation. Les arrogantes mouettes qui l'accompagnaient depuis Louisbourg n'avaient de cesse de bombarder les marins et le gréement de leurs fientes. Les soldats se gaussaient en déclarant que si c'était là toute l'avant-garde qu'avaient les Français, ils feraient bien de commencer à réciter leurs prières.

Le ciel d'un splendide bleu pur était piqueté de petits nuages. Un archipel d'îlots se dessinait à l'horizon. La rumeur courait que le voyage arrivait à son terme. Les soldats en étaient heureux et secouaient leur abattement dû à l'inactivité et au confinement. On approchait de la grande île d'Orléans. Cependant, il ne fallait pas se réjouir trop rapidement : les hauts-fonds pouvaient encore crever le ventre des navires si les pilotes n'y prenaient pas garde. Les vaisseaux avaient franchi sans embûches les premières défenses naturelles du pays : l'embouchure du grand Saint-Laurent – véritable cimetière marin, au dire de certains – pouvait surprendre par ses bourrasques inopinées, ses brouillards intenses et soudains, et ses récifs mordants, et envoyer par le fond n'importe quel bateau. Mais le long fleuve réservait lui aussi ses pièges.

Dieu bénissait leur mission : le temps leur avait été favorable. De plus, le nordet les avait fait monter rapidement la large rivière jusqu'à Québec, à quatre cent quarante milles. Tel un long serpent majestueux, le Saint-Laurent s'enfonçait dans des terres qui se déployaient à perte de vue comme un immense tapis de verdure sur un terrain montueux. Alexander avait l'impression d'être avalé par un monde peuplé de Sauvages barbares et de Canadiens sanguinaires. Il avait fait connaissance avec les habitants de ce continent tout au long de l'hiver, lors de fréquentes échauffourées. Sa chevelure lui était maintenant bien précieuse!

La Nouvelle-France était une contrée qui ne connaissait que les extrêmes, dans ses saisons comme dans ses dimensions. Elle avait des hivers très froids et des étés très chauds. Ses lacs étaient des mers; ses forêts n'avaient pas de fin. C'était ce qu'Alexander avait entendu raconter en Écosse. Si donc ce Saint-Laurent qui l'aspirait jusqu'au cœur du continent n'était qu'une rivière, combien immenses alors devaient être les lacs! Une sorte de jubilation s'emparait du jeune homme tandis que la côte déchiquetée défilait sous ses yeux. L'envie d'apprivoiser et de conquérir ce monde lui donnait la chair de poule. Le goût de l'aventure et des grands espaces le reprenait.

Le deuxième hiver qu'Alexander avait passé dans les colonies américaines avait été très froid. Bien qu'il fût habitué à de rudes conditions de vie, le jeune homme supportait difficilement les températures négatives et avait maintes fois remis en question son intention de rester en Amérique une fois la guerre terminée. Mais la majesté du paysage et la douceur de l'air lui faisaient maintenant oublier la saison passée et tout ce qu'était sa vie dans l'armée britannique.

Louisbourg tombée, le régiment highlander avait été envoyé en renfort auprès du général Abercromby, qui venait d'essuyer un terrible revers face au général français Montcalm, au fort Carillon, à la fin de l'été 1758. Malgré son courage au combat, le 42e régiment royal des Highlands, communément appelé Black Watch[45], avait subi de lourdes pertes. Les Fraser Highlanders avaient été transportés de Halifax jusqu'à Boston, où ils avaient pu fêter pendant trois jours leur récente victoire à la forteresse du Cap-Breton[46]. Puis, cuvant encore leur vin, ils s'étaient mis en marche pour Albany, où ils avaient pris leurs quartiers d'hiver dans les nombreux forts avoisinants.

La compagnie d'Alexander s'était installée au fort Stanwix, à quelques lieues à l'ouest de Schenectady. Celle de ses frères s'était fixée au fort Herkimer, à son grand soulagement. Entre deux escarmouches avec des Sauvages, le jeune homme avait passé son temps à surveiller les Français et à participer à l'achèvement de la construction du fort. Seul un incident dont les conséquences auraient

---

45. Garde noire.
46. Toponyme anglophone de l'île Royale.

pu être fâcheuses pour lui avait marqué son deuxième séjour en Nouvelle-Angleterre. À première vue, cela semblait être un malheureux concours de circonstances...

Le sergent Roderick Campbell, qui avait perdu son poignard à Louisbourg, avait demandé à Alexander de lui prêter le sien pour quelques jours, le temps que l'armurier lui en fabrique un autre. Le jeune homme s'était exécuté : on ne discutait pas les ordres d'un officier; de plus, il s'agissait d'un emprunt somme toute banal. Cependant, cinq jours plus tard, on retrouva l'arme plantée dans le ventre d'un caporal, dans les bois qui entouraient Stanwix. Le manche si particulier permit rapidement d'identifier le proprié-taire du poignard; Alexander fut accusé de meurtre et mis aux arrêts. Campbell, lui, resta introuvable pendant quatre jours. On commençait à penser que le soldat Macdonald avait également assassiné le sergent et qu'il s'était débarrassé de son corps, ce qu'il n'aurait pas eu le temps de faire avec l'autre.

Toutefois, à l'aube du cinquième jour, Campbell rentra enfin au fort. Il était en piteux état et expliqua devant la cour martiale que le caporal Niel Mackenzie et lui avaient été victimes d'une attaque-surprise des Sauvages. Concernant le poignard, il corrobora la ver-sion du jeune soldat quant au prêt, ajoutant que l'un des Sauvages le lui avait pris pour tuer son malheureux compagnon. Fait pri-sonnier et emmené à travers bois vers le nord, il avait profité, une nuit, de l'ivresse des Sauvages. C'est ainsi qu'il était revenu au fort avec trois scalps. En ces temps de guerre, ces trophées pris sur des Sauvages ou des Acadiens errants cherchant à retourner chez eux avaient beaucoup de valeur et permettaient aux hommes de com-pléter leur solde.

En sortant de la cabane de bois où avait eu lieu le procès, Roderick Campbell s'était tourné vers Alexander, un sordide sourire sur les lèvres : « Quelle chance tu as eue, Macdonald! Il s'en est fallu de peu que tu sois pendu avant mon retour de... » Mais il s'était interrompu. « La prochaine fois, sergent, avait répondu simplement Alexander, je vous prierai d'emprunter le poignard d'un autre soldat. Le mien semble vous porter malchance. » Le jeune homme avait claqué les talons et était allé retrouver ses compagnons qui l'attendaient pour faire la fête.

Alexander avait ainsi compris que Campbell était le meurtrier de Mackenzie et qu'il avait inventé toute cette histoire d'attaque des Sauvages. Certains soldats passaient leur temps libre à chasser à la trappe et vendaient le fruit de leur récolte à des négociants de four-rures qui commerçaient dans la région. Mackenzie en faisait partie.

Très habile, tendant les pièges aux bons endroits, il avait réussi à amasser une grosse quantité de belles peaux. Campbell, de toute évidence, l'avait tué par appât du gain. Mais Alexander avait préféré se taire : il avait évité la corde de justesse et n'avait de toute façon aucune preuve. Le mieux était de surveiller le sergent de près.

En mars 1759 parvint enfin au fort l'ordre de reprendre la mer. Le général James Wolfe avait en effet décidé que le régiment des Fraser Highlanders serait l'une des premières brigades de l'armée qui tenteraient de prendre Québec. Les hommes seraient sous le commandement du brigadier général Robert Monckton, celui-là même qui avait déporté des milliers d'Acadiens.

À la mi-avril, après une longue et pénible marche dans la neige qui, à maints endroits, leur arrivait jusqu'à la taille, Alexander et ses compatriotes étaient arrivés à New York et s'étaient embarqués sur la frégate *Nightingale*. Ils avaient aperçu la côte acadienne vers la mi-mai et avaient fait escale à Halifax pour un entraînement intensif. Enfin, ils avaient repris la mer le 4 juin, avec l'imposante flotte de Wolfe, en quête d'une victoire définitive sur les Français.

Accoudé au bastingage, Alexander regardait des marins et quelques soldats lancer des lignes à l'eau dans l'espoir de pêcher quelques poissons, qu'on disait fort gros dans cette rivière. Tout n'était-il pas démesuré, ici? Son regard se porta à bâbord. La frégate *Trent*, armée de vingt-huit canons, naviguait en avalant les brasses au même rythme que le *Prince Frederick*. Derrière elle suivaient le *Peggy*, le *Northern Lass* et le *Beaver*. Des goélettes, des brigantins, des corvettes et divers autres bateaux formaient un chapelet de bâtiments de guerre et de petits navires de ravitaillement dans leur sillage. Droit devant, au loin, se distinguait le château du *Neptune*.

Les fanions bleus, rouges et blancs des trois divisions claquaient dans le vent et le Union Jack flottait à la poupe et au beaupré de chaque navire. Les voiles éclatantes mouchetaient les eaux sombres à perte de vue. Toute cette flotte attestait la puissance navale incontestable de l'empire britannique.

Une avant-garde commandée par l'amiral Philip Durrell s'était postée au printemps à l'entrée du fleuve pour intercepter tout navire de ravitaillement français. Une flottille française d'environ seize bâtiments avait toutefois réussi à pénétrer dans le Saint-Laurent vers la mi-mai. Mais, la colonie ne pouvant plus désormais recevoir de vivres ni de munitions et de renfort, la France n'aurait qu'à s'incliner devant le redoutable envahisseur. La victoire n'était plus qu'une question de jours. Alexander était songeur. Que ferait-il quand tout serait fini?

— À quoi penses-tu?

Il se retourna d'un bond. Leticia levait vers lui ses yeux gris pailletés de vert. À ses lèvres légèrement gonflées et à ses joues roses, le jeune homme devina qu'elle arrivait des cales, où Evan et elle se retrouvaient clandestinement lorsqu'ils le pouvaient. Il eut un pincement au cœur.

— Où est Evan?

— Il termine sa corvée et vient me rejoindre aussitôt.

Elle sourit, sachant très bien qu'il s'inquiétait pour elle chaque fois qu'Evan et elle trouvaient le moyen de s'éclipser un moment dans les fonds de cale. Les hommes jasaient. Un jour, l'un d'eux parlerait et la dénoncerait. Le couple avait hâte de pouvoir mettre son plan à exécution. Le plus tôt serait le mieux. Le fort Stanwix l'avait pris au piège pour l'hiver; il n'avait plus été question de déserter avec la neige qui ne cessait de tomber. Toute cette accumulation de neige dépassait ce que les soldats s'étaient imaginé.

— Alors? À quoi rêves-tu?

Alexander reporta son regard au loin, vers la côte. Des maisons en pierre ou blanchies à la chaux défilaient.

— Combien de temps crois-tu que les Français arriveront à tenir?

— Tu veux faire un pari?

— Non... je me demandais, c'est tout.

— Tu penses vraiment que nous sortirons vainqueurs de cette guerre?

Il réfléchit. Bizarrement, il n'en avait jamais douté. Si l'armée de Wolfe employait les mêmes méthodes pour asservir la Nouvelle-France que celles qui avaient fait la réputation du Boucher Cumberland... pourquoi en serait-il autrement?

— Oui.

Elle soupira et observa à son tour les habitations disséminées parmi les boisés et les champs.

— Alex, je voulais te parler de notre projet, à Evan et à moi. Nous... voulons partir dès que l'occasion se présentera.

Alexander tiqua légèrement.

— Je m'y attendais, MacCallum. Mon offre pour vous aider tient toujours. Vous n'aurez qu'à me prévenir.

Leticia baissa la tête.

— Tu... viendras avec nous?

— Non.

— Pourquoi, Alex? demanda-t-elle en se tournant brusquement vers lui.

Des cris de joie fusèrent. Les pêcheurs sortaient une belle prise.

— En voilà un qui aura droit à autre chose qu'à sa ration de bœuf salé, ce soir, commenta le jeune homme pour éluder la question.

— Alex...

Il la regarda, tenta de l'imaginer vêtue d'une robe, les cheveux défaits et tombant librement sur ses épaules. Bien qu'elle fût plus grande que la moyenne des femmes et que son corps fût presque aussi musclé que celui d'un homme, elle avait des traits doux qu'il aimait. Et son corps... il l'imaginait assez bien sous l'uniforme. Il avait déjà entrevu sa poitrine. Elle tentait désespérément de faire disparaître ses seins sous des bandelettes étroitement serrées. Mais, de près, on pouvait voir une légère courbe tendre le lainage écarlate. Si d'autres que Munro, Coll et lui-même étaient au fait de sa véritable nature, ils n'en disaient rien.

Leticia n'était pas un cas unique. D'autres femmes, dans le passé, s'étaient travesties pour suivre leur mari ou partir à l'aventure. Alexander avait ainsi entendu parler d'une femme qui s'était engagée dans le régiment de Montgomery et qui avait été démasquée au moment où on prenait ses mesures pour son uniforme. On avait déshabillé la malheureuse sans aucune considération et joué aux dés les vêtements masculins qu'elle avait portés pour se faire rembourser le whisky qu'elle avait consommé. Leticia avait eu de la chance.

— Je ne partirai pas avec vous, MacCallum. J'ai enfin un but à atteindre; pour une fois, je ne me déroberai pas. Ensuite seulement, je verrai ce que je ferai.

— Ce que tu peux être obstiné! C'est complètement idiot! Mais quel but? Que cherches-tu à prouver? Tu as déjà montré ton habileté et ta bravoure à Louisbourg et à Stanwix plus d'une fois. Que veux-tu de plus? Remporter cette guerre à toi tout seul?

Il rit. L'officier des manœuvres criait ses directives. La grande île se rapprochait. Cette nuit, ils allaient tous dormir sur la terre ferme. La jeune femme boudait, appuyée sur ses coudes au bastingage. Alexander s'était attaché à Evan et à Leticia. L'amour qu'il vouait à la jeune femme, charnel au début, s'était tranquillement transformé en amitié avec le temps. Il y avait si longtemps qu'il n'avait pas eu de relation avec une femme pour autre chose que le sexe. Leticia était devenue une sœur pour lui et elle lui rappelait aussi un peu Marcy, sa nièce. La douce Marcy – que Dieu ait son âme – n'avait pas vécu assez longtemps pour entendre raconter les horreurs de Culloden et pour vivre les malheurs qui avaient suivi.

Un étrange sentiment lui tordit brusquement l'estomac.

Deviendrait-il à son tour, à l'instar des hommes de Cumberland, une brute sanguinaire exécutant avec une facilité déconcertante l'ordre d'exterminer un peuple? La prise de Louisbourg l'avait laissé froid. Ce n'était qu'une forteresse perdue au milieu de nulle part, gardée par une armée et flanquée d'un seul petit village de pêcheurs. Combien de civils avaient perdu la vie? Si peu... Mais Québec, capitale de la Nouvelle-France, abritait certainement des milliers de civils. Il n'était plus question d'un simple bastion de défense, mais plutôt d'un centre administratif et commercial d'une importance majeure pour la colonie. Tant d'innocents...

Du revers de la main, Alexander chassa ses sombres idées. Il avait une guerre à faire; pour la gagner, il ne devait pas s'attarder sur ses sentiments. Il avait appris la leçon à ses dépens, il y avait bien longtemps, sur la plaine de Drummossie Moor. Avec nonchalance, il mit une main sur l'épaule de Leticia. Puis, soudain conscient de son geste, il la retira sur-le-champ. La jeune femme tourna vers lui un visage empreint de gravité. Une larme se formait au coin de son œil, contenant un océan de chagrin.

— Tu me manqueras, Alexander...

Les officiers des troupes de terre avaient pris leur poste et ordonnaient aux soldats de se mettre en rangs. Le *Prince Frederick* jetait l'ancre.

***

Il faisait chaud, très chaud. Les stridulations incessantes des grillons, les cris des Sauvages embusqués, les moustiques qui les entouraient rendaient fous les soldats anglais. À l'abri d'un monticule de terre, accablé par la chaleur humide qui était d'une constance impitoyable, Alexander ne pensait qu'à retirer sa veste. Ses mains glissaient sur son fusil plein de sueur. Il devait constamment essuyer ses paumes sur son kilt. Des gouttes de transpiration s'échappaient de son béret et coulaient sur son front, pour venir lui brûler les yeux qu'il clignait sans cesse.

Accroupi à côté, Evan remua légèrement. Quelques pas derrière, Leticia respirait bruyamment et tentait de chasser les bestioles suceuses qui la harassaient. Munro était stoïque, comme toujours. Mais comment arrivait-il donc à supporter cette chaleur, avec sa corpulence? Les soldats ne quittaient pas du regard la petite église de la pointe de Lévy. Une troupe de miliciens canadiens s'y était barricadée peu après qu'eux-mêmes l'eurent quittée en début d'après-midi. Ils auraient dû y laisser une sentinelle après avoir cloué la proclamation sur la porte. C'était une erreur de la part du brigadier Monckton.

Dans la proclamation, Wolfe enjoignait à la population des environs de ne pas prendre part aux conflits, que ce fût en apportant son aide aux Français ou en s'en prenant aux soldats des forces britanniques. Les conséquences seraient terribles : les habitants verraient leurs maisons réduites en cendres, leurs églises profanées et leurs moissons dévastées. La sagesse dicterait la meilleure conduite à adopter.

Alexander savait bien que ce n'était que des mots, et que, de toute façon, Wolfe ne se gênerait pas pour tout détruire et tout piller si l'envie lui prenait. N'était-ce pas là la manière d'agir des forces anglaises ? Tôt dans la matinée, le jeune homme avait aperçu des colonnes de fumée plus en aval, vers Beaumont. Un détachement du 15e régiment d'Amherst, sous le commandement de Howe, avait passé là la nuit dans le but de s'assurer que l'endroit fût sûr pour le débarquement.

Deux jours après la prise de la grande île, Wolfe avait ordonné que la pointe de Lévy fût soumise : les Français ne devaient pas pouvoir y construire une batterie qui empêcherait les navires anglais de mouiller dans le grand bassin où baignait le socle rocheux de Québec. Ainsi, dès l'aube du troisième jour, quatre divisions avaient traversé le fleuve jusqu'au pied de Beaumont. Sous les ordres du brigadier Monckton, elles s'étaient ensuite mises en marche à travers champs et bois, vers la pointe de Lévy, quelques lieues en amont.

Tout au long du trajet, une bande de Canadiens et de Sauvages avait harcelé les soldats britanniques. Elle avait semé la terreur, fait quelques morts et emporté des scalps. Au début, d'après les cris qu'ils entendaient, ils avaient cru avoir affaire à plusieurs centaines d'hommes. Puis, il y avait eu des coups de feu, qui avaient fait mouche du côté des Canadiens. Ces derniers avaient emporté leurs morts et leurs blessés. On avait ainsi pu constater qu'ils n'étaient en fait pas plus d'une centaine. Les soldats britanniques, soulagés, avaient soufflé un peu. Mais, peu habitués à une guerre d'embuscades, ils étaient toujours sur le qui-vive, scrutant les bois et les champs.

Sur la route, ils n'avaient rencontré que des fermes et des maisons désertes. Ils n'avaient eu à affronter aucune autre résistance de la part des colons, sauf cette bande qui s'amusait à leurs dépens. Ralentis par le poids de leurs havresacs et marchant en colonnes serrées, à découvert, ils étaient des cibles faciles.

Cela faisait maintenant presque trois heures qu'ils jouaient au chat et à la souris avec les Canadiens. Les deux armées avaient occupé l'église à tour de rôle. La faim commençait à tenailler Alexander, qui était impatient de voir ce jeu ridicule prendre fin. Avec les autres Highlanders, le jeune homme s'était mis à couvert dans les bois. Les fantassins encerclaient le rocher sur lequel était sise l'église, au cas où d'autres Canadiens tenteraient de les prendre par-derrière. Enfin, les grenadiers de Louisbourg s'étaient cachés vers l'avant du bâtiment. L'attaque allait se faire sur trois fronts.

Le silence régnait depuis quelques minutes. Mais il semblait que cela faisait une éternité. Enfin, quelques coups de feu retentirent. Il y eut des cris. Alexander vit les mitres penchées des grenadiers s'avancer vers l'église, sous un feu nourri venant des fenêtres brisées. Quelques hommes tombèrent; les autres les enjambaient en courant. Tout à coup, la milice sortit du bâtiment en trombe, filant droit vers les bois. Deux Canadiens et trois Sauvages arrivaient vers eux.

— C'est la fête, les gars! murmura Munro en se levant brusquement et en pointant son Brown Bess[47] devant lui.

— Ouais... Bonne chance! chuchota Evan.

— Feu! cria un officier.

Alexander, Munro et Evan déchargèrent leurs armes avant de bondir de leur cachette. L'un des Canadiens tomba. L'autre s'immobilisa de stupeur devant les Highlanders qui chargeaient. Se sentant pris au piège, il tira. Mais à un contre une douzaine, il avait peu de chances d'en réchapper. Il rebroussa chemin, semblant préférer se livrer aux grenadiers qu'à ces hurluberlus en jupes brandissant une large épée en hurlant.

Evan, sur ses longues jambes, le rattrapa en quelques secondes et l'atteignit d'un coup de lame à l'épaule. L'homme s'effondra au sol en poussant un cri de douleur. Il y eut d'autres coups de feu. À travers la fumée, Alexander vit Evan se tourner vers eux, un curieux sourire sur les lèvres. Leticia hurla lorsqu'elle vit son compagnon s'effondrer sur le Canadien. L'un des Sauvages, qui leur avait échappé, revint sur ses pas. Alexander ne comprit ce qu'il faisait qu'au moment où il empoignait la chevelure d'Evan et posait son couteau sur le cuir chevelu.

La rage au ventre, il franchit l'espace qui le séparait de l'homme. Le Sauvage plantait maintenant son couteau dans la poitrine d'Evan, qu'il ouvrit d'un coup. Alexander, horrifié, le vit plonger ses mains dans le corps et les ressortir, pleines de sang, avec le cœur. Il souleva

47. Fusil de l'armée britannique pendant près de 150 ans.

son épée. Le Sauvage se redressa, ses sanglants trophées en main, et le toisa. Alexander l'atteignit avec sa lame en pleine poitrine, hurlant. Il frappa encore et encore, criant toujours. Finalement, il s'arrêta, contemplant sa victime immobile. Ses oreilles bourdonnaient; le sang lui martelait le crâne. Sans réfléchir, il prit alors son poignard et se pencha sur le Sauvage. D'une main ferme, il empoigna la longue chevelure de jais ornée de plumes et de colifichets brillants. La tête était lourde, mais docile. La lame fit ce qu'elle avait à faire, entaillant la peau jusqu'au crâne, dessinant une ligne rouge au bord des cheveux.

Alexander ne pensait plus; il agissait, répétait ce que son esprit avait maintes fois enregistré depuis son arrivée en Amérique, lorsque ses compagnons et lui tombaient dans les nombreuses embuscades que leur tendaient les Sauvages de Nouvelle-Angleterre. La technique était simple: tirer d'un coup sec et rapide... Le mouvement faillit lui faire perdre l'équilibre, et il se retrouva avec la chevelure dans la main, étonnamment souple et légère. Il la fixa un moment, ébahi devant la facilité qu'il avait eue à l'arracher. Il prit une grande inspiration.

— Evan! Oh, non, non!

— *Tuch! Tuch!* MacCallum. Il est mort... Bon Dieu! Ne regardez pas...

— Le salaud! Tu lui as fait son affaire, Alasdair...

— Evan... Noooon!

Les pleurs de Leticia lui parvenaient comme à travers un voile. Les cris et les voix des hommes résonnaient bizarrement dans sa tête. Il regardait l'homme à ses pieds. La peau brune et parcheminée du visage tranchait avec l'os du crâne qui avait l'aspect d'un blanc d'œuf luisant. Le Sauvage le fixait, lui souriant toujours, le narguant même dans la mort. Dans sa main droite, le cœur d'Evan était inerte. Alexander pensa que quelques minutes plus tôt seulement, cet organe vital battait vite, tellement vite à cause de la peur... et qu'il aurait pu être le sien, là, dans cette main.

Peu à peu, le jeune homme retrouvait ses esprits. L'écheveau de soie sombre de la chevelure d'Evan gisait sur le sol. Il la ramassa et la posa là où elle aurait dû rester: sur la tête de son compagnon. Puis, il prit le cœur et le replongea dans la cavité thoracique. Un écœurant mélange d'odeurs de viande crue, de sang et d'urine le prit à la gorge. Il ferma les yeux, tenta de réprimer une nausée. Mais son estomac se contracta et une substance visqueuse lui remonta dans la bouche. Il courut vers les buissons et vomit.

***

Les tentes s'alignaient par dizaines. Regroupés par divisions, les soldats s'affairaient devant les marmites fumantes suspendues à des trépieds, au-dessus des feux. Des odeurs de viande bouillie et rôtie flottaient dans le campement, sur les hauteurs de la pointe de Lévy. On avait aménagé un hôpital et un quartier des officiers. On avait aussi construit un petit enclos pour le bétail que les rangers et les troupes d'Amherst avaient ramené avec eux en revenant de Beaumont.

Alexander, allongé sur sa couverture, se tourna. Il leur faudrait faire le tour des fermes avoisinantes pour trouver de la paille pour les paillasses. Un autre damné moustique lui bourdonna dans les oreilles; il le chassa avec de grands gestes qui firent rire Munro. Mais lui n'avait pas envie de rire. Il revoyait sans cesse l'horrible scène qui avait eu lieu près de l'église, et il en avait des frissons.

Tournant la tête de côté, il regarda Leticia avec tristesse. Elle dormait. Ses paupières étaient gonflées; son visage était encore taché du sang de son mari. Il avait pitié d'elle. Qu'allait-elle faire maintenant? Il n'était plus question pour elle de rester dans l'armée. D'ailleurs, sans la présence d'esprit de Munro, elle aurait été démasquée: le spectacle du jeune soldat agrippant le corps d'Evan et l'embrassant, pleurant à chaudes larmes... avait de quoi rendre perplexe.

Munro avait traîné la jeune femme dans les bois et lui avait fait boire presque toute sa ration de rhum pour la calmer. Seulement... Alexander avait cru remarquer une lueur particulière dans le regard de Campbell posé sur Leticia. Le sergent avait-il compris que le jeune soldat était en réalité une femme, ou bien était-il attiré par les hommes? En tout cas, il semblait n'avoir rien dit dans son rapport au capitaine Macdonald.

Munro alluma une lanterne et la suspendit au poteau de la tente avant de sortir. Les coups de feu tirés par quelques irréductibles miliciens canadiens s'espaçaient. La nuit tombait sur le campement, ramenant avec elle la peur que la nourriture avalée avait momentanément fait oublier. Les cris des Sauvages résonnaient autour d'eux, comme un rappel de ce qui les attendait s'ils tombaient entre leurs mains. Autour de Stanwix, il y avait aussi des Sauvages. Mais, la nuit, une palissade de pieux pointus haute de quatorze pieds et un profond fossé leur assuraient une certaine sécurité. Ici, seules les sentinelles et la toile de leur tente les protégeaient.

Le rabat se souleva. Son cousin réapparut avec une gamelle

remplie de ragoût qu'il lui tendit en désignant du menton Leticia qui dormait toujours.

— Elle doit manger. Ils donnent aux cochons ce qui reste dans les marmites.

Alexander prit le récipient et le déposa sur l'herbe piétinée, à côté de lui. Il n'osait toucher la jeune femme. Le refuge de ses songes la protégeait de la dure réalité qu'elle devait affronter. Il la contempla un long moment avant de se décider. Sa main caressa doucement les cheveux emmêlés, dans lesquels étaient plantées des aiguilles de pin. Elle se tourna sur le dos, exposant les formes de sa poitrine. Alexander ne put s'empêcher d'y promener son regard avant de se détourner, un peu honteux. Ses doigts glissèrent sur la joue. La jeune femme ouvrit les yeux.

— Euh... il faudrait que tu manges un peu, MacCallum.

Elle ne répondit pas, ne réagit pas. Elle le fixait sans rien dire, ce qui le mettait très mal à l'aise. Que disait-on à une femme qui venait de perdre son mari aussi tragiquement? Il devait bien se l'avouer : il ne connaissait rien aux femmes, hormis peut-être la façon de « s'en servir » pour en retirer du plaisir...

Bien qu'il ne pût nier son envie d'elle qui ne l'avait jamais vraiment quitté, il ne voulait pas la toucher. Leticia était beaucoup trop précieuse pour qu'il profite d'elle ainsi. Elle avait été pour lui un peu comme sa mère, sa sœur et une amie. En fait, elle lui avait en quelque sorte dévoilé et permis de développer un côté de la nature humaine qu'il ne connaissait pas : l'amour désintéressé. Il aimait Leticia, il le savait, car la seule idée de son départ le déchirait. Justement, il ne voulait pas perdre tout cela pour une simple coucherie. D'autres faisaient très bien l'affaire. Lorsque les ravitaillements arriveraient de Boston avec des filles de joie, il n'aurait qu'à se servir. Le sexe n'était toujours que le sexe. L'amitié, c'était autre chose.

— Allons, MacCallum...

Il l'aida à s'asseoir et mit la gamelle sur ses cuisses. Elle baissa le regard sur la nourriture et hocha la tête.

— Je n'ai pas faim. Donne-la à Munro.

— Tu dois avaler quelque chose, Leticia... euh, MacCallum, se reprit-il, sachant que des oreilles indiscrètes traînaient toujours à proximité.

Elle repoussa le plat. Il s'en empara et prit sa propre cuillère, insérée dans l'étui de son poignard.

— Mange!

— Non, geignit-elle en faisant mine de se recoucher.

— MacCallum! Evan est mort, mais toi, tu respires toujours!

Elle se retourna vivement et le regarda droit dans les yeux, en colère. C'était toujours mieux que l'affliction.

— Reprends-toi, MacCallum! Evan ne voudrait pas que tu t'apitoies.

— Tu veux peut-être que je me réjouisse?!

La réplique claqua comme un fouet. La jeune femme avait le visage révulsé. Elle retenait ses larmes, sachant qu'elle ne pouvait se laisser aller complètement.

— Tu sais très bien ce que je veux dire. Tu dois te reprendre et continuer pour atteindre le but que vous vous étiez donné.

— Sans lui, je ne le pourrai pas, Alex. Ne peux-tu pas comprendre? Je n'y arriverai jamais toute seule.

Il ne sut que répondre. Il y avait du vrai dans ses paroles. Mais, si elle n'essayait pas, son sort serait pire qu'avant. Il allait l'aider à se sortir de là. Il le lui devait. Déterminé à la sauver malgré elle, il plongea la cuillère dans le ragoût insipide et la lui présenta.

— Ouvre!

Telle une enfant, elle obéit. Elle mastiqua avec apathie et avala chacune des bouchées qu'il lui proposait, jusqu'à ce que le plat soit vide. Puis elle but. Pour finir, elle prit sa pipe, qu'il avait bourrée et allumée.

Tous deux se réfugièrent alors dans leurs propres pensées. Le clapotis de la pluie sur la toile assourdissait les bruits du campement. Des hommes riaient; d'autres chantaient. Alexander put distinguer la voix tonitruante de Munro récitant des vers. Peu à peu, le brouhaha diminua, jusqu'à ne devenir qu'un murmure. Même les coups de feu des tireurs embusqués avaient cessé. Alors, ce fut le silence complet. Un archet se mit à caresser timidement les cordes d'un violon; une voix s'éleva dans une suave arabesque musicale.

— *Lìon deoch-slàinte Theàrlaich, a mheirlich! Stràic a'chuach! B'ì siod an ìocshlàint' àluinn, dh'ath-bheòthaicheadh mo chàileachd, ged a bhiodh am bàs orm, gun neart, gun àgh, gun tuar. Rìgh nan dùl a chur do chàbhlaich oirnn thar sàl ri luas*[48]!

Alexander baissa les paupières. Combien de fois, assis autour d'un feu de camp avec ses compagnons aux visages hâves et barbus, avait-il entendu ce poème bouleversant lors de la campagne de 1745? La nostalgie le gagnant, il murmura les vers:

— Oh! Montez ces voiles... solides, sûres et blanches comme

---

48. Remplissez un verre pour Charlie, mon ami! Remplissez-le bien! Ce sublime élixir ravivera ma nature entière, moi qui fus aux portes de la mort, si faible, si triste et pâle. Le dieu des éléments pousse son vaisseau vers nous par-dessus les mers!

neige… au puissant mât de pin… pour traverser l'océan qui murmure… Éole fait la promesse… d'une brise constante venant de l'est…

— … pour souffler… et Neptune, loyal, calmera les mers écumantes…

La voix de Leticia, douce comme une brise, s'était jointe à la sienne. La jeune femme le regardait à travers un nuage de fumée. Il crut voir un mince sourire se dessiner sur ses lèvres.

— Tu connais?

— Le *Chant des clans*[49]… Oui, je connais. Qui ne connaît pas cet appel aux clans hésitant à défendre la cause des Stuarts, lors du dernier soulèvement? Munro ne manque pas d'audace. Réciter un poème jacobite dans un camp anglais… Cela pourrait lui valoir la corde…

L'évocation du soulèvement plongea Alexander dans ses souvenirs. Ses yeux se fermèrent de nouveau. Des images défilèrent derrière ses paupières. Tant de souffrance et de colère refoulées… Un flot de sentiments douloureux le submergea, s'infiltrant dans chaque fibre de son corps, lui faisant revivre ce moment de sa vie qu'il cherchait tant à oublier…

Un grésil tombait sur la plaine de Drummossie Moor, couvrant les bérets bleus des hommes de clans. Les rangs étaient formés depuis une heure. Alexander remarqua que les Macdonald constituaient l'aile gauche, et non pas la droite. Il devinait le dépit que devaient ressentir son père et ses frères. Par tradition, les Macdonald étaient toujours à droite. Depuis Bannockburn, depuis toujours. Pourquoi, en un moment si important, étaient-ils placés à gauche? Ni John ni Coll ne pouvaient lui répondre; ils étaient aussi estomaqués que lui. Cela n'augurait rien de bon…

Ils étaient cachés dans les hautes herbes, en bordure de la plaine marécageuse. Transis, les guerriers sautillaient d'un pied sur l'autre pour tenter de se réchauffer. Près d'eux, un groupe d'habitants curieux entonnait le vingtième psaume, prière pour le roi: « Yahvé, sauve le roi, réponds-nous au jour de notre appel… »

Les guerriers avaient jeté leurs plaids à terre; le vent faisait claquer leurs kilts sur leurs cuisses. L'écho de la cornemuse emplissait la plaine. Mais le soleil n'était pas là pour faire étinceler l'acier des larges épées à deux tranchants. Il fuyait l'horreur qui allait suivre. Le ciel était très sombre; les nuages si bas qu'Alexander avait l'impression de pouvoir les toucher. Il aurait tant souhaité être avec les autres…

---

49. Poème lyrique écrit par Alexander Macdonald, peu avant le soulèvement écossais de 1745. Ne pas confondre cet auteur avec le personnage du récit.

Devant, on pouvait distinguer une mince ligne rouge: les troupes an-
glaises. Les cornemuses vibraient avec exaltation; les Highlanders criaient
leurs devises guerrières comme un chant glorieux. Mais tout sonnait faux.
La ligne rouge s'étirait en suivant les battements des tambours. Il y avait
beaucoup de canons anglais... pleins, prêts à vomir la mort sur des milliers
d'hommes... pour un roi.

Alexander n'avait pas vu Leticia s'approcher de lui. Il tressaillit
lorsqu'elle lui frôla la joue.

— Pourquoi pleures-tu?

— Je ne pleure pas.

Il se détourna si vivement qu'elle sursauta. Il s'en voulait d'avoir
offert un si piètre spectacle à une femme qui avait besoin d'être
consolée.

— Si, tu pleures!

Elle lui essuya une larme et lui montra ses doigts humides. Puis
elle s'assit près de lui et lui offrit sa pipe.

— Je sais qu'il y a autre chose que la mort d'Evan qui t'attriste.
Raconte-moi.

— Il n'y a rien à raconter, grogna-t-il entre ses dents.

— Ne te moque pas de moi, Alex. Je ne le supporterai pas... pas
aujourd'hui.

Il lui rendit la pipe. L'odeur âcre du tabac se diffusait dans l'air;
la fumée piquait les yeux.

— Des souvenirs... Culloden. Tu connais l'histoire.

— Hum... tu y étais?

— Oui.

— Tu devais être très jeune à l'époque.

— Quatorze ans, je crois.

— Tu as assisté à la bataille?

— Oui.

Le tonnerre grondait, faisant vibrer la terre. Le ciel crachait sur les
impies, pleurait sur les innocents. La mort pleuvait sur eux tous. John,
Coll et lui, Alexander, assistaient, impuissants, à la canonnade qui déchi-
quetait les espoirs d'un peuple, amputait les clans. Ils étaient immobiles,
figés par l'horreur, insensibles au grésil qui s'accumulait sur eux, tel un
mince linceul.

« Écouvillon! » « Poudre! » « Refoulez! » « Chargez! » « Bour-
rez! » « Prêt! » « Feu! » Les artilleurs anglais chantaient à tue-tête le
chant du cygne des clans. Les cris et les plaintes des mourants s'élevaient
du champ de bataille. Même l'imagination la plus débordante n'aurait pu

décrire l'ampleur du massacre qui se déroulait derrière cet écran de fumée qui brûlait les yeux et les poumons.

Le vent soufflait toujours. Il perça l'écran, le déchira. Le spectacle qui s'offrit alors aux garçons glaça Alexander jusqu'aux os. Des tas de chair et de tartans couvraient le sol fangeux. Il en perdit le souffle. Dès lors, une seule pensée occupa son esprit: sauver son peuple, son clan, son père...

Munro récitait toujours ses vers en gaélique, le *Chant des clans* pour un roi, le roi pour lequel ils avaient été massacrés et avaient perdu leur liberté. Ironiquement, un grand nombre des soldats qui formaient le régiment des Highlanders étaient des rebelles de 1745. Certains avaient connu les prisons d'Inverness, de Stirling, d'Édimbourg, de Carlisle, de Southwark, d'York, de Lancaster... Tout comme lui, ils avaient survécu. Mais une partie d'eux-mêmes était morte dans ces sordides endroits. Enfin... le croyait-il.

Aujourd'hui, ces officiers, ces simples soldats serreraient la main qui avait pris leur âme. Le *Chant des clans*... La dernière fois qu'il l'avait entendu, c'était quelques jours avant le massacre de Culloden. Il avait redonné courage aux hommes qui avançaient vers la mort. Le chanter ce soir, c'était faire un pied de nez aux Anglais... qui ne pouvaient comprendre le gaélique.

Alexander entendit des hommes discuter tout près. Il reconnut la voix nasillarde du brigadier Monckton et celle, plus grave, du caporal Simon Fraser.

— Ce discours me semble bien solennel, mon ami. Que dit cet homme? Je ne comprends pas un traître mot de ce qu'il raconte.

Il y eut un court silence, pendant lequel Fraser devait réfléchir à la réponse qu'il allait offrir, sans dire la vérité ni mentir.

— Monsieur, cet homme exhorte les siens à défendre un roi.

— Hum... vraiment? Vous le connaissez?

— Euh... le roi?

— Non, l'homme.

— Oui, monsieur. Il fait partie de ma compagnie, monsieur.

— Son nom?

— Euh... Munro MacPhail, monsieur. Il est un peu... particulier. Mais c'est un bon soldat.

— MacPhail, vous dites? Hum... Je crois me souvenir d'une anecdote plutôt amusante à son sujet. Vous lui donnerez à boire, caporal Fraser. Qu'il boive à la santé du roi, et à la mienne.

— Oui, monsieur. Bonsoir, monsieur.

Alexander et Leticia entendirent Monckton s'éloigner et Fraser pester contre la témérité de Munro.

— Je me demande si Monckton aurait donné à boire à Munro s'il savait à quel roi le poème est dédié, chuchota Alexander en se retenant de rire.

Leticia esquissa un sourire et se blottit tout contre lui.

— J'en doute.

Elle posa sa tête sur son épaule. Cela le rendit nerveux. Ils pouvaient se faire surprendre. Enfin! Qu'à cela ne tienne! Ils écoutèrent ensemble en silence les derniers vers du chant.

— Merci, murmura la jeune femme lorsque la voix de Munro se tut. Merci d'être là pour moi.

Alexander pencha la tête et caressa la chevelure avec sa joue en fermant les yeux.

— Ça va, MacCallum.

***

Alexander appelait son père, hurlait de désespoir. Ses poumons, déjà brûlés par la poudre, le faisaient atrocement souffrir. Sa voix ne portait plus.

Il y avait tant de morts et de blessés. Les canons crachaient inlassablement, sans merci. On voulait exterminer leur race.

Tandis qu'il courait, des mains essayaient d'agripper son plaid. Mais il ne pouvait rien pour ces hommes à terre. Son père se penchait déjà sur James, couvert de boue et de sang. Son frère, mort!

– Vengeance! Fraoch Eilean! hurla Alexander en courant vers la ligne rouge. Je vous aurai tous, bande de chiens! Je vous tuerai tous!

– Non, Alas!

La voix de John le fit se retourner.

– Alas! Alas! Tu es stupide! Reviens! Tu es fou de courir là-bas!

– Je ne suis pas un lâche!

– Alas! Non! Père a dit...

– Je me fous de ce qu'il a dit, je dois les aider!

– Quelle tête de cochon tu as! Tu feras mourir notre père! Il ne te le pardonnera jamais, et moi non plus. Tu ne comprends donc pas? Alasdair, c'est fini! Tout est terminé, il faut battre en retraite!

Mais Alexander avait déjà tourné les talons et se dirigeait vers le bataillon anglais.

– Fraoch Eilean!

Il entendait les cris désespérés de son père. Il y eut une nouvelle mitraille, et ce fut l'horreur. Les Habits rouges fondaient sur les hommes de son clan qui fuyaient. Les baïonnettes plongeaient dans les plaids, indifférentes aux couleurs qu'elles déchiraient. Il tourna la tête; son père avait disparu. Il hurla. John, curieusement, était toujours derrière lui. Les traits déformés par la rage, il pointait un mousquet dans sa direction.

Il stoppa net, incrédule. Mais que faisait-il? Terrifié, il reprit néanmoins sa course vers les hommes de son clan, vers son père. Le mousquet émit un claquement sinistre. Une douleur atroce lui transperça le cœur en même temps que le corps. Son frère avait tiré sur lui... son frère John... sa moitié... Pourquoi? Il revit vaguement le visage horrifié de son père se perdre dans la fumée. Tout devenait confus. John était penché sur lui, lui parlait. Mais il n'entendait rien tellement ses oreilles et sa tête bourdonnaient...

Alexander poussa un cri étouffé. Les mains pleines d'herbe, haletant, il ouvrit grands les yeux sur l'épaisse obscurité. Bon Dieu! Combien de fois avait-il fait et refait ce rêve? Beaucoup trop souvent. Ses souvenirs, les images du passé le tourmentaient sans répit. Était-ce un message divin? Il avait évité John du mieux qu'il avait pu depuis leur rencontre sur le *Martello*. Il était peut-être temps pour lui, maintenant, d'affronter son frère et de régler cette affaire une fois pour toutes. Si le sang devait couler de nouveau, ce serait son propre sang. Il ne pourrait vivre avec la mort de son frère sur la conscience. Cela serait comme s'il était lui-même mort. John, lui, pouvait-il vivre avec ce poids?

Il sentit une présence près de lui. Une main, trop légère pour être celle d'un homme, se posa sur sa poitrine qui se soulevait à un rythme saccadé.

— MacCallum?

— *Tuch...* Alex... C'est fini.

La jeune femme caressa sa joue, sa mâchoire, ses cheveux. Alexander se disait qu'il devait arrêter cette main si douce qui, bien qu'elle fît s'envoler ses horribles souvenirs, suscitait en lui tant d'émotions. Ce n'était pas convenable. Evan venait d'être tué. Il ne devait pas la laisser faire. Mais son corps ne bougeait pas, et les doigts de Leticia continuaient d'attiser son désir... que l'obscurité masquait, à son grand soulagement.

— Tu as encore fait un cauchemar, Alex, lui murmura-t-elle à l'oreille.

— Oui...

— Je t'ai souvent entendu répéter les mêmes mots lorsque tu rêves. Tu appelles ton père.

— Mon père... Oh! Je suis désolé! Je ne voulais pas te réveiller.

— Ne t'en fais pas. Tu crois peut-être être le seul à crier, la nuit? Ici, c'est chacun son tour. D'ailleurs, je ne dormais pas...

Elle se tut. Alexander attendit, croyant qu'elle allait regagner sa couche. Mais elle restait là, pelotonnée contre lui. Le contact opérait sa magie. Sa respiration avait repris son rythme régulier, mais le sommeil le fuyait désormais. Il se concentra sur le silence pour se calmer, oublier son trouble.

Dans l'obscurité, les sons se détachaient les uns des autres : le ronflement de Munro; les cris de quelques oiseaux nocturnes qui se répondaient; les aboiements d'un chien dans le lointain; les coassements des batraciens dans un marais avoisinant; enfin, la respiration de Leticia dans son cou...

Un instant, il se rappela ces nuits où, enfant, il n'arrivait pas à dormir. Les bruits familiers le réconfortaient alors : le ronflement de son père; la respiration de John, près de lui; celle, sibilante, de sa mère... Il se crut dans sa vallée, et son cœur se serra. Sa mère lui manquait...

Sa poitrine se souleva brusquement, et il retint un soupir. Leticia, qui avait posé sa tête sur son épaule, la redressa légèrement. Bien qu'il ne pût la voir, il savait qu'elle le scrutait dans l'obscurité.

— Alex?

— Ça va.

Après un court moment, elle remua et se hissa sur lui. Une caresse sur ses lèvres. Il n'osa bouger. Puis une autre... À contrecœur, il la repoussa doucement.

— Leticia, il ne faut pas.

— J'ai besoin de toi, Alex.

— Je sais, mais pas comme ça.

— J'ai besoin de toi... insista-t-elle en se pressant contre lui.

— Leticia, non...

Elle posait à nouveau ses lèvres sur les siennes. Son corps, qui réagissait aux caresses, se moquait bien de sa raison. Il tenta de refouler la violente pulsion qui lui embrasait le bas-ventre. Mais Leticia ne l'aidait en rien. Sa langue s'enroulait autour de la sienne. Elle faisait courir ses doigts dans ses cheveux, sur sa nuque, sur sa poitrine... Tout à coup, il la fit basculer sur le dos et la couvrit de son corps. Elle soupira, s'arqua et ouvrit ses cuisses. Elle n'avait que sa chemise et avait retiré les bandelettes qui écrasaient sa poitrine. Conscient qu'ils n'étaient pas seuls dans la tente, il réprima un gémissement, s'écarta.

— Leticia... Oh, non! Il ne faut pas!

— J'ai besoin de toi, Alex. Je t'aime...

— Ne dis pas cela. C'est Evan que tu aimes.

— Je t'aime, Alex... comme j'aime toujours Evan. Ne me demande pas d'expliquer... C'est comme ça.

— Leticia, c'est mal...

Mais, résolue, elle glissa une main entre leurs corps tendus et le guida en elle. Il étouffa un autre gémissement en se mordant la lèvre. Il se mettait à douter de ce qui lui arrivait. Rêvait-il encore? Pourtant, les sensations qu'il éprouvait étaient bien réelles et le corps qu'il caressait et s'apprêtait à prendre l'était tout autant.

Leticia pressa fortement son bassin contre le sien, le pressant de s'unir à elle sans délai. Ce qu'il fit. La jouissance vint trop rapidement, mais elle fut intense. Pantelant, Alexander se laissa choir sur la jeune femme, enfouissant son visage dans sa chevelure. Il était profondément bouleversé. L'image du corps d'Evan lui revint avec toute son horreur. Il essaya de la chasser, en vain. Evan le hantait; lui, son ami, lui avait pris sa femme alors que son corps ne s'était même pas encore refroidi. Oh, Leticia... pourquoi?

***

Le tambour résonnait dans la tête d'Alexander comme un lointain grondement de tonnerre. Le jeune homme ouvrit péniblement un œil; il faisait sombre. L'humidité de sa chemise était désagréable; la laine de son plaid était irritante. Il jura contre le mauvais temps. Il pleuvait légèrement, ce qui rendrait plus ardue la construction des redoutes et des batteries commandées par Wolfe.

Après s'être frotté les yeux, il se laissa rouler sur le dos. Les bruits familiers du campement lui parvenaient : les soldats qui couraient autour de la tente, les marmitons qui se plaignaient, les officiers qui houspillaient leurs ordonnances... Une vache tenta de ramener un peu d'ordre dans tout ce brouhaha en meuglant. Mais cela ne fit que provoquer une querelle entre deux soldats quant à savoir qui allait la traire. Progressivement, tout s'animait autour de la tente. De même, les événements de la veille lui revinrent à l'esprit : Leticia...

Ils s'étaient endormis l'un contre l'autre... Brusquement, il se redressa pour s'asseoir, la cherchant. Elle était là, sur la couche d'Evan. Habillée de pied en cap, les cheveux coiffés en queue de cheval, elle le regardait. Rien dans son expression ne trahissait ses pensées. Mal à l'aise, il jeta un regard circulaire autour de lui. Munro, toujours allongé, leur tournait le dos et maugréait. Finlay Gordon, lui, était déjà sorti.

— J'ai passé la nuit ici, chuchota la jeune femme, devinant ses craintes.

Elle avait fait l'amour avec lui, mais elle avait dormi avec Evan. Alexander déglutit et hocha la tête.

— Oui, je comprends... C'est mieux comme ça.

Elle replia ses genoux sous son menton. Le kilt glissa, découvrant la peau pâle de ses cuisses musclées. « Elle devrait être plus prudente! pensa-t-il. Un homme ne se tient jamais ainsi! » Comment avait-elle pu berner les hommes de la compagnie pendant si longtemps? D'accord, il était normal, pour un garçon de dix-sept ans qui s'engage, d'être imberbe et d'avoir des traits délicats. Quant aux rondeurs des hanches, le kilt les dissimulait. Cependant, deux années s'étaient écoulées depuis son engagement. Or ses joues et ses jambes restaient désespérément lisses. Il y avait de quoi semer le doute dans l'esprit des autres soldats.

Alexander se rendait compte que la jeune femme devait quitter l'armée le plus rapidement possible. Il n'osait imaginer l'humiliation qu'elle devrait subir si elle était démasquée. Les officiers ne manqueraient pas de lui faire payer sa fourberie au centuple. Qu'adviendrait-il d'elle ensuite, lorsqu'elle aurait déserté?

Il possédait un peu d'argent et pourrait toujours gagner quelques shillings supplémentaires aux cartes. Il lui donnerait son petit pécule. Il faudrait aussi mettre de côté des vivres pour elle... en voler, même, si c'était nécessaire.

— Macdonald! rugit une voix.

Alexander sursauta. La toile de la tente se souleva, laissant apparaître le visage fraîchement rasé du sergent Campbell. Le jeune homme se raidit.

— Oui, sergent?

— Le lieutenant Campbell de Glenlyon veut vous voir immédiatement. Vous le trouverez sur le site de construction des batteries.

— Tout de suite, monsieur.

Le sergent allait repartir lorsqu'il aperçut Leticia assise dans une position étrange pour un rustre soldat. Sa bouche s'étira en un sourire moqueur et ses yeux se fermèrent à demi sur un regard pénétrant et vivement intéressé.

— Allons, soldat MacCallum, ne faites pas cette tête-là! Vous vous trouverez un autre protecteur bien assez vite, vous verrez.

Il rit, puis disparut. Alexander fixa l'entrée pour éviter de regarder Leticia, qu'il entendait bouger et grogner. La pluie pianotait sur la toile et le tonnerre grondait.

— Quel imbécile!

Munro éclata de rire.

— Hé, MacCallum, tu es trop gentille!

— « Gentil », Munro, je suis « gentil »! Souviens-t'en.

Une pluie fine tombait. Alexander, aussi droit qu'un piquet, attendait que le lieutenant daigne lui adresser la parole. Pour le moment, l'officier était occupé à donner ses instructions aux caporaux Ross et Fraser. Pour passer le temps, il laissa son regard errer sur la rive nord du fleuve, qui lui faisait face. Il voyait ce qu'il avait entendu appeler les « Hauteurs » de Québec. Cela ressemblait à un plateau tout en haut d'une falaise qui lui parut infranchissable. De la ville, confortablement sise sur son trône de roc, émergeaient plusieurs clochers. Il se demanda comment le général Wolfe avait prévu de prendre cet endroit plutôt difficile d'accès. L'Angleterre n'avait-elle pas déjà échoué, par deux fois, dans cette entreprise ? Quand cela avait-il eu lieu ? La première fois, c'était peut-être vers la fin du XVIIe siècle, lors de l'expédition de Phips. Le gouverneur de l'époque, Frontenac, avait, disait-on, cavalièrement renvoyé l'Anglais chez lui. La deuxième fois, ce devait être autour de l'an... Bah ! Qu'en avait-il à faire, de toute façon ? C'était du passé, maintenant.

— *Delenda Carthago*[50] ou c'en est fait de nous !

— Oui, monsieur ! répondit Alexander en sursautant.

— Quelle ville magnifique, n'est-ce pas ? Une forteresse naturelle. Que Dieu nous vienne en aide si nous retournons bredouilles en Angleterre...

— Oui, monsieur.

— Dommage que Wolfe ait choisi de la détruire avant de la conquérir...

— Oui, monsieur.

Il y eut un silence. La pluie créait un voile grisâtre devant le paysage, le rendant terne et triste. Alexander se rappela le spectacle qu'offrait Québec sous le soleil. La veille, il avait eu tout le loisir de l'admirer depuis la chaloupe qui lui faisait traverser le fleuve jusqu'à Beaumont. Il ne put s'empêcher de se demander pourquoi les Anglais avaient cette manie de bâtir leur empire sur des cimetières.

Son regard se porta malgré lui sur Archie Campbell. Il se reprit : « On ne regarde jamais un officier dans les yeux lorsqu'il s'adresse à nous... »

— Rompez !

Rompre ? L'avait-il fait venir jusqu'ici uniquement pour lui faire part de son opinion personnelle sur les ordres de Wolfe ? Il resta immobile, le visage de marbre.

— C'est un ordre, Macdonald !

---

50. Il faut détruire Carthage.

— Oui, monsieur.

Sans plus attendre, il pivota sur ses talons et commença à gravir le sentier qui menait au chantier. La voix de son lieutenant retentit derechef.

— Où allez-vous donc comme cela? Croyez-vous que je vous ai fait appeler pour admirer le paysage?

Le jeune homme s'arrêta net et se retourna vers Archie, qui avait un sourire en coin.

— Non, monsieur.

— Vous m'appeliez Archie Roy, à la maison, Alex... Nous avions l'habitude de jouer ensemble.

— Je crois que ce ne serait pas convenable dans les circonstances... Et puis, je ne suis plus un gamin de cinq ans.

Malgré les liens qui les unissaient jadis, Alexander se devait de garder une certaine distance avec Archie. Parent ou non, l'homme demeurait son lieutenant. Or, dans l'armée, manquer de respect à son supérieur pouvait coûter très cher. Archie lui souriait avec affabilité.

— En effet. Mais je suis toujours votre oncle... et votre ami.

Il lança un regard autour d'eux et revint vers Alexander.

— Lorsque nous serons seuls, Archie sera tout à fait convenable.

— Mais vous serez toujours mon lieutenant, et...

— Faites-moi oublier cette guerre, Alex, ne serait-ce que l'espace de quelques minutes, voulez-vous?

La lassitude se lisait sur les traits de son oncle. « Jeune Archie », comme l'appelait toujours affectueusement son grand-père John, était né d'un second mariage, plutôt tardif, avec Catharine Smith. De trois ans son aîné seulement, Archie le considérait un peu comme un petit frère. Lors de son séjour forcé en Glenlyon, ils étaient tous deux inséparables.

Quand Alexander avait été renvoyé à Glencoe, parmi les siens, à la demande de ses parents, les liens avaient été coupés. Mais Archie s'était arrangé pour que leurs chemins se croisent à nouveau, à l'occasion. Il traversait parfois la vallée de Glencoe pour se rendre au fort William. Curieusement, malgré l'éloignement des siens difficile à supporter, Alexander regrettait ces années passées dans la famille Campbell. Son retour dans la vallée de Glencoe n'avait pas été facile à vivre. Il ne s'y était jamais senti vraiment accepté à part entière. C'était comme si on pensait qu'il avait été « contaminé » par les Campbell. Pourtant, par leur mère qui était une Campbell, ses frères et sœurs avaient, tout comme lui, du sang Campbell dans leurs veines, avec celui des Macdonald.

Sa mère, Marion Campbell, avait dû se tailler une place au sein du clan Macdonald. Lui, fils d'un Macdonald, avait dû faire de même chez les Campbell. Aujourd'hui, il lui semblait qu'il n'avait de place nulle part. Quelle ironie! Marion avait donné à ses deux fils jumeaux les noms des chefs de clan dont ils étaient issus: John Campbell de Glenlyon et Alexander MacIain Macdonald. Était-ce symbolique ou espérait-elle, ce faisant, déjouer le destin? Malheureusement, le destin se moquait bien de ceux qui cherchaient à le modeler.

— Où en est votre relation avec vos frères, Alexander?

— Euh... mes frères, monsieur? bafouilla le jeune homme, ne sachant exactement où son oncle voulait en venir.

— John et Coll... Vous vous entendez bien avec eux?

Alexander baissa les yeux pour éviter de rencontrer ceux de son interlocuteur qui lui rappelaient tant sa mère. Archie était comme une version masculine de Marion. Chaque fois qu'Alexander le croisait, il était torturé par son sourire.

— Avec Coll, ça peut aller.

— Mais pas avec votre frère jumeau?

— Pas vraiment, non.

— Vous lui avez parlé, hier?

— Non. Je ne l'ai pas vu depuis la bataille de l'église.

Les mains dans le dos, Archie arpentait le terrain rocailleux en fixant le sol. Alexander sentit que quelque chose le tracassait. John avait-il commis une bévue? Archie ôta son tricorne et prit le temps de le vider de son eau avant de le visser de nouveau sur sa tête.

— Le capitaine Montgomery m'a rapporté que personne ne l'a vu depuis cette bataille, Alexander... Je crains qu'il n'ait été fait prisonnier par les miliciens canadiens ou bien... qu'il ait déserté.

— Quoi? Déserté?

— C'est que personne n'a vu votre frère se faire prendre, précisa l'officier avec embarras. Il s'est tout simplement envolé dans la nature, comme ça, dit-il en claquant des doigts. Peut-être vous a-t-il parlé de quelque chose qui pourrait...

— John ne ferait jamais cela! Pour lui, l'honneur passe avant sa vie. Je le connais assez bien pour...

Il s'interrompit brusquement, prenant conscience qu'en réalité il ne le connaissait pas aussi bien qu'il le croyait. Certes, tous deux étaient des jumeaux identiques. Mais ils étaient si différents de caractère et de comportement. En aurait-il été autrement si lui n'avait pas été envoyé en Glenlyon? Avant leur séparation, chacun d'eux devinait les pensées de l'autre et anticipait ses réactions. Ils n'avaient pas besoin de mots pour se comprendre.

— Bon... conclut Archie, gêné. Je voulais vous l'apprendre avant que les autres ne le fassent. Aujourd'hui, vous partez avec un détachement conduit par le sergent Roderick Campbell...

Alexander ne put s'empêcher de pincer les lèvres, mais il ne se laissa aller à aucun commentaire. Pourvu que Roderick Campbell lui fiche la paix!

— Nous avons besoin de vivres... Les trains de ravitaillement ne sont pas encore arrivés, et il ne nous reste que dix-huit porcs, vingt-sept vaches et moutons, et une trentaine de volailles. Les rangers de Scott nous ont appris qu'il y avait plusieurs fermes dans les environs. Certaines ont été désertées; d'autres sont habitées par des personnes âgées. Mis à part les miliciens, vous ne devriez rencontrer aucune opposition. Vous emporterez tout ce qui peut nous être utile.

Archie fit un petit sourire.

— Seulement, Alex, tâchez de vous en tenir aux Sauvages et à ceux qui s'habillent comme eux pour vos scalps... Personne ne doit toucher aux femmes et aux enfants. C'est un ordre de Wolfe. Est-ce clair?

— Très clair.

Le sourire disparut.

— Je suis désolé pour Evan Cameron. C'était un vaillant soldat. On m'a remis ses effets...

— Puis-je vous demander une faveur... Archie?

— Je vous écoute.

Alexander hésita.

— Evan possédait un médaillon en or, contenant un portrait...

— Oui, je l'ai en ma possession.

— Je... j'aimerais l'avoir.

Le regard interrogatif d'Archie se posa sur lui.

— Pour quelle raison voulez-vous ce médaillon, Alex?

— C'est personnel.

— Il me faut une bonne raison pour que je déroge au règlement, mon ami. Vous n'êtes pas de la famille...

Alexander ne savait comment expliquer pourquoi il demandait le médaillon : « C'est pour le remettre au soldat MacCallum, son épouse, la dame peinte dessus. » Tout à coup, un argument lui passa par la tête.

— Je connais la femme du portrait. C'est une amie commune, qui m'est très chère...

— Hum... je verrai, Alex. Allez préparer vos affaires, vous partez dans une heure.

— Oui, monsieur.

Il claqua des talons et fit un bref salut de la tête.

— Une dernière chose...

— Oui, monsieur?

— Je vous interrogeais sur votre relation avec vos frères pour une deuxième raison : Coll a changé de compagnie. Le capitaine Macdonald, suivant ma suggestion, l'a pris dans la nôtre. Je préfère vous en avertir avant que vous retourniez là-bas.

Archie attendit la réaction d'Alexander, qui tardait à venir.

— Dois-je vous remercier, monsieur?

— J'avais cru comprendre que... je...

Archie fronçait les sourcils. Alexander se détourna. Vers la frange dentelée que formaient les maisons de Québec, sous le cap Diamant, quelques navires étaient ancrés en rade. Il emplit ses poumons d'air et expira lentement. La nouvelle l'avait pris de court. C'était si subit. Certes, avec Coll, ça allait mieux. Mais il ne voulait pas brusquer les choses. Douze années d'éloignement et d'amertume ne s'effaçaient pas si rapidement. Cependant, Coll faisait beaucoup d'efforts pour se rapprocher de lui...

— Je vous remercie, Archie... Sincèrement.

***

Le sol humide étouffait le bruit des pas. Les Brown Bess, bien entretenus, brillaient dans la lumière diffuse. Le soleil cherchait à percer le voile laiteux qui persistait. La chaleur était suffocante et les vêtements mouillés irritaient la peau.

La journée, quoique éreintante, s'était plutôt bien déroulée : deux escarmouches sans conséquence et quelques tirs isolés. Le seul soldat blessé souffrait d'une légère entorse à la cheville. Le butin était intéressant : sept vaches, un veau, quatre porcs, huit porcelets, une vingtaine de poules et quantité de vivres entassés dans une charrette « empruntée » tirée par un bœuf. À cela s'ajoutaient quelques meubles que les officiers ne pourraient qu'apprécier, des ustensiles de cuisine, des outils et un violon. Duncan MacCraw voulait emporter un écureuil dans une cage. Mais le sergent Campbell le lui avait interdit... « à moins que ce ne fût pour un ragoût ». MacCraw avait donc laissé la cage.

Alexander avait profité d'une occasion pour prendre secrètement sa part du butin. Le sergent l'avait envoyé à l'étage d'une fermette pendant que lui-même s'occupait des réserves au rez-de-chaussée. Dans l'unique pièce qui servait de chambre, sous les combles, Alexander était tombé sur un coffre de cèdre renfermant des vêtements de femme. N'en voyant pas immédiatement l'utilité, il se préparait à redescendre lorsqu'une image s'était imposée à lui : Leticia en jupons. Il avait alors regardé le coffre avec un intérêt nouveau. Des vêtements pour Leticia... La jeune femme arriverait plus facilement à déserter si elle portait des vêtements féminins. La milice ne tirerait pas sur une femme... Il avait donc hâtivement enfoui quelques morceaux dans son havresac. Il avait hâte de lui montrer sa trouvaille...

Le détachement retournait lentement au campement. Munro, de sa voix de stentor, chantait une ballade de son cru. Les autres l'accompagnaient joyeusement. Leticia marchait d'un pas allègre devant Alexander. Son postérieur se balançait délicieusement au rythme de sa foulée, faisant voler les pans de son kilt. Le jeune homme dut se faire violence pour regarder ailleurs et réprimer ses pulsions. La voix de Munro résonnait :

— *Cailin mo rùin-sa is leannan mo ghràidh... ainnir mi chridhh-sa's i cuspair mo dhàin. Tha m'inntinn làn sòlais bhi tilleadh gun dàil, gu cailin mo rùin-sa is leannan mo ghràidh*[51]...

Ah ! Ce qu'il avait envie de lui murmurer ces paroles... Tandis que ses pensées oscillaient entre la concupiscence et le remords, il vit John Macleod se détacher de la colonne en courant vers la lisière des bois, une main sur sa vessie. Le sergent Campbell lui ordonna de revenir sur-le-champ en pointant son arme sur lui. Après l'annonce de deux nouvelles désertions, les officiers avaient eu pour ordre de bien tenir à l'œil leurs hommes.

— Ne vous en faites pas, sergent, je vais juste pisser...

Quelques rires gras accueillirent la réplique. La cadence ralentit, jusqu'à ce qu'on s'arrête. Campbell surveillait son homme qui arrosait la campagne en sifflotant. Brusquement, le soldat se tut.

— Sergent, il y a... quelque chose !

Alexander empoigna son fusil et l'arma. Sur l'ordre de Campbell, les hommes se resserrèrent. S'attendant à voir surgir des bois une bande de Sauvages, tous se tenaient prêts à tirer. Macleod fit quelques pas vers sa droite et s'immobilisa. Les poules caquetaient ; une vache meugla.

— Qu'est-ce qui se passe, Macleod ? hurla le sergent.

Tout le monde s'était arrêté de respirer, la peur au ventre. Macleod se pencha.

---

51. Ma chérie, à moi serez-vous, toute dévouée, modeste et douce ? Mon cœur pour vous s'emplit de désir et d'envie ; ma chérie, près de moi, venez, ma fidélité vous aurez...

— Macleod! Qu'est-ce que c'est?

— Oh, bon Dieu! Sergent! Sergent! C'est un de nos gars! C'est un des nôtres!

Le soldat sortit du fourré et revint en courant vers le groupe, épouvanté. Leticia lança un regard inquiet à Alexander. Campbell se précipita avec deux autres hommes, armes en avant, vers l'endroit où se trouvait Macleod quelques secondes plus tôt. Des cris d'horreur, des grossièretés firent se crisper d'appréhension l'estomac d'Alexander : John?

— Alex, non, n'y va pas!

Leticia le retenait; il se dégagea brusquement.

— Je dois savoir ce qui est arrivé à mon frère.

Le corps reposait sur le dos, le visage, ou ce qu'il en restait, tourné vers lui. Une partie de la chevelure avait disparu, et le crâne nu fourmillait d'insectes. Les corbeaux avaient déjà picoré les yeux et le nez. De la bouche, restée ouverte sur un dernier cri, entraient et sortaient une armée de mouches et de fourmis. L'odeur insupportable fit rebrousser chemin à Alexander. Malgré le terrible spectacle, le jeune homme était soulagé. Si le mort était méconnaissable, on pouvait conclure, à l'uniforme rouge qui était celui du régiment d'Amherst, que ce n'était pas John. Alexander commençait à souhaiter que son jumeau eût vraiment déserté.

Un mouvement dans les buissons attira son attention. Retenant son souffle, il tourna légèrement la tête de côté. Les branches des cornouillers frémirent, à peine. Les mains crispées sur son arme, il s'approcha de l'endroit. Il n'y avait plus de doute : quelqu'un se cachait là. Les buissons s'agitèrent et une silhouette en sortit en courant. Il s'élança à sa poursuite, retirant son poignard de sa gaine.

Sa course ne dura que quelques secondes. Arrivant à la hauteur de l'ennemi, il empoigna sa chevelure et tira violemment sa tête vers l'arrière. Un cri s'échappa de la gorge de son prisonnier et se perdit dans un horrible gargouillis. Haletant, encore sous le coup de la peur, Alexander laissa tomber le corps mou à ses pieds. Tandis qu'il se remettait, son esprit enregistrait ce qu'il voyait. Il poussa alors un gémissement.

— Oh, non!

La peau du mort était lisse et pâle. Les yeux marron bordés d'une longue frange de cils noirs le fixaient. Il frissonna. Un profond sentiment de dégoût l'envahit : il venait de tuer un garçon d'à peine douze ou treize ans...

— Il y en a un autre, là-bas! cria un soldat. Attrapez-moi ce...

Un cri déchira l'air. Alexander releva brusquement la tête et croisa le regard terrifié d'une jeune femme. D'un coup, elle retroussa ses jupes et déguerpit.

— Hé! Macdonald, cria le sergent en arrivant derrière lui, va me chercher cette petite gueuse!

Mais Alexander resta immobile, sourd à l'ordre qui lui était donné. L'odeur fade du sang de l'enfant lui montait à la tête. Campbell jura et se mit lui-même à la poursuite de la femme, qu'il rattrapa sans grande difficulté. La pauvre hurlait de terreur et se débattait comme une diablesse, ce qui attisait la fureur du sergent.

— Tu vas la fermer?!

La femme devint aussi muette qu'une tombe devant le regard menaçant. Campbell la poussa avec la pointe de sa baïonnette, la faisant tomber à terre. Puis il se mit à retrousser ses jupes, et elle cria. Une main sur sa bouche, l'autre sous ses vêtements, il riait.

Alexander assistait à la scène sans bouger. Tout à coup, il sursauta. Leticia avait posé une main sur son bras et le secouait.

— Ne le laisse pas faire, Alex! Arrête-le, bon sang!

Livide, les yeux agrandis par l'horreur, elle l'implorait. Il hésita. Que pouvait-il faire? Campbell était son supérieur. Il ne pouvait lui ordonner d'arrêter et encore moins lever la main sur lui. Les autres hommes regardaient le sergent violer la femme d'un air incertain.

— Alex! s'énerva Leticia.

— Que veux-tu que j'y fasse? répliqua-t-il sur un ton cassant.

Sa propre inertie le dégoûtait. Pour atténuer son sentiment de culpabilité, il continuait de se dire qu'il ne pouvait rien pour la fille. Au bout d'un moment, Leticia lâcha son bras et se dirigea d'un pas ferme vers la scène : sous le sergent qui s'agitait, la femme criait toujours et gigotait furieusement.

Leticia leva son fusil et visa le dos de l'officier. Voyant cela, Alexander réagit enfin et, d'un bond, fonça droit sur elle. De son bras, il donna un coup sur l'arme, qui vola dans les airs et atterrit dans les hautes herbes. Campbell poussait au même moment son cri de jouissance.

— Vous n'êtes qu'un salaud! siffla Leticia. Vous ne respectez pas les ordres qui sont de ne pas malmener les femmes et les enfants...

Roderick Campbell éclata de rire et se leva lentement en replaçant les pans de son kilt. Il toisa froidement Leticia.

— Elle est à vous, soldat MacCallum. Mais peut-être que les femmes vous laissent indifférent?

Leticia se raidit. Campbell scrutait ses traits, à la recherche d'une faille dans la carapace qu'elle tentait de se forger devant son attaque. Elle respira bruyamment et regarda la malheureuse qui gisait toujours dans l'herbe, recroquevillée et sanglotant. Le sergent suivit son regard et eut un sourire moqueur.

— Alors, elle ne vous plaît pas?

Leticia le foudroya du regard. Alexander avait raison. Ils ne pouvaient rien pour ces pauvres hères. Elle pivota sur ses talons, faisant voler son kilt autour d'elle. Campbell, laissant au passage ses yeux errer sous le tartan bouffant, se tourna alors vers Alexander:

— Et vous, Macdonald, vous n'en voulez pas?

Le jeune homme leva le menton et retint la réplique acerbe qui lui brûlait les lèvres.

— Pourtant, il n'y a pas si longtemps, vous ne vous en empêchiez pas. Elle n'est pas assez jolie, peut-être? C'est vrai que Kirsty était un joli brin de fille... Vous vous souvenez d'elle, n'est-ce pas, Macdonald?

Alexander se raidit. Campbell montra les cadavres du garçon et du soldat à quatre de ses hommes.

— Enterrez-moi ça!

Puis il revint à Alexander:

— Beau travail, soldat Macdonald! Je crois que nous allons pouvoir nous entendre: je n'ai rien vu de ce que vous avez fait, tout comme vous n'avez rien vu de mon... petit écart. Je ne veux pas avoir le colonel Fraser sur le dos, vous comprenez?

Paralysé par la stupeur, Alexander restait bouche bée. Le nom de Kirsty résonnait dans sa tête comme l'écho d'un affreux souvenir. Une crampe lui barra l'estomac. Comment Campbell pouvait-il savoir? Le sergent surplombait la jeune femme roulée en boule en affichant un profond mépris.

— Fichez-moi le camp et allez dire aux vôtres que... Oh! Putain de pays! Qui parle français ici?

— Moi, répondit le caporal Ross.

— Dites-lui que ceci n'est qu'un avant-goût de ce que nous leur réservons s'ils s'entêtent à s'en prendre à nos hommes...

Ross traduisit du mieux qu'il le pouvait, tout en adoucissant la menace. La femme ravala un sanglot et lui lança un regard haineux qui le fit frémir. Elle se leva en tremblant, tentant de remettre un semblant d'ordre dans sa tenue. Replaçant fièrement son bonnet sur sa tête, elle y enfouit une mèche qui pendait mollement sur son front.

Elle marmonna ensuite quelques mots qu'Alexander ne comprit pas, mais dont il devina le sens au ton qu'elle prit. Enfin, elle se sauva en courant dans les bois. Alexander déglutit. Il ne s'autorisa à bouger que lorsque son supérieur eut quitté les lieux de son abominable crime pour aller aider les autres à creuser.

***

Les soldats sortaient d'une maison, emportant tout ce qui pouvait être utile... ou bien être vendu. Encore trop bouleversé par le meurtre de l'enfant qu'il avait commis plus tôt dans la journée, Alexander préférait monter la garde à l'extérieur plutôt que de participer encore à la saisie des biens de ces pauvres habitants qu'il devinait cachés non loin. Le soleil se couchait, striant le ciel de rubans orangés et éclairant le paysage d'une douce lumière dorée. Devant la perspective d'un repas bien arrosé de rhum, les hommes devisaient joyeusement en entassant dans la charrette les précieuses denrées et les divers objets.

Le sergent donnait ses ordres : le bâtiment devait être brûlé. Alexander fronça les sourcils. Ne pouvait-on se contenter de piller, sans tout incendier ? Il soupira. La guerre était ce qu'elle était. La survie justifiait beaucoup de choses... Les cris des corbeaux du soir retentissaient au-dessus de lui. L'odeur âcre de la fumée lui emplit rapidement les poumons. Les flammes ne furent pas longues à venir lécher les murs de bois. Ils étaient tous en train de regarder la maison qui s'embrasait lorsqu'un cri leur parvint du brasier, étouffé par les crépitements. Le sang d'Alexander se figea dans ses veines. Le regard horrifié de Leticia et de ceux qui avaient entendu comme lui confirma sa crainte : quelqu'un était resté caché à l'intérieur...

Le cri retentit de nouveau, plus fort. Puis des pleurs de terreur s'élevèrent du cœur des flammes. Les hommes, affolés, cherchèrent alors à pénétrer dans la maison, mais en vain. La chaleur intense qui faisait éclater les fenêtres les repoussa avec force. Tous assistèrent ainsi, impuissants, à la mort injustifiée d'un ou de plusieurs innocents. Au bout d'un moment, les cris et les pleurs cessèrent. Un lourd silence empli de prières muettes et du ronflement du feu retomba sur eux. Alexander était accablé de tristesse : « Somme toute, je ne vaux pas mieux que ces fichus *Sassannachs*... »

***

Archibald Campbell s'entretenait avec l'enseigne MacQueen, de la compagnie de Cameron, lorsqu'Alexander pénétra dans la tente. L'officier, qui avait fait venir son neveu dès son retour au campement, lui fit signe d'attendre. Le jeune homme avait la tête encore pleine des cris et des images de femmes et d'enfants dévorés par les flammes. Heureusement, l'alcool atténuait un peu ses émotions.

D'un regard discret, il parcourut les lieux pour tromper ses angoisses. Un simple lit de camp, un peu étroit pour le gabarit d'Archie. Une chaise qui ne semblait pouvoir servir qu'à accueillir des vêtements. Une table de travail faite de planches posées sur des tréteaux. Divers papiers maintenus en place par des pierres recouvraient ce bureau. Dans un coin, une boîte de bois ouverte dévoilait les quelques objets personnels qu'elle contenait. Alexander reconnut parmi eux le médaillon d'Evan.

Lorsque le jeune homme tourna de nouveau la tête vers Archie, il s'aperçut que celui-ci était maintenant seul et le jaugeait.

— J'ai appris que vous aviez retrouvé le corps de Jonathan Hennery...

— Oui, monsieur.

— Le malheureux avait déserté. Aucune trace de votre frère?

— Non, monsieur.

Archibald inspira profondément en faisant la grimace et tourna le dos. Il avait enlevé sa perruque et l'avait fourrée dans sa poche. La queue de cheval, qui ressortait, se balançait mollement au gré de ses mouvements, comme la queue d'une fouine. Archie portait ses cheveux, d'un roux très clair, assez courts. La peau de sa nuque dégagée était marquée par le col de cuir, qu'il avait également retiré. Toujours de dos, l'homme fixait les rangées de tentes d'où s'élevaient des colonnes de fumée. Dans les marmites, le repas mijotait.

— Bon, je ne vous ai pas fait venir ici pour vous reparler de ça.

Il se retourna, une expression indéchiffrable sur le visage. Lentement, il ramassa le médaillon et le contempla en le faisant tourner entre ses doigts.

— Savez-vous si Cameron a encore de la famille en Écosse? Sinon, je serai dans l'obligation de distribuer ses effets aux hommes.

— De la... famille? Pas que je sache.

Alexander serra les lèvres. Archie surveillait ses réactions. Il devait donc être prudent.

— Et cette amie commune? continua le lieutenant d'une voix basse en lui montrant le portrait du médaillon. Son visage me semble familier. De quelle région des Highlands est-elle?

Le jeune homme ne répondit pas, gardant les yeux sur le médaillon pour éviter de croiser le regard inquisiteur.

— Hum... bon. Vous m'avez laissé entendre qu'elle vous était très chère...

— Euh... oui.

— Serait-il possible qu'il s'agisse de la femme de Cameron?

— Sa... femme?

— Nous avons trouvé une lettre sur Cameron. Il s'agit d'un genre de testament, puisqu'Evan y indique ses dernières volontés. Cela vous concerne...

Alexander leva des yeux éberlués vers son oncle. Son ami ne lui avait jamais parlé d'un testament.

— Le document est daté du 23 juillet 1758. Nous étions à Louisbourg, à ce moment-là, si je me souviens bien. Que vous soyez amoureux de la femme de Cameron m'importe peu, Alex. D'ailleurs, Evan ne devait pas voir d'un mauvais œil votre attachement pour sa femme, puisqu'il vous demande de l'épouser si jamais il venait à lui arriver quelque... fâcheux incident. Le testament est légalement valide, car il est signé par deux témoins qui peuvent encore en certifier l'authenticité. Bizarrement, Cameron ne donne pas le nom de son épouse. Cependant, je présume que vous la connaissez...

Tandis qu'Archie lui révélait le contenu de la lettre, Alexander sentait ses jambes fléchir. Épouser Leticia? Evan lui léguait sa femme? C'était ridicule! Pourquoi son ami ne lui avait-il jamais parlé de tout ça? Il se remémora alors le soir où Evan lui avait demandé s'il aimait Leticia. Il avait trouvé la question plutôt singulière. Maintenant seulement, il comprenait où il voulait en venir. Cependant...

— Je ne... peux pas faire ce qu'il demande, Archie.

— Évidemment que vous ne le pouvez pas, Alex.

Il lui tendit le médaillon.

— Vous pouvez le garder. Vous le rendrez à sa veuve à votre retour en Écosse.

— Merci, monsieur.

— Pour le reste... puisque nous n'avons aucune idée de l'endroit où nous pouvons envoyer tout ceci... et comme je sais que le soldat MacCallum était très... lié à Cameron... peut-être voudrez-vous partager avec lui?

Alexander déglutit. Archie se frotta le menton sans le quitter des yeux, prenant note de son malaise grandissant. Un sourire sagace fit frémir sa bouche.

— Au fait, comment va le garçon?

Un raclement de gorge appuya la question. Archie le fixait de son regard clair. Il savait...

— Il s'en remettra.

L'officier prit la boîte et en examina un court instant le contenu: un canif, quelques pièces de monnaie, un anneau d'argent, sans doute une alliance. Ces quelques objets d'apparence insignifiante constituaient toute la misérable fortune d'un homme mort. Il les donna à Alexander, qui n'osait le regarder de face.

— Vous lui transmettrez toute ma sympathie...

— Oui, monsieur.

Après s'être assuré que personne ne venait, Alexander laissa retomber le rabat de toile et se retourna vers Leticia, qui caressait de son index la miniature du médaillon. Des larmes coulaient sur les joues de la jeune femme. Alexander lui avait remis les objets personnels d'Evan, qui lui revenaient de droit. Le testament en faisait partie. Elle convint avec lui qu'il n'était pas question de le respecter... pour le moment.

Malgré ses sentiments indiscutables pour elle, Alexander avait-il vraiment envie de se marier avec Leticia? Lui qui avait toujours vécu comme un vagabond dans les landes des Highlands et qui ne possédait rien, voulait-il s'attacher à une femme pour la vie? Toutefois, le jeune homme ne pouvait accepter l'idée qu'elle parte seule... surtout après avoir assisté au sort que pouvait subir une femme seule parcourant les champs.

— J'ai quelque chose pour toi, MacCallum.

Il ouvrit son havresac et en sortit un monceau d'étoffes qu'il déposa sur sa couche. Leticia fixa la pile de vêtements sans comprendre.

— Alex... Mais qu'est-ce que?...

— Tu ne t'imagines tout de même pas que tu vas partir habillée comme ça?

Avec un sourire satisfait, il exhiba une chemise de cotonnade, une jupe d'étoffe du pays et un corps de robe de camelot brun.

— Tu as volé tout ça pour moi?

Il rit franchement.

— Vois-tu, la jupe est trop courte et le corsage me serre un peu... Alors, j'ai pensé à toi.

Leticia se détendit et rit avec lui. C'était la première fois aujourd'hui, remarqua-t-il intérieurement. La voir sourire pour quelques chiffons l'emplit d'allégresse. Leticia caressa la broderie et les rubans. Elle n'osa étaler les jupons devant elle.

— Oh, Alex!

Son regard gris comme un ciel de pluie qu'elle tourna vers lui le troubla. Des larmes apparurent sur ses cils et au coin de ses yeux. Il les essuya, laissa ses doigts s'attarder sur sa joue.

— Il y a quelque chose que je dois te dire, murmura-t-elle. Tu dois savoir...

Elle prit sa main et la posa sur son ventre.

— J'attends un enfant, Alex.

Il resta muet d'ébahissement. Un enfant? Elle était enceinte?

— Tu en es certaine? Je veux dire…

Elle hocha la tête dans l'affirmative. Il baissa le regard sur son ventre. L'enfant d'Evan… en elle… Il n'avait plus le choix: il lui fallait mettre son plan à exécution le plus tôt possible.

— Tu comprends maintenant pourquoi j'ai besoin de toi, Alex. Je ne peux pas me permettre de pleurer Evan plus longtemps. Mais je me console en me répétant qu'il est toujours avec moi, en moi.

— Leticia, tu ne dois plus tarder!

— Je sais, je sais. Tu viendras avec moi, Alex?

— Oh, Leticia! Je ne te laisserai pas partir seule… plus maintenant, c'est impossible.

Leticia voyait bien qu'il était déchiré, qu'il se débattait avec sa conscience. Bien qu'il fût plutôt solitaire et peu bavard, elle avait appris à bien le connaître. Ce qu'elle lui demandait, c'était de laisser tomber ce projet qui l'avait poussé à s'engager dans l'armée du roi George: racheter ses fautes passées. Avait-elle le droit d'attendre de lui un tel sacrifice? Non. Mais elle n'arrivait pas à renoncer à lui. Son enfant et elle avaient besoin de lui.

Elle l'aimait… depuis ce jour où il l'avait surprise dans un réduit, une réserve de voiles, sur le *Martello*. Ses sentiments l'avaient bouleversée. Pouvait-on aimer deux hommes à la fois? Pourtant, c'était ce qui lui était arrivé. Evan l'avait toujours su, mais il n'avait jamais rien fait contre cet attachement. Peut-être avait-il compris qu'elle aurait un jour besoin d'Alexander. Tout le monde ne revenait pas vivant de la guerre… Elle avait ainsi aimé les deux hommes de tout son cœur, mais n'avait abandonné son corps qu'à un seul. Maintenant, Evan était mort. Était-ce mal de se donner à Alexander? Était-ce renier son amour pour son mari?

Perdu dans ses pensées, Alexander caressait distraitement son bras. Non, conclut-elle. Si Evan espérait que son ami l'épouse à sa mort, c'était qu'il bénissait leur union. Elle contempla le profil de l'homme. Son nez, busqué, lui donnait une allure un peu rustre et sa bouche aux lèvres charnues, un peu boudeuses, annonçait un tempérament belliqueux. Ses traits rudes lui rappelaient ceux d'Evan. Était-ce ce qui lui avait plu en lui au premier abord? Ou bien était-ce son regard bleu saphir qui, comme une onde limpide, laissait percer son âme? Une âme blessée, errante, cherchant désespérément sa raison d'être sur cette misérable terre. Evan avait eu lui aussi cette lueur terne au fond des yeux qui l'avait tellement touchée. Un petit rire amer lui échappa, ce qui tira Alexander de ses réflexions.

— Depuis combien de temps es-tu enceinte?

— Euh... peut-être trois mois, pas plus.

— Trois mois! Evan le savait?

— Oui.

— Bientôt, tu ne pourras plus cacher ton état! Et tu ne devrais plus faire la chasse aux Sauvages. Tu risques trop. Sans parler de la dysenterie qui menace. Le temps d'accumuler assez de nourriture pour quelques jours, et nous partons. Dans une semaine ou deux, Leticia, nous serons libres...

Elle acquiesça de la tête et posa sa main sur sa joue, qui était chaude, un peu rêche. Les muscles se tendirent sous ses doigts. Alexander ferma les yeux, prit sa main et lui embrassa les doigts.

Brusquement, le rabat s'écarta. Coll apparut et se figea aussitôt. Leticia poussa un cri de surprise tout en s'emparant à la hâte des jupons pour les cacher. Coll demeura interdit pendant quelques secondes, puis se racla la gorge.

— Je ne voulais pas... Je ne croyais pas... Désolé.

Alexander dévisagea son frère. Coll savait pour Leticia. Mais il n'était pas au courant de la nouvelle tournure qu'avait prise leur relation depuis la mort d'Evan. Comment allait-il les juger? Leticia tournait le dos, profondément embarrassée. Leur imprudence aurait pu leur coûter cher. Désormais, ils devraient être plus vigilants. D'un autre côté, Coll pourrait peut-être leur fournir une aide précieuse s'ils lui révélaient leur projet...

Leticia se retourna enfin. Comme si elle avait pensé la même chose que lui, elle donna implicitement son assentiment:

— Dis-lui, Alex. Il est ton frère; il doit savoir la vérité.

— Tu en es certaine? C'est vraiment ce que tu veux?

— Oui.

7

Cœurs en déroute

La pluie avait cessé et le soleil dardait ses rayons brûlants sur Québec. L'eau qui stagnait encore çà et là s'évaporait et se transformait en un voile brumeux dans les rues boueuses. Accoudée à la balustrade de la terrasse du château Saint-Louis, Isabelle regardait le campement ennemi situé en face. Elle avait pris l'habitude de venir chaque jour observer la progression des fortifications anglaises sur la pointe de Lévy et la pointe aux Pères.

Des centaines de tentes brillaient au soleil, formant de grandes taches claires autour de l'église dont elle voyait la flèche du clocher. Quelques redoutes se dressaient. Mais bien plus inquiétantes étaient ces grandes plateformes pour les batteries qui se déployaient de jour en jour. Québec allait être bombardée. Nicolas avait tenté de la rassurer en lui certifiant que les bombes anglaises n'atteindraient jamais la rue Saint-Jean. Par contre, le magasin de son père était vulnérable, comme toute la Basse-Ville. Les habitants désertaient peu à peu le quartier et trouvaient à se reloger chez des gens vivant dans la Haute-Ville.

Deux jours après le débarquement des Anglais sur l'île d'Orléans, le gouverneur avait ordonné la fermeture des portes de la ville. Le siège de Québec durait depuis maintenant dix-sept jours. Nicolas avait été très occupé et elle n'avait pu le voir qu'à quelques reprises. Et encore, leurs rencontres avaient été brèves. Le temps leur manquait encore plus depuis que l'ennemi avait tenté de débarquer sur la côte de Beauport, trois jours plus tôt, et avait installé un nouveau campement en aval du Sault de Montmorency. Toutefois, d'après Julien, qui envoyait régulièrement des messages à Madeleine, les Anglais avaient perdu beaucoup plus d'hommes qu'eux lors de la bataille qui avait eu lieu.

Dans ces circonstances, les occasions de se divertir se faisaient rares. Finis les dîners, les bals et les pique-niques. Heureusement, Madeleine était là. Ensemble, les deux amies arrivaient à oublier la présence de l'ennemi, à quelques brasses devant Québec, et à rire un peu.

Lasse et pressée de retrouver la sécurité relative de quatre murs, Isabelle ramassa son panier vide et prit le chemin de la maison. Depuis quelques jours, elle aidait sa cousine, sœur Clotilde, à distribuer des vivres à ces pauvres hères qui ne cessaient de s'accumuler devant les églises. La nourriture commençait à manquer.

En traversant la place d'Armes, elle vit son frère Guillaume qui participait aux exercices militaires dans son bel uniforme gris aux parements rouges. Une semaine plus tôt, il avait annoncé son adhésion à la Royal-Syntaxe, régiment formé des élèves du Collège des jésuites, lequel avait suspendu les cours en raison de la situation particulière. Leur mère avait failli tomber en syncope. Mais Guillaume, âgé de seize ans et exalté à l'idée de combattre pour son pays, avait ignoré ses cris et ses menaces. À la maison, il ne restait plus que Ti'Paul et elle. Heureusement que Ti'Paul était trop jeune pour prendre les armes. Isabelle se gardait bien, cependant, de lui raconter que des enfants de douze ans seulement étaient entrés au service de la milice canadienne.

***

Le souper, comme depuis quelque temps, fut morne. Justine critiqua les troupes du Canadien Jean-Daniel Dumas, officier aguerri qui s'était illustré lors de la bataille de la rivière Monongahela. Ses miliciens ne cessaient de se plaindre du mauvais état de leurs armes et du manque de munitions. Ils revendiquaient les mêmes conditions que leurs homologues des troupes françaises régulières. Justine reprochait aussi à Montcalm sa mollesse devant l'ennemi : « C'est à croire qu'il attend que les Anglais investissent la ville pour lever le petit doigt ! »

Ti'Paul assaisonnait la conversation en relatant avec force détails les dernières histoires d'horreur glanées dans les rues. Aujourd'hui, il avait entendu dire que les Sauvages avaient capturé des soldats anglais, les avaient torturés et mangés, et en avaient fait une indigestion. Les hurlements des victimes parvenaient jusqu'aux retranchements des soldats du régiment de Lévis, à Beauport, et avaient duré toute la nuit. Ces récits faisaient frissonner Isabelle, qui préférait ne pas y croire.

Madeleine, elle, rapportait les nouvelles qu'elle tenait de Julien. Dans les magasins du roi, les vivres s'épuisaient rapidement. Si le siège s'éternisait, les Anglais les auraient par la faim. Les Français seraient-ils forcés de capituler pour une bouchée de pain? Qu'attendait-on pour attaquer? Montcalm avait choisi d'attendre que l'ennemi fasse les premiers pas. On prévoyait une offensive anglaise en aval de Beauport: des prisonniers anglais auraient révélé les plans de Wolfe. Vérité ou ruse? La situation était devenue des plus angoissantes. Les soldats ne dormaient presque plus la nuit, sursautant au moindre bruit, tirant sur tout ce qui bougeait dans l'obscurité.

Étrangement silencieux, Charles-Hubert écoutait tout son beau monde discuter de cette crise. Il semblait avoir perdu sa verve habituelle. Perdu dans ses pensées, il mangeait lentement. Des rumeurs circulaient encore à propos d'enquêtes en cours sur les comptes de l'intendant et de ses acolytes. La faim qui tenaillait le petit peuple n'aidait pas à étouffer les ragots. Isabelle se demandait si là n'était pas la cause de la morosité de son père.

Portant l'une des robes d'Isabelle, Madeleine s'admirait dans la glace. Le taffetas de Florence de couleur incarnate, qui mettait bien en valeur la pâleur de son teint, chuchotait agréablement à chaque mouvement. La jeune femme fit une pirouette en rigolant et exécuta une révérence devant Isabelle, qui tapait des mains.

— Quelle chance tu as, Isa, d'avoir toutes ces belles robes! Ma plus belle robe n'est qu'en étamine et elle est tout usée.

Elle caressa les dentelles qui garnissaient l'encolure et les manches du vêtement. Des boucles de satin couleur crème étaient posées en échelle sur le plastron d'estomac. Des papillons joliment brodés de fil d'argent décoraient le corps de la robe et la jupe, sur laquelle s'ouvrait la surjupe.

— Faites-moi danser, ma chère... dit-elle sur un ton suffisant.

Isabelle éclata de rire et se laissa tomber sur le lit couvert de jupons de satin et de damas, de bas de soie, de gants de Vendôme et de coiffes de gaze. La chambre avait pris des allures de boutique pour coquettes et les jeunes femmes s'amusaient à essayer les toilettes d'Isabelle.

— Tu crois que mon Julien me reconnaîtrait comme ça?

Madeleine bomba le torse et mit ses mains sous sa poitrine pour en rehausser le galbe.

— Je pense qu'il te ferait porter un fichu, chère cousine. Quelle indécence!

— Regarde-toi donc! De nous deux, c'est certainement toi la

plus indécente. Tu te pavanes en corset et jupons devant la fenêtre depuis une heure. J'suis certaine que monsieur Pelletier est derrière ses volets à t'épier. Tu devrais te couvrir, Isa.

— Il fait trop chaud. Et puis, monsieur Pelletier peut bien se rincer l'œil si ça lui chante... du moment qu'il tient ses mains tranquilles.

Isabelle s'empara de la brosse en poils de sanglier et la fit glisser dans sa magnifique chevelure qui cascadait sur ses épaules telle une coulée de miel.

— Tu t'ennuies de ton Julien?

— Hum...

— Pourquoi ne peux-tu pas rester avec lui au campement?

— La guerre, c'est pas une affaire de femmes, Isa. Tu devrais ben le savoir. Pis, d'ailleurs, il n'aurait pas le temps de s'occuper de moi! Ton beau monsieur des Méloizes doit te délaisser un peu aussi, non?

Isabelle prit un air songeur, posa la brosse sur le lit et roula dans le monceau d'étoffes. Elle tendit un bras vers le tiroir de la table de chevet et fouilla dedans. Puis elle exhiba un livre d'un air victorieux.

— Qu'est-ce que c'est?

— Quelque chose qui va nous changer les idées... Voltaire, ma chère! La *Pucelle d'Orléans,* rien de moins!

— Voltaire? Mon oncle te permet de lire ça?

Isabelle gloussa et ouvrit le livre à une page marquée d'une plume de geai bleu.

— Il n'est pas obligé de savoir que j'ai cet ouvrage, Mado. C'est... sœur Clotilde qui me l'a prêté.

— Quoi?! Sœur Clotilde?

— Je plaisante, cousine. C'est Jeanne qui me l'a confié. Elle ne voulait pas prêter son rang de perles à sa sœur Élise. Pour se venger, celle-ci serait allée raconter à leur mère qu'elle possédait ce livre. De peur qu'elle ne fouille sa chambre et qu'elle ne mette la main dessus, Jeanne a jugé préférable de s'en défaire pour quelque temps. Tiens... écoute ceci. Le roi Charles VII vient rejoindre sa belle Agnès Sorel dans son lit:

« Ô vous, amants, vous qui savez aimer,
vous voyez bien l'extrême impatience
dont pétillait notre bon roi de France!
Sur ses cheveux en tresses retenus,
parfums exquis sont déjà répandus.
Il vient, il entre au lit de sa maîtresse;

moment divin de joie et de tendresse!
Le cœur leur bat; l'amour et la pudeur
au front d'Agnès font monter la rougeur.
La pudeur passe, et l'amour seul demeure.
Son tendre amant l'embrasse tout à l'heure.
Ses yeux ardents, éblouis, enchantés,
avidement parcourent ses beautés.
Qui n'en serait en effet idolâtre? »

— Isa! Tu oses lire de telles choses? Monseigneur de Pontbriand prétend que ce Voltaire est un homme sans morale, athée, par-dessus le marché!

— Mais ceci n'est rien. Attends d'entendre la suite :
« Sous un cou blanc qui fait honte à l'albâtre
sont deux tétons séparés, faits au tour,
allant venant, arrondis par l'Amour;
leur boutonnet a la couleur des roses.
Téton charmant, qui jamais ne repose,
vous invitiez les mains à vous presser,
l'œil à vous voir, la bouche à vous baiser... »

Madeleine, une main sur sa bouche et les yeux ronds comme des écus, laissa échapper une exclamation de surprise. Isabelle lui sourit malicieusement et continua sa libertine lecture :

— « ... Pour mes lecteurs tout pleins de complaisance,
j'allais montrer à leurs yeux ébaudis
de ce beau corps les contours arrondis;
mais la vertu qu'on nomme bienséance
vient arrêter mes pinceaux trop hardis.
Tout est beauté, tout est charme dans elle.
La volupté, dont Agnès a sa part,
lui donne encore une grâce nouvelle;
elle l'anime : amour est un grand fard,
et le plaisir embellit toute belle... »

— Oh, batinse! J'te croyais pas si dévergondée, Isabelle Lacroix!

— Ne trouves-tu pas les vers de Voltaire charmants? Avoue qu'ils t'ont fait frémir un peu! Hum... Athée, Voltaire, je veux bien. Mais insensible à l'amour, ça non! Comment un homme pourrait-il avoir une telle plume s'il ne savait pas ce que c'est que d'aimer? Voltaire connaît la passion, crois-moi, Mado!

— Mais ce livre doit être interdit par l'Église! Si jamais ta mère trouve ça icitte...

— Tu n'as pas l'intention de le lui dire, cousine Mado? Tu ne ferais pas une telle chose, hein?

Madeleine considéra Isabelle d'un œil taquin. Bien sûr, en écoutant ces vers osés, elle avait senti des frissons lui parcourir la peau. Julien lui manquait tant. Depuis le début du siège, elle ne l'avait vu que trois fois. Ils se rencontraient derrière le mur du jardin des ursulines, près d'un bosquet. Leurs étreintes étaient rapides, mais le risque de se faire surprendre ne faisait que les rendre plus excitantes. La jeune femme sentit ses joues s'empourprer à l'évocation du plaisir éprouvé. Isabelle ne manqua pas de le remarquer.

— Je vois que ma lecture a suscité des pensées concupiscentes... Tu veux me raconter?

Madeleine prit un air vexé, puis éclata de rire et se laissa tomber sur le lit, à côté d'Isabelle. Toutes deux se turent, plongées dans leurs propres fantasmes.

— Mado...

— Hum...

— C'est... comment, avec un homme?

Un silence embarrassant vint les envelopper.

— Mado?

— Isabelle, comment une jeune femme de ta qualité peut-elle me demander pareille chose?

— Eh bien... Je veux savoir. Réponds-moi, s'il te plaît!

— J'peux pas parler de ces choses-là avec toi! C'est pas des affaires qui se racontent. Surtout pas à une jeune fille de ton âge. Franchement, Isa!

Isabelle roula sur le ventre et posa son menton dans le creux de sa paume. Dévisageant Madeleine, elle affichait un sourire espiègle.

— Ne fais pas ta sainte nitouche. Je n'ai que deux ans de moins que toi. Tu étais pratiquement fiancée à mon âge. Puis, si tu ne me racontes rien, qui le fera? Ma mère préférerait aller en enfer plutôt que d'aborder ce sujet avec moi. Et ce n'est certainement pas mon père qui me parlera de ça, ni ma chère nourrice. J'ai vingt ans, Mado! Je vais peut-être bientôt me marier, et je ne sais rien de ces choses-là...

— Là n'est pas la question... la coupa Madeleine, que l'inquiétude gagnait. Est-ce que ton des Méloizes t'aurait... touchée?

Isabelle sourit, rêveuse. Madeleine était de plus en plus nerveuse.

— Isabelle, vous n'avez rien fait d'immoral, au moins?

— D'immoral? Il m'a embrassée... Est-ce que c'est immoral?

Madeleine fit mine de réfléchir.

— Je suppose que non... si le baiser est chaste.

— Qu'entends-tu par là?

— Ben, si vos pensées et vos mains...

— Pour les mains, je t'assure, Mado, qu'elles respectaient la bienséance, mentit-elle en rougissant légèrement. Pour ce qui est de mes pensées... je suppose que je devrai m'en confesser.

Elles rigolèrent encore un peu.

— C'est juste que je me demandais... Ah! Mado... l'amour est-il aussi merveilleux que l'écrit Voltaire? Les sentiments font battre le cœur, mais la passion, les baisers... Quand Nicolas me regarde avec ses yeux à la gadelle, je deviens toute moite et molle comme une guenille... Mado, dis-moi, raconte-moi!

Madeleine se tourna sur le côté et regarda sa cousine d'un air songeur. Puis un sourire étira doucement ses lèvres. Elle repoussa une mèche de cheveux qui barrait le visage d'Isabelle et la coinça derrière l'oreille.

— La première fois avec un homme... c'est... plutôt décevant.

Isabelle, immobile et silencieuse, attendait fébrilement la suite.

— Je pense que les hommes n'ont pas les mêmes attentes que nous.

— Que veux-tu dire?

— Je suis pas experte dans ce domaine, Isa... Mais j'pense qu'ils sont pressés d'aimer avec le langage du corps, alors que nous, nous aimons avec les mots du cœur.

— Et c'est pas bien? Tu n'aimes pas faire... enfin... partager le lit de ton mari?

— Non, c'est pas ça. C'est juste que, la première fois, ça va un peu trop vite, si tu vois ce que je veux... Bien sûr que tu vois pas. Oh, bonyeu! J'peux pas croire que j'te parle de ça!

— Continue, Mado!

— Aïe! Nous irons toutes les deux à confesse demain.

— D'accord, promis. Alors, la suite?

— Les autres fois, c'est mieux. L'homme est plus patient, pis on apprend à se connaître. Tu peux pas savoir comme c'est gênant au début quand il te voit toute nue. J'voulais mourir, Isa!

Isabelle s'assit sur le lit. Un mouvement furtif à l'extérieur attira son attention. Elle tourna légèrement la tête sur le côté, de façon à pouvoir voir par la fenêtre. Le rideau de l'une des fenêtres de monsieur Pelletier retomba. La jeune femme décida de se couvrir. Elle s'apprêtait à ramasser un peignoir étalé sur le sol lorsqu'elle aperçut sur la commode la petite fiole de parfum que lui avait offerte Nicolas. Elle sentit une douce chaleur se répandre dans son corps au souvenir de leur dernière rencontre. Il l'avait alors embrassée pour la première fois.

Elle avait soupé avec Nicolas à la Canardière. Peu avant minuit, il l'avait raccompagnée chez elle. Mais le ciel était si beau et l'air si doux qu'il avait demandé au cocher d'arrêter la voiture pour marcher sous les étoiles. Ils se trouvaient assez près du campement de Lévy pour apercevoir la lueur des feux, mais assez loin pour s'imaginer être seuls au monde. En parfait gentleman, Nicolas avait retiré sa veste et la lui avait mise sur les épaules. Ses doigts avaient alors frôlé sa nuque puis glissé sur la courbure de son cou. Elle avait cessé de respirer. Ni l'un ni l'autre n'avait prononcé un seul mot. Ils s'étaient contentés de se regarder dans les yeux.

Elle avait ensuite fermé les paupières et senti son haleine sur sa joue qu'il effleurait de ses lèvres. Il avait prononcé son nom, comme pour demander son approbation. Elle lui avait alors offert ses lèvres...

Isabelle sourit en repensant aux mains hardies de Nicolas sur sa robe, qu'elle avait dû replacer à quelques reprises. Était-ce le fait qu'il avait dépassé les limites de la bienséance qui l'avait tant émue? Ou est-ce que les mains d'un homme devenaient magiques lorsqu'elles caressaient, au point d'engourdir la raison? Heureusement, elle était arrivée à le contenir. Qu'aurait-il pensé d'elle si elle lui avait permis d'aller plus loin? Mais en même temps, étant donné son éducation, pourquoi osait-il de tels gestes? C'était bien compliqué... Mais, ah! l'ivresse ressentie lui avait donné des ailes...

— Et dans ton corps, qu'est-ce qui se passe? demanda-t-elle à Madeleine, qui s'était replongée dans ses souvenirs. Tu as des papillons qui te chatouillent le ventre?

— Des papillons? C'est peu dire!

Oui, c'était cela : des milliers d'ailes l'avaient transportée... Si un seul baiser et quelques caresses pouvaient la bouleverser à ce point, qu'en était-il du reste?

— Et lorsque... quand il fait... tu sais, la chose?

Madeleine rougit et tenta de pincer la joue d'Isabelle, qui s'esquiva.

— Bonyeu de bonyeu, Isa! J'en r'viens pas que tu me demandes ça!

Toutes deux pouffèrent de rire.

***

Les bruits de l'agitation des jeunes femmes résonnaient dans les corridors de la maison. Charles-Hubert, l'air songeur, tapota son buvard de la pointe de sa plume. Habituellement, après les repas, Justine restait au salon une heure ou deux pour lire ou faire quelques points de broderie. Ti'Paul s'amusait avec Museau ou jouait au soldat contre un Anglais imaginaire, caché derrière les fauteuils, si Baptiste ne voulait pas jouer aux échecs avec lui. Isabelle et Madeleine se réfugiaient dans leur chambre; c'était devenu une sorte de rituel. Lui, après avoir pris son petit verre d'eau-de-vie de prune en compagnie de son épouse, s'enfermait dans son bureau, situé juste au-dessous de la chambre de sa fille, pour mettre ses livres à jour.

Charles-Hubert prenait un vif plaisir à écouter les deux jeunes femmes réciter des fables de La Fontaine ou jouer aux charades. L'espace d'un moment, ces rires qui emplissaient la maison lui faisaient oublier ses problèmes financiers. Une semaine plus tôt, il avait reçu une missive l'avisant que la *Judicieuse* avait été arraisonnée par des corsaires anglais, au large des îles Saint-Pierre et Miquelon. Or il avait investi toutes ses économies dans ce navire qu'il avait fait construire et armer seul pour commercer avec les Antilles.

La *Judicieuse* devait lui rapporter le quart de son investissement après son premier voyage. Mais, si la missive disait vrai, elle ne lui rapporterait que la ruine. D'après ce qu'il était prévu, le navire devait décharger sa cargaison sur l'île Saint-Jean. De là, une partie des marchandises devait être envoyée en France. Le reste devait être transporté par de petites goélettes qui videraient leurs cales quelque part sur la côte nord. La marchandise devait ensuite arriver à Québec par voie de terre. Tout cela était long et risqué, mais c'était la seule solution pour récupérer les marchandises. Seulement, maintenant, avec le blocus des Anglais à l'embouchure du fleuve, rien ne parviendrait jamais à destination.

Une chandelle faisait vaciller les chiffres sur les pages de ses livres de comptes. En bas des colonnes ne s'affichaient plus que des sommes dérisoires. Il n'avait rien pour renflouer son affaire. Ses coffres se vidaient désespérément. Il croulait sous les requêtes. Les ursulines réclamaient leur mélasse, leur huile d'olive et leur vin; madame de Beaubassin voulait ses ananas, son café et son sucre... Comment allait-il rembourser tout ce monde? Certes, il possédait encore de la monnaie de carte[52]. Mais elle ne valait guère plus que le papier sur lequel elle était imprimée. Il avait toujours son bri-gantin, l'*Isabelle*, qui récupérait la marchandise des navires mar-chands abordés au large de l'île Royale. Mais depuis la chute de

52. Système de monnaie de papier instauré au début du XVIIIᵉ siècle à cause du manque de pièces sonnantes dans la colonie française.

Louisbourg, le navire s'était réfugié quelque part dans le fjord du Saguenay et ne lui rapportait plus rien.

Ainsi, depuis près d'un an, il se sentait de plus en plus mal à l'aise financièrement comme moralement. Les enquêtes se suivaient à un rythme effarant. On décortiquait les livres de l'intendant; on exigeait des comptes rendus détaillés. Ces idiots ne comprenaient donc pas que c'était grâce à eux si les affaires de la colonie allaient si bien? Il émit un petit rire sarcastique, puis se tut. Il voyait maintenant que c'était aussi de leur faute si elles périclitaient. Pour la gloire et les lauriers, ils avaient dilué le ciment des fondations de cette colonie. La menace des Anglais faisait le reste. L'armée souffrait de pénurie : armes, munitions, pain, tout manquait, jusqu'à l'espoir. À l'opposé, la Grande Société, allant de collusions en malversations, se vautrait dans un luxe profane.

Charles-Hubert sortit un mouchoir de soie de sa manche et épongea son front moite. Il faisait chaud dans la pièce. Comment allait-il donc annoncer à Justine qu'il risquait la faillite? Il avait des palpitations à la seule pensée de la réaction qu'elle aurait. Il soupira et consulta sa montre de poche : vingt-deux heures. Il referma ses livres sur les chiffres frauduleux et souffla la chandelle. Puis il alla ouvrir une fenêtre pour prendre une bouffée d'air frais. Les grillons chantaient. Le ciel clair scintillait de myriades d'étoiles.

D'où il était, il voyait la cime des pommiers du verger aménagé sur le coteau, derrière la maison. Pour protéger les arbres des vents froids du nord, on avait érigé un mur de pierres tout autour. Justine avait fait venir les arbres de Normandie quinze ans plus tôt. Aujourd'hui, grâce aux bons soins de Baptiste, le verger produisait beaucoup et lui rapportait le quintuple de son investissement. Il en était fier. Au moins lui restait-il cela avec son magasin de la rue De Meules... Mince consolation!

Il entendit sa tendre Isabelle rire à l'étage. Même les terribles menaces qui planaient n'arrivaient pas à ternir sa joie de vivre. Il devrait prendre exemple sur elle et se moquer de la ruine qui s'annonçait. Oui, cela serait si facile... Mais il y avait Justine. Qu'avait-il donc fait pour mériter tant d'indifférence de la part de cette femme qu'il aimait tant, depuis ce jour où il l'avait vue pour la première fois, dans les jardins de son ami et collaborateur Pierre Lahaye, à La Rochelle?

À cette époque, il négociait la morue verte, le sucre et le café avec Pierre. Le commerce, qui transitait par Louisbourg, était lucratif. Il ramenait du drap et des soieries de Lyon, du vin d'Espagne et du Portugal, mais aussi du sel, des épices, des olives et d'autres denrées rares qui encombraient les ports méridionaux. Avec Pierre, il avait conclu une entente d'exclusivité. Les affaires prospéraient.

Lors de son troisième voyage à La Rochelle, une tempête avait retardé le départ de son navire. Pierre lui avait alors gracieusement offert l'hospitalité. Il avait accepté sans se douter que le cours de sa vie en serait changé. Moins d'une heure après son arrivée dans la demeure de son ami, il avait eu une vision divine. Assise sous une charmille croulant sous des rosiers en fleurs, Justine jouait avec un chaton. Sa chevelure brune, ondulant dans le zéphyr, encadrait le plus beau visage au teint de lys qu'il eût jamais vu. Et lorsqu'elle avait levé les yeux vers lui et lui avait souri... Ah! Encore aujourd'hui, il ne se lassait pas de ce regard, que Dieu avait d'ailleurs eu la grâce de donner à leur fille. Il avait tout simplement été envoûté.

La jeune femme n'avait que vingt-trois ans. Bien que lui approchât la quarantaine, avec sa haute stature, ses cheveux blonds délavés par le soleil et l'air marin, et son regard bleu de mer, il faisait encore rougir les femmes lorsqu'il les regardait avec insistance. Veuf depuis six ans, il allait d'un cœur à l'autre sans jamais partager le sien. Mais là... subjugué, il voulait cette femme à tout prix... Et il avait mis le prix... pour son malheur, il devait le reconnaître.

L'amour ne s'achetait pas, il s'en rendait compte aujourd'hui. Il pensait alors qu'avec le temps, un ou deux enfants, Justine se ferait une raison. Il espérait qu'elle finirait par éprouver de l'amour, ou au moins un peu d'affection, pour lui. En attendant ce jour béni, il avait cédé à tous les désirs de sa jeune épouse, qui se faisait de plus en plus exigeante. Il la couvrait de bijoux et d'étoffes somptueuses. Rien n'y faisait...

Un sifflement strident retentit au-dessus des murs du jardin. Le ciel s'illumina d'un coup d'une lueur rougeoyante. Charles-Hubert fronça les sourcils. Mais que fabriquaient donc les artilleurs? S'amusaient-ils à faire exploser des feux d'artifice pour les Anglais? Une détonation le fit sursauter. Elle fut suivie d'une deuxième, puis d'une troisième... Le vacarme était assourdissant. Il s'agissait sans nul doute d'une canonnade. La maison trembla. C'est alors qu'il comprit: les Anglais bombardaient la ville!

Le visage couvert de sueur, il sortit en trombe de son bureau. Isabelle et Madeleine dévalaient les marches en criant. Ti'Paul, Museau et Justine surgirent du salon. À leur tour, les domestiques ne tardèrent pas à se montrer. Sidonie murmurait des *Je vous salue, Marie*; Perrine jurait contre les « maudits Anglais ». Des cris leur parvinrent de l'extérieur, et Baptiste entra en coup de vent, les cheveux en bataille, le teint gris. Il respirait bruyamment, l'écume aux lèvres.

— Ils ont touché l'église des jésuites! Ils nous bombardent! Ces sales chiens nous bombardent!

— L'église des jésuites? s'affola Isabelle. Mais c'est tout près! Nicolas m'avait pourtant assurée que nous n'avions pas à nous inquiéter...

— Ben, il s'est trompé, vot' monsieur des Méloizes, mam'zelle Isabelle, fit âprement remarquer Perrine.

Un autre projectile siffla sinistrement dans le ciel au-dessus d'eux et fracassa une toiture avec un bruit terrible. Charles-Hubert envoya tout son monde à la cave. C'était le seul endroit où ils seraient en sécurité. Il eut envie de sortir pour vérifier l'état de son magasin, dans la Basse-Ville. Mais le bon sens lui dicta de n'en rien faire. La fatalité lui tombait dessus comme ces bombes. Il était ruiné...

***

L'aube se leva sur un jour morne et sinistre. L'enfer pleuvait toujours sur Québec. Isabelle, à l'instar de toute la famille, n'avait pas dormi de la nuit. Tous avaient prié pour leur vie et celle de Françoise et de ses enfants, qui habitaient la place du Marché. Puis il y avait ses trois frères, qui étaient Dieu seul savait où. Avec Madeleine, Baptiste et Perrine, la jeune femme courait maintenant dans les rues, glissant dans la boue, évitant de justesse les innombrables voitures et charrettes. Les gens y entassaient leurs biens pour fuir.

Fous d'inquiétude, ils étaient sortis dès les premières lueurs, bravant les bombes ennemies, dans l'espoir de retrouver Françoise et ses enfants sains et saufs. Au fur et à mesure de leur progression jusqu'à la Basse-Ville, l'inquiétude grandissait devant l'ampleur des dégâts. Les volets battaient dans le vent qui transportait l'odeur de la destruction. Des miliciens prêtaient main-forte aux malheureux habitants qui fuyaient. On criait aux gens de sortir de la ville. Mais la grande cathédrale, bien qu'elle fût très endommagée, était pleine de monde. Isabelle se signa.

Côte de la Fabrique, ils passèrent devant la maison de la veuve Guillemette. Tout était sombre. Les Bourassa hissaient un coffre sur une charrette. Un gros porc égaré poursuivi par des chiens criait. Une bombe tomba à quelques pieds. La jeune femme hurla, évita des débris qui venaient de se détacher d'une corniche et reprit sa course derrière Baptiste. Un chat affolé traversa devant eux pour se réfugier sous un porche.

Ils arrivèrent enfin en haut des escaliers menant à la Basse-Ville. Là, ils s'arrêtèrent, médusés par le spectacle qui s'offrait à eux. Les maisons étaient trouées comme des passoires et se vidaient. Une foule compacte de gens poussiéreux aux regards exprimant l'incompréhension et la peur se bousculaient, trébuchaient sur les débris pour fuir la mort qui tombait du ciel.

— Nous ne pourrons jamais passer par ici! cria Baptiste par-dessus le tumulte. Va falloir prendre la côte de la Montagne!

— Mon Dieu, protégez-nous! murmura Isabelle en apercevant le trou béant qui laissait voir l'intérieur de l'église Notre-Dame-des-Victoires.

Tandis qu'elle se frayait un chemin dans la foule, à contre-courant, elle scrutait les visages, recherchant ceux qui lui étaient familiers. Toupinet, Marcelline...

— Isa! Isa!

Tout en bas de la côte, des bras se tendaient vers elle, s'agitaient avec frénésie.

— C'est Françoise! Merci, mon Dieu! C'est Françoise! cria-t-elle avec joie.

— Oui, je vois Pierre et Anne avec le petit Luc dans les bras! confirma Madeleine.

Françoise poussait ses enfants devant elle. Derrière, Isabelle aperçut Louis qui tirait un tombereau contenant quelques biens et effets. C'était peu; mais ils étaient sains et saufs, c'était l'essentiel. Tous soulagés, ils se précipitèrent dans les bras les uns des autres.

— Isa! s'exclama Louis. Vous êtes saufs, Dieu merci!

Puis, s'écartant, il l'interrogea du regard. Ses traits tirés trahissaient la folle inquiétude qui l'avait rongé depuis le début des bombardements. Il avait obtenu la permission de venir retrouver sa famille pour la mettre à l'abri.

— Papa va bien, le rassura Isabelle. Justine et Ti'Paul aussi. La maison n'a pas été touchée; comme l'a prédit monsieur des Méloizes, elle est hors d'atteinte. Comment va Étienne?

— Il va bien. Tu as des nouvelles de Guillaume?

Elle hocha négativement la tête. Leur frère Guillaume était parti la veille avec une troupe de miliciens. Pour sa première mission, il allait sur la Côte-du-Sud, où campaient les Anglais. Il était très excité, mais Isabelle n'avait pu partager avec lui son enthousiasme. Depuis son départ, aucune nouvelle de lui.

Françoise était en larmes.

— La boulangerie, Isabelle... Tout est détruit... Mes brioches, mes petits pains... mes croquignoles...

Elle hoquetait, s'étouffait dans ses sanglots.

— Nous la reconstruirons, Françoise, dit Baptiste pour tenter de la consoler en prenant le petit Luc des bras tremblants de sa grande sœur.

L'enfant avait le visage barbouillé de poussière; ses belles boucles brunes collaient à ses joues mouillées de larmes. Ses yeux rouges et apeurés, grands comme des louis d'or, suivaient la folle agitation qui animait la Basse-Ville.

Ils se laissèrent porter par le courant de la foule jusqu'à la porte du Palais, qu'on avait ouverte. Même l'Hôtel-Dieu, devant lequel ils passèrent, n'avait pas été épargné. Ils croisèrent un contingent qui rentrait d'une expédition commandée par Dumas. Malgré la crasse, Isabelle reconnut les uniformes de la Royal-Syntaxe. La rumeur circulait que les soldats revenaient bredouilles de leur mission. Quelques habitants déçus et en colère leur lancèrent des remarques acerbes.

— Guillaume! appela Perrine. Guillaume, ici!

Guillaume chercha dans la foule qui l'appelait. Lorsqu'il vit les siens, son visage s'éclaira d'un sourire de soulagement. Derrière lui, Isabelle aperçut Bougainville à la tête d'un régiment envoyé pour aider les habitants en fuite. Près de l'officier à cheval, un second cavalier à l'allure familière criait des ordres en se faufilant à travers la cohue. Tout à coup, un enfant tomba d'une charrette. Des Méloizes tira sur les rênes, arrêtant net son cheval, et l'évita de justesse.

Isabelle poussa un cri de frayeur qui attira l'attention du capitaine. Leurs regards se croisèrent. Des Méloizes fit pivoter sa monture et se fraya un chemin jusqu'à elle.

— Isabelle... souffla-t-il en sautant de cheval et en accourant vers elle. Je mourais d'inquiétude. Seigneur, merci! Je vous retrouve...

Il l'embrassait sans retenue devant les regards ébaubis de la famille et des curieux. Mais la jeune femme n'en avait cure.

— Nicolas...

— Vous devez vous réfugier chez les sœurs augustines, Isabelle. L'Hôpital général est à l'abri des bombes. Rendez-vous là-bas sans tarder.

— Mais les bombes ne vont pas...

— Je me suis trompé, Isabelle. Elles tombent jusque dans le quartier Saint-Roch.

La jeune femme agrippa les revers de son uniforme couvert de suie et de boue.

— Vous viendrez avec moi?

Il la contempla tristement, et soupira.

— J'aimerais tant... Mais il m'est impossible de vous y accompagner. Je dois aller sans délai faire l'inspection de la garnison. Des hommes vont vous aider.

Il la serra fort contre lui et enfouit son visage dans les cheveux en broussaille et tout imprégnés de poussière d'Isabelle. Sentant son odeur, il constata avec plaisir qu'elle portait le parfum qu'il lui avait offert.

— Isabelle, je vous promets de venir vous rejoindre dès que je le pourrai...

Elle s'accrocha à lui, désemparée.

— Nicolas, soyez prudent. Je... je ne voudrais pas qu'il vous arrive malheur...

Il lui sourit, l'embrassa une dernière fois puis s'écarta définitivement.

— Priez pour moi, ma mie. Mon cœur souhaite tant vous retrouver. Je survivrai.

Isabelle remercia le Ciel d'avoir épargné ceux qu'elle aimait... Les bombes continuèrent de siffler jusque vers midi. Par miracle, bien qu'il y eût plusieurs blessés, aucune mort ne fut causée par les obus. Les dégâts, par contre, étaient considérables. Aujourd'hui, ils avaient bénéficié de la grâce de Dieu. Mais demain, qu'en serait-il?

***

Une chaleur torride cuisait les centaines de soldats qui attendaient depuis maintenant plusieurs heures l'ordre de se mettre en mouvement. Les rayons du soleil faisaient étinceler les hausse-cols des officiers et brûlaient la peau des visages. Une brise souleva les pans du kilt d'Alexander; rafraîchissement fugace mais bienvenu.

Le régiment avait quitté le campement de Monckton, installé sur la pointe de Lévy, pour se rendre jusqu'à l'île d'Orléans. Là, les soldats s'étaient entassés dans près de trois cents embarcations. But de l'opération : prendre la redoute de Johnstone située au pied des falaises de Beauport. Wolfe allait-il encore une fois annuler ses ordres et renoncer au projet? C'était le 31 juillet, et on en était au trente-sixième jour de siège. Les officiers cachaient difficilement leur frustration; les soldats trépignaient. Wolfe, personnage singulier et taciturne, n'en faisait toujours qu'à sa tête et ne consultait personne. Pourtant, il aurait eu intérêt à le faire, car il ne semblait pas savoir ce qu'il voulait.

L'eau clapotait sur l'embarcation, mais on l'entendait à peine.

Depuis plusieurs heures, les soixante-quatorze canons du *Centurion* et les vingt-huit du *Three-Sisters* et du *Russell* envoyaient leurs obus sur la redoute et les tranchées, afin d'épuiser la réserve de munitions de l'ennemi. Le balancement de la barque et l'extrême chaleur rendaient les soldats indolents. Leticia dodelinait de la tête. Alexander la rappela à l'ordre d'un coup d'épaule. La jeune femme eut un haut-le-cœur et serra les lèvres. Son teint était pâle. Comment arrivait-elle à tenir avec cette température infernale? La jambe de Munro sautillait depuis une demi-heure. C'était énervant.

— Si nous ne débarquons pas bientôt, je vais me pisser dessus, grommela le cousin.

— Ne te gêne surtout pas, mon vieux, ricana Alexander, qui commençait à sentir le même besoin lui tenailler le bas-ventre. Il ne te restera plus qu'à te vider les entrailles devant ces maudits Sauvages tout peinturlurés.

— Va au diable, Alas!

— Silence! gronda le sergent Campbell.

Alexander plissa les yeux dans la lumière éblouissante que réfléchissait l'eau. Sur sa droite, une crique s'enfonçait dans la falaise. Des chutes s'y jetaient furieusement. Une brigade de grenadiers les attendait sur la rive du Sault de Montmorency opposée aux retranchements français. Wolfe avait fait construire là des batteries plusieurs jours auparavant. Le jeune homme scruta le rivage aux abords de la redoute Johnstone et vit une deuxième redoute juste à côté. On ne leur avait pas parlé de deux redoutes... C'était sans doute parce que la deuxième, un peu en retrait, était masquée par la première. On entendait au loin les hauts clochers de la ville qui appelaient la clémence des cieux sur le peuple canadien.

Un bruit sourd lui parvint de l'arrière de l'embarcation. On jura. Un homme s'était évanoui, victime d'un coup de chaleur. L'officier demanda à ce qu'on le ranime en lui jetant de l'eau à la figure. Reprenant connaissance, le soldat vomit entre ses jambes.

— Putain de temps pour partir à la pêche! ronchonna Munro. On nous laisse mijoter sur l'eau à écouter les mortiers français chanter depuis je ne sais combien d'heures. Si ce fichu général change encore d'idée, je lui coupe les couilles et je les lui fais manger...

— Encore faut-il que tu lui en trouves! s'exclama Finlay.

Munro rit.

— Ouais... Bon sang! On dirait qu'il suit les caprices du temps de ce maudit pays! Tantôt il pleut, tantôt il fait soleil. Je n'arrive plus à respirer avec cette chaleur.

— Cesse donc de te plaindre, Munro, gronda gentiment Coll.

Ce n'est guère mieux en Écosse. C'est peut-être ce qui explique le comportement de Wolfe. Il est resté trop longtemps là-bas.

— Mais, au moins, l'air y est plus respirable.

— Vraiment? Que fais-tu ici, alors? Pourquoi n'es-tu pas resté en Écosse? lui demanda Alexander sur un ton empreint de sarcasme.

Un grognement fut la seule réponse à sa question. Le jeune homme reprit son examen des lieux. Il percevait les mouvements de l'ennemi dans les retranchements, tout en haut de la falaise. Il savait que des milliers d'yeux les observaient et que des dizaines de canons étaient pointés sur eux. Pour le moment, heureusement, les barques étaient hors d'atteinte.

Vers quatorze heures, l'ordre fut enfin donné de procéder au débarquement. Il fut accueilli par des soupirs de soulagement. La barque glissa donc sur l'eau. Tout à coup, elle heurta un obstacle.

— Putain de merde! jura un officier. Qu'est-ce qui se passe?

— Un écueil, mon sergent. Une barrière de récifs, je le crains.

— Arrêtez tout! Nous allons nous échouer!

Il fallut encore une bonne heure pour trouver un passage navigable. Les barques s'y engagèrent sous un ciel qui se couvrait dangereusement, évitant comme elles le pouvaient les tirs ennemis. Deux hommes furent blessés dans celle d'Alexander. Devant, une fausse manœuvre jeta tous les hommes d'une embarcation à l'eau. Plusieurs se noyèrent, d'autres furent repêchés in extremis.

Lorsqu'ils arrivèrent, Alexander sauta dans l'eau derrière Munro et Coll pour gagner la rive à pied sous le feu nourri des Français. Leticia les suivait de près, penchée sur son fusil pour éviter les projectiles. Un boulet siffla, et on entendit un horrible hurlement. Dix pas devant, le corps du jeune John Macintosh flottait dans une nappe rouge. La tête, arrachée au tronc, avait coulé. Alexander se retourna d'un coup et vit Leticia immobile, en état de choc. Il se précipita vers elle et passa un bras autour de ses épaules pour la soutenir. Progressant difficilement dans l'eau, haletant et trébuchant sur des pierres, ils gagnèrent ainsi la plage.

— Bon Dieu! murmura le jeune homme en passant près du cadavre mutilé.

Au milieu des cris des officiers, les compagnies des grenadiers de Louisbourg, de la Royal American, de Lascelle, d'Amherst et de la brigade de Monckton, dont faisaient partie les Fraser Highlanders, se rassemblaient tant bien que mal. Les grenadiers avaient de plus en plus de mal à contenir leurs ardeurs et manquaient de discipline. N'attendant même pas l'ordre d'attaquer, ils traversèrent le gué de la rivière Montmorency et foncèrent comme un seul homme sur la première redoute en chantant : « *So at ye, ye bitches, here's give ye hot stuff*[53]*!* » et entraînant dans leur sillage deux cents hommes de la Royal American. C'était la confusion totale.

Trouver la première redoute vide ne fit qu'exacerber la fureur des soldats, que la trop longue attente avait déjà mis à rude épreuve. Ils se lancèrent à l'assaut de l'abrupte pente menant aux tranchées. C'est à ce moment-là que le ciel noir choisit de déchaîner sa colère contre eux. La pluie se mit à les fouetter violemment tandis que les balles ennemies les décimaient. Le sol devint vite boueux et l'ascension fut périlleuse. Les Français, profitant de la sécurité de leurs retranchements, tiraient à loisir sur les Anglais, qui tombaient et roulaient jusqu'en bas, fauchant leurs camarades au passage. La folie s'emparait des hommes.

La bataille fut de courte durée, mais foudroyante. Les blessés et les morts gisaient un peu partout sur le champ de bataille. Ayant réussi à atteindre le sommet, Alexander débusqua et poursuivit quelques Français jusque dans les bois. Là, il se réfugia derrière un arbre pour recharger son arme. Une douleur à l'épaule le fit grimacer ; sa main rougie lui indiqua qu'il était blessé. Mais, pour le moment, il avait autre chose à penser.

Il chercha Leticia. Elle était restée derrière lui depuis le début des combats, et il lui avait servi de bouclier en se plaçant constamment entre elle et l'ennemi. Six de ses compatriotes se mettaient à l'abri ; mais aucune trace de la jeune femme. Un mauvais pressentiment l'envahit. Il devait rebrousser chemin pour la retrouver. Alors qu'il se redressait pour s'élancer, une balle siffla à ses oreilles et fit éclater l'écorce du tronc qui le protégeait. Un soldat français surgi de nulle part se jeta sur lui, poignard en main. La lame lui effleura la joue. Les deux hommes roulèrent au sol et s'engagèrent dans un corps à corps qui ne dura que quelques secondes. La tête pleine des battements de son cœur, Alexander se souleva sur ses genoux. Le Français égorgé gisait sur un lit de feuilles mortes.

Les Français battaient maintenant en retraite, laissant le champ vaseux aux Canadiens et aux Sauvages, qui allaient pouvoir se livrer à leur barbarie et prélever leurs trophées. Alexander fut pris de panique. Où était donc Leticia ? Récupérant ses armes, il se leva complètement et se mit à courir. Il fouillait frénétiquement le terrain des yeux, scrutait chaque visage qu'il croisait. Enfin, il la vit,

---

53. « Attention à vous, salopes, vous allez avoir droit au grand jeu ! » Ligne célèbre de Hot Stuff, chanson écrite par un sergent du régiment de Lascelle, Ned Botwood, la nuit précédant l'attaque du Sault de Montmorency, où il fut tué.

assise sous le couvert d'un buisson, le visage en sang et le regard perdu.

Parant le coup de baïonnette d'un milicien, il plongea sa propre lame dans le corps de l'ennemi. Son cœur pompait son sang à une vitesse inouïe, et il en était tout étourdi.

— Leticia... Oh, Leticia! murmura-t-il en se penchant sur la jeune femme.

De ses deux mains, elle tenait sa cuisse agitée de secousses convulsives. Un couteau indien était resté planté dedans.

— Je... n'ai pas pu... l'éviter, Alex...

— Ça va, ne parle pas. Je vais te sortir d'ici.

Quelque chose bougea. Il leva la tête et vit un Sauvage à demi vêtu, au crâne rasé et au visage noir et rouge se précipiter vers eux avec son tomahawk. L'homme se mit à hurler comme une bête. Alexander empoigna le manche du couteau enfoncé dans la cuisse de Leticia et tira d'un coup sec; la jeune femme cria de douleur. Puis il lança la lame, qui fendit l'air et alla se ficher dans la gorge du Sauvage.

— Tiens bon, accroche-toi à moi.

Il hissa Leticia sur son épaule et s'élança. La retraite était annoncée. Il fallait partir d'ici le plus rapidement possible. Il louvoya entre les arbres, glissa dans la pente abrupte. Leticia se lamentait dans son dos. Lorsqu'il fut certain d'être assez loin de l'ennemi, il s'arrêta et la déposa sur le tapis de feuilles et d'aiguilles pour souffler un peu.

Un examen rapide lui permit de constater que la jeune femme ne souffrait d'aucune autre blessure physique que celle de sa cuisse.

— Je ne l'avais pas vu... Alex. Je n'ai pas pu l'éviter, ne cessait-elle de répéter.

— C'est fini, ça va aller. Ne t'en fais pas. Tu ne mourras pas. Tu t'es battue comme une déesse, Leticia...

— Le bébé?

— Ne t'inquiète pas. Tu n'as rien de grave.

Elle pleurait. Il berça son corps secoué de sanglots en murmurant des mots doux. Elle avait frôlé la mort! Étreint par une vive émotion, il chercha ses lèvres et l'embrassa avec fougue. Il aurait pu la perdre! Oh, cette vie était trop dure pour elle... pour elle et l'enfant. La guerre n'était pas pour les femmes!

— Leticia, mon amour, nous devons partir...

Une branche craqua. Alexander leva la tête et rencontra le regard perçant du sergent Roderick Campbell. Les secondes s'égrainaient; personne ne bougeait. Les deux hommes se faisaient face dans un silence tendu. Des roulements de tambour rappelaient les hommes au gué. Les soldats accouraient vers la falaise; certains portaient des compagnons blessés. Au bout d'un moment, Campbell se détourna et s'éloigna, les laissant seuls.

Alexander essayait de deviner ce qu'avait déduit Campbell de ce qu'il avait vu. L'officier allait-il les dénoncer? C'était fort probable. Qu'allait-il arriver à Leticia? Ils ne pouvaient tout de même pas la faire passer en jugement : elle avait servi l'armée avec courage, comme n'importe quel soldat. Mais ils pouvaient l'humilier publiquement et la chasser de l'armée. L'idée de partir immédiatement avec elle et de s'enfoncer dans le pays effleura l'esprit du jeune homme. Cependant, la rive nord du fleuve était encore en partie sous le contrôle des Français. Leurs chances de s'en sortir étaient donc minces, d'autant plus que Leticia, avec sa blessure, ralentirait considérablement leur fuite.

Et si Campbell ne parlait pas? Alexander pouvait toujours essayer d'acheter son silence, du moins pour un temps... Il jeta un œil sur la cuisse de Leticia. Quelques points de suture seraient nécessaires. Mais la jeune femme n'aurait pas à rester à l'hôpital. Les mains qui s'agrippaient à lui et les cris des officiers le firent réagir. Il aida Leticia à se lever et passa un bras autour de sa taille.

— Allez, viens. La marée monte; bientôt, nous ne pourrons plus traverser le gué.

***

Cette bataille, considérée comme une folie, se solda par de lourdes pertes : plus de quatre cents hommes furent tués ou blessés. Quelques soldats manquaient à l'appel, laissant dans les registres un point d'interrogation à côté de leur nom. Les jours qui suivirent furent tranquilles. Alexander constata avec soulagement que Campbell n'avait soufflé mot de ce qu'il avait vu. Cependant, les airs machiavéliques du sergent ne laissaient présager rien de bon. Il mijotait certainement quelque chose.

Leticia se remettait de sa blessure. Comme prévu, elle ne demeura pas à l'hôpital de l'île d'Orléans, qui débordait de blessés et de malades atteints du scorbut et de la dysenterie. Alexander avait été blessé d'une balle. Mais ce n'était qu'une éraflure qui ne nécessitait aucun soin particulier.

Avec l'aide de Coll et de Munro, le jeune homme volait de la nourriture et la mettait de côté. Il la dissimulait ensuite dans un trou creusé à l'orée du bois, la nuit, lorsque tout le monde dormait, hormis les sentinelles. Les risques étaient énormes : deux cents coups de fouet pour le vol de denrées, rien de moins. Mais, pour Leticia et le bébé d'Evan, Alexander était prêt à tout. Pour l'argent, il avait créé un fonds commun dans lequel chacun mettait ce qu'il pouvait.

La blessure de Leticia guérissait bien. Bientôt, la jeune femme pourrait déserter. Il fallait maintenant attendre et saisir le moment propice. Mais il ne se présentait pas. Alexander partait souvent dans des expéditions sur la Côte-du-Sud. Wolfe faisait en sorte de ne pas laisser ses hommes dans l'oisiveté. Ainsi, éreinté, Alexander sombrait dans un profond sommeil et ne se réveillait qu'au roulement du tambour.

Le temps passait. Leticia avait de plus en plus peur qu'ils fussent pris s'ils fuyaient. Il ne s'écoulait pas deux jours sans qu'on ramenât un déserteur au campement. La jeune femme semblait donc moins pressée de partir et prétendait qu'elle n'était pas assez remise. Pourtant, son ventre s'arrondissant légèrement, la situation devenait plus urgente de jour en jour.

Alexander sentait que la grossesse ramollissait la volonté de Leticia au lieu de la raffermir. Cela l'inquiétait. Ce matin même, Ruaidh Kincaid avait été exécuté pour désertion. Il ne souhaitait pas que Leticia connût ce sort. C'est pourquoi il avait accepté d'attendre encore un peu, afin de choisir le meilleur moment et d'avoir suffisamment de provisions pour ne pas voler les fermes des environs, ce qui ne manquerait pas de signaler leur présence aux deux camps.

Ainsi, ils poursuivaient leur existence de soldats, obéissant aux ordres et effectuant les corvées sans se plaindre. Les conditions de vie n'étaient pas faciles pour ces hommes venus d'outre-mer. Ils étaient épuisés physiquement autant que moralement. La nuit ne leur offrait que très peu de repos, à cause de la menace constante des Sauvages et des hurlements qui résonnaient dans les bois environnants. Très souvent, on découvrait une sentinelle morte à l'aube, dépouillée de son cuir chevelu. On en retrouva même une au bout de deux jours : l'homme était ligoté à un arbre, les os des jambes mis à vif, le ventre ouvert et vidé de ses entrailles. Ses hurlements avaient résonné toute une nuit durant. De quoi faire blanchir les cheveux. Les seuls moyens d'évasion pour arriver à supporter cet enfer étaient l'alcool et le jeu. Ils entraînaient la désobéissance : le nombre de vols, de cas d'insubordination ou de désertion augmentait de jour en jour. La menace du fouet n'avait aucun effet : les soldats étaient prêts à affronter n'importe quoi en échange d'une infime parcelle de plaisir ou de liberté. Ainsi coulait le temps...

Un bouquet d'étincelles s'éleva dans la nuit. Quelques hommes de la compagnie du capitaine Donald Macdonald étaient assis autour du feu. D'autres, abrutis par le rhum, jouaient sous une tente ou se frottaient dans un recoin sombre aux filles de joie venues de Boston et de New York. Alexander, adossé à l'une des voitures d'approvisionnement, finissait de graver avec un canif un entrelacs sur sa corne à poudre. Mais, en réalité, son œil était plus occupé à épier les mouvements des sentinelles. Le jeune homme observait et mémorisait les habitudes de chacun, dès qu'il le pouvait, depuis plusieurs jours.

MacNicol allait uriner toutes les demi-heures, près du même arbre. Il avait certainement un problème de vessie, celui-là. Blaine, lui, avait la mauvaise habitude de faire un petit somme, appuyé sur la crosse de son fusil. Il devait avoir du sang équin dans les veines pour arriver à dormir ainsi debout sans vaciller. Gallahan, un grenadier, ne restait jamais seul. Il avait une peur bleue des Sauvages. Deux jours plus tôt, le capitaine l'avait fait parader dans tout le campement avec un bonnet emprunté à la grosse Bessie. Le but de l'exercice était d'humilier le soldat pour qu'il maîtrise sa panique. Mais rien n'y faisait. Dès que Gallahan entendait une brindille craquer sous la patte d'un lièvre ou une chouette ululer, il faisait dans sa culotte et sonnait l'alerte.

Ce soir, c'étaient Buchanan et Macgregor qui faisaient la ronde. Dans deux heures, ce serait au tour de Chisholm et Gordon, jusqu'à l'aube. Finlay Gordon était au courant de son projet de désertion et pourrait le couvrir. Le moment propice se présentait enfin. Il devait en parler à Leticia.

Il chercha la jeune femme des yeux, mais ne la vit nulle part. Il rangeait son canif et se levait pour partir à sa recherche lorsque Lachlan Macpherson passa devant lui avec Angus Fletcher.

— Hé! Macdonald! Que dirais-tu d'une petite partie de dés contre Fletcher et moi?

— Pas ce soir, laissa tomber Alexander en s'éloignant.

— Allons, Macdonald! J'ai cinq shillings qui me brûlent les doigts.

Il s'arrêta, le regard fixé sur les langues de feu que crachait la batterie française et qui se réfléchissaient sur l'eau calme du fleuve. Cinq shillings? La tentation était forte. Mais s'il perdait? Il ne pouvait pas se permettre de perdre un seul penny, pas en ce moment. D'un autre côté, s'il gagnait, cela arrondirait son petit pécule.

Sa réputation de joueur était établie depuis longtemps : on disait qu'une étoile brillait pour lui dans le firmament, car il gagnait beaucoup. Inepties! Foutaises! La seule chance qu'il avait, c'était d'être assez intelligent pour savoir quand s'arrêter. C'était ce qu'il ferait encore ce soir...

Les hommes s'étaient rassemblés autour de la petite table où cinq d'entre eux étaient installés. Coll s'était joint aux curieux. On lançait des paris sur Macpherson. Outre Alexander, Macpherson et Fletcher, étaient assis Daniel Leslie, caporal des grenadiers de Louisbourg, et Seth Williamson, éclaireur des rangers de Scott. La mise initiale était de un shilling, ce qui était énorme.

Une heure et demie plus tard, il ne restait plus, autour de la table, qu'Alexander, Leslie et Macpherson. Les autres, ayant joué et perdu jusqu'à leur dernier penny, s'étaient retirés. Leslie jouait sa dernière pièce d'un demi-shilling.

— Mon vieux, la mise est de un shilling...

L'Irlandais suait à grosses gouttes. Il avait perdu une livre et six shillings. L'appât du gain se lovait dans son ventre comme un serpent venimeux. Ses yeux brillaient devant la fortune accumulée par Alexander et Macpherson. Une dernière fois... celle-là serait la bonne, il le sentait. Il s'envoya une bonne rasade de rhum dans le gosier et l'avala en grimaçant.

— J'ai autre chose... annonça-t-il fiévreusement. Il me reste autre chose à jouer...

— Laisse tomber, Leslie, tu n'as plus que ta chemise et tes bottes! Tu ne veux quand même pas aller affronter les Sauvages nu comme un ver?

Des rires s'élevèrent du groupe d'hommes autour d'eux. Leslie n'y fit pas attention et persista :

— Christina... J'ai encore ma fille Christina.

Le silence se fit. Alexander était estomaqué.

— Je ne joue pas pour une fille, déclara-t-il avec mépris. C'est votre fille, vous vous rendez compte? Il faut être un beau salaud pour mettre en jeu sa propre fille, Leslie!

— Attendez de la voir, et vous changerez d'avis, Macdonald.

— Moi, je suis intéressé, lança Macpherson. Qu'on apporte la marchandise. Je veux voir ce qu'on m'offre.

Leslie fit appeler Christina, qui arriva quelques minutes plus tard, ses grands yeux marron tout ensommeillés et ses belles boucles blondes tout emmêlées. Elle était très jolie, en effet, et plutôt bien faite. Elle avait tout pour tenter un homme. Mais elle n'avait guère plus de treize ou quatorze ans, ce qui répugna à Alexander.

La tête baissée, la pauvre fille subissait son examen en silence. Macpherson sourit et lui pinça une fesse, lui arrachant un cri.

— D'accord pour le demi-shilling et Christina.

— Je garde le demi-shilling. Uniquement Christina. Elle vaut bien plus qu'un shilling, vous verrez...

— Vous êtes un beau salaud, Leslie, continua Macpherson. Je me doute un peu de la façon dont vous avez obtenu vos galons de caporal. Votre fille est une source intarissable de revenus, n'est-ce pas?

— Ce que je fais de ma fille ne regarde personne. Vous ferez vous aussi ce que vous voulez d'elle si je perds. On s'entend là-dessus?

Macpherson lorgna la fille. Se pourléchant les babines, il parcourait avec convoitise les formes qui se cachaient sous un vieux châle tout rapiécé. Bien sûr, il pouvait facilement obtenir tout ce qu'il désirait d'une putain du *Holy Ground*[54] pour bien moins qu'un demi-shilling. Mais cette fille abritait assurément moins de bestioles que les autres femmes et avait toute la fraîcheur de la jeunesse...

— On s'entend.

Alexander allait protester, mais Leslie lançait déjà les dés. Les enjeux étaient faits. Évidemment, quelques minutes plus tard, l'Irlandais quitta la table en jurant et en titubant, son seul et dernier demi-shilling en poche. Sa fille unique revenait à Macpherson, qui demanda à profiter immédiatement de son prix. Il l'installa sur ses genoux et glissa une main sous sa chemise de nuit usée. Elle ne bougea pas. Affichant une indifférence troublante, elle laissa la main de l'homme fouiller à sa guise ses attributs féminins.

Alexander observait la scène avec dégoût. S'il n'y avait pas eu trois livres empilées devant Macpherson, il se serait levé et aurait quitté la table sur-le-champ. Lui-même avait déjà quatre livres et deux shillings en poche. C'était plus que suffisant pour vivre pendant un bon moment sans voler. Mais il savait que Macpherson ne voudrait pas s'arrêter et jouerait jusqu'à sa dernière pièce, comme les autres. Lui, s'il perdait, n'aurait qu'une seule livre en moins au final, le reste étant des gains.

— Jouons le tout pour le tout, Macdonald! proposa brusquement Macpherson en repoussant la fille.

— Quoi?

— Tu as bien entendu. Tu embarques, oui ou non?

— J'ai une livre et deux shillings de plus que toi, imbécile. Trois livres, pas plus.

Macpherson fit mine de réfléchir. La chance semblait de son côté ce soir. Il jeta un œil vers Christina, qui s'était réfugiée dans

_____

54. Terre sainte : bordel réputé de New York situé sur un terrain loué à l'Église protestante.

240

un coin de la tente et se rongeait les ongles. Il avait bien envie de la mettre sous son plaid, la mignonne... mais, bon. Sa volonté de déposséder Macdonald de sa petite fortune était plus forte.

— Mes trois livres *et* Christina. La fille pour une livre et deux shillings... De toute façon, même si tu perdais, tu ferais un profit de deux shillings.

— Qu'as-tu à perdre, Macdonald? lança un spectateur.

Dégoûté, Alexander esquissa un mouvement pour se lever et quitter la table. Une voix retentit derrière lui.

— Alors, Macdonald, les femmes ne vous intéressent pas? C'est vrai que MacCallum est plutôt mignon!

Poignardé par la remarque, il se retourna d'un coup sur la bûche qui lui servait de banc et se figea. Le sergent Campbell, les bras croisés sur sa poitrine, le regardait fixement d'un œil étrange. Il le défiait ouvertement. Coll mit une main sur le bras de son frère pour le rappeler au calme. Les hommes riaient tout autour. Alexander sentit le feu lui monter aux joues. Il devinait que le moment était venu pour lui de payer la note. Mais quelles étaient donc les intentions du sergent?

— Alas, chuchota Coll, joue pour la fille. Tu en feras ce que tu veux après, tu comprends?

— Ne me dites pas que vous craignez de gagner cette jolie poulette! reprit Campbell. Hé, les gars! Y en aurait-il un parmi vous qui refuserait une nuit torride dans les bras de cette déesse?

Des commentaires fusèrent, égrillards et grossiers. Puis, un homme se leva et s'adressa à Alexander en riant:

— Hé! Alex! T'as peur de perdre? Tu oublies ton étoile, mon vieux!

— Ouais... Il a peut-être peur de perdre son argent. Faut dire que...

— Peut-être préféreriez-vous jouer votre poignard, alors? coupa Roderick Campbell avec une note de sarcasme dans la voix. C'est une pièce magnifique qui doit bien valoir trois livres; j'ai eu l'occasion de le voir de près. Toutefois, je crains qu'il ne vous porte malchance, si vous voyez ce que je veux dire!

Alexander avait soudain la bouche très sèche, comme emplie de sable. Il déglutit et foudroya Campbell du regard. La voix de Coll lui parvint encore une fois:

— Ne te laisse pas faire, Alas. Tu vaux mieux que ce pauvre imbécile. Allez, joue, qu'on en finisse! Qu'as-tu à perdre, après tout? Si tu gagnes, tu auras bien plus que ce dont tu as besoin pour filer...

Alexander regarda la pauvre fille recroquevillée dans son coin. Combien de fois son ordure de père l'avait-il jouée et perdue? Plus d'une fois, il aurait pu le jurer. Il n'avait pas envie d'elle. Mais, s'il

241

la gagnait, il l'arracherait aux mains de Macpherson et empocherait les trois livres. Finalement, ça en valait le coup. De plus, il avait bien envie de clouer le bec à ce fumier de Campbell, à défaut de pouvoir lui briser la mâchoire. Il serra les dents.

— Lance les dés, Macpherson. Je te suis. Sept en deux coups, ça te va?

— Sept en deux, d'accord.

Les soldats se tapaient les cuisses et se frottaient les mains de satisfaction. Les mises augmentaient. Qui remporterait l'enjeu final, avec la fille en prime? Alexander regarda Macpherson souffler sa formule chanceuse sur les dés puis frotter ces derniers dans ses mains. Le silence se fit sous la tente.

Un officier se tenait dans l'entrée et observait la scène avec intérêt. Bien que le jeu fût théoriquement interdit, il était toléré. Il fallait bien laisser les hommes se distraire un peu. Malheureusement, il y avait certains inconvénients, notamment les bagarres. Mais on sévissait lorsque c'était nécessaire.

Une autre paire d'yeux était dissimulée dans l'ombre. Depuis le début de la partie, Leticia priait pour qu'Alexander ait de la chance. Cependant, cette fois-ci, elle n'était plus certaine de vouloir qu'il gagne. La fille le regardait avec de grands yeux de poupée. Si elle croyait qu'elle allait pouvoir mettre ses petites mains sur Alexander, elle se trompait royalement!

Les dés roulèrent, roulèrent. Le silence régnait toujours, tendu à l'extrême.

— Cinq! cria Fletcher. On brasse encore, Macpherson!

Le bruit des dés qui s'entrechoquaient et roulaient résonna derechef.

— Huit!

— Voyons si tu peux faire mieux, Macdonald.

Macpherson croisa les bras sur sa poitrine, affichant un air de défi. Tous les yeux étaient rivés sur la petite table de fortune. Un premier dé s'immobilisa: deux. Alexander ferma les paupières. Bon sang! Plus de quatre livres... Il aurait dû s'arrêter lorsqu'il était encore temps!

— Sept! cria joyeusement Coll en assenant une grande claque dans le dos de son frère. Tu as gagné en une fois! Tu l'as eu!

Macpherson regardait les dés, incrédule, tandis que les hommes tout autour réglaient leurs comptes dans un joyeux brouhaha. Coll ramassait les pièces sur la table et les envoyait dans le *sporran* d'Alexander, qui commençait seulement à se rendre compte de sa chance.

— Au moins, tu ne pourras pas dire que j'ai pipé les dés, mon ami, lança le gagnant au perdant. Je vais finir par vraiment croire que j'ai une bonne étoile.

— Ne te fie pas trop à ça, siffla hargneusement Macpherson. Un jour, elle pourrait s'éteindre.

Alexander le fixa gravement.

— Serait-ce une menace, Macpherson?

— Juste un avertissement, « mon ami ». Tu verras, comme moi, que la chance ne nous colle pas toujours dessus comme de la merde.

— Peut-être, mais je suis heureux qu'elle ait été de mon côté ce soir.

Sur ce, il tourna le dos à Macpherson, qui fulminait. Quand il passa devant le sergent Campbell, ce dernier le retint par le bras.

— Vous oubliez quelque chose, je crois, Macdonald.

Alexander le regarda en fronçant légèrement les sourcils.

— Votre prime...

La fille! Il l'avait complètement oubliée! Il se retourna vers l'endroit où elle s'était réfugiée plus tôt. Elle avait disparu. Tant mieux! Il n'aurait pas à la ramener chez elle. D'un geste sec, il dégagea son bras et sortit de la tente.

— Tu l'as eu, Alas! Je n'arrive pas à y croire. Tu as gagné plus de sept livres! C'est inouï! Sept livres! C'est plus que ce qu'on peut espérer accumuler en un an!

— Tiens... pour toi, Coll.

Alexander avait pêché deux livres dans son *sporran* et les glissait dans celui de son frère.

— Mais que fais-tu? C'est pour vous... C'est pour toi et Leti...

— Coll!

Le jeune homme se tut, conscient d'avoir été sur le point de dire une bêtise.

— Je veux que tu les gardes. Tu en auras besoin lors de ton retour en Écosse une fois la guerre terminée.

Coll baissa la tête et demeura étrangement silencieux. Alexander sentit un malaise.

— Qu'est-ce qu'il y a? Ce n'est pas ce que tu veux? Une ferme pour Peggy et toi, du bétail, des champs et...

— Ouais...

— Alors, qu'est-ce qu'il y a?

— Rien. Enfin... C'est que je me rends compte que je ne vais peut-être plus te revoir, Alas. Je pensais qu'on retournerait chez nous ensemble, tu comprends? Puis, il y a père... Je lui ai écrit, et...

— Je ne retournerai pas là-bas, Coll.

— Pourquoi?

Un sentiment d'amertume étreignit Alexander, qui soupira et baissa la tête, trouvant refuge dans l'obscurité.

— De toute façon, la question ne se pose plus. Je dois m'occuper de Leticia. Si nous réussissons à nous en sortir, nous descendrons sans doute vers le sud, chez les Américains, pour nous y installer. Je ne veux pas lui faire subir la traversée de l'Atlantique, pas avec un enfant.

— Je comprends, Alas, dit Coll d'une voix basse. Plus tard, peut-être... lorsque tu auras amassé assez d'argent?

— Plus tard, peut-être...

Alexander se détourna aussitôt et prit le chemin de sa tente. Il n'avait pas fait trois pas qu'une petite voix l'interpella. Tandis qu'il cherchait dans l'obscurité qui lui avait parlé, une silhouette surgit et se plaça devant les lueurs du feu mourant. Les courbes du corps de la jeune fille transparaissaient à travers l'étoffe de la vieille chemise de nuit.

— Monsieur Macdonald...

— Christina?

— Vous allez m'oublier...

— Je ne vous oubliais pas, mademoiselle. Je vous rends votre liberté. Vous pouvez retourner chez vous.

Il la congédia d'un geste en se remettant à marcher. Elle lui emboîta le pas.

— Monsieur...

— C'est de l'argent que vous voulez? Désolé, je ne vous donnerai pas une seule pièce. Que je vous rende votre liberté devrait vous suffire.

Christina lui attrapa la manche pour le forcer à ralentir.

— Je ne veux pas d'argent.

Alexander s'immobilisa et pivota sur ses talons.

— Si vous ne désirez ni votre liberté ni de l'argent, alors expliquez-moi ce que vous voulez, qu'on en finisse! gronda-t-il, excédé.

— Je veux rester avec vous.

Il lança un regard à Coll, qui haussa les épaules.

— Euh... en fait, je... Bon sang, Coll!

— Quoi? Tu décides ce que tu veux, mon frère. Elle est à toi!

— Merde... murmura Alexander entre ses dents. Vous ne pouvez pas, mademoiselle... Vous êtes bien mignonne, mais...

— Vous préférez le soldat MacCallum?

— Quoi?!

— C'est... C'est ce que j'ai cru comprendre. Le sergent a dit... Je sais que certains soldats font des choses ensemble, parfois...

Coll toussota pour dissimuler un fou rire. Alexander lui lança un regard mauvais, dont l'effet fut instantané.

— Quoi que vous croyiez, Christina, cela n'a rien à voir avec vous ou vos charmes... Allez donc vous recoucher tranquillement chez...

— Non!

Alexander haussa les sourcils.

— Non?

— Je ne veux pas.

— Pourquoi? Je ne comprends pas.

— Je veux rester avec vous cette nuit.

— Mais... vous n'êtes qu'une enfant. Je ne veux pas... je veux dire...

— Vous préférez l'autre soldat? Dans ce cas, je resterai dans mon coin, je ne vous dérangerai pas.

— Non... je me suis mal exprimé.

— Alors, je ne suis pas assez bien pour vous? Vous croyez que je ne saurai pas faire? Attendez, je peux vous montrer...

Le temps d'un battement de cils, elle avait glissé sa main sous son kilt et l'avait pris bien en main. Alexander, qui était sur le point de répliquer qu'en effet il la trouvait un peu jeune, laissa échapper un son rauque. De toute évidence, la jeune fille savait très bien comment manipuler... enfin... Il enroula doucement ses doigts autour du frêle poignet et arrêta la main trop habile.

— Christina, ne le prenez pas mal...

Elle leva ses grands yeux vers lui; une grosse larme roula sur sa joue. Il jura et chercha son frère. Mais Coll s'était évaporé. Alexander soupira, regardant la fille avec compassion. Quelle situation compliquée!

— Bon, écoutez-moi, Christina. J'ai une femme... et...

— Je veux rester avec vous. Je vous en prie, monsieur. Votre femme n'en saura rien.

— Mais pourquoi vous obstinez-vous à vouloir coucher avec moi?

— Mon père voudra récupérer son argent perdu. Si je retourne là-bas... C'est que, lorsqu'il a bu...

— Oh!

Il se tourna vers sa tente. Elle était sombre. Où était donc Leticia? Il aperçut Finlay Gordon qui, fusil en main, s'éloignait pour prendre son tour de garde. Mince! Il avait oublié de l'avertir.

— Finlay! Hé, Finlay! cria-t-il en courant vers son camarade.

— T'es un sacré chanceux, Alex! Coll vient tout juste de me raconter ta partie de dés avec... Hou la la! C'est elle?

— Quoi? Qui? Ah, oui... c'est elle.

Finlay se dandinait, un sourire niais sur les lèvres, tout en reluquant Christina, qui avait suivi Alexander.

— Hum... Et pour MacCallum?

— Mêle-toi de ce qui te regarde, Finlay. Christina dormira sur ta couche, seule. C'est clair?

— Sur ma couche?

— Tu y vois un inconvénient? Tu la récupéreras à l'aube...

Finlay sourit à la jeune fille.

— Quelle malchance que ce soit mon tour de garde. J'aurais bien aimé la tenir au chaud!

— Cesse tes âneries. J'ai à parler avec toi...

Leticia était déjà couchée lorsqu'il entra dans la tente. Cela l'agaça. Il aurait voulu lui expliquer, pour Christina. Il le ferait plus tard. Il indiqua à la jeune fille la couche de Finlay et entreprit de remplir son havresac des affaires qui lui seraient nécessaires cette nuit. Au bout d'un moment, il jeta un œil vers Leticia. Elle était roulée en boule, le visage enfoui sous la couverture. Quelque chose lui disait qu'elle ne dormait pas.

— MacCallum?

Aucune réponse. Christina était allongée sur le dos et le regardait. Il était dans de beaux draps! Tout ce qu'il voulait maintenant, c'était prendre Leticia dans ses bras et lui annoncer la bonne nouvelle. Mais la présence de cette fille l'en empêchait. Il grogna et se remit à la tâche.

Les havresacs refermés, il s'assit sur sa propre couche. Leticia n'avait toujours pas bougé. Il eut envie de la réveiller, mais se ravisa. Elle avait besoin de tout le sommeil dont elle pouvait disposer: la route serait longue. Il s'étendit donc sur le dos. On annonça le couvre-feu; en même temps s'éleva la voix grave de Munro qui chantonnait des vers grivois.

— *And when ye have done with the mortars and guns... If ye please, Madam Abess, a word with yer nuns*[55]... Aïe! Qui a eu la stupide idée de mettre une corde juste là, pour qu'on se prenne les pieds dedans?

Munro roula dans la tente, la tête la première, amenant avec lui des relents fétides. Il n'était pas difficile de deviner dans quel état il était.

— C'est toi qui as mis cette corde là, Munro, lui rappela Alexander dans un grognement endormi.

---

55. «Quand nous en aurons terminé avec les mortiers et les canons, s'il vous plaît, madame l'abbesse, laissez-nous avoir un mot avec vos sœurs...» Dernières lignes de Hot Stuff.

— Hein? Quoi? Tu en es certain? Oh, que je suis bête!

Munro émit une série de bruits incongrus.

— Ce que tu empestes!

— Ça fermente dans le tonneau, mon vieux! répliqua le cousin en rigolant.

Alexander referma les paupières en soupirant. Il n'était plus question pour lui de s'endormir: Munro allait ronfler comme un porc toute la nuit. Il entendit son camarade se traîner jusqu'à sa couche en faisant deux autres pets.

— Hé! Finlay! Qu'est-ce que tu fais là? Je croyais que t'étais de garde... Aïe! Ma tête!

— Munro...

— Ouais, je me tais.

— Les oiseaux chanteront cette nuit...

Il y eut un silence. Munro remua sur sa couche, et Alexander vit sa massive silhouette se redresser.

— Cette nuit? Déjà?

— Cette nuit.

— Sacredieu, tu aurais pu me prévenir avant!

— Je n'ai pas pu. Où étais-tu donc? Tu as découvert la réserve d'eau-de-vie des officiers ou quoi?

— Mieux que ça, mon vieux. Tu te souviens de Willie Cormack?

— Cormack? Tu veux parler de celui qui racontait à qui voulait l'entendre qu'il avait inventé une recette de liqueur à base de whisky pour notre prince Charlie?

— Celui-là même... Je t'assure que, si ce qu'il prétend est vrai, notre beau prince doit lui aussi rouler à terre, à Rome. Son truc est divin.

— Tu veux dire que Cormack distille du whisky dans le campement?

Munro éclata de rire avant de s'étouffer dans une quinte de toux.

— Oh! Non, pas dans le campement! Si je te disais où, tu ne me croirais pas.

— Essaie toujours.

— Dans l'église. Hé, Finlay, t'entends ce que je raconte? Mais, qu'est-ce que!?...

Christina poussa un cri et s'assit d'un coup, les bras croisés sur sa poitrine.

— Mais c'est pas Finlay! T'es qui, toi?

— Elle s'appelle Christina, l'informa Alexander. Elle dort ici cette nuit, et toi, tu gardes tes mains sur ton kilt, Munro.

— Qu'est-ce qu'elle fait là?

— Coll t'expliquera plus tard.

Les batteries de mortiers crachaient toujours leurs boulets destructeurs sur les Français. La tente, elle, était maintenant silencieuse. Malgré l'excitation engendrée par la perspective de la liberté prochaine, Alexander n'avait pas l'esprit tranquille. Il allait déserter, et c'était contre ses principes d'honneur. Il abandonnait son clan, perdait toutes ses chances de retrouver grâce aux yeux de sa famille. Qu'allait raconter Coll à son père lorsqu'il retournerait en Écosse? Qu'il avait encore déshonoré le nom des Macdonald de Glencoe?

Il tendit la main vers Leticia, aussi immobile qu'une statue de marbre. Il s'inquiéta un peu: peut-être n'allait-elle pas bien... Fouillant sous la couverture, il trouva son genou, qui se déroba aussitôt. La jeune femme se poussa pour se mettre hors d'atteinte. Mais qu'avait-elle donc?

— Alex?

C'était la voix de Munro, dans laquelle perçait une pointe d'émotion.

— Hum?

— Je n'arrive pas à croire que je ne te reverrai plus...

Alexander déglutit, le cœur serré. Partir ne serait pas aussi facile qu'il le croyait. Une nouvelle fois, il coupait les liens qui le rattachaient à son clan.

La lune était pleine. Ce n'était pas l'idéal pour s'enfuir, mais au moins, il ne pleuvait pas. Les batteries s'étaient tues. Munro, comme prévu, ronflait à pleine vapeur. Alexander se retourna sur sa couche. Son bras rencontra alors un objet dur, qui remua à son contact. Il laissa sa main glisser sur la surface courbe: c'était doux et tiède sous le tissu. Une hanche... Ses doigts se firent plus audacieux, descendant sur une cuisse bien ronde.

— Leticia... murmura-t-il, encore perdu dans ses songes.

La jeune femme se retourna. Il sentit son haleine sur son visage et chercha sa bouche, tandis que ses mains fouillaient sous la chemise.

— Leticia...

Il ne reconnaissait pas ce corps dodu qu'il caressait. La fille gémit et écarta les jambes pour laisser libre cours à ses envies. Quelque chose clochait. Il n'arrivait pas à dire quoi, mais... La tête encore tout embrouillée, il glissa sa main entre les cuisses de la fille. Tout à coup, il se rappela. Christina! Il s'immobilisa dans l'instant.

— Christina! Mais que faites-vous ici?

— C'est... C'est vous qui m'avez dit que je pouvais dormir ici.

— Là-bas, sur la couche de « Finlay », rectifia-t-il dans un chuchotement rauque, pas *ici*.

— J'ai cru... que pendant la nuit, vous voudriez... Comme vous étiez seul, j'ai cru que vous voudriez de moi.

Des sanglots lui parvinrent de la couche de Leticia. La lumière du clair de lune pénétrait à l'intérieur de la tente à travers la toile blanche. Alexander vit le regard brillant de larmes de Leticia posé sur lui. Oh, non! Que pouvait-elle penser? Il tendit une main vers elle.

— Ne me touche pas!

— Ne sois pas ridicule, Leticia.

— MacCallum! Je m'appelle MacCallum! Tu as une araignée au plafond ou quoi?

Il la dévisagea, stupéfait de son ton acerbe.

— Mais... c'est une femme! s'écria Christina, portant une main à sa bouche ouverte de surprise.

— Ben oui, je suis une femme, petite sotte!

— Oh!

Comprenant d'un coup la situation, la fille fila à quatre pattes jusqu'à la couche de Finlay et s'emmitoufla dans la couverture. « Pas si sotte que ça, la petite », pensa Alexander en esquissant un sourire. Revenant à Leticia, il lui prit la main.

— Ne me touche p...

— Tu as perdu la tête? Aïe! fit-il entre ses dents tandis qu'elle mordait la main qu'il avait plaquée sur sa bouche pour qu'elle arrête de crier.

— Bien fait!

— Suffit, MacCallum! chuchota-t-il. Tais-toi et habille-toi.

— Non!

— Habille-toi.

— Non!

Un grattement sur la toile les fit sursauter. Une silhouette étendait son ombre au-dessus d'eux.

— La nuit, les oiseaux chantent...

— Gordon?

— C'est moi, Macdonald. L'eau est claire.

— D'accord, merci.

— L'eau est claire? répéta Leticia, perplexe.

— Un code: la voie est libre. Habille-toi. Nous partons.

Il lui avait répondu avec tendresse, espérant la ramener à de meilleures dispositions. Elle obtempéra. Avant de sortir, il jeta un dernier regard vers Munro, qui dormait comme un ours en état d'hibernation. Seule l'explosion d'une bombe pourrait le réveiller, et encore. Coll s'était redressé.

— Je te souhaite bonne chance, Alas...

Ému, Alexander s'approcha de lui. Ils s'étreignirent une dernière fois.

— Je trouverai un moyen pour te faire parvenir de nos nouvelles, Coll. Prie pour nous et tout ira bien.

Christina le regardait avec ses grands yeux de biche. La dernière chose qu'il voulait, c'était qu'elle cherche à lui nuire pour se venger d'avoir été si cavalièrement éconduite.

— Je n'ai rien vu, lui dit-elle pour le rassurer.

— Merci, Christina.

— Bonne chance.

Alexander et Leticia sortirent, puis se glissèrent, telles des ombres, entre les tentes silencieuses, évitant les piquets et les cordes. Les sentinelles, qui leur tournaient le dos, se tenaient debout près d'un feu et fumaient tranquillement. Finlay les avait rejointes et leur racontait une histoire pour tromper leur attention. Ils quittèrent ainsi le campement sans aucune difficulté et s'enfoncèrent dans les bois.

Après quelques minutes de marche, ils firent une pause. Alexander déposa son havresac sur le sol et fouilla dedans. Il en sortit des vêtements qu'il tendit à Leticia.

— Tiens, enfile ça. Si jamais nous tombons sur une bande de Canadiens, tu auras plus de chances de t'en tirer vivante qu'avec ta veste.

— Tu aurais dû trouver des habits pour toi aussi, Alex, fit-elle observer.

Il haussa les épaules. Obnubilé par sa sécurité à elle, il n'avait jamais pensé à sa propre tenue.

La lune n'éclairait que faiblement les bois, habités par des sons inquiétants. Alexander, nerveux, les parcourut des yeux. Il savait les Sauvages capables d'être aussi silencieux qu'un souffle. Ces hommes savaient très bien se cacher, il ne devait pas l'oublier. Reportant son attention sur Leticia, il s'arrêta net de respirer. La jeune femme était penchée sur le jupon, dont elle cherchait l'ouverture, et exposait ses jambes nues à la peau presque lumineuse. Se sentant observée, elle se tourna vers lui. Il ne pouvait détacher le regard de ce corps qui faisait naître en lui un puissant désir charnel. Mais ce n'était pas le moment... Il se détourna vivement et attendit. L'étoffe bruissait doucement. Il imaginait le jupon glissant sur les cuisses fermes...

— Alex...

Elle avait posé sa main sur son épaule, qu'elle pressait doucement. Il se retourna.

— Leticia...

Elle sourit, pirouetta et exécuta une révérence.

— Tu es...

— Une femme?

Il déglutit. Oui, une femme... portant l'enfant d'Evan. Il se sentit mal, comme si son compagnon les surveillait. Chassant cette
idée d'un haussement d'épaules, il se pencha pour ramasser son
havresac. Il se rendit compte alors avec consternation qu'il avait
oublié les provisions enterrées à l'orée des bois.

Leticia enfouit sa veste rouge sous un tas de branches et ramassa
son *sporran*. Dans son empressement, elle en renversa le contenu sur
le sol.

— Oh, zut!

— Attends, je vais t'aider.

Il tâta l'herbe des doigts pour retrouver les objets perdus.
Leticia soupira de soulagement lorsqu'elle retrouva le précieux
médaillon d'Evan. Quelque chose piqua le pouce d'Alexander.

— Aïe! Qu'est-ce que c'est que ça?

Il ramassa l'objet qui l'avait blessé : c'était une broche. Il
s'apprêtait à la remettre à la jeune femme lorsque le métal argenté
attira son attention. Il suspendit son geste, ébahi. Le bijou était une
œuvre celte représentant un entrelacs compliqué de dragons. Il
avait déjà vu cette broche...

— Où as-tu pris cela? demanda-t-il d'une voix faible.

Leticia regarda l'objet qu'il tenait entre ses doigts. Elle le lui prit
et voulut le mettre dans sa poche. Mais Alexander lui empoigna le
bras.

— Réponds-moi! Où as-tu eu cette broche?

— Mais... elle m'appartient. Qu'est-ce qui te prend?

— Qui te l'a donnée?

Elle le dévisagea, la mine interrogative. Pourquoi réagissait-il
aussi violemment?

— Ma mère... Elle me l'a donnée avant de mourir.

Alexander lui arracha le bijou des mains. Tandis qu'il fixait le
merveilleux motif travaillé dans l'argent, un flot de souvenirs lui
revenaient...

*Le tonnerre grondait; la pluie menaçait. Comme toujours, Munro le
faisait attendre. Il tenait tant à abattre sa grouse... Alexander décida de*

rester encore un peu. Tante Frances serait furieuse. Mais bon, c'était la faute de Munro s'ils étaient en retard pour le repas. La voix aiguë les appela pour la quatrième fois.

Munro poussa un cri de victoire; Alexander soupira de contentement. Son cousin dévala la pente jusqu'à lui en souriant béatement, la grouse empalée sur la hampe d'une flèche. Il venait de tuer sa première proie.

– Alas! Alas! Regarde! J'ai réussi! C'est papa qui va être fier de moi!

– Pour sûr, Munro. Allez, rentrons maintenant… si tu ne veux pas te retrouver dans la marmite avec ton volatile. Ta mère va être encore dans une de ces colères!

Un cri leur glaça le sang. Ils se regardèrent pendant que leurs visages se vidaient de leurs couleurs. C'était la voix de Frances. Mais cette fois-ci, elle appelait à l'aide. D'un coup, il se leva et prit le coutelas qu'il utilisait pour sculpter des bouts de bois. Munro, lui, courait déjà vers la chaumière.

Arrivés en bas de la colline, ils virent cinq chevaux devant la maison. Un homme montait l'une des bêtes. Alexander retint son cousin d'une poigne ferme et le poussa derrière un buisson.

– Attends, Munro… Reste ici.

Il avait reconnu les couleurs de la Garde noire. Que faisaient ces cavaliers ici, dans les pâturages d'été du Black Mount? Oncle Duglas avait-il commis un vol? Hormis le joyeux trille d'un courlis et le bourdonnement agaçant de quelques abeilles, tout était silencieux. Le garçon observa attentivement la chaumière, espérant voir sa tante ou son oncle en sortir. Mais rien ne bougeait. L'inquiétude le gagnait.

Malgré ses six ans, il savait ce dont étaient capables les hommes de la Garde noire qui sillonnaient les Highlands. Ces soldats chargés par les Sassannachs d'assurer la paix dans les Highlands depuis 1725 épiaient leurs moindres faits et gestes. La rumeur courait que les clans jacobites préparaient un nouveau soulèvement. On disait que Charles-Édouard, le fils aîné du roi exilé Jacques-Édouard qu'on appelait le vieux Prétendant, attendait son heure pour revendiquer le trône d'Écosse.

– Tu vois ton père quelque part? demanda-t-il à Munro sans cesser de fixer l'habitation de pierres sèches.

– Non, il ne doit pas être revenu de Crieff.

– Crieff?

– Ben oui, le marché de bétail.

– Ah, c'est vrai! J'avais oublié…

Son oncle ne serait pas de retour avant la tombée de la nuit. Et il n'y avait aucun membre du clan dans les parages. Un homme sortit de la maison en se rajustant et en riant. Celui qui était resté dehors descendit de cheval et entra à son tour. Mais que se passait-il là-bas? Où était Frances? Ils ne l'entendaient plus…

Deux autres soldats se montrèrent. Alexander poussa vivement son cousin au sol et s'aplatit lui-même dans la bruyère : l'un des individus regardait dans leur direction. Munro lui lança des regards apeurés. Il avait un an de moins que lui, mais il comprenait parfaitement que quelque chose n'allait pas. De fines gouttelettes vinrent s'écraser sur leur front et mouillèrent leur chemise. Le tonnerre gronda de nouveau, les faisant frémir.

– Où est maman? demanda Munro d'une voix ténue.

Alexander ne répondit pas. Il commençait à saisir ce qui se passait dans la chaumière, et son estomac se crispait de crainte et de haine. Les soldats de la Garde noire n'étaient pas tous, loin s'en fallait, des gardiens de la paix sans taches. Il avait entendu des histoires horribles à leur sujet. On racontait qu'ils faisaient des choses aux femmes, parfois, lorsqu'ils les trouvaient seules au cours de leurs patrouilles... Sa mère en avait justement parlé la semaine précédente. Une certaine Janet MacInnis avait été « malmenée » par certains de ces hommes.

– Où est maman? répéta Munro, de plus en plus inquiet.

Que lui répondre? Alexander lui fit signe de le suivre et rampa jusqu'à un rocher.

– Il faut avertir mon père, Munro. Cours le chercher. Dis-lui que la Garde noire est venue chez toi.

– Mais maman?

– Cours, Munro, vite! Ne perds pas de temps!

Le garçonnet grimpa la colline à toute vitesse. Alexander le suivit des yeux jusqu'à ce qu'il eût disparu. Puis il reporta son attention sur la chaumière. Les trois soldats avaient regagné leurs selles; les deux derniers s'apprêtaient à enfourcher leurs montures à leur tour. Des éclats de voix et des rires résonnaient. Toujours aucune trace de sa tante Frances. Il espérait du fond du cœur qu'elle ne fût plus là.

Après que les cavaliers eurent disparu, le garçon dévala le reste de la colline et pénétra dans la pénombre de la chaumière en appelant. Ce qu'il vit le figea sur place. Frances était étendue sur la table, les bras sur sa poitrine découverte. Ses jambes écartées et dénudées pendaient mollement dans le vide. Tout en émoi, Alexander s'approcha lentement. Le regard vide de Frances restait obstinément rivé aux poutres du toit, tandis que ses bras glissaient le long de son corps. L'une de ses mains s'ouvrit, exposant l'objet qu'elle avait tenu dans ses doigts crispés : la broche aux dragons...

— Alex, qu'y a-t-il?

Leticia lui caressait le bras avec douceur. Il cligna des yeux et la dévisagea d'un drôle d'air.

— Comment s'appelait ta mère, Leticia?

— Pourquoi?

— Je veux savoir, c'est important.

L'estomac du jeune homme se nouait d'appréhension. Une seule personne, en effet, pouvait être en possession de cette broche. Une seule... Il scrutait désespérément les traits du visage qui lui faisait face.

— Flora.

Il ferma les paupières et déglutit. Il croyait rêver : Flora Mackenzie, la gardienne du terrible secret !

— Alex, explique-moi ce qui se passe ! Tu m'inquiètes...

— T'a-t-elle raconté d'où venait cette broche quand elle te l'a offerte ?

Leticia fronça les sourcils.

— Alex, je ne sais pas de quoi tu parles...

— Flora Mackenzie. C'est bien comme cela qu'elle s'appelait ?

— Bien... oui.

— Et ta date de naissance, Leticia, tu la connais ?

— Mais... qu'est-ce que ?...

— Tu la connais ?

Il criait presque maintenant et la regardait avec tant de tristesse qu'elle en eut peur. Elle bredouilla sa réponse :

— Le 7 juin 1739.

— Oh, bon Dieu !

— Alex, tu me fais peur ! Dis-moi ce qui te met dans cet état et pour quelle raison cette broche a tant d'importance pour toi ?

Il devait réfléchir. Était-ce vraiment possible ? Quelle coïncidence alors ! Une pression sur son épaule lui fit lever la tête. Leticia le fixait, visiblement troublée. Soudain, il crut voir Frances. Ou peut-être cherchait-il à la voir sur ce visage. Pourtant... la ligne de la mâchoire, la courbure des lèvres, les chauds reflets de la chevelure... Tout cela lui semblait brusquement si familier. Il se détourna et gémit, les doigts crispés sur sa poitrine.

— Alex...

— Oh ! Leticia, cela dépasse l'entendement. Ce que j'ai à te dire... Bon Dieu !

Elle le força à la regarder.

— Cette broche... Elle a appartenu à ma grand-mère.

— Ta grand-mère ? Mais... comment ça ?

— Leticia, ta mère...

Il prit les mains de la jeune femme dans les siennes et les serra fortement, de peur qu'elle ne s'enfuie. La vérité était si douloureuse à dire. Lui-même en souffrait déjà. Elle le regardait avec de grands yeux, la bouche ouverte, comme prête à laisser s'échapper le cri qu'elle ne pourrait certainement retenir lorsqu'elle saurait.

— Ta vraie mère n'est pas Flora Mackenzie.

— Quoi? Mais qu'est-ce que tu racontes? C'est ridicule! Flora est ma mère...

— Non! Elle t'a adoptée à ta naissance.

Leticia le dévisagea en plissant les yeux. Elle allait se sauver, mais Alexander la retint solidement par les épaules.

— Ta mère naturelle s'appelle Frances MacPhail. Et... Munro est ton frère.

Elle éclata de rire. Puis elle pâlit et se tut. Elle mit sa main devant sa bouche pour empêcher son cri de sortir. Il la relâcha et elle s'écarta avec lenteur.

— Leticia... Frances est ma tante. C'est la sœur de mon père, tu comprends?

Frances... Leticia *Frances* Mackenzie MacCallum. Elle s'était toujours demandé d'où venait ce nom... Aucune de ses tantes ou aïeules ne le portait. Maintenant qu'elle y repensait, il lui semblait qu'elle avait toujours senti qu'on lui cachait quelque chose sur sa naissance et ses origines. Mais Flora et Arthur MacCallum la chérissaient, et cela lui suffisait amplement. Elle comprenait aujourd'hui ces allusions anodines, ces mots chuchotés dans son dos, ces phrases inachevées, parfois, lorsqu'elle entrait dans la chaumière... Puis cette vieille femme qui venait lui rendre visite régulièrement. Elle l'avait surprise à essuyer une larme tout en l'observant. Sa mère lui avait expliqué qu'il s'agissait d'une amie de longue date. Cette femme, qu'elle appelait Tante Caitlin, était-elle sa grand-mère naturelle? Et cette broche que lui avait remise Flora le matin de ses quinze ans... Elle avait alors un air si triste...

— Dis-moi ce que tu sais, Alex. Je veux connaître la vérité.

Il hocha la tête et se laissa tomber dans l'herbe, à ses pieds. Elle l'imita, se cramponnant à son bras.

— En septembre 1738, Frances a été sauvagement... violée.

— Violée?

— Par des soldats de la Garde noire. Ils étaient cinq. C'est moi qui l'ai trouvée. J'avais six ans à l'époque. J'étais parti chasser le petit gibier avec Munro. Quand on a vu les chevaux et les hommes, on s'est cachés dans les collines. On était trop jeunes pour l'aider. Par la suite, Frances... elle... Je crois qu'elle a perdu l'esprit. Elle restait prostrée pendant des heures sur son banc, devant sa chaumière, à fixer le vide. Son mari a tout essayé, mais rien n'y faisait. Puis son ventre s'est mis à grossir...

Il se frotta les paupières en secouant la tête. Des lambeaux de souvenirs lui revenaient, des images qui avaient bouleversé son esprit d'enfant. Frances avait sombré dans la folie après cet affreux viol. Elle qui d'habitude était d'humeur joviale et taquine s'était enfermée en elle-même, dans l'indifférence, dans une tour inaccessible. Grand-mère Caitlin s'était occupée de Munro, qui ne comprenait pas pourquoi sa mère ne lui parlait plus et ne prenait plus soin de lui. Lorsque Frances mit le bébé au monde, bien qu'il pût être de lui, son mari n'en voulut pas.

Alexander regarda Leticia, qui fixait ses mains. Comment lui raconter? Il savait qu'elle souffrait.

— Je suis désolé, Leticia. Je ne devrais pas...

Elle leva ses yeux gris humides vers lui. Tout d'un coup, un hoquet de surprise s'échappa de sa gorge et elle enfouit son visage dans ses mains.

— A Dhia[56]! cet enfant... c'est moi? Alex, je veux savoir... l'implora-t-elle d'une voix étranglée par la douleur. Je dois tout savoir...

— Oui, je crains que ce soit toi, concéda Alexander d'une voix faible.

Il caressa la joue mouillée de la jeune femme.

— Pour te protéger de Duglas, le mari de Frances, grand-mère Caitlin a demandé à mon père de t'emmener chez cette dame MacCallum qui, n'ayant pas d'enfants, acceptait de te prendre et de t'élever.

Ses doigts frôlèrent le motif de la broche, comme ils l'avaient fait tant de fois lorsqu'il était enfant. Il était fasciné par la beauté et la délicatesse du dessin. Sa grand-mère lui avait expliqué que ce bijou était une œuvre de son père à elle, Kenneth Dunn, maître orfèvre à Belfast puis à Édimbourg. Combien d'heures avait-il passées, lui, à tenter de reproduire ce motif sur un bout de bois, avec son *sgian dhu*?

— Cette broche... appartenait à Frances, Leticia. C'était un cadeau de sa mère, notre grand-mère, Caitlin Dunn, qui elle-même l'avait reçue, à la mort de sa propre mère, des mains de son père. Elle devait être transmise de génération en génération, de mère en fille. C'est pourquoi elle t'est revenue après la mort de Frances. C'est ton héritage. Chéris-la et... si le bébé que tu portes est une fille, donne-la-lui.

— Caitlin... Tante Caitlin... murmura Leticia, pensive, tout en caressant l'objet à son tour.

Leurs doigts s'effleurèrent au passage. Alexander retira vivement les siens.

---

56. Oh, Dieu!

— Cette femme... était donc ma grand-mère?

La jeune femme fronça les sourcils et le regarda droit dans les yeux, ce qui le troubla.

— Elle venait me voir à l'occasion et m'apportait des douceurs ou des petits présents. Je l'aimais bien... Alex... elle était ma grand-mère, et je ne le savais pas! On ne me le disait pas! Pourquoi? Pour quelle raison? Ce n'est pas juste!

Elle frappait la poitrine d'Alexander avec ses poings. Doucement, le jeune homme prit ses poignets pour l'arrêter et lui murmura des mots doux pour la calmer. Puis il essuya les grosses larmes qui roulaient sur ses joues.

— On ne parle pas de ces choses-là, Leticia... Puis, sans doute que grand-mère Caitlin a voulu te protéger aussi. Duglas avait juré de venger sa femme. Qui sait ce qu'il pouvait faire s'il apprenait où tu te trouvais? Je sais, ce n'est pas juste...

Ses doigts s'attardaient sur la peau tiède. Il déglutit, contenant sa propre envie de crier à l'injustice qui s'acharnait sur lui aussi.

— Je suis ton cousin germain, Leticia. Tu comprends ce que cela implique?

Elle secoua sa chevelure, dans laquelle s'accrochaient les premières lueurs du matin, brumeux.

— Oh, Alex... Non!

— Je ne pourrai jamais t'épouser, Leticia. Jamais.

Elle posa ses mains sur son ventre légèrement rebondi et gémit, les paupières fermées. Des larmes de désespoir baignaient son visage blafard. Alexander voulait la prendre dans ses bras et la bercer, mais quelque chose l'en empêchait maintenant. Sa cousine... Pour comble de malchance, il était tombé amoureux de sa cousine. Cette femme qui lui avait révélé une facette inconnue de lui-même lui était désormais interdite. Ils ne pourraient jamais se marier. Ils pourraient toujours cohabiter, mais... la promiscuité serait pour lui un tel tourment. Il l'aimait; il la voulait comme un homme veut une femme. Or cela n'était de toute évidence plus possible. De plus, il ne pouvait exiger d'elle qu'elle lui reste fidèle. Elle était jeune et aurait bientôt un enfant à nourrir et à élever. Il lui faudrait trouver un homme pour s'occuper d'elle, et cela, il ne pourrait le supporter. Qu'allaient-ils faire? Il devait réfléchir...

Un corbeau croassa. « Oiseau de malheur! » pensa-t-il. Puis, brusquement, le visage de sa grand-mère Caitlin fit irruption dans son esprit tourmenté. La vieille femme n'aimait pas les corbeaux. Il revit son expression de douceur, sa peau mince et diaphane. Elle lui manquait terriblement. Elle avait toujours les bons mots pour apaiser ses angoisses quand il était enfant. Que lui aurait-elle dit en ce moment même?

— Je vais... trouver un endroit pour toi et l'enfant, commença-t-il dans un soupir. Je m'assurerai que vous ne manquez de rien et que vous êtes correctement traités. Il doit bien y avoir, dans ce pays, quelque paysan capable de compassion pour une femme dans ton état.

— Je veux que tu restes avec moi, Alex! s'affola-t-elle. Je ne veux pas que tu m'abandonnes.

Il se tourna vers elle et la fixa tristement.

— Il n'est pas question que je t'abandonne, Leticia. Mais je n'arriverai jamais à vivre sous le même toit que toi sans pouvoir... sans pouvoir t'aimer. Ce sera trop difficile!

— Personne n'a besoin de savoir.

— Moi, je sais. Et toi aussi. C'est ce qui compte. Bon Dieu! Tu es la sœur de Munro! Je ne pourrai jamais plus... Oh, Leticia!

Il promena son regard humide autour de lui. La clairière était de plus en plus lumineuse. Ils devaient reprendre la route au plus vite. Brusquement, il se rappela qu'il avait oublié les provisions. Il se leva promptement, et elle fit de même.

— Donne-moi tes mains, souffla-t-il avec raucité.

Elle lui obéit. Il pressa ses mains sur son cœur et baissa les yeux sur elle.

— Je veux que tu saches que, quoi qu'il arrive, je ferai toujours tout ce qui est en mon pouvoir pour vous protéger, toi et l'enfant. Tu as bien entendu? Sur mon honneur, je te le jure...

Il hésita, le regard plongé dans le gris ombrageux de celui de sa cousine. Elle le fuit en fermant les paupières, les lèvres frémissantes. Il regarda pendant un court moment cette bouche qui l'invitait. Puis, plaquant sa paume dans le creux de ses reins, il attira la jeune femme contre lui. Il ne put s'empêcher de lui donner un dernier baiser. Ils restèrent ainsi enlacés, refrénant avec grand-peine leur envie l'un de l'autre.

— Attends-moi ici, je reviens dans quelques minutes. Je retourne chercher les provisions.

— Laisse, Alex! Il est trop tard. Il fait jour.

Il s'écarta, mit son fusil en bandoulière et marcha d'un pas décidé vers le campement.

— Cela ne me prendra que cinq minutes, Leticia. Cache-toi derrière ces buissons.

— Alex!

Elle se précipitait vers lui en fouillant dans son *sporran*, d'où elle sortit le médaillon.

— Je veux que tu le gardes avec toi.

Il fronça les sourcils : le médaillon d'Evan?

— Je ne peux pas le prendre, il était à...

— Prends-le, Alex. Evan souhaitait que tu m'épouses.

Elle prit sa main et y déposa le bijou avant de refermer ses doigts dessus. Lentement, il hocha la tête. Une foule de sensations l'envahissaient. Il se demanda, l'espace d'un instant, quel mal il y aurait, après tout, à vivre avec elle. Elle avait peut-être raison. Personne n'avait besoin de savoir. Mais, au fond de lui-même, il savait que cela ne serait pas possible. Malgré tout l'amour...

Trop de souvenirs... Le viol, la folie de Frances. Sans le savoir, Leticia faisait ressurgir tout cela. Et avec le rappel de ces événements remontait à la surface une partie de son passé qu'il s'efforçait tant de refouler. Que disait donc son grand-père Liam? « Dans l'âme de chaque homme, il existe un endroit secret où sont enfermés ses plus terribles souvenirs. On les croit disparus, évaporés. Quel leurre! Au moment où on s'y attend le moins, ils ressurgissent et nous hantent... » Liam Duncan Macdonald avait dû avoir l'esprit bien tourmenté au cours de sa vie. Grand-mère Caitlin disait toujours à Alexander qu'il ressemblait à son grand-père. Malheureusement, le garçon, qui n'avait que onze ans lorsque son aïeul était mort, n'avait pas bien connu l'homme.

Alexander regarda Leticia, debout dans la grisaille de l'aube. Ni l'un ni l'autre ne bougeaient. Ce fut avec un douloureux pincement au cœur que le jeune homme découvrit en pleine lumière la véritable nature du soldat MacCallum. Bien que ses jupes fussent un peu courtes et que son corsage fût trop serré, elle était ravissante. Ses cheveux tombaient librement sur ses épaules; sa gorge à la peau laiteuse était découverte...

Il baissa les yeux et pivota sur ses talons pour fuir ce spectacle. Puis il s'enfonça dans la pénombre des bois touffus. Marchant d'un bon pas, il se fraya un chemin avec la crosse de son fusil au milieu des ronces et des branchages qui s'accrochaient au lainage de son kilt. Il devait faire vite. Le campement ne tarderait pas à se réveiller; l'alerte allait être donnée.

L'esprit encore engourdi par l'atterrante découverte de son lien de parenté avec Leticia, Alexander creusait à l'endroit où les provisions avaient été soigneusement cachées, bien enveloppées dans de la toile huilée. Ses gestes étaient mécaniques, et il ne prêtait pas attention aux sons qui l'entouraient. Ainsi, ce ne fut que le contact dur et froid du métal sur sa nuque qui le fit réagir. Il s'immobilisa, le cœur battant, les mâchoires serrées.

— Eh bien, si ce n'est pas notre champion! s'exclama une voix moqueuse derrière lui. Qu'est-ce qu'on fabrique ici, Macdonald?

Les yeux rivés sur la toile souillée de terre, Alexander déployait un effort considérable pour maîtriser sa respiration et réfléchir. La pression se fit plus forte sur sa nuque et le força à s'aplatir sur le sol. Une botte posée entre ses omoplates l'immobilisa.

— Macpherson, désarmez notre homme.

Des mains le fouillèrent avec rudesse, tandis que de la terre emplissait sa bouche.

— Où alliez-vous comme ça, soldat Macdonald? On avait envie d'un petit-déjeuner copieux? Ou bien est-ce que, par hasard, on cherchait à déserter?

Un coup de pied dans le flanc le plia en deux. Il chercha son air. Un deuxième coup le fit rouler sur le dos. Le sergent Roderick Campbell le dévisageait d'un regard hargneux teinté d'une lueur meurtrière. Il posa le bout du canon de son fusil sur sa poitrine. Stoïque, Alexander le défia.

— Allez-y, sergent. Faites-le. Vous en mourez d'envie!

L'homme éclata de rire, puis se tut d'un coup.

— Le mot est faible, Macdonald. Ne vous inquiétez pas, je le ferai. Mais pas aujourd'hui. J'attends le bon moment. Puis, je dois vous avouer que vous voir souffrir me donne du plaisir.

— Que me voulez-vous donc à la fin?!

— Vous le saurez en temps et lieu. Rien ne presse, chuchota le sergent sur un ton étrange.

Campbell balaya les bois du regard.

— Où est-elle?

Alexander retint sa respiration. Les bruits familiers du campement émergeant du sommeil résonnaient, étouffés par l'épaisse végétation. Qu'est-ce qui avait bien pu conduire Campbell jusqu'ici? Les avait-il vus partir? Christina les avait-elle dénoncés?

— Où est-elle?

— Christina est restée dans la tente, répondit-il innocemment.

— Pas elle, imbécile! Je parle du soldat MacCallum. Ne me prenez pas pour un idiot!

Alexander resta muet. Campbell grogna et le frappa de nouveau de son pied, lui arrachant un cri. Puis deux hommes de sa propre compagnie l'empoignèrent par les épaules et le forcèrent à se lever. Il cracha de la terre et, levant le menton, soutint le regard haineux de son sergent, qui mâchonnait sa frustration.

— Tenez-le fermement. Je vais faire un petit tour dans les alentours. Elle ne doit pas être bien loin.

« Sauve-toi, Leticia! Cours! » L'estomac d'Alexander se noua; son cœur s'affola. Le jeune homme tenta de se dégager, en vain. Il planta alors ses dents dans la main de l'un des soldats, qui le lâcha en hurlant. Puis il lança son pied dans l'estomac de l'autre, qui se recroquevilla en expirant. Mais Macpherson leva son fusil et lui assena un solide coup de crosse sur la tête. Un voile sombre descendit devant ses yeux et ses jambes mollirent.

Une douleur lancinante au crâne força Alexander à garder les paupières fermées. L'herbe lui piquait le visage; le bourdonnement d'un moustique vint lui taquiner l'oreille. Il gémit faiblement et, encore un peu étourdi, roula sur le dos. Des voix lui parvenaient à travers un voile de brume. Parmi elles, il reconnut celle du sergent Campbell. D'un coup, tel un poignard s'enfonçant dans sa poitrine, le souvenir de Leticia l'attendant dans la clairière lui revint. Il poussa un cri déchirant et ouvrit les paupières malgré la douleur que la vive lumière lui causait.

Le sergent Campbell le dévisageait avec un affreux sourire. Les trois soldats qui l'entouraient pointaient la gueule de leurs canons sur lui. Il y eut un court moment de silence pendant lequel Campbell, dans un geste qui se voulait sans équivoque, se pour-lécha les lèvres et rajusta son kilt. Une rage indicible s'empara alors d'Alexander. Le jeune homme hurla, roula sur lui-même et, prenant appui sur ses genoux, se dressa à demi. La menace des fusils le laissa froid. Ce salaud de Campbell... il aurait sa peau! Dans un terrible rugissement, il se leva et fonça sur Campbell la tête la première. Les deux hommes roulèrent dans l'herbe. Les soldats ne pouvaient tirer sans risquer de toucher leur sergent. L'un d'eux partit en courant vers le campement pour chercher du renfort.

Habité par une violente envie de tuer, Alexander frappait tant qu'il pouvait. Le sergent tentait d'esquiver les coups en appelant à l'aide. Les deux soldats qui étaient restés réagirent finalement et empoignèrent Alexander par les cheveux et les bras. La pointe d'une baïonnette placée sous le menton eut finalement raison de la rage du jeune homme. Il s'immobilisa, haletant bruyamment et regardant Campbell avec des yeux assassins. Le sergent se releva lentement en jurant et se rhabilla en essuyant un filet de sang qui coulait de sa lèvre fendue. À son tour, il foudroya l'autre du regard. Puis, d'un geste du menton, il indiqua aux soldats de le retenir.

— Où est MacCallum? Que lui avez-vous fait, espèce de salaud?

— Attention, Macdonald! Je pourrais bien faire ajouter quelques coups de fouet pour vos paroles déplacées!

— Fumier! Où est-elle? Qu'avez-vous fait d'elle?

Campbell s'approcha lentement de lui, en prenant soin de laisser une certaine distance entre eux, et il plongea son regard pers dans le sien.

— J'aimerais bien vous dire que je lui ai réglé son compte, à cette petite gueuse, de la même manière que vous l'avez fait à ma cousine Kirsty. Mais elle m'a échappé. Elle est plutôt futée. C'est vrai qu'elle faisait un bon soldat, malgré le fait qu'elle n'avait pas... de couilles.

— J'aurai votre peau!

Un rire sardonique résonna.

— Pour cela, il faudrait que vous réussissiez à conserver la vôtre, Alasdair Dhu!

La respiration coupée, Alexander dévisagea Campbell avec stupeur : comment pouvait-il savoir tout cela? Personne ici ne connaissait rien de son passé... Pas même Munro. Le sergent sourit en constatant l'effet que ses paroles avaient eu sur le jeune homme. Cela lui redonna de l'assurance, à laquelle se mêla du mépris.

— Quelle surprise, n'est-ce pas? Dès le début, j'ai eu le sentiment de vous avoir déjà croisé quelque part. Puis le souvenir de cette nuit où Kirsty fut assassinée m'est revenu. « Voilà! » me suis-je dit. Lorsque j'ai prononcé son nom devant vous, lors d'une mission, j'ai su, à votre réaction, que je ne me trompais pas. Vous étiez bien celui que je croyais. Vous pensiez peut-être arriver à cacher votre sombre passé... Vous vous demandez comment j'ai pu découvrir tout cela? Peut-être que ceci vous rafraîchira la mémoire, Alasdair Dhu.

Il releva ses cheveux pour montrer son oreille droite : il y manquait un morceau. Les yeux agrandis par l'horreur, Alexander la fixa un moment avant de pousser un long gémissement. Lui? Comment cela se pouvait-il?

— Alors, Macdonald? Le chat vous aurait-il mangé la langue? Ou bien le bout de mon oreille serait-il resté coincé dans votre gorge?

— Vous n'êtes qu'une ordure, Campbell!

— Je me demande bien lequel de nous deux est le pire.

Un détachement appartenant au régiment des grenadiers de Louisbourg arrivait, suivi de quelques officiers et soldats highlanders. Alexander sentit l'acier des fers se refermer sur ses poignets et ses chevilles; il connaissait le sort qui était réservé aux déserteurs. Il croisa rapidement le regard triste d'Archibald Campbell de Glenlyon puis celui, désespéré, de son frère Coll, et il se détourna honteusement. Il les subirait bien assez longuement pendant son procès. Pour le moment, il pleurait sur Leticia.

8

Le courage est une vertu

$\mathcal{L}$es souvenirs affluaient dans son esprit.

La fille riait doucement sous lui, se tortillant délicieusement tandis qu'il fourrageait d'une main sous ses jupes tout en cherchant à débou- tonner de l'autre sa braguette. Il était terriblement excité. Cela faisait si longtemps qu'il n'avait pas eu de femme qu'il croyait avoir oublié comment s'y prendre. Mais les gestes revenaient tout seuls. La jeune femme projeta sa tête vers l'arrière, lui offrant sa gorge bien blanche.

De l'autre côté du drap qui servait de cloison, ses compagnons jouaient aux dés et riaient. Le feu du whisky dans leur sang ne faisait qu'exacerber leur agitation. La fille expira longuement lorsqu'il la pénétra. Il ne pourrait pas se retenir bien longtemps; elle ne cessait de frétiller sous lui.

– Hé! Alas Dhu! Cesse de grogner comme un porc, veux-tu?

– Ha! ha! ha! C'est qu'elle semble savoir s'y prendre avec les hommes, cette petite! Peut-être que nous pourrions avoir notre part? Qu'est-ce que tu en penses, Ronnie?

Alexander prit un gros sein à pleine bouche et mordit dedans. La fille poussa un petit cri, puis se mit à gémir en enfonçant ses ongles dans ses épaules.

– Ooooh! Ouiiii! souffla-t-elle dans son cou.

Il n'en pouvait plus; son cœur allait exploser dans sa poitrine. Elle empoigna sa tignasse tout emmêlée et sale pour le forcer à la regarder dans les yeux. Mais il détourna le regard. Elle tira de plus belle.

– Alasdair... Regarde-moi... Oui, comme cela... Oh! Sainte mère de Dieu! Oui!

Les yeux vert mordoré le fixaient avec intensité tandis qu'il allait et venait.

– Hé, le jeunot! appela Donald en riant. Vous pourriez pas faire un peu moins de bruit? Je n'arrive pas à me concentrer!

Alexander serra les mâchoires pour empêcher le cri qui emplissait sa gorge de sortir. La fille n'eut pas cette délicatesse. Elle poussa un long gémissement, s'accrochant à sa chemise usée qui menaçait de se déchirer. Fourbu, il se laissa retomber sur elle en respirant bruyamment. Elle râlait doucement dans son oreille et passait ses doigts dans sa chevelure.

– Dis-moi que tu m'aimes, Alasdair.

Il ne répondit pas, crispant ses doigts sur le rebord de la table où il l'avait prise. Il la trouvait jolie, bien faite et douce. Mais là devait s'arrêter son intérêt pour elle. Il n'y avait pas d'amour pour une femme dans son cœur. Il ne pouvait pas se permettre d'aimer... ou, plutôt, il ne voulait plus. Il grogna et se redressa, quittant la douce et moite chaleur du corps de la fille.

– Alas... Même pas un tout petit peu?

Elle le retenait par le col de sa chemise, l'implorait de son regard d'émeraude qu'il n'arrivait plus à oublier depuis la première fois où il l'avait croisé. Mais il ne pouvait lui avouer qu'il l'aimait, ne serait-ce qu'un tout petit peu: ce serait lui donner une arme dont elle pourrait se servir contre lui. Elle pourrait le faire souffrir... Non, il avait déjà eu plus que son lot de souffrances.

– Je sais que tu m'aimes... Je le vois dans tes yeux, Alasdair Dhu. Les mots ne disent pas toujours la vérité, mais les yeux parlent... Et les tiens sont si beaux...

Elle noua ses bras autour de son cou et l'attira à elle pour l'embrasser. « Les tiens aussi, Kirsty... » songea-t-il.

– Alors, t'as fini? demanda abruptement Ronnie.

Quelques rires égrillards accueillirent la question. Alexander pinça les lèvres: « Tous des crétins qui ne pensent qu'à boire, à jouer et à voler... » Pourtant, n'était-il pas comme eux? N'était-il pas un vagabond sillonnant les Highlands, traînant sa vie derrière lui comme un boulet, n'attendant que le jour où un soldat du roi George l'abattrait comme un vulgaire chien errant? Oh oui! Voilà tout ce qu'il était...

– Alors, Alasdair? Si t'as fini de la pétrir, qu'est-ce que tu attends pour venir faire rouler les dés?

– Alas... n'y va pas. Reste avec moi, toute la nuit, l'implora Kirsty en glissant ses petites mains sous sa chemise.

– Nous devons partir. Tu sais que je ne peux pas rester ici. C'est trop dangereux!

– Mon frère est parti avec mes cousins faire le tour des terres. Ils vont passer la nuit à Kilmartin. Nous ne serons pas dérangés.

Elle frotta sa joue contre la sienne. Il pensa bêtement qu'il aurait dû raser son épaisse barbe pour pouvoir sentir sa douceur.

– Peut-être que je pourrai revenir demain, déclara-t-il en reboutonnant sa braguette.

« Revenir demain... » Pour Kirsty, il n'y avait pas eu de lendemain. Il pensa soudain qu'il n'y en aurait sans doute pas pour lui non plus. La morsure de l'acier à ses poignets le fit grimacer. Il se déplaça sur le côté et fit cliqueter les chaînes. Il était accusé de vol et de désertion avec le soldat MacCallum, qui serait jugé par contumace. Aujourd'hui, il connaîtrait sa sentence.

Deux jours et deux nuits s'étaient écoulés depuis qu'on l'avait enchaîné à un boulet, et on n'avait pas retrouvé la jeune femme. Les procédures de la cour martiale se déroulaient sous une tente dressée entre le quartier des officiers et celui du régiment des rangers de Scott. C'était le colonel Simon Fraser qui présidait. Des officiers issus des différents régiments qui campaient sur la pointe de Lévy composaient le tribunal. Mais tout cela laissait Alexander indifférent. Le jeune homme ne se souciait guère de son sort. Seul celui de Leticia l'inquiétait désormais. Où était-elle? Avait-elle réussi à trouver un endroit où se réfugier? Sa seule certitude était qu'elle avait réussi à s'enfuir.

Triste et las, il laissa son regard errer sur les hommes qui s'étaient rassemblés sous la tente. Un jeune soldat d'à peine dix-huit ans, accusé d'insubordination, subissait son procès. Lui attendait son tour sur un banc, encadré par deux soldats armés. Le rabat de toile qui bloquait l'entrée de la tente se souleva: un officier partait. La brise qui s'engouffra le caressa doucement. Refermant les paupières, il replongea dans ses souvenirs.

– Pourquoi ne pas rester cette nuit, Alas? suggéra Kirsty en laissant glisser son index dans la fossette qui creusait le menton d'Alexander.

À ce moment-là, le rideau bougea et se gonfla sous la bourrasque d'air froid qui s'était engouffrée dans la chaumière par la porte ouverte brusquement. Alexander s'écarta de Kirsty et, par réflexe, porta la main à son long poignard qui ne le quittait jamais. Des éclats de voix retentirent dans la pièce. Un bruit sourd, un cri étouffé, puis un terrible vacarme se firent entendre.

Le jeune homme fit passer sa compagne derrière lui dans une virevolte. Il risqua un œil de l'autre côté du drap. Ronnie gisait sur le sol, dans une mare de sang. Stewart et un inconnu luttaient corps à corps dans la poussière. L'homme planta son poignard dans le ventre de Stewart, qui s'effondra d'un coup en râlant. Acculé contre le mur, pris au piège par trois individus, Donald lui hurla de venir l'aider. Alexander avait soudain très chaud. Jamais il n'arriverait à tenir en respect les trois molosses avec son seul poignard.

Avertis de la présence d'un autre homme dans la chaumière, les agresseurs changèrent de tactique. Donald se retrouva rapidement coincé sous une aisselle avec une lame sur sa gorge.

– Alas... articula difficilement son ami.

– Sors, petit merdeux, ou je saigne à blanc ton compagnon!

Alexander fouilla du regard le réduit qui servait de chambre. Il n'y avait pas d'issue; ils étaient inexorablement coincés. Poussant Kirsty vers le fond, il la força à s'accroupir derrière un baril puant. Elle agrippa sa culotte d'une main tremblante.

– Non... Alas, n'y va pas. Ils vont te tuer...

– Reste ici et ne bouge pas, compris?

– Alas...

Les magnifiques émeraudes brillaient de larmes. Se penchant vers elle, il l'embrassa tendrement.

– Kirsty... Peut-être que je t'aime un peu, après tout...

Elle poussa alors un cri, tandis que lui se sentit propulsé contre le mur. Le choc fut violent et la douleur, très vive. La pièce dansait autour de lui; sa vision se dédoublait bizarrement. Se retenant à l'un des anneaux de métal fixés au mur pour le bétail, il se releva péniblement. Son poignard... Il l'avait perdu.

Le hurlement de Kirsty l'atteignit en plein cœur. Les deux hommes cherchaient à retrousser les jupes de la jeune femme. Alexander avisa enfin son poignard sur le sol, juste derrière l'un d'eux. Il devait absolument faire quelque chose. Il ne pouvait pas la laisser se faire violer. Peut-être que s'il arrivait à atteindre son arme sans qu'ils s'en aperçoivent... Clignant des yeux pour rajuster sa vision, il rampa. La douleur dans son crâne était lancinante... Kirsty criait toujours et, en crachant, se débattait avec fureur. Encore quelques pieds... Un pied sur sa nuque le plaqua au sol, lui écrasant la trachée. Le troisième homme. De l'air, il avait besoin d'air... Rassemblant toutes ses forces, il attrapa une jambe et envoya son agresseur rouler dans la paille. Quelques poules s'envolèrent en caquetant.

– Alasdair! cria Kirsty.

Le malotru en avait terminé avec elle et la maintenait en place tandis que son acolyte ouvrait à son tour sa braguette...

Le rabat de toile se souleva de nouveau: trois hommes pénétrèrent dans la tente. Parmi eux, il reconnut le sergent Roderick Campbell, qui allait témoigner contre lui. L'œil tuméfié et la lèvre gonflée, l'homme le dévisagea un instant, puis se dirigea vers le tribunal. Fixant son dos, Alexander serra les mâchoires et les poings de rage et de douleur. Il esquissa un geste pour se lever : « Je ne l'ai pas tuée! avait-il envie de hurler. C'est à cause de toi qu'elle est morte, pauvre crétin! À cause de tes combines malhonnêtes. J'aimais

Kirsty... Oui, j'aimais cette fille... » Comme il aimait Leticia, qu'il avait perdue aussi.

Un coup de crosse dans les côtes le rappela à l'ordre, et il se laissa retomber sur le banc. Son estomac se crispa tandis que les images du viol de Kirsty lui revenaient. Il avait assisté au crime... impuissant.

Il avait la nausée. Il empoigna le manche de son arme et roula sur lui-même, pour ensuite se redresser sur ses genoux. La jeune femme l'implorait du regard, le visage barbouillé de larmes.

– Alas...

– Tu vas te taire, pouilleuse!

Une violente gifle claqua.

Les paupières baissées, maintenant résignée, elle subissait l'assaut du deuxième homme qui poussait déjà son cri de jouissance. Alexander rugit de désespoir tout en se levant d'un bond pour foncer sur les deux agresseurs. Mais, à l'instant où il les atteignait, un terrible coup l'envoya de nouveau au sol. Le troisième homme s'était remis sur pied.

– Alas... Alas...

Le cri de détresse de Kirsty, encore et encore... Mais il n'arrivait pas à délivrer la jeune femme... Le troisième individu l'attrapa par le col et le poussa contre le mur, piquant la pointe d'une lame sous son menton. Le deuxième agresseur vint vers eux.

– C'est à ton tour, Jonas, ricana-t-il en prenant la place de son compagnon.

Alexander était désespéré. Il n'avait aucune chance de s'en sortir vivant! L'homme qui le maintenait contre le mur faisait deux fois sa largeur. Il ferma les paupières pour ne pas voir la scène qui se déroulait devant lui. Mais il entendait le bruit des mouvements du troisième violeur et les gémissements de la jeune femme. Il se sentait tellement impuissant...

Puis ce fut le silence, terrible, entrecoupé seulement par les sanglots de Kirsty et sa propre respiration sifflante. La pointe du poignard s'enfonça dans sa chair. Il ouvrit les yeux.

– Alors, tu vois ce qui arrive quand on ne respecte pas un pacte? Je veux savoir où est Roddy.

Roddy? Mais de qui parlait-il?

– Réponds, petit merdeux, ou je lui ouvre la gorge d'une oreille à l'autre, à ta gueule!

La lame d'un couteau menaçait le cou fragile de Kirsty.

– Je ne connais pas de Roddy, déclara-t-il prudemment.

– Raconte pas d'histoires! Roddy vient ici tous les jours. Nous l'avons vu ce matin encore.

– Il dit... la vérité... confirma faiblement Kirsty. Il ne le connaît pas... Roddy est... mon cousin.

Animé d'un nouvel intérêt pour la jeune femme, celui qui se faisait appeler Jonas s'approcha d'elle.

– Ton cousin? Et lui, c'est qui?

– Il... n'a rien à voir... avec Roddy. C'est un ami... à moi.

– Vraiment? Alors, si j'ai bien compris, nous devons passer par toi pour avoir ce sale Roddy?

– Que lui... voulez-vous?

– Cent cinquante têtes de bétail, huit chevaux, vingt barils de whisky brut, seize de... Bah! Il sait ce que nous lui voulons. Vous serez donc notre messagère. Et connaissant ce fumier... il n'y a qu'un seul langage qu'il comprenne...

Sur ces mots, l'homme plongea sa lame dans la chair tendre de Kirsty, qui ouvrit grands ses si beaux yeux. Alexander était horrifié. Il hurla, hurla si fort qu'il en eut mal à la gorge et aux poumons. Un coup fulgurant au ventre le plia en deux. Un autre à la nuque l'écrasa au sol. Un voile rouge couvrit sa vue, et il sentit un abîme s'ouvrir sous lui.

Un sanglot lui monta à la gorge. Il déglutit et respira profondément pour maîtriser les émotions qui l'assaillaient.

Lorsqu'il revint à lui, l'odeur fétide du sang et des excréments le prit à la gorge. Il roula sur le dos et gémit. Son crâne l'élançait affreusement et sa bouche était sèche. Il déglutit avec difficulté. Le froid de l'automne le fit frissonner. Le silence régnait et l'obscurité était quasi totale. Dans un grognement, son estomac lui rappela qu'il n'avait rien avalé depuis plus d'une journée.

– Kirsty... murmura-t-il, sachant qu'elle ne lui répondrait jamais plus.

Seuls les cris des oiseaux de nuit résonnaient. Il refoula un sanglot, se disant qu'un homme ne pleurait pas. Mais il ne pouvait contenir ses larmes. Se tenant la tête entre les mains, il se leva lentement. La douleur lui fit serrer les mâchoires. Ses yeux s'étant habitués au noir, il distingua les contours du corps de Kirsty qui gisait toujours sur la table. Il s'en approcha. La vue et l'odeur des cadavres ne l'incommodaient plus vraiment. Mais voir le visage de sa douce Kirsty... Il enfouit sa tête dans les jupes et gémit doucement. Il aurait dû lui dire qu'il l'aimait vraiment. Maintenant, elle ne le saurait jamais.

Au bout d'un moment, le martèlement de sabots sur la terre molle le ramena à la réalité. Quelqu'un venait. Or il savait que si on le trouvait dans la chaumière avec tous ces cadavres, on le tiendrait pour responsable du carnage et on le pendrait sur-le-champ. Il tâta rapidement le sol à l'endroit où il se souvenait avoir laissé tomber son poignard. Des voix lui parvinrent de la cour tandis qu'il s'emparait de l'arme. L'obscurité serait son alliée. La porte s'ouvrit lentement dans un grincement sinistre. En deux enjambées, il l'atteignit, au moment même où les visiteurs la franchissaient.

– Tu es certain qu'elle est ici? Tout me paraît étrangement désert, si tu veux mon avis, Angus.

– Ma sœur m'a promis de rester ici, cette nuit. Si elle m'a désobéi, je te jure qu'elle goûtera à ma ceinture!

Fixant le rai de lumière de lune qui laissait entrevoir une silhouette, Alexander recula plus profondément dans l'ombre, derrière la porte. Le visiteur s'avança prudemment tout en sortant son arme de son fourreau.

– Roddy, tu sens ce que je sens?

– Ouais... Je reconnais cette odeur.

– Merde! T'as de quoi allumer une chandelle?

– Attends.

Le cœur d'Alexander tambourinait violemment; une goutte de sueur glissa entre ses omoplates. Les doigts crispés sur son poignard, le jeune homme attendait l'occasion de filer. Restait-il des hommes dehors? Il n'entendait que les voix de ces deux-là.

Celui qui essayait d'actionner sa pierre à fusil en jurant libéra enfin l'entrée. C'était le moment ou jamais. Après, la lumière éclabousserait la pièce et révélerait toute l'horreur de la tuerie. Alexander s'élança dans l'ouverture, bousculant l'un des hommes au passage. Courant aussi vite que le lui permettaient ses jambes encore flageolantes, il prit la direction des collines en priant la lune de rester cachée derrière les nuages.

Il entendit hurler derrière lui. Un coup de feu claqua et résonna dans les montagnes. Si la nuit le protégeait, elle lui masquait aussi les obstacles, contre lesquels il se heurtait. Des pas le poursuivaient. Butant contre une pierre, il plongea dans un taillis d'ajoncs qui lui lacérèrent le visage. Son poignard lui échappa encore une fois. Il se sentit écrasé au sol; des doigts lui enserrèrent le cou. Se débattant frénétiquement, il roula avec son assaillant qu'il frappait comme il le pouvait. Mais le manque de nourriture commençait à avoir raison de ses forces. L'homme le plaquait au sol comme la lune faisait une sortie. Alexander ne pouvait voir son visage, caché dans l'ombre. Malheureusement, l'autre dut très bien voir le sien, car il s'immobilisa dans l'instant.

– Alasdair Dhu?

Alexander prit la tête de l'homme entre ses mains, l'attira à lui et planta ses dents dans une oreille. Un affreux goût de sang emplit sa bouche tandis qu'un hurlement retentissait. Lâchant prise, Alexander *roula dans l'herbe haute et recracha le morceau qui était resté sur sa langue. Comme il se levait, il vit de la lumière emplir la chaumière. Puis il entendit un second cri déchirer la nuit. On avait trouvé Kirsty...*

Ce terrible événement s'était produit un soir de novembre 1756. Ses compagnons morts, Alexander avait erré dans les landes, volant ou chassant pour se nourrir.

Recherché pour les meurtres commis dans la chaumière, le jeune homme avait passé les mois suivants à fuir la Garde noire, traînant son désespoir d'une taverne à l'autre sans dessaouler et se bagarrant pour un oui, pour un non. Un jour, un homme était entré dans l'établissement où il se trouvait et avait annoncé à la ronde qu'on levait un régiment pour aller combattre en Amérique, sous le commandement du colonel Simon Fraser, fils du célèbre lord Lovat. Il avait longuement réfléchi. C'était pour lui l'occasion de fuir l'Écosse. Il l'avait saisie. Mais sa destinée le poursuivait.

Un raclement de gorge l'arracha à ses tristes souvenirs et lui fit tourner la tête. Archie était campé devant lui et posait sur lui un regard indéchiffrable. Debout près de lui se tenait Christina. Il chercha dans le regard de la jeune fille un peu de réconfort. Mais elle s'était déjà détournée et disparaissait parmi les curieux, à la suite de son oncle.

— Debout, soldat Macdonald! C'est à ton tour! ordonna l'un des gardes.

Alexander se leva dans un cliquetis de chaînes et suivit les deux gardes jusque devant le président de la cour qui lisait déjà les chefs d'accusation portés contre lui. On procédait de façon expéditive. Il y avait beaucoup de cas à régler et la chaleur qui régnait sous la tente rendait les officiers impatients.

Le temps s'éternisait. Macpherson et les deux autres hommes présents lors de son arrestation terminaient leurs témoignages. Le sergent Campbell avait fait le sien la veille, avant l'ajournement. Alexander posa un regard désabusé sur Christina, qui jurait sur la Bible. Mais que faisait-elle? Allait-elle déposer contre lui? Elle le regarda de biais et baissa les yeux sur ses mains, qui se tortillaient sur ses genoux. La curiosité le gagnait. Il redressa le buste. Le lieutenant Archibald Campbell, qui agissait à titre d'avocat de la défense, se penchait sur elle.

— Mademoiselle Leslie, dites à la cour ici rassemblée ce que vous avez raconté au capitaine Macdonald, pas plus tard que ce matin, sous sa tente.

— Je...

La petite voix chevrotante hésita un instant. Christina tourna de nouveau son regard vers Alexander, puis prit un peu d'assurance.

— La nuit précédant l'arrestation du prisonnier, Alexander Macdonald, j'ai passé... quelques moments en sa compagnie...

Quelques rires étouffés parcoururent l'assemblée, que le président ramena prestement à l'ordre. Lorsque le silence se fit, Archie demanda:

— Qu'avez-vous fait?

— Nous avons parlé, monsieur.

Nouveaux éclats de rires et grognements d'agacement.

— Parlé? Et de quoi?

— De tout et de rien. Enfin... je me suis plainte que nos rations de nourriture soient... insuffisantes. J'ai parfois des crampes et j'ai alors du mal à accomplir mes tâches quotidiennes, monsieur.

— Votre père ne vous nourrit pas convenablement, mademoiselle?

— Mon père... balbutia-t-elle en baissant les yeux, fait ce qu'il peut...

— Hum... Et qu'a déclaré l'accusé après cette confidence de votre part?

— Il m'a promis qu'il me donnerait de quoi me nourrir convenablement si je restais avec lui...

— Si vous restiez avec lui? Qu'entendez-vous par là?

— Si je devenais sa compagne, monsieur.

— Pour une seule nuit?

Christina dévisagea le lieutenant en affichant un air choqué.

— Bien sûr que non, monsieur! Il voulait... que je devienne sa compagne de tous les jours.

Les yeux plissés, Alexander cherchait à comprendre en regardant la jeune femme, qui rougissait. Mais où voulait-elle en venir? Qu'est-ce que c'était que cette histoire de compagne de tous les jours?

— Ainsi, reprit Archie en lançant un regard à Alexander, l'accusé espérait, en vous nourrissant convenablement, s'attacher une femme, un peu comme une épouse... Et vous avez accepté?

— Oui, monsieur. Il m'a paru être un homme bon. S'il a été surpris dans les bois en train de déterrer des provisions, c'est ma faute, monsieur. La nourriture m'était destinée. Je l'attendais sous sa tente, où vous m'avez trouvée au lever.

— Et pourquoi le soldat Macdonald avait-il caché des vivres dans les bois? C'est un peu curieux, non?

— Je suppose qu'avec la dysenterie, il a craint... C'est qu'il est en bonne santé.

— Hum... Vous a-t-il parlé de ses intentions de déserter avec le soldat MacCallum?

— Il s'est disputé avec le soldat MacCallum, ce soir-là. D'autres en ont été témoins. Il voulait le dissuader de commettre cette erreur. Mais le soldat MacCallum n'a rien voulu entendre. Il est parti pendant la nuit. Le soldat Macdonald ne s'en est est rendu compte qu'aux premières lueurs du jour. Il s'était levé pour profiter de l'obscurité et chercher de la nourriture pour moi.

— Mais des témoins ont affirmé que l'accusé portait son havre-sac et son fusil lors de son arrestation...

— Le havresac, c'était pour la nourriture, monsieur. Quant au fusil... personne n'oserait s'aventurer dans les bois sans être armé... avec les Sauvages qui rôdent...

— Hum...

Stupéfait, Alexander fixait Christina, qui se parjurait effrontément devant le tribunal. Il n'en revenait tout simplement pas. La jeune fille tentait de lui sauver la vie en inventant une histoire complètement farfelue. Pourtant, cela se tenait. Qui pourrait la contredire? Personne, sauf Leticia. Et peut-être le sergent Campbell et les autres hommes qui l'avaient appréhendé. Curieusement, ils n'avaient pas parlé de Leticia.

Son témoignage terminé, Christina fut libérée par la cour et sortit. Deux cuisiniers furent également interrogés. Ils déclarèrent avoir vu l'accusé rôder autour des voitures à provisions à quelques reprises et les fouiller. Ce n'était pas faux. Ensuite, on demanda à Alexander de s'avancer et de présenter sa défense. Le jeune homme n'avait pas le choix: il confirma les déclarations de Christina.

La cour, ayant considéré la preuve contre lui ainsi que ses propres arguments, était prête à rendre son verdict après un court ajournement. Alexander attendit, stoïque, que le couperet tombe.

— Soldat Alexander Macdonald de Glencoe, servant sous le commandement du capitaine Donald Macdonald dans le 78e régiment des Fraser Highlanders, commença le président de l'assemblée, écoutez votre sentence... La cour ici rassemblée sous les drapeaux de Sa Très Grande Majesté britannique, le roi George II, ayant entendu et considéré la preuve appuyant son accusation aussi bien que sa défense, est d'avis que le prisonnier est non coupable du crime de désertion, défini dans l'article 1 de la section 6 des *Articles de guerre*. Il est, de ce fait, honorablement acquitté. Quant à la deuxième accusation dont il fait l'objet, à savoir le vol de nourriture, la cour est d'avis qu'il est coupable de ce crime. Elle le condamne par conséquent à recevoir deux cents coups de fouet sur son dos nu.

La sentence sera exécutée demain matin, à huit heures précises. En attendant, le prisonnier sera maintenu en détention. Il pourra, s'il le désire, s'entretenir avec l'aumônier de son régiment. Passons à la prochaine affaire...

Alexander se tourna vers Archie. L'homme lui sourit et inclina la tête. Il fit un effort pour lui rendre son sourire, ayant compris qu'il était l'auteur de cette comédie qui avait contribué à son acquittement. Derrière lui, le sergent Campbell le regardait fixement. Tous les deux n'en avaient pas fini. Roddy Campbell n'avait pas eu sa vengeance.

***

— Cent quatorze!

Le chat à neuf queues siffla. Alexander sentit les lanières mordre dans sa chair. Son dos s'arqua; sa nuque se raidit. Un son rauque monta dans sa gorge et mourut entre ses dents serrées. Il tentait de se concentrer sur Leticia, priant pour que son supplice ne fût pas vain. Mais la douleur grandissait, devenait intenable et prenait toute la place.

Le tambour roulait; l'officier comptait les coups d'une voix forte. Les bruits lui parvenaient comme à travers une brume épaisse. La douleur brisait peu à peu sa résistance. Combien de fois avait-il perdu connaissance? Deux, trois? Il n'arrivait plus à se souvenir...

— Cent quinze!

Nouveau sifflement, nouvelle morsure. Retenant désespérément son cri, il s'arc-bouta, suspendu par les poignets à une barre horizontale. Sa chemise, qui pendait sur ses genoux, se teintait progressivement de rouge. L'odeur fade de son sang le rendait nauséeux.

— Cent seize!

Le fouet fendit l'air, entama sa chair. Il savait dans quel état il allait retrouver son dos. Il avait vu suffisamment de flagellations pour s'en faire une bonne idée. Deux cents coups... C'était peu si on les comparait aux mille coups qu'avait dû subir le soldat MacAdam la semaine dernière pour avoir volé la montre en or d'un officier. L'homme était mort trois jours plus tard. D'autres se suicidaient pour éviter de sentir les billes d'acier pénétrer leurs chairs.

— Cent dix-sept!

Il se mordit la lèvre au sang en gémissant. Le soleil tapait sur sa nuque, brûlait sa peau écorchée. Bizarrement, il n'entendait pas les oiseaux chanter ce matin. Peut-être que c'était ce bourdonnement dans ses oreilles qui l'en empêchait? Où était Coll? Et John, son jumeau? Aurait-il souffert de le voir souffrir ainsi s'il avait été là? Aurait-il partagé son supplice dans son cœur?

— Cent dix-huit!

Ce coup-ci, la douleur eut raison de lui. Il hurla, enfonçant ses ongles dans ses paumes. Des murmures parcouraient maintenant la foule assemblée tout autour. Il refusait d'ouvrir les paupières pour affronter les visages grimaçant de compassion. Il ne voulait pas de la pitié de ces gens.

— Cent dix-neuf!

Il avait la tête qui tournait. La nausée l'envahit, le forçant à serrer les dents. Il n'avait pas mangé ce matin, comme le lui avait suggéré Archie. Il s'accrocha aux cordes pour soulager un peu ses poignets entaillés.

— Cent vingt!

Son cri lui déchira la poitrine; ses genoux lâchèrent. Tout s'obscurcit.

Les dernières plaques de neige parsemaient la lande ici et là. Une brise printanière balayait la plaine de Rannoch Moor. Alexander, nu, se tenait sur le bord du loch aux eaux glauques et glacées. Ses frères se moquaient de lui: « Femmelette! » « Tu seras un homme quand tu auras plongé, Alasdair! » Même son frère John riait.

– Allez, va, mon garçon! l'encouragea son père en le poussant dans le dos.

– J'ai peur, papa... gémit Alexander en fixant l'eau noire.

Il avait entendu parler des monstres des eaux qui venaient vous chercher pour vous emporter dans les profondeurs du loch. De plus, il ne savait pas nager, ce qui l'agaçait. Son frère John, lui, savait. Il plongeait et se mouvait dans l'eau comme un canard. Pourquoi n'avait-on pas cru bon de lui enseigner cela chez grand-père John Campbell? Il se sentait tellement honteux maintenant, devant les siens. Il ne serait jamais comme eux, jamais...

– De quoi as-tu peur, Alas? Regarde tes frères, ils s'amusent. Va les rejoindre.

La peur lui tordait les tripes.

– L'eau est trop froide...

– Alas, tu dois apprendre à affronter tes peurs et à endurer la douleur. Tu dois faire honneur à ta race, mon fils. Un jour, tu seras un guerrier... Alors, si tu sais maîtriser ta peur sur le champ de bataille, tu seras invincible. Tu dois savoir réfléchir même lorsque la douleur est insoutenable. Tu comprends?

Alexander regarda son père en fronçant les sourcils.

– Tu vas bientôt avoir huit ans et tu vas commencer à manier l'épée.
Tu dois apprendre le courage.
– Le courage? Comment est-ce que ça s'apprend?
– En affrontant ses peurs et en supportant sa douleur, mon fils.

Une vague glacée le ramena brusquement à lui. Puis, la douleur
lui arracha un cri. Il se tortilla comme un ver au bout de son fil de
soie, cherchant à se soustraire à cette horrible souffrance.

— Qu'est-ce que c'est que ça? grogna l'officier. Cette eau sent le
vinaigre à plein nez! Mackay! Qui a apporté ce seau ici?

— Je ne sais pas, monsieur. Quand vous m'avez demandé de le
ramener à lui, j'ai pris le premier seau que j'avais sous la main.

— Vous n'arrivez donc plus à reconnaître l'odeur du vinaigre?!

— Je... j'ai pas pris le temps, monsieur.

Alexander entrouvrit ses yeux brûlants de fièvre. L'eau acide
dégoulinait de ses cheveux et embrasait son dos. Il cracha. Un
visage se détacha de la foule des curieux : Roderick Campbell lui
souriait méchamment.

L'officier vint se planter devant lui et, du bout de sa baguette,
lui releva la tête pour l'examiner. Estimant qu'il avait suffisamment
retrouvé ses esprits, il fit reprendre l'exécution de la sentence. Le
tambour résonna derechef dans la tête d'Alexander.

— Cent vingt et un!

Les mâchoires serrées, le jeune homme se mit à compter mentalement, bien déterminé à faire honneur à son nom et à sa race...
On ne rapporterait pas à Duncan Coll Macdonald de Glencoe que
son fils avait flanché sous le fouet des Anglais! « On apprend le
courage en affrontant ses peurs et en supportant sa douleur... »
Combien de fois, déjà, ces paroles l'avaient soutenu au cours de sa
vie, dans l'épreuve?

***

L'éclat de la lune se reflétait sur le bois poli du clavecin. Il faisait sombre dans la pièce. Isabelle laissait ses doigts danser sur les
touches d'ivoire jaunies. Elle jouait de mémoire une suite française
de Bach. Mais la musique de l'instrument ne couvrait pas le
vacarme des bombes qui tombaient et explosaient depuis maintenant vingt-sept jours.

Le clavecin se tut brusquement. La jeune femme renifla et sortit
son mouchoir pour s'essuyer les yeux. Il lui semblait que cette
guerre ne finirait jamais et que tous mourraient. La misère envahis-

sait cette ville, jadis si agréable à vivre, qui lui était si chère. Qu'en restait-il aujourd'hui? Des décombres. Quelques murs à demi écroulés que les Anglais s'acharnaient à bombarder jusqu'à ce qu'ils fussent complètement rasés.

Isabelle, fixant ses doigts, fit glisser ses mains sur le clavier du précieux clavecin ramené de France par son père, pour elle. Serait-il lui aussi réduit en cendres? Songeuse, elle ferma le couvercle et se leva. La nuit s'infiltrait dans la maison, étendait son opaque manteau jusque dans les recoins. Mais elle ne s'accompagnait pas du silence habituel, qui n'existait plus. Cette absence quasi totale de bruit qui lui faisait si peur lorsqu'elle était petite lui manquait étrangement maintenant.

Le rire lointain de Perrine la ramena à la réalité. Elle regarda son père, qui dormait dans son fauteuil. Museau, couché devant le foyer éteint, dormait aussi. Sa mère, Ti'Paul et Sidonie étaient déjà au lit. Peut-être devrait-elle aller s'allonger, elle aussi? Madeleine ne rentrerait certainement pas avant les premières lueurs de l'aube. Elle était partie une heure plus tôt pour aller rejoindre Julien, qui avait réussi à se faufiler hors du campement... Cependant, la perspective de dormir seule n'enchantait guère Isabelle. La jeune femme embrassa doucement son père, qui ne bougea pas. Il lui paraissait si las depuis quelque temps. Ses cheveux, autrefois d'un blond cendré, étaient parsemés de gris et s'éclaircissaient au sommet du crâne. Lui qui n'avait jamais été très amateur de perruques s'était résigné à en porter une. Lorsqu'elle s'était gentiment moquée de lui à ce propos, il n'avait pas ri avec elle... Il ne se déridait plus que très peu, d'ailleurs.

Une odeur de suie et de cendres persistait. À plusieurs reprises, des bombes incendiaires avaient dévasté différentes parties de la ville. Cela avait commencé vers la mi-juillet. La maison de monsieur Chevalier, située dans la Basse-Ville, avait alors été touchée, puis envahie par les flammes. Le feu s'était rapidement propagé et avait détruit de nombreuses habitations dans le quartier. L'église Notre-Dame-des-Victoires et son presbytère n'étaient plus que ruines. Le père Récher avait dû se reloger dans le quartier Saint-Jean, hors des murs de la ville. Il avait provisoirement fait aménager une chapelle dans un bâtiment gracieusement offert par un paroissien.

Puis ç'avait été au tour du couvent des ursulines d'être atteint. Il était devenu inhabitable, et les religieuses avaient dû se réfugier chez les augustines de l'Hôpital général. Pour ce qui était du séminaire, seules ses cuisines pouvaient encore servir. Une semaine plus tard, les bâtiments de la côte de la Fabrique étaient partis en fumée. Atterrés, les habitants avaient alors vu les clochers de la majestueuse cathédrale s'effondrer dans une gerbe de flammes et d'étincelles qui était montée jusqu'aux cieux.

Mais de quel côté se tenait donc Dieu? Beaucoup interprétaient toutes ces destructions comme un mauvais présage. Ces hérétiques d'Anglais cherchaient à menacer leur foi. Les gens s'étaient mis à prier avec une ferveur jamais vue.

Le magasin de son père n'avait pas été épargné. Il n'en restait plus qu'un squelette noirci n'intéressant même plus les pillards, qui pullulaient depuis le début des bombardements. Sur le cap Diamant, les corps de deux de ces misérables voleurs pendaient encore, comme de sinistres pantins, à la potence qui surplombait le fleuve. Étant donné les circonstances, les procédures de jugement et d'exécution des accusés étaient expéditives. Les crieurs publics avaient proclamé aux quatre coins de la ville la décision du gouverneur Vaudreuil de faire juger, condamner et exécuter sans délai quiconque serait pris à piller. Mais cela n'empêchait nullement les vols d'augmenter.

La misère et la détresse du peuple étaient devenues si grandes qu'elles poussaient les gens aux extrêmes limites pour un quignon de pain rassis... Pas plus tard qu'hier, un groupe d'habitants étaient revenus de la Batiscan, où était cachée de la nourriture pour les troupes. Les pauvres hères avaient parcouru plus de dix lieues à pied dans le seul but de se procurer de quoi manger un peu. Certains étaient morts d'épuisement en chemin. Une jeune fille aurait été violée par l'un des soldats qui accompagnaient le groupe. Oh oui! Un vent de décadence soufflait sur la ville, anéantissant peu à peu l'espoir de voir arriver le jour de la délivrance.

Isabelle soupira. Pour le moment, sa famille demeurait dans la maison de la rue Saint-Jean, que la main de Dieu avait épargnée. Tous dormaient dans la cave, seul endroit sûr lors des bombardements. La jeune femme passa à la cuisine pour voir s'il ne restait pas un petit morceau de fromage à grignoter. Sa gourmandise souffrait terriblement en ces tristes jours. Encore heureux qu'ils aient quelque chose à se mettre sous la dent. Sur le plan de travail, elle trouva des carottes et un demi-chou. Perrine avait disparu. Mais ça mijotait dans la marmite : l'autre moitié du chou et un morceau de lard. Isabelle prit une carotte et la porta à sa bouche. Mais elle se ravisa aussitôt et la reposa sur la table. Il n'y avait que six carottes pour six personnes à nourrir.

Un gloussement lui parvint de la cour. Elle se dirigea vers la porte, restée ouverte, qui donnait dessus : deux silhouettes arrivaient du verger et s'engouffraient dans la laiterie. La jeune femme reconnut Perrine, petite et replète. L'autre forme, grande et élancée, était vraisemblablement celle d'un homme. Curieuse, Isabelle sortit et, rasant les murs, se rendit dans l'ombre du soir, à pas de loup, jusqu'aux abords de la laiterie. Le rire chaleureux de Perrine résonna encore. Celui d'un homme lui répondit. La jeune femme se dit qu'elle ne devrait pas les épier, mais c'était plus fort qu'elle. Elle se dirigea vers un volet où elle savait qu'un nœud qui se détachait du bois permettait de voir à l'intérieur de l'appentis. Après avoir grimpé sur la bûche à fendre, elle poussa sur le bouchon de bois. Elle avait accidentellement découvert cette petite fenêtre secrète un jour où elle jouait à cache-cache avec Ti'Paul.

Les rires s'étaient tus; il n'y avait plus que des chuchotements. Le clair de lune, pénétrant par la porte laissée ouverte, baignait l'intérieur de la laiterie. Isabelle voyait distinctement les tinettes contre un mur et le bac à lessive suspendu au-dessus. Sur les étagères, les jattes à fromage et les pichets pour la crème et le lait étaient soigneusement alignés du plus petit au plus grand. Sidonie veillait à ce que tout soit à sa place. Le temps était trop précieux pour qu'on le perde à chercher les choses, disait-elle toujours.

— Dépêchons-nous! Si quelqu'un venait...

— T'en fais pas, Perrine... Il fait noir comme chez le loup. Pis, à c't'heure-là, tout l'monde dort.

— Baptiste pourrait toujours passer par icitte.

— Laisse Baptiste! Il fera l'sourd pis l'aveugle, j'te dis.

Bruissements d'étoffes, halètements, murmures. Isabelle sentit ses poils se hérisser sur tout son corps et un picotement envahir son bas-ventre. Étienne et Perrine? Elle surprenait son frère avec cette gueuse de Perrine! L'œil collé au volet, elle ne pouvait détacher son regard de la scène qui se déroulait devant elle. Son esprit cherchait frénétiquement, parmi les sept péchés capitaux, celui dont elle se rendait coupable en ce moment même. La luxure? Était-ce un péché de regarder uniquement? Elle devrait en parler au père Baudoin...

Les jupes de Perrine étaient retroussées jusqu'à sa taille. Ses cuisses, rondes et blanches, formaient des taches claires. Étienne avait assis la servante sur un tonneau à teinture. Il la pétrissait et s'affairait à délacer son corselet. Bientôt, deux globes laiteux jaillirent. Isabelle sentit son cœur battre plus fort.

— Perrine... Perrine... répétait le jeune homme en prenant à pleine bouche la chair tendre.

— Fais ton affaire, Étienne, pis vite! J'sens qu'on va se faire prendre...

La culotte d'Étienne glissa et tomba sur ses chevilles, dévoilant impudiquement son postérieur bien lisse. Les yeux écarquillés,

Isabelle eut un sursaut et se retint au volet : elle avait fait vaciller la bûche sur laquelle elle était perchée. Mais elle ne pouvait détacher son regard des fesses rondes de son frère. Deux fossettes les creusaient au rythme de ses mouvements. Il grognait tel un animal féroce à l'assaut, tandis que Perrine couinait comme la proie résignée à subir son sort.

Curieusement, la jeune femme était un peu surprise de trouver les fesses d'Étienne aussi glabres que celles d'une femme. Petite, elle avait surpris son père, la cravate enlevée, la chemise entrouverte et les manches retroussées. Elle avait alors découvert qu'une épaisse toison couvrait sa poitrine jusqu'à la naissance du cou et ses avant-bras jusqu'aux mains. Depuis, elle avait toujours imaginé le corps d'un homme aussi velu que celui d'un ours.

Une bouffée de chaleur l'envahit tandis qu'elle se surprenait à imaginer Nicolas nu. Ressemblait-il à son frère ? Certes, Nicolas était plus petit et tendait à l'embonpoint. Mais le gabarit mis à part, le reste devait être similaire. Elle sentit brusquement ses baisers lui brûler à nouveau les lèvres, le cou, la gorge... Oh oui ! Elle lui avait permis de s'aventurer jusqu'à la naissance de ses seins... Les sensations que lui avaient procurées ses caresses avaient annihilé tout son enseignement de la bienséance. La volupté, quelle arme dangereuse contre la vertu ! De cela aussi elle devrait parler au père Baudoin.

Étienne râlait et Perrine poussait de petits cris tandis que leurs deux corps se heurtaient avec fièvre dans un étrange bruit de percussion de chairs humides. De nouvelles sensations embrasaient l'entrecuisse de la jeune femme. Perrine projeta son torse vers l'arrière, pointant et laissant ballotter en rythme ses deux volumineux seins blancs. Étienne la retenait par la taille et ne cessait de la marteler. Isabelle en perdait ses sens et son souffle. Son pied bougea et buta contre la hache plantée dans la bûche. Elle perdit alors l'équilibre et bascula sur le côté. Retenant son cri, elle roula dans le foin alors que les gémissements de jouissance des deux amants s'élevaient dans la laiterie.

Ce fut seulement lorsque le silence revint dans l'appentis qu'elle entendit les projectiles qui sifflaient toujours au-dessus de la ville assiégée. Haletante, les joues en feu et le corps tout tremblant, elle se leva et courut jusqu'à la maison.

***

« Des biens matériels, rien que des choses », se répétait inlassablement Isabelle. Assise sur les marches de la cathédrale, elle promenait son regard attristé sur ce qui l'entourait. La Grande Place, ordinairement grouillante de monde, n'était maintenant qu'un champ de ruines désert. « Ce ne sont que des murs de pierres. Tout cela peut être reconstruit », se disait-elle encore pour se convaincre. Par quel miracle? Elle ne le savait pas, mais il n'y avait eu que très peu de morts... enfin, jusqu'ici.

Le mois d'août n'avait été que destruction. Pendant que les miliciens fuyaient les camps de la ligne de défense située à Beaumont, les Anglais dévastaient les villages en aval de Québec, de part et d'autre du fleuve. Par temps clair, on voyait un épais nuage noir flotter au-dessus du fleuve. Lorsque le vent du nord-est soufflait, il venait jusqu'au-dessus de la capitale. Le travail de tant de vies partait en fumée. Les histoires d'horreur ne cessaient de circuler et d'alimenter les conversations du souper. La dernière était celle du massacre de Saint-Joachim. Le curé, le père René de Portneuf, avait été fait prisonnier avec huit miliciens. Les neuf hommes avaient ensuite été sauvagement tués, scalpés et abandonnés sur le parvis de l'église. Tout le village était parti en flammes. Château-Richer et Sainte-Anne-de-Beaupré avaient aussi vu disparaître leurs fermes, leurs granges et leurs dépendances qui contenaient le peu de réserves restant pour les mois à venir. Isabelle était désespérée. Parfois, la nuit, elle se réveillait en sursaut, croyant entendre des pleurs d'enfants apeurés et des cris de mères s'enfuyant à l'approche des Vestes rouges munies de torches. Au bout de quelques minutes, elle se rendait compte que ce n'étaient là que ses propres cris.

Comment allaient-ils tous survivre au prochain hiver? Comme l'avait dit son frère Louis, la faim n'est pas bonne conseillère. Les habitants préféraient commercer avec l'ennemi plutôt que de se faire confisquer leurs denrées par l'armée française. Il n'y avait plus de farine, plus de viande fraîche. Dans les camps, on avait remplacé le pain par l'alcool pour tromper la faim. Le scorbut menaçait.

On était maintenant au mois de septembre. Isabelle fit un rapide calcul mental : plus de soixante-dix jours de siège. Les Anglais ne semblaient pas vouloir lâcher prise. Si les habitants de Québec pouvaient tenir ne serait-ce que quelque temps encore, peut-être que l'ennemi serait obligé de se rembarquer pour ne pas rester prisonnier de la saison froide. Mais si les Anglais arrivaient à se rendre maîtres de la ville avant les premières neiges? Peut-être, alors, que les privations qui s'annonçaient en seraient adoucies, peut-être qu'il y aurait un peu plus de nourriture...

Ramassant son panier vide, la jeune femme épousseta sa jupe

désespérément sale et se leva en poussant un long soupir de lassitude. Un singulier sentiment la torturait depuis plusieurs jours : espérait-elle, elle aussi, à l'instar de ceux qui commerçaient avec l'ennemi, que ce dernier mette fin à tout ça, les délivre de tout ça en gagnant cette guerre ? Pour ce qu'il leur restait à conquérir... Cette dernière pensée la fit rire avec amertume. Si les Anglais voulaient bien d'un tas de ruines, alors soit, c'est tout ce qu'ils auraient.

Elle se tourna vers le fleuve, visible du bout de la rue Sainte-Famille. Le coucher du soleil nimbait les nuages de sang et coulait ses rayons d'or sur le pavé encore humide. La suie adhérait aux semelles. L'ourlet de sa jupe en était tout noirci.

Deux hommes remontaient la rue De Buade : des miliciens. Isabelle alla se réfugier dans l'entrée déserte de la cathédrale. Les rues n'étaient plus sûres ces temps-ci. La plupart des citadins avaient déserté leur domicile et les rares passants étaient des soldats ou des miliciens qui pouvaient être en quête d'un butin. Il y avait eu plusieurs cas de viol. Le matin même, on avait pendu un soldat accusé de ce crime.

Les deux hommes passèrent leur chemin sans la remarquer. Elle attendit encore quelques minutes. Puis un martèlement de sabots résonna sur la chaussée. Elle recula un peu plus dans l'ombre. Un cavalier apparut alors sur la Grande Place et s'immobilisa face à la cathédrale. Isabelle sentit son cœur battre plus fort. Elle cligna des yeux pour être bien certaine de ne pas avoir la berlue. Oui, c'était bien lui ! Elle laissa choir son panier sur les marches et courut à la rencontre de l'homme. Voyant la jeune femme qui venait vers lui, Nicolas descendit de cheval et ouvrit grands les bras.

Leurs mains se cherchèrent, leurs bouches se trouvèrent. Posant sa tête sur la poitrine de son amoureux, Isabelle remercia le ciel pour ce cadeau inespéré. Ils restèrent ainsi enlacés, silencieux, pendant plusieurs longues minutes, savourant leur bonheur. Ce fut Nicolas qui, le premier, mit fin à ce moment magique en s'écartant doucement.

Tenant toujours les mains d'Isabelle entre les siennes, il regardait d'un œil atterré la désolation de la place : les murs du séminaire à demi écroulés, les façades des maisons menaçant de s'effondrer, les clochers, autrefois si hauts, aujourd'hui à terre.

— J'espérais vous rencontrer avant la tombée de la nuit... Vous trouver au milieu de tant de ruines, murmura-t-il avec émotion, m'emplit de tristesse, ma douce Isabelle.

— C'est l'œuvre du diable. Que restera-t-il de notre pays lorsqu'ils repartiront ?

Une larme s'échappa et roula sur la joue de la jeune femme. Mais Isabelle fit un effort pour se contenir. Elle ne voulait pas pleurer devant Nicolas. Il avait autre chose à faire que d'essuyer ses larmes. Il le fit néanmoins, avec douceur, avant de l'embrasser.

— Pourquoi votre père s'obstine-t-il à rester ici, Isabelle? Vous devriez quitter la ville. Ce n'est plus un endroit pour vous. Allez chez votre parenté, à Charlesbourg...

— Ma mère ne veut pas. Et puis... d'ailleurs, moi non plus.

— Pourquoi? Votre vie est en danger, ici.

— Je suis toujours là, non?

Elle lui sourit faiblement. Il la contempla en soupirant. Un long et pénible mois les avait séparés. Sentant le désespoir le gagner, le jeune homme avait ardemment souhaité voir sa bien-aimée ce soir. Il en était tout chaviré. Il avait envie de la prendre dans ses bras et de la porter sur le premier navire en partance pour la patrie. Il voulait l'éloigner d'ici, de cette guerre qui s'éternisait, de la mort qui rôdait. Là-bas, il la mettrait à l'abri des bombes, des Anglais qui semblaient vouloir s'installer dans ce pays qu'ils saccageaient. L'incertitude le faisait souffrir. Si le conflit tournait à l'avantage des Anglais, lui devrait sans doute partir pour la France. Jamais il n'accepterait de se soumettre. Mais voudrait-elle le suivre, même pour l'amour de lui?

— Que faites-vous ici, toute seule?

— Les enfants ont faim, Nicolas. J'aide les ursulines à leur distribuer ce que nous pouvons trouver. Mais, ces derniers jours, nos provisions sont bien maigres. Ils font tellement pitié à voir...

Cela, il n'avait aucune difficulté à l'imaginer. La disette sévissait partout. Les miliciens, comme les soldats, avaient peine à tenir debout. Leurs joues se creusaient; leurs doigts mollissaient sur les fusils. Les menaces de punitions ne suffisaient plus à les retenir dans les camps. Toutes les nuits, ils désertaient par dizaines pour retourner chez eux faucher le peu de blé qu'il leur restait.

— Et vous, mon cher ami, que faites-vous par ici?

— J'avais envie de revoir votre sourire avant de me rendre à l'Hôpital général m'enquérir de la santé de monsieur de Ramezay. Vous devriez vous faire accompagner lors de vos sorties. C'est dangereux pour une femme de se promener seule ici.

— Soyez mon escorte, alors, monsieur des Méloizes.

Elle lui sourit. La lumière du crépuscule peignait de reflets dorés ses mèches blondes qui s'échappaient de son bonnet et éclairait merveilleusement sa peau. Il s'inclina bien bas devant elle en balayant l'air de son tricorne. Puis il lui fit un magnifique sourire en lui offrant son bras. Le jeune homme tirant le cheval par les rênes, les deux jeunes gens se mirent en marche, faisant résonner le pavé sur leur passage.

— Vous qui avez l'expérience de la guerre, Nicolas, vous devez bien avoir une petite idée de ce qui nous attend...

Des Méloizes raccourcit sa foulée. Il ne s'attendait pas à une question de cette nature de la part d'Isabelle. Il n'avait pas non plus envie de discuter des déboires de l'armée avec la jeune femme; il en aurait bien assez d'en parler avec de Ramezay, le lieutenant du roi, ce soir. Mais peut-être voulait-elle simplement être rassurée?

— Nous avons tenu jusqu'à aujourd'hui. L'hiver boutera les Anglais hors du Canada.

Isabelle s'arrêta et lui adressa un regard agacé.

— Nicolas, je suis une femme, d'accord. Jeune, inexpérimentée des... choses de la vie, tout ce que vous voulez. Mais je suis loin d'être dupe. Ne me racontez pas d'histoires pour me faire plaisir. Je vois trop de souffrance autour de moi pour avaler n'importe quoi.

Contrit, le jeune homme baissa les yeux.

— Je ne voulais pas vous offusquer, Isabelle. La vérité n'est pas toujours très agréable à entendre.

— Mais quelle vérité pourrait être plus terrible que ce spectacle désolant? s'exclama-t-elle en désignant d'un mouvement du bras les ruines qui les entouraient. Dites-moi... Pourquoi l'escadre de bateaux anglais qui patrouillent en amont de la ville ne cesse-t-elle de grossir? Je croyais qu'ils devaient nous attaquer par la côte de Beauport...

— Nous pensons qu'ils cherchent à couper nos liens avec les troupes de Trois-Rivières et de Montréal, et à empêcher l'achemi- nement de vivres jusqu'ici. Bougainville n'a eu de cesse de les pour- chasser sur la côte jusqu'à Deschambault.

— Ne croyez-vous pas qu'ils vont tenter de débarquer là-bas?

— Nous les y attendons de pied ferme. Le régiment de Guyenne campe près des Hauteurs[57] d'Abraham, au cas où...

— Et si l'envie leur prenait de débarquer plus près de nous, à Sillery, par exemple?

Interloqué, des Méloizes la dévisagea un instant.

— Nous avons envisagé cette éventualité et pris des précautions. Mais il ne faut pas imaginer que l'ennemi réussirait en une seule nuit à traverser le fleuve, à débarquer sur notre côte et à escalader des parois si abruptes qu'il faudrait des échelles pour y arriver... Et tout cela, sous notre nez!

---

57. Nommées aujourd'hui les « plaines d'Abraham ».

— Je l'espère bien, Nicolas, je l'espère bien.

— Isabelle, murmura-t-il en s'emparant d'une des mains de la jeune femme, loin de moi l'idée de faire reluire notre situation. Puisque vous semblez la connaître aussi bien que moi, vous devez savoir que les forts Carillon, Niagara et Saint-Frédéric sont tombés.

Elle hocha la tête de haut en bas, les yeux rivés sur leurs deux mains unies.

— À Yamaska, nous avons intercepté les messagers que le général Amherst envoyait à Wolfe pour l'en informer. Nous avons ainsi appris qu'Amherst avait décidé de laisser ses troupes se reposer et de ne pas continuer de marcher sur Montréal et Québec. La saison est maintenant avancée. Wolfe restera donc seul avec ses propres troupes, qui sont de moins en moins nombreuses. Nos Sauvages harcèlent sans cesse leurs soldats et en tuent un peu tous les jours. Les Anglais sont terrifiés; un vent de désertion souffle dans leurs rangs. De plus, nous leur avons causé de lourdes pertes à Pointe-aux-Trembles et à Beauport. Si les froids arrivent vite... Il faut espérer. Tout n'a pas encore été dit!

Se mordillant les lèvres, Isabelle dégagea sa main et le regarda.

— Ainsi, nous pourrons mourir de faim en paix, c'est ça?

— Les moissons ont été bonnes à Montréal. Nous attendons des provisions, qui devraient arriver incessamment.

Elle fixa ses chaussures toutes crottées et pensa bêtement qu'elle aurait mieux fait de mettre ses sabots, pour les ménager. Elle ne pourrait probablement pas s'en procurer une nouvelle paire avant longtemps. Puis l'absurdité de l'idée lui fit honte. Elle renifla.

— Isabelle...

Le ton était si doux.

— Isabelle, mon cœur se languit de vous. Pourquoi parler de tout ceci alors que nous devrions profiter de notre chance d'être ensemble pour nous serrer l'un contre l'autre, dans ces quelques minutes qui nous sont accordées?

Les bras de Nicolas s'enroulèrent autour de la taille de la jeune femme et l'attirèrent contre lui. Elle appuya sa joue et, se sentant en sécurité, laissa ses paupières se fermer. Lentement, l'une des mains de Nicolas monta vers sa tête et retira doucement son bonnet. Elle se raidit légèrement, surprise par son audace.

— Isabelle, ma douce, susurra le jeune homme dans ses cheveux.

Il la pressa plus fort contre lui, effleurant son front de ses lèvres. Son haleine la réchauffait agréablement. Il dégageait toujours cette âcre odeur de tabac qu'elle aimait bien.

— Ah! Nicolas, mon bien-aimé... J'aimerais tellement que le

temps s'arrête à cet instant même... et que nous restions ainsi pour l'éternité.

La bouche aimante descendit sur ses joues, puis s'aventura sur ses lèvres consentantes. L'obscurité jetait progressivement un voile sur la dévastation et les enhardissait. Un singulier silence planait au-dessus des rues de la ville. Mais tous deux savaient que ce répit n'était qu'un sursis. Les bombardements allaient inévitablement reprendre à la tombée de la nuit.

— Si je devais quitter le pays, me suivriez-vous, mon amour?

Surprise par la question, Isabelle se dégagea légèrement de l'étreinte du jeune homme pour le regarder.

— Mais pour aller où?

— Je veux dire... Je suis officier dans l'armée de Sa Majesté le roi de France. Vous savez ce que cela implique, si jamais... je veux dire... si je devais m'exiler.

Le cœur d'Isabelle se serra. Un étrange malaise envahit la jeune femme sans qu'elle sût pourquoi.

— Ne parlez pas de malheur, Nicolas.

— Je vous aime, Isabelle. Je n'aurai pas l'esprit tranquille tant que je ne saurai pas si vous voulez me suivre. Je vous veux. Alors, si devenir l'épouse d'un officier ne vous rebute pas trop...

Il l'implorait de son regard amoureux. Elle restait muette d'ébahissement. Il la demandait en mariage? Ici, au milieu des ruines, dans la douleur et la misère? Et la cathédrale qui n'était plus que désolation! Mais quelles cloches ferait-on donc sonner?

— Vous... me prenez de court, Nicolas. Je ne m'attendais pas à... enfin...

Il la fixa longuement, scrutant ses traits à la recherche d'une émotion cachée. Il n'avait pu attendre la fin de cette damnée guerre comme il se l'était promis. Son âme était trop déchirée. Et voilà que l'espoir qu'il nourrissait tant lui tournait le dos. La magie du moment se dissipait. Même si elle ne le savait pas, Isabelle lui avait déjà répondu. Il ne doutait pas un seul instant de son attachement pour lui. Mais il attendait plus. Il voulait un véritable amour partagé.

— Je dois vous quitter, annonça-t-il à regret en se détachant d'elle. On m'attend, et je suis déjà en retard.

— Oui, je comprends.

— Promettez-moi d'être prudente, Isabelle. J'aurais l'esprit telle-ment plus tranquille si je vous savais loin d'ici, mais...

Comme s'il obéissait à une impulsion soudaine, il l'enlaça de nouveau et l'embrassa avec fougue. Ce baiser était-il le dernier? Il préférait ne pas y penser. Il avait une guerre à terminer; il devait garder toute sa tête.

✳✳✳

La fierté du blason, le faste du pouvoir
Et tout ce qu'offrent richesse et beauté
Ne font qu'un dans l'attente de l'heure inévitable,
Les sentiers de la gloire ne mènent qu'au tombeau.[58]

L'air était frais; le fleuve, calme. Les reflets d'une lune cendrée dansaient sur l'eau et éclaboussaient les rames qui sortaient et replongeaient silencieusement. La haute silhouette du mur de schiste se dressait devant eux, tel le rempart d'une forteresse les défiant de le prendre d'assaut.

Inconfortablement coincé entre Coll et Munro, les yeux fermés, Alexander laissait son esprit naviguer sur d'autres rivières. Les effluves étouffants des corps entassés dans l'embarcation lui chatouillaient désagréablement les narines. Néanmoins, c'était toujours mieux que les odeurs infectes de l'hôpital militaire, qu'il avait quitté un peu plus de deux semaines auparavant.

Son dos avait mis trois longues semaines à cicatriser suffisamment pour qu'il puisse reprendre son entraînement. Les plaies, à certains endroits, étaient si profondes que les côtes étaient visibles. Les premiers jours qui suivirent son retour dans sa compagnie furent très difficiles. Au moindre mouvement, la douleur se manifestait et lui faisait souhaiter la mort. C'était comme si des dizaines de lames s'enfonçaient en même temps dans son corps. Les seuls moments de répit qu'il avait étaient en fin de journée, lorsque, épuisé, il s'endormait comme une masse et rêvait de Leticia.

Il avait pleuré la jeune femme silencieusement, comme il avait pleuré Connie, puis Kirsty. Après son départ, il s'était juré de ne plus jamais aimer. L'amour n'apportait que souffrance et désillusion. Au cours de ses trois semaines de « repos » forcé, il avait eu tout le loisir de méditer sur sa vie et il en avait fait un triste bilan. Son grand-père Liam lui avait dit un jour que chaque homme, pauvre ou riche, bon ou mauvais, avait un devoir à accomplir sur terre. Quel était donc le sien? Qu'avait-il fait dans sa fichue vie qui vaille la peine d'être cité en épitaphe?

---

58. *Élégie écrite dans un cimetière campagnard*, par Thomas Gray.

Ici gît un bourreau d'enfant,
Un voleur notoire, gibier de potence,
Un soldat sans scrupules et sans foi...
Un homme sans âme.

Il souleva lentement ses paupières et fixa la berge que le reflux déshabillait. Le sable scintillait au pied de la haute falaise. Comment s'appelait cet endroit? Il avait par hasard entendu le nom de Foulon. Rien de plus. Il ne savait même pas ce qu'ils venaient faire là. On ne disait rien aux soldats. Une fois sur place, seulement, on leur donnait des ordres. Cependant, d'après la grande nervosité des officiers, il se doutait que cette petite expédition était d'une importance capitale. C'était le premier débarquement de cette ampleur que Wolfe tentait depuis l'échec de Beauport, à la fin de juillet. Peut-être allaient-ils enfin prendre la ville d'assaut?

Les nombreux bateaux plats glissaient silencieusement sur le Saint-Laurent, se laissant guider par le fort courant. L'embarcation d'avant-garde avait déjà atterri et les vingt-quatre soldats volontaires qu'elle transportait s'étaient mis en rangs sur la grève. Bientôt, ce serait leur tour à eux.

Un sentiment étrange envahissait Alexander au fur et à mesure qu'ils s'approchaient du lieu de débarquement : quelque chose à mi-chemin entre la crainte et l'excitation lui donnait des frissons et faisait hérisser ses poils. Il prit une profonde inspiration. Son dos le faisait encore un peu souffrir et sa peau lui démangeait terriblement, mais il s'y était habitué. La douleur était devenue sa compagne. Elle le poussait en avant, l'encourageait à accomplir sa tâche ultime : reconquérir le respect des siens; redorer le blason de son clan. « Les sentiers de la gloire ne mènent qu'au tombeau... » Où avait-il entendu cela?

Coll remua. Son bras se pressa contre le sien. Il comprit le message. Ils combattraient ensemble. La vie de chacun appartenait à l'autre; ils étaient frères dans le sang et dans la mort. Après l'annonce de cette opération, Coll et lui avaient discuté pendant une bonne partie de la nuit. Ils avaient alors formulé un serment tout en mêlant leurs sangs : celui des deux qui survivrait irait rapporter l'honneur de l'autre à leur père. Alexander se sentait serein. Il pouvait désormais mourir en paix, et il le ferait la tête haute et les yeux dans ceux de l'ennemi. C'était sa tâche.

L'eau clapotait sur la coque de bois. Les cailloux crissèrent dessous. Le mot d'ordre : silence absolu. Il devait être autour de cinq heures du matin; l'aube ne tarderait pas à se lever. Wolfe, enveloppé dans une longue houppelande et entouré de quelques officiers, se tenait un peu à l'écart des rangs qui se formaient au fur et à mesure que les soldats débarquaient. Les embarcations, une fois vides, repartaient aussitôt chercher la deuxième division restée sur les navires. Le capitaine Donald Macdonald, ayant formé son régiment avec célérité, conduisit sans plus attendre ses hommes au pied de la falaise qui se dressait au-dessus d'eux. La périlleuse ascension allait commencer.

Postée à quelque distance du lieu du débarquement, une sentinelle française s'avança prudemment.

— Qui vive?

— La France! répondit le capitaine Fraser dans un français impeccable.

— Quel régiment?

Il y eut un court silence.

— Marine!

— Parlez plus fort! Je vous entends mal.

— Vous voulez que les Anglais m'entendent aussi?

— Laissez-les passer, ordonna la sentinelle en s'adressant à deux de ses compatriotes postés un peu plus loin sur la grève. Ce sont nos gens avec nos provisions.

Dans l'obscurité, ils passèrent sous le nez des sentinelles et escaladèrent la paroi rocheuse mesurant près de soixante verges de haut. Des tirs de mortier retentissaient dans le lointain. On continuait de bombarder la ville. Alexander savait que Coll était juste au-dessous de lui, mais il avait perdu de vue son cousin Munro. Une fine pluie tombait maintenant. Son fusil passé en travers du dos, son poignard entre les dents, il s'accrochait aux racines et aux touffes d'herbes, à la roche tranchante, qui s'effritait sous ses doigts. L'ascension se faisait dans le silence complet; leur vie en dépendait. On n'entendait que le gargouillement d'un ruisseau et le bruit étouffé des pierres qui tombaient après s'être détachées de la paroi.

Quelques hommes atteignaient juste le sommet, où un poste de garde français était installé. Des éclats de voix retentirent. Il y eut des coups de feu. Les miliciens, criant de stupeur devant l'attaque, prirent la poudre d'escampette avec les Anglais à leurs trousses. Dix minutes seulement s'étaient écoulées depuis le débarquement.

Les rangs de soldats ne cessaient de se déployer face aux remparts de Québec. S'enfonçant dans un champ de blé ondulant doucement sous la brise, Alexander scrutait l'horizon qui pâlissait. La pluie avait cessé. Non loin d'eux passait une route. Elle menait directement à l'une des portes de cette ville qu'il avait maintes fois admirée des hauteurs de la pointe de Lévy. Sur leur gauche, plus loin devant, un bois masquait une partie des fortifications. Plusieurs fermes, moulins et habitations étaient disséminés un peu partout le long des chemins. Sur leur droite, juste devant les bastions qui jouxtaient la falaise, un plateau parsemé d'arbres surplombait les Hauteurs.

Ils avançaient prudemment sous les tirs d'éclaireurs français. Un canon, monté et tiré par les marins, venait d'arriver et prenait position entre le régiment d'Alexander et le 58ᵉ d'Anstruther. Moins de trois heures après le débarquement des premiers hommes, un bataillon de quatre mille huit cents soldats servant sous le Union Jack, sur deux lignes, pointait ses armes sur la capitale de la Nouvelle-France.

***

Un indescriptible vacarme réveilla Isabelle en sursaut. La jeune femme s'assit subitement dans son lit, encore tout imprégnée d'un rêve dans lequel Nicolas l'embrassait fiévreusement. Mado était penchée à la fenêtre.

— Qu'est-ce qui se passe?

Sa cousine se retourna, aussi blanche que sa chemise.

— J'suis pas certaine, Isa, mais je crois que c'est grave! Nos soldats courent vers la porte Saint-Jean depuis tout à l'heure.

On frappa avec force à la porte de la chambre. Sans attendre de réponse, Perrine entra comme un coup de vent, toute dépenaillée et les cheveux en bataille.

— Les Anglais ont débarqué! Ils ont hissé leur drapeau sur les Hauteurs! Allez, ramassez vos habits, dépêchez-vous!

Elle disparut aussi rapidement qu'elle était venue, laissant les deux jeunes femmes pétrifiées.

— Batinse! laissa tomber Madeleine après un moment.

— Les Anglais? Ici? murmura Isabelle, incrédule. Mais Nicolas m'avait dit que...

— Ben, il s'est trompé. Habille-toi, Isa. Tu penseras à ça plus tard.

Toute la maisonnée, comme tous les habitants qui étaient restés pour braver les bombes ennemies tombant depuis deux mois, était descendue dans la rue et pataugeait dans les flaques boueuses sous un ciel gris. Les soldats de Beauport traversaient la ville pour se rendre sur les Hauteurs. Isabelle se fraya un chemin dans la foule agitée. Elle espérait voir Louis, Étienne et Guillaume, mais surtout Nicolas. Les uniformes blanc sale aux parements de différentes couleurs défilaient devant elle. Elle vit les longues vestes grises de la Compagnie franche de la Marine. Des Méloizes marchait à la tête de sa compagnie. Elle agita la main en l'appelant. Le jeune homme se tourna vers elle et lui sourit faiblement.

— Que Dieu te garde, murmura Isabelle comme il disparaissait de sa vue.

Derrière venaient les miliciens tout loqueteux, avec leurs bonnets de laine, puis les Sauvages aux têtes ornées de plumes et peintes aux couleurs de la guerre, tomahawks brandis au milieu des cris.

Puis elle aperçut le général Montcalm sur son cheval noir. Bien qu'il bombât le torse et tînt sa tête haute, il avait un air si triste que la jeune femme en eut le cœur serré. L'inquiétude la gagna. Une main se posa sur son épaule; elle reconnut le toucher de son père. Sans lever les yeux, elle pencha la tête et laissa aller ses larmes.

— C'est la fin! murmura-t-elle en s'étranglant dans un sanglot.

***

Il était environ neuf heures trente. Alexander, immobile, observait en silence les drapeaux français qui se déployaient devant eux sous un timide soleil. Sur sa droite, la falaise et le fleuve. Derrière lui, le régiment de Bougainville qu'il savait campé à Cap-Rouge et qui n'allait certainement pas tarder à apparaître. Le jeune homme se rendit brusquement compte qu'il n'y avait pour son armée aucune issue, aucune possibilité de retraite. Wolfe le savait certainement; il avait volontairement entraîné ses troupes ici. Alors, soit! Ce serait la victoire ou la mort. Ils allaient enfin livrer le combat pour lequel ils étaient venus.

Les Canadiens, embusqués, ne cessaient de leur tirer dessus et faisaient mouche à l'occasion. Sur la gauche d'Alexander, un soldat s'écroula au sol, touché à la cuisse. On l'évacua rapidement et on resserra le rang. Pour éviter une perte d'hommes inutile, le capitaine leur ordonna de s'allonger dans l'herbe, en position de tir. L'attente devenait insoutenable : « Allez, qu'on en finisse! » Le jeune homme souhaitait seulement tenir jusqu'à la charge.

Les minutes s'égrenaient lentement; les soldats commençaient à grommeler. Les troupes françaises se plaçaient maintenant en formation de combat, sous les remparts. Une maison flambait, plus loin sur la route : l'ennemi l'avait incendiée afin de les empêcher de s'en servir comme redoute. La fumée grise venait jusqu'au-dessus d'eux et les faisait larmoyer. Les canons tonnaient. Le général Wolfe passa devant eux, le poignet enveloppé dans un linge blanc ensanglanté. Il affichait un flegme imperturbable et scrutait les soldats d'un œil avisé. Il s'entretint avec le capitaine Macdonald, qui fit ensuite appeler le joueur de cornemuse.

Roulement de tambour. Puis la cornemuse commença à chanter sa mélodie. Alexander ferma les paupières un court instant. Une chaleur réconfortante l'envahit, le détendit. Les notes de la *Marche de lord Lovat* l'enivraient, clamant l'honneur de sa race. Il sentait monter en lui une force terrible.

Dix heures. Le général Montcalm se tenait sur sa monture, entre le régiment de la Sarre et celui de Languedoc. Pointant son épée vers le ciel puis l'abaissant et la dirigeant vers les rangs ennemis, il donna l'ordre de se mettre en marche. Alignés en rangs plus ou moins ordonnés, les soldats firent quelques pas devant. Les tambours, les clairons et les fifres chantaient un air terrifiant. Étudiant les mouvements des Français, le général Wolfe allait et venait devant les lignes britanniques. Il avait donné l'ordre d'attendre que l'ennemi soit à moins de quarante verges pour faire feu.

— Prenez vos positions! ordonna l'officier.

Alexander se leva et observa un jeune soldat accroupi sur un genou, trois pieds devant lui. La pointe de sa baïonnette tremblotait.

— Hé! MacDonnell!

Les épaules du garçon tressaillirent; l'arme faillit lui échapper des mains.

— C'est pas le moment de te vider les entrailles. Pense à tes compagnons, derrière, qui vont patauger dans ta merde.

Quelques ricanements accueillirent ses paroles. Alexander avait dit cela plus pour se donner contenance et se maîtriser lui-même que pour narguer le soldat. La nervosité le rongeait. Il savait que Roddy Campbell était quelque part, pas bien loin. L'ennemi n'était pas toujours devant soi sur un champ de bataille.

— Prêts? hurla l'officier.

Les soldats français arrivaient rapidement, dans le désordre. Ils ne tenaient pas leurs rangs, s'éparpillaient sur la plaine. Certains, après avoir tiré, se jetaient par terre pour recharger. Ceux qui les suivaient trébuchaient dessus. Alexander frémit. Ce mélange de peur et d'excitation qui le gagnait avait raison de lui et soumettait son corps tout entier.

— En joue!

Alexander pivota légèrement sur le côté, de façon à offrir une cible moins facile. Son index se tendit sur la gâchette; son œil fixa froidement un soldat français, droit devant. Les balles sifflaient au-dessus de leurs têtes, mais ne causaient que peu de dommages. Maîtrisant sa respiration, il visa.

— Feu!

La fumée blanche bouchait la vue, brûlait les yeux et les poumons, asséchait la bouche. Ils avancèrent de trois pas, chargèrent deux autres balles et se remirent en position de tir. Quelques minutes s'écoulèrent encore avant que le nuage sulfureux se dissipe.

— Prêts?

Des dizaines de corps jonchaient le sol. Des lamentations et des cris déchiraient les tympans.

— En joue! Feu!

La salve anglaise explosa comme un seul coup de canon. La plupart des soldats français qui étaient encore debout se dispersèrent à la manière d'un troupeau de moutons devant un loup, courant vers les portes de la ville. Son fusil en bandoulière, Alexander empoigna son épée et la sortit de son fourreau. L'éclat de l'acier brandi dans les airs annonçait la charge. Sans même en attendre l'ordre, les Highlanders rugirent tel le lion d'Écosse et se précipitèrent à travers le champ de blé, à la rencontre de l'ennemi. Pétrifiés devant ces barbares en jupes, des soldats du régiment de la Sarre et des troupes coloniales rebroussèrent chemin. C'était la déroute. La victoire était aux Anglais.

***

L'armée de la perfide Albion franchissait les derniers pieds qui la séparaient des portes de Québec. Les habitants de la capitale de la Nouvelle-France écoutaient, tête baissée, la cacophonie de la bataille, ne pouvant qu'imaginer la danse macabre qui se déroulait dans leurs champs de blé. Un bal où l'étiquette n'était plus de mise. Un affrontement où les âmes conquérantes ne connaissaient pas l'indulgence. Si triste devait être le regard de Dieu contemplant l'œuvre des hommes cupides.

Les bouches à feu crachaient la mort et fauchaient les soldats inlassablement. Les cris de terreur parvenaient jusqu'aux remparts, derrière lesquels on tremblait d'effroi. L'Angleterre, de sa main implacable, anéantissait-elle le résultat de deux cents années d'ardeur, de fierté et d'espoir?

Les bruits des coups de fusils et des canonnades leur parvenaient depuis maintenant plus d'une heure. Pour les mettre à l'abri des pillards, on avait déposé les biens les plus précieux dans deux grands coffres que Baptiste, avec un voisin, avait descendus et cachés dans les caves. Isabelle avait préparé un sac contenant des vêtements de rechange, dans l'éventualité d'un départ précipité. Justine montait de la cave avec quelques pots de confitures et un morceau de lard. Raccrochant une clef au trousseau qui pendait à sa ceinture, elle déposa les provisions dans un sac qu'elle mit sur le tas de bagages. Isabelle la regarda faire. Où avait-elle déniché cela? Elle croyait qu'ils avaient épuisé toutes leurs provisions... La voix de Sidonie la sortit de ses réflexions.

— Où est Ti'Paul? Il a disparu! Mon petit Paul a disparu! criait-elle, complètement affolée.

La jeune femme regarda vers le clavecin, à l'endroit où elle l'avait vu jouer un peu plus tôt, avec Museau. Il n'était plus là. Des soldats de plomb traînaient sur le parquet. Son estomac se crispa.

— Je vais aller voir dans sa chambre, dit-elle en se levant brusquement de sa chaise, qui bascula.

— Ti'Paul! Ti'Paul! Sors de ta cachette. Ce n'est pas drôle. Le jeu est terminé.

La chambre de son frère était déserte. Un tiroir de la commode était resté ouvert; un fouillis en débordait. Isabelle s'approcha. Qu'avait cherché Ti'Paul si précipitamment? Elle vit alors le fourreau de son couteau de chasse... vide.

— Oh, non! Ti'Paul!

Mado entra sur ces entrefaites. Isabelle, se tournant vers elle, exhiba l'étui de cuir.

— Tu crois qu'il aurait fait ça?

La gorge nouée par la panique, Isabelle ne put que hocher la tête de haut en bas.

Une grande agitation régnait dans la rue. Des femmes couraient, portant leurs enfants qui hurlaient dans leurs bras. La terreur se lisait sur leurs traits. Des soldats amenaient des compatriotes blessés, les abandonnaient aux bons soins des religieuses de l'Hôtel-Dieu, et repartaient aussitôt combattre avec l'énergie du désespoir. Un chariot dépassa Isabelle à vive allure, menaçant d'écraser quiconque ne s'ôtait pas de son chemin. « Nous allons tous mourir... » marmonna la jeune femme, saisie d'une peur viscérale. Elle prit son courage à deux mains et fonça droit vers la porte Saint-Jean. Les soldats en faction, trop absorbés par l'incessant va-et-vient, ne se préoccupèrent pas d'elle outre mesure. Elle sortit de la ville sans difficulté.

Le ciel gris semblait être tombé sur les Hauteurs. Un lourd nuage flottait, masquant le carnage. Les coups de canons résonnaient sinistrement. Les fusils pétaradaient. Son cœur se mit à battre au rythme de la folie des hommes. Elle posa ses deux mains dessus pour le contenir, mais en vain. Elle prit une profonde inspiration. Le soufre pénétra dans ses poumons et la fit tousser.

— Ti'Paul! Où es-tu?

Où que son regard se portât, la mort faisait son œuvre. Tandis que l'encre des veines des valeureux soldats signait la fin d'un régime, la rancœur écrivait déjà le procès du gouvernement de la Nouvelle-France.

— Nicolas des Méloizes, murmura-t-elle tristement. Regardez ce qu'ils font de notre pays! Dussé-je y passer le reste de ma vie, je reconstruirai, la tête haute, ce que la France a laissé s'effondrer.

***

La tension qui régnait sur le champ de bataille poussait Alexander vers l'avant. Sa lame plongeait dans une poitrine, puis un flanc, pourfendait une nuque puis une gorge. Lui se couvrait de sang. Un enseigne français détala devant lui avec ses couleurs. Alexander se mit aussitôt à sa poursuite, balayant de sa lame les hautes herbes dorées. Les deux hommes se dirigeaient vers une fermette entourée d'une palissade de bois. Le Français disparut de l'autre côté de la barrière. Alexander allongea sa foulée, bien déterminé à ne pas laisser passer l'occasion de mettre la main sur un trophée aussi important.

L'officier trébucha; le drapeau lui échappa des mains. Rampant dans la terre boueuse, il étendit le bras pour le récupérer. Mais Alexander, qui le suivait de près, le rattrapa juste au moment où il mettait la main dessus. Plaçant la pointe de son épée sous le menton de l'enseigne, il défia l'homme du regard. En silence, les deux se jaugèrent. Puis, certain que l'officier ne tenterait rien, Alexander posa son regard sur le drapeau déchiré et taché: une belle prise qui lui vaudrait certainement des honneurs. Puis il lut la devise qui y était inscrite: « *Per mare, et terras* ». Il n'en revenait pas: c'était aussi la devise de son clan! Profondément troublé, il abaissa son épée et recula d'un pas.

— *Sir, ye are my prisoner. Are ye hurt?*

L'homme, qui s'attendait à ce qu'on le tue, dévisageait le Highlander, bouche bée.

— Êtes-vous blessé? reprit Alexander dans un français hésitant.

L'enseigne hocha lentement la tête de droite à gauche. De belle apparence, il ne paraissait pas avoir plus de vingt ans. À son attitude un peu arrogante, on pouvait deviner que c'était un aristo-crate. Alexander, d'un geste mesuré, repoussa une mèche brune qui lui barrait le visage. Les yeux noirs le fixaient sans ciller.

— Levez-vous et rendez-vous.

L'officier s'apprêtait à se lever lorsqu'il se raidit et s'immobilisa, fixant un point par-dessus l'épaule d'Alexander. Croyant à une ruse, le Highlander suivit son regard avec prudence : Roderick Campbell et un autre compatriote se tenaient à quelques pieds derrière lui. Il se déplaça lentement de côté, de façon à ne perdre de vue ni son prisonnier ni Campbell.

— Cet homme est mon prisonnier. C'est un officier, et je lui cède les honneurs de guerre...

Campbell s'avança et plaça sa baïonnette au-dessus de la poi-trine de l'enseigne.

— Les honneurs? Mon cul, oui, Macdonald! Ce chien de Fran-çais restera ici. Je me charge de ses couleurs.

— Pas question! Nous devons laisser la vie sauve aux officiers ennemis qui se rendent! s'énerva Alexander.

Le jeune enseigne tourna la tête vers lui. Son visage restait impassible, mais son regard trahissait sa peur. Le Highlander vit alors une tache de sang qui s'agrandissait sur la culotte. Le Français avait couru comme un damné avec une balle dans la cuisse...

Le cliquetis d'un chien de fusil se mettant en position armée l'alerta. Anticipant la suite, Alexander envoya son pied dans les jambes de Campbell. Le coup partit et fit éclater le bois des latrines. Tout en jurant, le sergent se préparait à riposter du poing lorsqu'un cri aigu l'arrêta. Un mouvement attira leur attention du côté des latrines. La porte s'entrouvrit lentement et un jeune garçon armé d'un couteau sortit en courant. Voyant avec horreur Campbell lever son fusil et viser le fuyard, Alexander cria à l'enfant de se jeter par terre. Mais, bien sûr, il ne devait pas comprendre l'anglais.

Les événements se précipitèrent. Le souvenir du garçon d'une douzaine d'années qu'il avait égorgé refit d'un coup surface dans l'esprit d'Alexander. Le jeune homme en eut la nausée. Celui-là, il le sauverait. Décidé, il se mit à courir derrière l'enfant. Un coup de feu retentit, et une douleur lui déchira le côté droit. Il tomba rude-ment au sol et roula. Il se retrouva aux pieds d'une jeune femme qui le fixa, horrifiée, en criant. Alexander eut juste le temps de voir la couleur de ses yeux. Elle disparut derrière la palissade de pieux avec le garçon.

Campbell hurlait des injures au-dessus de lui. Alexander mit la main sur son poignard.

— Laissez-les, espèce de salaud! Ils sont sans défense. Ils n'ont rien à voir avec cette guerre.

Campbell cracha, le manquant de peu.

— Je crois que le moment est venu pour nous de régler nos comptes, Alasdair Dhu...

Alexander ne vit pas le coup venir. La crosse du fusil l'atteignit en pleine gorge à une rapidité fulgurante. L'air lui manqua. Il n'arrivait pas à crier. S'arc-boutant, il se tortillait en râlant. Il allait mourir; ce fumier l'avait tué... Mais, non... il ne le laisserait pas s'en tirer comme ça. Malgré l'atroce douleur, il chercha frénétiquement, à tâtons, son poignard qui lui avait échappé. Puis, empoignant l'arme d'une main et portant son autre main à sa trachée, il roula sur lui-même.

L'air arrivait difficilement à ses poumons. Il se tourna vers Campbell: le sergent dirigeait son fusil vers l'officier qui, sous la surveillance de l'autre Highlander, attendait stoïquement le coup de grâce. Bon sang! Ils étaient beaucoup trop loin pour qu'il réussisse. Sa tête tournait. Un son rauque s'échappa de sa poitrine lorsqu'il leva son bras en utilisant toute son énergie. Le poignard vola, fendit l'air et alla se planter dans le thorax de Campbell. Le sergent, éberlué, pivota sur lui-même avant de s'effondrer. Alexander, soulagé, se laissa retomber au sol en gémissant. Puis tout devint noir pour lui.

Isabelle était terrifiée. Ti'Paul, tout tremblant, restait immobile contre elle.

— Isa... Il a tué son compatriote pour sauver l'un de nos valeureux officiers.

— Oui, j'ai vu, Ti'Paul. Il t'a aussi sauvé la vie, tête de lard!

Ce disant, elle lui flanqua une bonne taloche. Le garçon rentra sa tête dans ses épaules en poussant un cri de protestation.

— Que faisais-tu ici? Tu n'as donc rien entre les deux oreilles? Ces hommes font la guerre, et toi, tu joues à cache-cache dans leurs jambes! Il faut vraiment être le roi des imbéciles! Attends que papa apprenne ça!

— Non, Isa! Ne lui dis pas!

Un coup de feu retentit. À travers la palissade, la jeune femme vit le soldat en jupe, qui accompagnait Campbell et tenait toujours en joue l'enseigne en attendant des renforts, s'effondrer sur l'officier. Elle poussa son frère au sol et se jeta sur lui en étouffant son cri de la main. Trois Sauvages arrivaient vers le groupe d'hommes. Ils étaient horriblement peints de rouge et de noir et pleins de sang, de suie et de boue. L'un d'eux se pencha vers l'officier pour le dégager du cadavre et l'aider à se relever. L'homme le repoussa d'un geste et lui mit son drapeau entre les mains.

— Mettez-le en sécurité. Moi, je ne ferais que vous retarder. Allez, vite, partez! D'autres Anglais vont arriver. Il faut battre en retraite avec les effectifs restants.

Les Sauvages protestaient. L'officier haussa le ton et usa de son autorité. Les Sauvages se consultèrent du regard en haussant les épaules, l'air de penser qu'il était complètement fou. Celui qui portait le drapeau donna des ordres aux deux autres. L'un d'eux se pencha sur l'Écossais qui gisait à leurs pieds et empoigna sa chevelure. D'un geste rapide et précis, il incisa la chair avec son petit coutelas, tout autour de la boîte crânienne. Isabelle détourna les yeux, le cœur au bord des lèvres, pendant que son frère lâchait un cri de dégoût étouffé dans sa paume.

— Non, pas lui! entendit-elle crier.

Elle regarda de nouveau la scène, évitant soigneusement les deux hommes scalpés. L'autre Sauvage tenait d'une main la chevelure de l'Écossais blessé à la gorge. Le couteau était immobilisé sur le front.

— Je dois la vie à cet homme qui a fait de moi son prisonnier.

Le Sauvage grogna, contrarié. Il hésita, puis lâcha brusquement la tête, au grand soulagement d'Isabelle. Quelques secondes plus tard, les trois Sauvages avaient disparu. Reprenant sur elle, la jeune femme se releva et se précipita vers l'officier qui, d'après son uniforme, était des Compagnies franches de la Marine. L'homme, une lanière de cuir à la main, installait un garrot autour de sa cuisse. Il était surpris de sa présence.

— Laissez-moi vous aider.

— Que faites-vous ici? C'est...

— Imprudent? répondit vivement Isabelle en serrant la lanière. Je sais. Voyez-vous, mon jeune frère avait dans l'idée de sauver la colonie à lui tout seul. Je vous laisse le soin de lui expliquer que la vraie guerre n'est pas un jeu et qu'ici les soldats ne sont pas faits de plomb.

L'enseigne sourit. Puis il grimaça lorsqu'elle déchira sa culotte pour dégager la plaie.

— Il vous faut un médecin.

— Quel est votre nom, mademoiselle?

La jeune femme leva vers lui ses yeux verts.

— Isabelle Lacroix, monsieur. Et vous?

— Enseigne Michel Gauthier de Sainte-Hélène Varennes, de la compagnie Deschaillons de Saint-Ours.

— Eh bien... Enchantée, monsieur Gauthier. Appuyez-vous sur moi, je vais vous aider...

— Non, allez plutôt voir si cet homme respire toujours.

— Quoi?

— Cet Écossais, là-bas. Il m'a sauvé la vie. Je veux savoir s'il vit toujours.

Isabelle tourna la tête vers l'homme affublé d'une jupe qui était étendu face contre terre et frissonna.

— S'il vous plaît, la supplia Gauthier.

Se relevant, elle avança prudemment. Puis, du bout du pied, elle remua le corps. Un sifflement aigu s'échappa alors de la bouche. L'homme respirait encore... pour le moment. Elle écarta lentement les longues mèches noires aux reflets cuivrés sous la pâle lumière du soleil qui perçait maintenant les nuages. Ses doigts glissèrent sur la peau tiède. Le cou était violacé et très enflé. Doucement, elle souleva la veste rouge. Le gilet portait une large tache humide au niveau du flanc. La balle était ressortie par-devant. Si aucun organe n'était touché, il devrait s'en tirer, avec les soins appropriés. Il pouvait toutefois mourir étouffé avant.

Elle revint vers l'officier pour lui faire part de l'état du soldat. Il lui demanda alors de retirer le poignard qui était resté planté entre les côtes de l'autre Écossais.

— Si on trouve ce poignard là où il est, cet homme sera accusé du meurtre d'un officier de son régiment et il sera assurément exécuté. Il ne le mérite pas.

Elle hésita, dégoûtée par ce qu'il lui demandait.

— Je vous en prie...

Prenant sur elle, elle saisit le manche de l'arme et tira dessus en tournant la tête. L'arme résista, puis vint d'un coup. Elle crut que les viscères du mort sortiraient avec le couteau et eut un haut-le-cœur. Ti'Paul, intrigué, avait rejoint sa sœur. À ce moment-là arrivèrent deux officiers et quelques soldats du régiment highlander. En les voyant, Isabelle étouffa un cri et cacha prestement le long poignard dans ses jupes. Affichant sa surprise, l'un des deux officiers s'inclina devant elle, tandis que l'autre se penchait sur le Français blessé.

— *By God! Lady, 't is no place for a woman and child to be*[59]!

— Ces hommes sont blessés, monsieur, bafouilla-t-elle, les yeux écarquillés de peur. Ils ont besoin de soins.

— *Aye! So I see.* C'est la guerre, madame.

59. Pardieu! Madame, ce n'est pas un endroit pour une femme et un enfant!

Brusquement, les sifflements et les explosions des bombes, les tirs de fusils et les cris prirent toute la place dans le cerveau d'Isabelle. La jeune femme prit brusquement conscience de la situation dans laquelle la naïveté de son frère et sa propre témérité l'avaient placée : ils se trouvaient au milieu d'un champ de bataille! L'officier donna des ordres dans sa langue. Des soldats se postèrent alors à côté d'elle et de Ti'Paul.

— Que faites-vous ici, madame? lui demanda l'officier dans un français correct.

— C'est que... mon frère s'était aventuré par ici, monsieur.

L'officier avisa le couteau que tenait toujours Ti'Paul entre ses doigts et le lui confisqua. Isabelle pria le ciel pour qu'il ne découvre pas celui qui dégoulinait de sang entre les siens. C'est elle, alors, qu'on accuserait du meurtre de l'Écossais.

— Votre frère? *So, my young lad! Ye should go back home. Macleod, escort the lady and the boy*[60].

— Qu'allez-vous faire de l'officier français? osa demander Isabelle.

— N'ayez crainte, madame, il sera soigné. *Though ye is now a prisoner of war, aye*[61]*!*

***

Isabelle et Ti'Paul furent escortés jusqu'à proximité de la porte Saint-Jean. Puis, les soldats s'en retournèrent aussitôt courir après les miliciens canadiens. Les combats n'étaient pas terminés. La jeune femme espérait que Nicolas et ses frères seraient sains et saufs. Elle souhaitait aussi que l'officier français fût traité avec le respect dû à son grade. Quant au soldat écossais, elle le remerciait du fond du cœur. Peut-être aurait-elle l'occasion de lui exprimer sa gratitude de vive voix. Ti'Paul tira sur sa jupe. Elle se retourna et le fusilla du regard.

— Toi! À la maison!

— Isa...

— Je ne dirai rien à papa. Mais ne refais plus jamais une chose pareille! Nous aurions pu nous faire tuer par ta faute, imbécile! Ces hommes ne jouent pas à la guerre, ils la font!

— Museau s'est enfui. Je voulais le retrouver avant que les Anglais ne le capturent pour le faire bouillir...

---

60. Alors, mon garçon! Vous devriez retourner chez vous. Macleod, raccompagnez la dame et l'enfant.
61. Bien qu'il soit un prisonnier de guerre, oui!

— Si Museau est assez bête pour aller se fourrer dans leurs jambes, tant pis pour lui!

Exaspérée, encore bouleversée, Isabelle vit l'arme ensanglantée qu'elle tenait encore dans la main et fit une grimace. D'un pas ferme, elle se dirigea vers le premier baril d'eau de pluie et plongea le bras dedans. Ce ne fut que lorsqu'elle ressortit l'arme, lavée, qu'elle remarqua la délicatesse de la sculpture qui ornait le manche de bois. De singuliers entrelacs formaient des dessins d'une merveilleuse beauté. Des têtes et des pattes d'animaux – des chiens, peut-être – se détachaient vaguement des motifs inextricablement emmêlés.

— Tu me le donnes? demanda Ti'Paul. J'ai perdu le mien.

Tirée de sa contemplation, la jeune femme se tourna vers son frère et lui adressa un regard réprobateur qui lui fit baisser la tête.

— Cette arme ne nous appartient pas, Ti'Paul! Je le rendrai à son propriétaire... enfin, si je le peux. Compris?

— Ouais... ça va.

Les deux jeunes gens rentrèrent chez eux et restèrent cloîtrés le reste de la journée. La famille Lacroix ne se rendait pas encore tout à fait compte de ce qui se passait. Où étaient le colonel de Bougainville et ses trois mille hommes? Ils allaient certainement arriver et repousser les Anglais jusqu'à la falaise, jusqu'au fleuve. Les troupes de Montcalm allaient se rassembler et riposter. Mais rien de tout cela ne se produisait. On n'entendait plus que quelques coups de canons et des tirs de fusils, des escarmouches, rien de plus.

Les Anglais s'installaient devant les murs de la ville. Ils creusaient des tranchées, dressaient des tentes, repositionnaient les canons, en ajoutaient d'autres. Isabelle comprenait avec consternation qu'ils allaient assiéger Québec depuis les Hauteurs d'Abraham. La nuit tomba. Elle se mit au lit avec Madeleine, qui n'en menait pas large. La pauvre pleurait sans arrêt. Elle n'avait pas de nouvelles de son Julien.

— S'il lui était arrivé quelque chose, nous le saurions, Mado.

— Isa, il y a des corps partout sur les Hauteurs. Cela prendra des jours...

Les sanglots reprirent de plus belle; les larmes mouillèrent l'oreiller et l'épaule d'Isabelle. La jeune femme, qui se débattait elle-même avec ses propres inquiétudes, ne savait comment rassurer sa cousine.

— Demain, j'irai à l'Hôtel-Dieu. S'il n'est pas là, je demanderai à papa de me faire conduire à l'Hôpital général. Peut-être que sœur Clotilde saura quelque chose.

— Et les morts?

— Oh! Mado, il faut garder espoir. Ton Julien est futé. Il s'en est certainement sorti avec quelques petites écorchures, tu verras...

Nerveuse, Isabelle ne réussit à s'endormir qu'aux premières lueurs de l'aube. Un brouhaha épouvantable la réveilla en sursaut alors qu'elle cherchait Nicolas au milieu d'un champ de cadavres. Elle prit une profonde inspiration, secoua la tête pour dissiper les dernières traces de son cauchemar et sortit du lit. Mado s'était levée depuis longtemps: sa place était froide. Des éclats de voix provenaient de la cuisine. Le cœur battant, Isabelle enfila une robe de chambre et se couvrit de son châle avant de descendre. Son père l'accueillit avec un sourire et lui désigna le bout de la table.

— Louis! s'exclama Isabelle en se jetant dans les bras de son frère. Je suis si heureuse! Et Étienne, et Guillaume?

— Ils sont saufs, tous les deux.

— Et Nicolas? Sais-tu où il est?

Louis se racla la gorge d'un air gêné.

— À Beauport.

— Il va bien? Tu l'as vu? Il t'a dit quelque chose?

— Je ne lui ai pas parlé, Isa. Mais il n'est pas blessé.

— Et Julien? Mado a pleuré toute la nuit.

— Il essuie ses larmes en ce moment. Il n'a même pas une égratignure.

Isabelle sourit, soulagée.

— Donc, tout va pour le mieux. Personne n'a été tué ou blessé, et...

Elle s'interrompit devant la mine sombre qu'affichait son père.

— Qu'est-ce qu'il y a? Tu m'as raconté des blagues, Louis?

— Non, personne ne manque à l'appel dans la famille. Mais... Montcalm est mort à l'aube. Le gouverneur Vaudreuil a pris le commandement de ce qui reste de l'armée et l'a conduite à Beauport. Il nous faut rassembler nos forces...

— Tu veux dire... Vous voulez engager un nouvel affrontement?

— Isabelle, les Anglais sont devant notre porte. Tu comprends? Il faut éviter qu'ils entrent, sinon...

— C'est la fin?

Personne n'osa lui répondre.

TROISIÈME PARTIE

1759-1760

La Conquête

*Même longtemps après que les nuages se furent dissipés,
que les pleurs et les cris se furent évanouis, le vaincu reste le vaincu
aux yeux du conquérant. Il est traité avec mépris, accablé d'opprobre.
On oublie sa vaillance au combat.
On l'accuse d'être la cause de sa propre perte.*

9

Québec, les derniers jours

— Ah! Enfin! Tenez, dit la religieuse en respirant bruyamment, il faut nettoyer les parquets; il y a des taches de sang. Lorsque vous aurez terminé, vous irez trouver sœur Marie-Blanche. Vous l'aiderez à déchirer des jupons. Nous manquons de pansements.

Comme Isabelle allait protester, indiquer qu'elle était là pour voir quelqu'un, la religieuse lui fourra un torchon et un grattoir dans les mains et déposa un seau d'eau à ses pieds. Puis, après avoir ébauché un sourire, elle pivota sur ses talons et se dirigea d'un bon pas vers les dortoirs. La jeune femme resta bouche bée et fixa le torchon en fronçant les sourcils. L'odeur du vinaigre lui monta à la tête. Mais elle ne masquait pas les relents des corps souffrants des centaines d'hommes qu'on avait transportés à l'Hôpital général. Situé hors des murs de la ville, l'établissement avait été réquisitionné par les Anglais.

Indécise, Isabelle regarda encore le torchon, puis les blessés. Le travail ne manquerait pas dans les prochains jours, voire les prochaines semaines. Les religieuses semblaient ne plus savoir où donner de la tête. Leur apporter un peu d'aide les soulagerait certainement. De plus, elle arriverait peut-être à obtenir des nouvelles de Nicolas. Haussant les épaules, elle empoigna l'anse du seau et se dirigea vers le fond de la salle en passant entre les blessés parfois allongés à même le sol. On n'avait pas encore installé tous les lits de camp apportés des magasins du roi. La jeune femme s'agenouilla, prit le torchon et le grattoir, et commença à frotter avec énergie. Ainsi débuta sa première journée au service des blessés de guerre.

Le travail lui fit oublier le temps qui passait. Au bout de plusieurs heures, alertée par la lumière qui baissait et par son estomac qui produisait des borborygmes, Isabelle s'arrêta. Peu habituée aux rudes travaux ménagers, éreintée et les yeux brûlants de fatigue, elle se laissa lourdement choir sur un banc miraculeusement libre du réfectoire. Quelle heure pouvait-il être? Probablement plus de six heures du soir! Elle méritait bien un peu de repos et quelque chose à grignoter. Elle n'avait rien avalé depuis le petit-déjeuner.

S'adossant contre le mur, elle se permit un moment de répit avant d'aller trouver sœur Clotilde. L'hôpital, telle une ruche, était animé d'un bourdonnement de voix et d'allées et venues continuelles. Toutes les pièces étaient occupées; religieuses et soldats s'y mêlaient, formant un étrange tableau. Il y avait tant de blessés qu'on les avait intallés jusque dans les hangars, les écuries et autres dépendances. L'espace manquait, les médicaments et les pansements aussi. Il ne restait plus un jupon ni un drap de disponible dans tout l'établissement!

Isabelle avait appris que le général anglais avait rendu l'âme sur le champ de bataille : « En voilà un qui ne pourra savourer sa victoire », se dit-elle. Après avoir embaumé le corps, on avait transporté le grand homme, sous une haie d'honneur, jusqu'au fleuve, à bord de l'un des navires. La jeune femme avait entendu ces étranges instruments ressemblant à des musettes jouer un air funèbre pour accompagner le cercueil couvert de noir. Un peu triste, elle se demanda si le général Montcalm aurait droit au même respect, aux mêmes honneurs lors de ses obsèques. D'ailleurs, où allait-on l'enterrer?

Son regard se promena dans la salle : vestes rouges, blanches ou bleues, robes noires, tabliers de coutil tachés de sang, draps à carreaux. De cette masse grouillante de couleurs s'élevaient des cris et des plaintes, des ordres et des prières. Les médecins n'étaient pas assez nombreux pour le nombre de blessés. Les religieuses prodiguaient les premiers soins si leurs compétences le leur permettaient. Lorsque c'était grave, il fallait attendre qu'un chirurgien se libère. Parfois, à son arrivée au chevet du patient, le médecin ne pouvait que constater le décès. Et il y en avait!

Isabelle essaya discrètement d'obtenir des nouvelles de Nicolas en interrogeant deux prisonniers français blessés. Personne ne savait exactement où se trouvait le jeune homme. Isabelle commençait à s'inquiéter et elle était déçue. Bien qu'elle sût que les obligations militaires de Nicolas passaient avant tout le reste, elle aurait aimé recevoir un mot de lui la rassurant au moins sur sa santé. Elle demanda si on avait vu l'officier Michel Gauthier de Varennes. On lui répondit qu'il se trouvait dans l'une des chambres plus tranquilles que la révérende mère Saint-Claude-de-la-Croix, la supérieure des augustines dirigeant l'hôpital, avait généreusement offertes aux officiers blessés de Sa Majesté le roi Louis.

Une délicieuse odeur de soupe vint lui titiller les narines et poussa son estomac à protester vivement contre le mauvais traitement qu'on lui infligeait. La jeune femme, l'appétit ouvert, déglutit. À ce moment-là, sœur Clotilde apparut et traversa la salle avec un plateau chargé de bols. Un jeune garçon la suivait de près avec une marmite fumante. Isabelle se leva et leur emboîta le pas.

Le trio entra dans un parloir qu'Isabelle n'avait pas encore visité. Après avoir déposé son plateau sur une chaise qu'un soldat venait de libérer, sœur Clotilde fit signe au garçon de poser la marmite et plongea une grosse louche dans le liquide chaud. Elle remplit un bol, puis releva la tête, en pleine réflexion. Elle remarqua alors Isabelle, qui était restée debout dans l'embrasure de la porte et la fixait.

— Isa! Tu es là? Viens m'aider! Cela ira plus vite si tu portes les bols au fur et à mesure que je les remplis.

Reléguant sa faim au second plan, la jeune femme s'approcha de la source de son désir en soupirant. Alors seulement, elle vit les cernes qui soulignaient le regard clair de sa cousine. La religieuse n'avait probablement pas dormi depuis la veille.

— Tu commences à en donner à ceux qui peuvent boire seuls. Les autres, il va falloir les aider.

Isabelle acquiesça. Retenant son souffle pour ne pas sentir l'odeur de soupe, elle commença à distribuer les bols en évitant de regarder les plaies parfois profondes. Les soldats qui gisaient dans cette pièce appartenaient tous à des régiments anglais. La plupart d'entre eux pouvaient tenir eux-mêmes leur bol et avaler le bouillon. Ils lui adressaient des regards de gratitude qui la touchèrent. Certains osaient lui dire quelques mots dans leur langue. Ne comprenant pas le sens de leurs paroles, elle se contentait de leur sourire en retour. Ils n'en demandaient pas plus.

Elle versait une dernière gorgée dans la bouche d'un homme aux deux mains enveloppées dans des bandages ensanglantés lorsqu'elle remarqua qu'il restait encore deux blessés qui n'avaient pas eu leur soupe. Elle alla remplir de nouveau le bol et se dirigea vers l'un d'eux, qui était couché dans le fond de la pièce. L'homme était immobile et dormait. Devait-elle le réveiller? Se disant qu'il n'aurait probablement pas droit à un autre repas avant le lendemain matin, elle jugea bon de le faire. Posant le bol sur le sol, elle secoua doucement l'épaule du blessé. Aucune réaction. Peut-être avait-il perdu connaissance... Elle osa le secouer un peu plus fort. La tête tomba alors sur le côté, bouche ouverte.

Comprenant que l'homme était mort, Isabelle poussa un petit cri et se leva d'un coup, manquant de renverser le bouillon sur le parquet ciré.

— Qu'est-ce qu'il y a?

Sœur Clotilde arrivait. Elle se pencha sur le mort et souleva une paupière qui laissait entrevoir un regard vide.

— Oh! Un autre. Bon, j'irai demander à Armand et à Jean de l'enlever pour qu'il ne contamine pas la pièce.

Puis, se tournant vers Isabelle, la religieuse remarqua sa pâleur et fronça les sourcils d'un air inquiet.

— Tu as mangé aujourd'hui, Isa?

Ne pouvant détacher son regard du cadavre, la jeune femme bredouilla que non. Sœur Clotilde la poussa alors vers la chaise sur laquelle était auparavant posé le plateau et la força à s'asseoir.

— Tu dois te remplir un peu l'estomac si tu veux arriver à tenir debout, voyons! Allez! Il reste peut-être un peu de pain dans les cuisines. J'essaierai de te trouver aussi un œuf ou une pomme.

— Je n'ai pas terminé. Il reste un blessé à nourrir.

Tout en parlant, elle avait tourné la tête vers l'homme en question. Reconnaissant le soldat en jupe qui avait sauvé la vie de Ti'Paul, elle était sidérée. Pendant tout le temps qu'elle avait passé à nourrir les blessés, il était resté tourné face au mur. Maintenant, il reposait sur le dos. Honteuse, elle se rendit compte qu'elle n'avait pas pensé à lui depuis son arrivée à l'hôpital. Il vivait donc toujours... Sœur Clotilde regarda dans la même direction et soupira.

— Celui-là? Bien que ses blessures ne soient pas évidentes, il me semble plutôt mal en point. Je n'ai pas réussi à lui faire avaler une seule goutte d'eau depuis qu'il est ici.

— Il va si mal?

— Le médecin anglais l'a vu. Je n'ai pas compris tout ce qu'il a dit. Il parlait un peu anglais et baragouinait du français. Tout ce que je sais, c'est qu'il pensait qu'il ne passerait pas la nuit. L'air entrait si difficilement dans ses poumons que nous nous attendions à ce qu'il meure asphyxié. Mais il a survécu. Il respire un peu mieux depuis cet après-midi. Seulement, il n'avale toujours rien. Je me demande bien ce qui lui est arrivé. Sa gorge est toute meurtrie.

— Un coup de crosse, laissa tomber Isabelle.

La religieuse la dévisagea avec un air étonné.

— De crosse? Comment peux-tu savoir cela?

— Je l'ai vu...

— Quoi?

— Il a sauvé la vie de Ti'Paul, continua Isabelle en détachant finalement son regard de l'Écossais. Et c'est l'un de ses compatriotes qui lui a fait cela.

Elle se souvint de ce que lui avait confié monsieur Gauthier de Sainte-Hélène à propos du poignard. Cet homme serait exécuté si on découvrait qu'il avait tué un officier de son propre régiment. Peut-être ne devrait-elle pas trop en dire sur ce qui s'était passé dans l'arrière-cour des Valleyrand.

— Je vais essayer de lui faire avaler quelques gorgées de bouillon. Ensuite, j'irai aux cuisines manger un peu. Ça te va?

Sœur Clotilde jeta un coup d'œil vers l'Écossais, puis sourit à Isabelle.

— D'accord. Tu diras à sœur Marie-Jeanne que c'est moi qui t'envoie. Elle saura quoi te donner.

— Tu es trop bonne, chère cousine.

Isabelle embrassa la religieuse, qui la repoussa doucement en fronçant les sourcils.

— Ne tarde pas trop.

Puis sœur Clotilde disparut dans le couloir. Isabelle prit le bol plein de soupe et se dirigea vers le soldat en jupe. Elle s'assit, faisant bouffer machinalement ses jupes autour d'elle, et observa l'Écossais pendant un moment. Son regard fut attiré en premier lieu par son nez busqué. Puis il descendit vers la mâchoire, large et couverte d'un mince chaume. Examinant la bouche, elle sourit en voyant la moue boudeuse qu'affichaient les lèvres charnues et irrégulières. Plutôt charmant! Enfin, elle s'attarda sur le cou enflé. Les marbrures violacées la firent grimacer. Elle se rappela la violence du coup que l'homme avait encaissé et frémit. Il aurait dû en mourir. S'il en réchappait, sans doute ne parlerait-il plus. Elle effleura des doigts la tuméfaction, faisant bien attention de ne pas appuyer dessus. Un mouvement de déglutition lui fit retirer vivement sa main. Le blessé geignit et remua.

De la fenêtre qu'on avait ouverte pour aérer la pièce leur parvenaient les bruits de la guerre qui hantaient encore les Hauteurs. Bien que les Anglais eussent gagné la dernière bataille, ils n'étaient pas maîtres de Québec. Ils avaient vite commencé à creuser des retranchements devant les murs de la ville et étaient ainsi la cible de miliciens embusqués et de soldats français qui, du haut des remparts, s'évertuaient à épuiser la réserve de boulets. Cependant, le chant des oiseaux qui avaient trouvé refuge dans les jardins et le verger des sœurs augustines faisait momentanément oublier cette funeste symphonie et apaisait l'esprit. Un blessé l'accompagnait en sifflant un air mélancolique. N'osant plus déranger le soldat écossais et se disant que de toute façon il n'arriverait probablement pas à avaler le bouillon, Isabelle se leva. Mais, comme elle se penchait pour reprendre le bol, elle vit les paupières papillonner.

Les yeux fermés, Alexander entendait vaguement le terrible chant de la mort. Cela lui sembla familier. Culloden? Il sentait des relents de sang et de poudre... cette poudre qui asséchait la bouche et causait une soif inextinguible. Mais il y avait aussi une odeur sucrée, un parfum suave. Celui de sa mère? « Maman! » Des images de femmes se mirent à défiler dans son esprit : longues jambes, jupes colorées, bras graciles, courbes sensuelles. Elles avaient de délicates ailes avec lesquelles elles l'enveloppaient, le protégeaient, tout en lui chantant une douce ballade... Leur chant, telle une caresse se glissant sous sa peau, dans sa chair meurtrie, engourdissait son mal. En fond, son cœur suivait le rythme... dans sa poitrine, à ses tempes. Son cœur battait? La mort ne l'avait donc pas encore accueilli? Alors... ces anges?
Alexander ouvrit péniblement un œil, mais le referma aussitôt sous l'effet de la lumière éblouissante. Il déglutit, ce qui lui causa une vive douleur à la gorge. Il avait tout juste eu le temps d'entrevoir une silhouette penchée sur lui. Le souvenir du Sauvage au-dessus de lui lui revint d'un coup. Le chant s'était tu. Une main se posa sur son front. Elle était tiède et légère. Une voix résonna, une voix de femme. Une religieuse? Elle parlait une autre langue que la sienne. Que disait-elle? Il tenta de déglutir à nouveau. Ce que c'était douloureux! Les mains continuaient de le toucher : gestes délicats, hésitants. Il ouvrit les paupières une autre fois : ce fut sa plus belle vision depuis des mois, sinon des années. Se découpant sur un fond de lumière douce, une femme se tenait accroupie près de lui. Le visage d'un ange dont le sourire pourrait infléchir le cours du destin de n'importe quel homme dans ce mouroir. Le vert mordoré des collines de Glencoe sous une ligne de sourcils dorés. Puis sa vision s'envola.
— *Nay, lass... Dinna leave*[62]... tenta-t-il d'articuler.
Il tendit la main, mais n'attrapa que le vide.

Assise seule à l'une des tables, Isabelle avalait sa dernière bouchée de pain couronnée d'une noix de gelée de pommes. Ah! Cette chère cousine! Elle était toujours pleine d'attentions pour elle

---

62. Non, mademoiselle... Ne partez pas...

lorsqu'elle fréquentait le couvent pour ses études. Elle lui glissait souvent des douceurs sous son oreiller, en cachette. Parfois, connaissant sa gourmandise, elle lui gardait sa portion de galette de sarrasin beurrée de mélasse et la lui passait en douce sous la table du réfectoire. Isabelle mettait le gâteau tout collant dans sa poche pour le dévorer dans sa chambre après le couvre-feu.

Son besoin de se sustenter satisfait, la jeune femme reporta ses pensées sur l'Écossais. Le remords la gagnait. Elle n'avait même pas essayé de lui faire avaler une gorgée de bouillon. Tandis qu'il semblait se réveiller, elle avait bêtement pris peur. Il avait posé un tel regard sur elle... Puis, la main qu'il avait tendue était si large... Un étrange sentiment l'avait envahie et la panique l'avait fait fuir. Quelle sotte réaction! Cet homme était à l'article de la mort. Que pouvait-il bien lui faire? Puis, n'avait-il pas sauvé son petit frère?

Quelques minutes plus tard, Isabelle posa le bol fumant sur le sol. La pièce était maintenant éclairée par une lanterne de fer. Les blessés dormaient ou se reposaient. Un silence ponctué de ronflements et de faibles gémissements régnait. La jeune femme s'accroupit au chevet de l'Écossais. À la lueur vacillante de la lampe, les traits de l'homme étaient bien différents. La sombre chevelure et le nez à la ligne brisée faisaient plutôt penser à un Sauvage qu'à un soldat européen. Elle fixa la fossette qui creusait le menton. Ce détail lui avait échappé plus tôt. Les paupières frémirent, puis s'entrouvrirent. Isabelle se raidit, puis se recula brusquement. L'homme sursauta et poussa un gémissement en se redressant à moitié.

— Je suis désolée, je...

Elle s'interrompit, paralysée par l'expression des yeux bordés de longs cils noirs et profondément enfoncés sous l'arcade sourcilière. L'étranger avait une respiration saccadée et sifflante. Elle lui avait fait peur. Il observa la pièce, autour de lui, et, manifestement soulagé, se laissa retomber sur le lit en expirant bruyamment.

— Vous avez faim?

Comprenait-il le français? Elle lui présenta le bol.

— Du bouillon.

Il la regardait fixement. Aucune émotion ne se lisait sur ses traits tirés. Elle attendait, le bol tendu. Il gémit faiblement.

— Soupe, vous connaissez?

Le blessé baissa les yeux sur le récipient, puis, les refermant, reposa sa tête sur la couverture. Sa poitrine se soulevait lentement, comme s'il essayait de contrôler sa respiration. La jeune femme pensa que sa gorge devait le faire beaucoup souffrir. Comprenant qu'il n'avalerait rien ce soir, elle quitta la pièce. Il se faisait tard et elle était épuisée. Elle décida de rentrer chez elle. D'ailleurs, Baptiste attendait pour la ramener.

***

Isabelle se réveilla très tard le lendemain matin. Un soleil radieux, indifférent à la misère du monde, brillait déjà bien haut dans le ciel et dardait, à travers la fenêtre de sa chambre, ses chauds rayons sur son visage. Après s'être coiffée, habillée et nourrie, la jeune femme déposa quelques provisions dans un panier muni d'un couvercle. Elle allait le refermer lorsqu'elle repensa au poignard de l'Écossais, resté caché sous son matelas. Il lui faudrait le lui rendre. Se souvenant du merveilleux motif qui ornait le manche, elle pensa qu'il devait y être attaché et serait certainement heureux de le retrouver. Ce serait sa façon à elle de le remercier...

Sur le chemin menant à l'hôpital, une fois passée la porte du Palais, Isabelle ne vit que désolation, une fois de plus. Les habitations avaient été incendiées. Plusieurs arbres avaient été déracinés pour servir de barricades. Son père lui avait interdit de retourner à l'hôpital. Au petit-déjeuner, il avait raconté ce qu'il avait vu depuis les remparts. De nombreuses tentes s'alignaient sur les Hauteurs d'Abraham. Les Anglais construisaient une route menant à l'anse au Foulon pour faciliter le transport des troupes et de l'équipement militaire jusqu'aux murs de la ville, qu'on n'avait guère cessé de bombarder. Il avait entendu dire que des troupes continuaient de saccager la Côte-du-Sud, incendiaient les fermes par centaines. La guerre n'était pas terminée. Mais cela ne saurait tarder.

Avec d'autres notables, Charles-Hubert avait passé une partie de la nuit à rédiger une pétition qu'on déposerait ce matin même sur le bureau du commandant Ramezay. Tous en étaient venus à la conclusion que, étant donné le manque de nourriture et la déroute de l'armée française, la capitulation honorable était la seule solution pour mettre fin au massacre.

Isabelle se couvrit le nez d'un mouchoir. Elle devrait penser à l'imbiber de vinaigre pour le trajet du retour. Une puanteur indescriptible l'accompagna tout au long du parcours. La mort flottait partout. Nicolas occupait maintenant ses pensées. Elle avait appris qu'il était revenu en ville la nuit dernière. Mais il ne lui avait fait parvenir aucun message. Sa déception se muait peu à peu en amertume, d'autant plus que des rumeurs circulaient au sujet du jeune homme. Elle avait entendu dire qu'il s'était rendu chez sa sœur, Angélique

Péan, où s'étaient réfugiées plusieurs dames de la belle société. On en faisait des gorges chaudes. On racontait qu'il avait été traité aux petits oignons là-bas. Que devait-elle en déduire? Nicolas n'aurait jamais... enfin. Tenaillée par le doute, elle avait interrogé son père. Charles-Hubert avait haussé les épaules en plongeant sa tranche de pain dans son bol de lait chaud. Qu'en savait-il? Il semblait en fait préoccupé par d'autres choses, mais il avait tout de même tenté de la rassurer en lui rappelant que Nicolas était un gentleman. Pourtant, Perrine lui avait rapporté qu'une des domestiques de la maisonnée Péan s'était méchamment gaussée du jeune homme, le matin même, en attendant l'ouverture de la boulangerie : « Le beau seigneur a consolé la veuve d'un capitaine jusque fort tard dans la nuit! » Les doigts d'Isabelle froissèrent nerveusement un pli dans le fond de sa poche. Comment arriver à faire parvenir cette lettre à l'intéressé?

Sa voiture s'arrêta. Baptiste frappa deux coups, ce qui fit sursauter la jeune femme. Que se passait-il? Elle entendit un Anglais parler. Par réflexe, elle prit dans son panier le poignard, soigneusement caché dans un linge, et le glissa dans sa jarretière. Il pourrait toujours lui être utile. La porte s'ouvrit toute grande comme elle rabaissait ses jupes dessus en affectant un sourire candide. Un officier la toisa avec arrogance. Levant le menton et redressant le buste, elle lui rendit la pareille, bien déterminée à ne pas s'en laisser imposer.

Il lui posa une question sur un ton sec. Évidemment, elle n'en comprit pas un traître mot.

— *Damn French*! Où vous aller?

— Je vais à l'Hôpital général pour aider aux soins...

L'Anglais l'interrompit en levant la main.

— *Hospital*, hum?

L'homme retroussa les coins de sa bouche en reluquant les chevilles que dévoilaient les jupes courtes de Nouvelle-France. Isabelle tira sur l'étoffe pour cacher ses pieds.

— Les blessés attendent, « monsieur »!

Il sembla hésiter encore un peu. Puis, après avoir rapidement examiné le contenu de son panier et l'intérieur de la voiture, il s'inclina et referma la porte. Le véhicule s'ébranla et reprit sa route jusqu'à destination, sans autre contretemps.

Le garçon se confondit en excuses. Isabelle allait le tancer vertement, mais elle se mordit la langue et se contenta de grommeler. Elle n'avait pas à faire subir aux autres la mauvaise humeur dans laquelle l'avaient plongée les rumeurs concernant l'infidélité de son amoureux. Si elle avait regardé où elle allait, elle aurait pu éviter de se faire éclabousser par le vinaigre que l'adolescent jetait sur les lames du parquet. Les vapeurs piquantes du liquide la firent éternuer. Elle enjamba la flaque et se dirigea vers le corridor encombré de blessés. Il lui fallait trouver sœur Clotilde.

Le calme semblait régner dans les pièces. Certes, les blessés geignaient et criaient toujours, et le grondement des canons faisait vibrer les murs. Mais l'impression d'urgence que donnait l'animation de l'hôpital la veille s'était dissipée. Cela soulagea Isabelle. Par contre, l'odeur fétide des corps charcutés et celle des seaux remplis d'urine et d'excréments qu'on n'avait pas le temps d'aller vider prenaient à la gorge. Bien que les fenêtres fussent grandes ouvertes, la puanteur persistait, comme si elle s'était incrustée dans les murs. Isabelle plongea son mouchoir dans un seau, après s'être assurée qu'il s'agissait de vinaigre, et le mit sous son nez.

Chemin faisant, elle dut s'écarter à plusieurs reprises pour laisser passer des soldats portant des brancards de fortune : on sortait des morts. Pourtant, lorsqu'ils passaient près d'elle, les cadavres semblaient la suivre du regard. Peut-être n'étaient-ils pas encore morts? La hantise d'une épidémie causée par les miasmes putrides poussait à faire un tri des corps expéditif. On avait creusé, pour les moribonds qui refusaient de convertir leur âme avant de la rendre à Dieu, des fosses communes à l'extérieur du cimetière catholique. Pour ceux qui avaient déjà quitté ce monde, la question ne se posait même pas. Pour l'aumônier, le chanoine de Rigauville, les Anglais étaient tous des protestants ou anglicans. La différence était mince. Tous des hérétiques.

Tandis qu'elle passait devant l'une des salles de malades, elle vit justement le religieux penché sur un mourant. On disait de lui qu'il n'avait pas son pareil en matière d'abjuration. Tournant le coin du couloir, Isabelle faillit se cogner au long nez de mère Saint-Claude-de-la-Croix.

— Oh! Pardon, ma mère.

Deux mains jointes sortaient des larges manches de la tunique noire et tenaient un chapelet. Un crucifix en or magnifiquement ouvragé pendait à une chaîne qui dépassait de la chape blanche. Pendant que la jeune femme, gênée, faisait des ronds de jambes, la mère supérieure la dévisageait de son regard sombre sous la guimpe qui lui enserrait le front.

— Vous cherchez quelqu'un? demanda-t-elle sur un ton cassant.

— Euh... oui. Sœur Clotilde. Elle est ursuline.

— Les ursulines sont au réfectoire.

— Merci, ma mère.

Comme Isabelle reprenait sa route, la directrice de l'hôpital la héla et s'approcha d'elle.

— Vous aidez aux soins, jeune fille?

— Oui, ma mère.

Le long doigt de la femme se pointa sur sa gorge.

— Nouez-moi ce fichu plus serré autour de votre cou. Quel spectacle croyez-vous offrir à ces... hommes lorsque vous vous penchez sur eux? Ce n'est pas la couleur de vos yeux qu'ils voient.

Interloquée, Isabelle porta machinalement sa main à son encolure et rougit. La religieuse se détourna et disparut dans une pièce.

— Isa! Enfin, te voilà! Viens.

Sœur Clotilde accourait vers la jeune femme, qui en oublia de replacer son fichu.

— Ah! Cousine! Je suis désolée de mon retard. Le sommeil ne voulait plus me quitter. Comment ça va aujourd'hui avec les blessés?

— Bah! Ni mieux ni moins bien qu'hier. Toutes les heures, il y en a qui meurent. Les prisonniers de nos régiments ont été évacués à l'aube.

— Oh! Il y avait un blessé que je voulais voir, un enseigne. Michel Gauthier je ne sais plus trop quoi. Il appartenait aux Compagnies franches de la Marine.

— Ils sont tous partis, Isa. On les a transportés sur des navires anglais.

La jeune femme se mordit la lèvre de déception. Elle aurait bien aimé revoir l'officier pour prendre de ses nouvelles.

— Où les envoie-t-on?

— En France, je pense.

L'évocation des soldats de France rappela à Isabelle la lettre perdue dans ses jupes. L'air sévère de la directrice lui avait ôté l'envie de lui demander son aide. Mais elle pouvait se tourner vers sa cousine. Fouillant dans sa poche, elle en sortit le pli.

— Peux-tu me rendre un service?

— Tout dépend de ce que c'est, répondit sœur Clotilde en fronçant les sourcils à la vue de la lettre.

— J'aimerais faire parvenir ceci à Nicolas... euh... monsieur des Méloizes.

— Chut!

La religieuse tourna la tête de tous côtés.

— Tu es folle, Isa! Si un Anglais savait que tu cherches à prendre contact avec l'armée française... on te prendrait pour une espionne!

— Ce n'est pas ce que tu crois. C'est un mot... d'amitié, disons.

Le petit nez pointu de sœur Clotilde se plissa, puis ses yeux s'agrandirent.

— Tu veux dire que... monsieur des Méloizes est ton soupirant?

Isabelle esquissa un sourire.

— Oh! Ben, ça alors! Et c'est officiel? Tu en as de la chance, Isa!

La jeune femme haussa les épaules. Elle ne savait plus très bien. Certes, elle aimait Nicolas. Mais... l'aimait-elle assez pour oublier son incartade si jamais les rumeurs étaient fondées?

— Je sais. Je suis en réflexion pour le moment. Mais j'aimerais avoir de ses nouvelles, tu comprends? Tu peux peut-être faire passer ceci?

Sœur Clotilde prit la lettre qu'Isabelle lui tendait et la fourra dans sa poche.

— Je verrai ce que je peux faire. Peut-être que lorsque Bigord viendra pour le bois... enfin, je le lui demanderai. Il habite tout près des camps du chevalier de Lévis[63].

— Merci.

— Pour le moment, tout ce que nous savons sur nos troupes, c'est qu'elles se sont repliées sur les camps de Beauport. Mais, avec tous ces... Anglais à proximité, elles ne pourront pas rester là-bas bien longtemps. Et maintenant que notre cher général est mort...

— Papa dit qu'il n'y a plus rien à espérer.

La religieuse jeta encore des regards méfiants autour d'elle.

— Je suis certaine qu'ils ne nous abandonneront pas, Isa. Il faut espérer.

— Espérer... Que puis-je espérer, maintenant? murmura Isabelle en regardant distraitement un officier qui sortait de la pièce où reposait le sauveur de Ti'Paul.

L'individu, grand et élancé, portait une jupe identique à celle du soldat blessé. C'était certainement un Écossais, lui aussi. Droit comme un piquet, il discutait maintenant avec un homme d'un autre régiment en secouant de temps en temps sa perruque soigneusement coiffée. Se sentant probablement observé, il tourna la tête vers elle et l'observa d'un air indéchiffrable. Puis, après lui avoir adressé un sourire plutôt charmant, il s'inclina et s'éloigna.

— Il a mangé, ce matin? demanda brusquement la jeune femme en reportant son attention sur la religieuse.

---

63. François Gaston de Lévis, chevalier de la croix de Saint-Louis, maréchal de France, était à Montréal le 13 septembre et n'avait donc pas participé à la bataille des Plaines. À la mort de Montcalm, il était immédiatement revenu à Québec pour prendre le commandemant de l'armée française, qu'il avait dirigée avec succès lors de la bataille de Sainte-Foy.

— Quoi? Qui?

— Le soldat écossais blessé à la gorge.

— Je ne sais pas...

— Il mourra s'il ne se nourrit pas.

— Je sais. Et je suis certaine que lui aussi le sait, cousine. Ne t'inquiète pas, il...

— Je vais aux cuisines.

Ignorant l'expression réprobatrice de la religieuse, Isabelle fit claquer ses talons sur le bois et disparut à l'angle d'un mur.

Le chirurgien examinait un homme étendu à côté de l'Écossais. Il étudia le blanc des yeux et les ongles, prit le pouls et vérifia la température. Puis, hochant la tête de droite à gauche, il remonta la couverture jusqu'au menton du blessé, dont le teint annonçait une mort prochaine. Isabelle se détourna et reporta son regard sur le soldat qui gisait à côté d'elle. Il lui tournait le dos. Il était maintenant torse nu et son épaule sortait du drap qui le couvrait. Aux quelques mouvements qui l'agitaient, elle comprit qu'il rêvait. Elle hésita encore, un bol de bouillon dans les mains.

Fermant les paupières, elle se concentra sur la chaleur et la bonne odeur que dégageait le récipient de faïence. Pourquoi s'acharner à essayer de nourrir cet homme? S'il voulait mourir de faim, qu'est-ce que cela pouvait bien lui faire? Elle allait quand même faire une dernière tentative. Elle le lui devait. Pensant à ce que l'homme avait fait pour son frère, elle se rappela brusquement qu'elle avait apporté le poignard avec elle.

Posant le bol à terre, elle retroussa discrètement ses jupes, après avoir vérifié que personne ne regardait dans sa direction, et prit l'arme glissée dans sa jarretière. Elle l'admira encore une fois. Le bois du manche s'était poli avec le temps, et cela ajoutait à la beauté du travail. L'artisan qui avait sculpté cette œuvre si merveilleuse devait être quelqu'un qui possédait une grande âme, une certaine sagesse. Elle déposa l'arme sur le tissu à carreaux dont elle l'avait vu affublé le jour de la grande bataille. Ses doigts effleurèrent l'épais lainage: il était rêche comme l'étoffe du pays que portaient les habitants les moins fortunés de la Nouvelle-France. D'où leur venait ce costume singulier?

Son œil accrocha la drôle de petite bourse de cuir fermée par des lanières que les Écossais portaient à leur ceinture. Au bout de chaque lanière pendait une bille d'os sculpté de motifs semblables à ceux du manche du couteau. La jeune femme pensa qu'elles pourraient être jolies, portées au cou. Prenant le petit sac, elle l'examina de plus près. Il était plutôt lourd. Du bout des doigts, elle en tâta le contenu et sentit un objet de forme ronde et aplatie qui piqua sa curiosité. Elle jeta des coups d'œil vers le dormeur, puis autour d'elle : on ne faisait pas attention à elle. Puis, tout en sachant qu'elle ne devrait pas le faire, elle commença à fouiller la bourse.

Ses doigts rencontrèrent quelques pièces de monnaie et d'autres petits objets. Puis elle trouva la forme ronde et aplatie. C'était lisse et froid. Une montre. Elle sortit l'objet du sac. Il était en vermeil, mais l'usure du temps avait effacé une partie de la couche d'or et découvert l'argent poli. Si gravure il y avait eue, elle s'était estompée depuis longtemps. La montre fonctionnait toujours. Isabelle appuya sur le mécanisme d'ouverture. Le verre protecteur était fêlé, mais on pouvait parfaitement lire l'heure. Une inscription était visible à l'intérieur du couvercle : Iain Buidhe Campbell. Quel nom étrange! Était-ce le sien? À moins que ce bijou n'ait été volé : c'était un objet de grande valeur pour un simple soldat.

Tandis qu'elle remettait la montre dans la bourse, ses doigts rencontrèrent un autre objet, qu'elle sortit aussi. C'était une miniature accrochée à une chaîne d'argent : un visage féminin encadré de cheveux bruns lui souriait. Son épouse? Embarrassée de l'indiscrétion qu'elle s'était permise, elle rangea vite le médaillon dans le petit sac et resserra les lanières.

Un bruissement d'étoffe lui fit lever la tête. Elle rencontra alors le regard de l'étranger. Sous le choc, elle laissa la bourse lui glisser des mains. Elle la récupéra bien vite dans ses jupes et la déposa sur le lainage à carreaux. Confuse et cramoisie, elle ne quittait pas ces yeux bleus qui la fixaient... Bleus comme un ciel d'automne, comme une mer calme. Bleus comme un saphir... Mystérieux et envoûtants... Alors que le corps de l'homme évoquait la rudesse, son regard exprimait une douceur à laquelle elle ne s'attendait pas du tout.

Alexander observait la jeune femme. Ce visage... il l'avait déjà vu dans l'un de ses rêves. Elle bafouilla des mots qu'il ne comprit pas complètement. Et cette voix... il l'avait déjà entendue... Il n'était plus certain : ces derniers jours ressemblaient à un mauvais rêve dont il sortait. Il bougea sur sa couche et la douleur le convainquit qu'il était bel et bien réveillé. Il déglutit avec peine en grimaçant.

La jeune femme se pencha pour ramasser un bol fumant. Ah oui, c'était la fille au bouillon! Elle était apparemment déterminée à lui faire avaler le liquide. L'arôme qui se dégageait du récipient lui ouvrit l'appétit. Mais la seule pensée de devoir déglutir lui coupait l'envie d'essayer d'avaler quoi que ce soit.

— Il faut manger, dit doucement la jeune femme.

Il hocha la tête de droite à gauche et se détourna. Elle insista.

— Vous devez manger, monsieur Campbell.

Elle s'étrangla sur ces derniers mots qui accusaient son indiscrétion. Le jeune homme l'avait bien vue fouiller dans son *sporran*. Il avait remarqué la robe de qualité, le maintien et les airs distingués qui indiquaient qu'elle était de bonne famille. C'était sans doute l'une de ces dames de la haute société qui se consacraient aux bonnes œuvres pour tromper l'ennui. Il l'avait laissée faire, préférant profiter de l'agréable image qu'elle lui offrait plutôt que de défendre ses maigres biens. Elle était si jolie. Elle avait de si beaux yeux... Ils lui en rappelaient d'autres, d'un vert lumineux et pailleté d'or, comme les collines de sa vallée : les yeux de Kirsty.

La jeune femme se rapprocha un peu et porta le bol à ses lèvres. Un parfum suave émanait d'elle...

— Allez. Faites un effort.

Elle avait glissé une main sous sa nuque et soulevait sa tête. Le mouvement raviva la douleur dans sa gorge. Sous le charme du visage qui l'implorait, il se plia à sa demande. Le liquide chaud coula dans sa bouche. Il l'avala, manqua de s'étouffer. Une partie du bouillon s'écoula sur son menton. Mais il accepta de continuer à boire.

Lorsque le récipient fut vide, Isabelle le reposa sur le sol. Une gêne s'installa alors entre les deux. Alexander croyait que la jeune femme quitterait son chevet aussitôt son bouillon terminé. Mais elle restait là, assise près de lui, à le regarder de ses grands yeux verts. Elle lui rappela soudain une peinture représentant la Vierge, qu'il avait admirée un jour.

— Je voulais vous remercier, monsieur, dit-elle après un long silence. Peut-être ne me comprenez-vous pas, mais... Je ne connais pas votre langue, alors...

Elle baissa le regard sur ses mains posées à plat sur ses genoux. Elle le remerciait? Mais pourquoi? Il fronça les sourcils.

— Mon petit frère, vous vous souvenez? Vous lui avez sauvé la vie.

Son frère? Mais de quoi parlait-elle? L'image du garçon égorgé à ses pieds revint le hanter. Il serra les mâchoires. Elle continuait à faire son éloge, à raconter son exploit, croyant qu'il ne comprenait pas un mot de ce qu'elle disait.

— Si vous n'aviez pas couru derrière lui, votre compatriote l'aurait certainement tué. Nous vous en sommes tellement reconnaissants... d'autant plus que... vous n'étiez pas obligé... je veux dire... Nous sommes canadiens et vous... anglais. Vous comprenez?

Elle le regardait tristement. Il hocha mollement la tête.

— Vous comprenez?

— *Aye*...

Ce fut plus un sifflement qu'un véritable mot.

— Vous comprenez le français, monsieur?

— *Aye*... *Yes*...

Elle lui fit le plus radieux des sourires qu'il eût vu depuis... Kirsty. Sur le coup, cela lui fit mal. Mais, ensuite, il sentit une douce chaleur lui envelopper le cœur. Il lui sourit; elle rougit.

— Tenez, dit-elle en attrapant quelque chose et en le lui tendant. Je vous ai rapporté ceci. Je crois que ça vous appartient.

Elle lui rendait son poignard. Il fronça les sourcils d'incompréhension pendant un instant. Puis les événements du jour de la bataille lui revinrent comme la foudre s'abattant sur un arbre : l'enseigne prisonnier, Campbell, le jeune garçon... L'arme avait été soigneusement nettoyée. Il leva les yeux vers elle. Il se souvenait maintenant de l'endroit où il avait entrevu ce vert mordoré.

— Mer... ci... beaucoup, réussit-il à prononcer.

Les mots ne lui venaient pas rapidement. Cela faisait si longtemps qu'on lui avait enseigné la base du français, chez grand-père John. Il n'avait guère eu l'occasion de parler cette langue en Écosse. Encore heureux qu'il n'eût pas perdu son anglais dans les landes, où on communiquait principalement en gaélique. Les quelques contacts qu'il avait eus avec les habitants de la Côte-du-Sud avaient un peu réveillé ses minces connaissances du français. Il s'était plutôt bien débrouillé.

— Bon, je crois que... je vais retourner travailler.

La jeune femme commençait à se lever. « Non! Restez... Parlez-moi encore un peu », supplia-t-il mentalement. Il crispa ses doigts sur le manche de son arme. Elle le remarqua et hésita.

— Vous devriez vous reposer, maintenant. Je suppose que vous serez au régime liquide pendant un bon moment.

Elle se leva enfin. Alexander esquissa un geste pour la retenir, mais il fut arrêté par une vive douleur à son flanc gauche. Il gémit et se laissa tomber sur sa couche. Son effort fut néanmoins récompensé. Elle se pencha sur lui, pleine de sollicitude. Sa main effleura son front moite et dégagea son visage des cheveux qui y collaient. Elle fit une grimace qui en disait long sur ce qu'elle pensait de leur propreté. Il devait effectivement être dans un état à faire peur aux corbeaux.

— Il faudrait vous laver... et vous épouiller, ajouta-t-elle en retirant une bestiole de sa tignasse et en l'écrasant sur le parquet. Demain, si je peux... On verra.

Leurs regards se croisèrent. Il ne pouvait se détacher d'elle. Ce fut elle qui baissa les paupières la première.

— Vous saviez que votre général était mort? lança-t-elle à brûle-pourpoint, plus pour briser le lourd silence qui s'installait que pour le narguer.

Wolfe, mort? Cela le laissa de glace. Bizarrement, il en éprouvait presque du soulagement. Wolfe avait été capitaine dans l'un des régiments du roi George, sur la plaine de Drummossie Moor, à la bataille de Culloden. C'était l'un des hommes de main de ce damné Boucher de Cumberland, bourreau de son peuple. Certes, il avait appris à respecter le général, ici, pour son habileté à diriger ses troupes. Âgé de trente-deux ans seulement, Wolfe avait gravi les échelons de la hiérarchie militaire à une vitesse fulgurante, ce qui suscitait la jalousie et l'envie. Mais, malgré tout cela, Alexander l'avait toujours détesté.

Soudain, une foule de questions se pressaient dans son esprit. Il voulait tout savoir: ce qu'étaient devenus son frère Coll et Munro; quelle était l'issue des combats. Cependant, il devinait, d'après l'endroit où il se trouvait, que les Anglais avaient l'avantage. Il gîtait dans un hôpital de la colonie, et non dans celui de la grande île d'Orléans.

— Le général Montcalm aussi est mort. Et vos troupes assiègent toujours Québec. Je me demande bien pourquoi ils s'obstinent à nous bombarder. Il ne reste plus que des ruines noircies...

Les yeux verts fixaient le poignard qu'il tenait toujours serré contre sa poitrine. Que pouvait-il répondre? Il ne pouvait que compatir. Il savait ce qu'elle pouvait ressentir à son égard, et cela le dérangea.

— Dé... solé... souffla-t-il.

Si elle avait levé les yeux vers lui, elle aurait vu dans les siens qu'il était sincère. Mais elle ne le fit pas.

Une silhouette fit son apparition dans l'encadrement de la porte. Isabelle leva la tête et reconnut l'officier qui lui avait souri un peu plus tôt. L'homme les observait d'un air impassible. Puis ses traits s'adoucirent et il sourit. Il s'adressa au blessé dans leur langue, qu'elle trouvait particulière. Les intonations avaient quelque chose de l'anglais, tout en étant différentes.

— Madame, dit l'officier en s'adressant directement à elle dans un excellent français, pardonnez-moi d'interrompre votre conversation, mais je dois m'entretenir avec le soldat Macdonald, seul à seul.

Rougissant, Isabelle ramassa aussitôt le bol vide resté sur le plancher.

— Oui… b…bien sûr. Je vous laisse. De toute façon, j'avais terminé et j'ai encore beaucoup à faire.

Esquissant une révérence, elle jeta un dernier coup d'œil au soldat blessé. Il s'appelait Macdonald? La montre ne lui appartenait donc pas en propre… L'homme la regardait fixement. Quelque chose dans son regard de saphir la remua. Elle lui sourit timidement, puis, empoignant ses jupes, sortit.

Restés seuls, Alexander et Archie se dévisagèrent un moment en silence.

— Coll… où? murmura le blessé.

— Il va bien. Il n'a que quelques égratignures. Munro MacPhail, lui, a été blessé. Mais il se remettra rapidement. Vous avez eu de la chance, Alexander. On m'a raconté qu'un Sauvage vous avait donné un coup de crosse et s'apprêtait à vous scalper lorsque Campbell a fait irruption. Lui, par contre, a eu moins de chance.

Le lieutenant porta sa main à l'une de ses poches et sortit un bout de papier froissé, qu'il tendit à son neveu. Alexander prit le billet et parcourut les quelques mots griffonnés.

— Qu'est-ce… que c'est? articula-t-il péniblement. Sais pas… lire… français.

— C'est un prisonnier qui m'a remis ça. Un enseigne: Michel Gauthier de Sainte-Hélène Varennes. C'est lui qui m'a raconté ce qui vous était arrivé. Vous vous souvenez de lui?

Alexander examina le papier en réfléchissant. Un enseigne… S'agissait-il de son prisonnier?

— Cet homme m'a assuré que vous lui aviez sauvé la vie… Je vois que vous avez récupéré votre poignard.

Le jeune homme serra l'arme dans sa main, se demandant si Gauthier avait aussi révélé comment il l'avait perdue. Archie reprit le billet pour le traduire:

— Enfin… en gros, il vous dit… Monsieur… je prends quelques secondes avant mon embarquement pour la France… cette patrie dont je n'ai jamais foulé le sol mais pour laquelle je me suis battu… afin de vous témoigner toute ma gratitude pour le courage dont vous avez fait preuve en me sauvant la vie… Pour cela, vous avez tout mon respect. Soyez assuré que je vous rembourserai cette dette d'honneur lorsque Dieu me le permettra. Votre dévoué, Michel Gauthier de Sainte-Hélène Varennes, premier enseigne de la compagnie de Pierre-Roch Deschaillons de Saint-Ours des Compagnies franches de la Marine de France.

Il lui rendit le papier.

— Il m'a fait promettre de vous remettre le mot en mains

propres après m'avoir demandé votre nom. Vous êtes tombé dans les bonnes grâces d'un seigneur, mon ami.

Archie sourit. Alexander remarqua qu'un bandage dépassait de son kilt.

— Cela restera entre nous. Pour Roderick Campbell... je suppose que Dieu lui a fait justice...

Le lieutenant gardait un œil scrutateur sur lui, cherchant à percer sa carapace. Puis le regard bleu clair devint triste. La complicité qui unissait jadis les deux garçons s'était à jamais envolée. Leurs jeux d'enfants n'étaient plus que de doux souvenirs. Aujourd'hui, ils étaient des hommes appartenant à deux mondes totalement différents. Alexander ne doutait pas de l'attachement d'Archie pour l'Écosse et ses Highlands. À quinze ans seulement, son oncle avait servi le prince Charles Édouard lors du dernier soulèvement. Puis, il avait été proscrit et persécuté, comme tous les autres jacobites, pendant les années qui avaient suivi. Mais à présent, Archie avait choisi un autre roi, à qui il devait obéissance en sa qualité d'officier. Alexander ne pouvait pas se confier à lui sans le placer dans une situation délicate. Mieux valait donc en rester là.

— Comment va votre gorge?

La question le fit sursauter. Il porta machinalement sa main à sa meurtrissure.

— Mieux.

— C'est bon. Je vous souhaite de vous rétablir le plus rapidement possible. Je reviendrai vous rendre visite lorsque je le pourrai.

Archie se tourna vers la porte et hésita.

— Euh... vous devez savoir pour notre général?

— Oui.

Le regard qu'ils échangèrent exprimait bien les sentiments que cette nouvelle suscitait en eux. Mais ils ne dirent rien, gardant pour eux leurs pensées.

— Townshend a pris le commandement des troupes devant Québec. Il repousse derrière les murs de la ville ce qu'il reste des soldats de la garde. Prions pour que cette guerre finisse bientôt. Leurs réserves de nourriture et de munitions doivent être au plus bas. Dans quelques jours, ils devront choisir entre capituler ou mourir de faim...

Il fit une autre pause, visiblement tiraillé par quelque chose.

— La jeune femme qui était ici... J'ai remarqué qu'elle venait régulièrement à votre chevet. C'est très généreux de sa part. Les religieuses, qui font très chrétiennement leur travail, pourraient s'occuper de vous. Elle fait le trajet de la ville jusqu'ici. C'est très imprudent de sa part. Nous n'arrivons pas à contenir tous nos soldats; emportés par l'ivresse de la victoire, ils se livrent au pillage. Certains ont même été jusqu'à abuser de pauvres femmes dans les faubourgs.

Les traits d'Alexander se durcirent. Archie le remarqua et sourit.

— Je lui procurerai une escorte pour sa sécurité, lors de son retour. Sur ce, je vous dis au revoir, mon ami. Prenez des forces. Tout n'est pas fini.

Le lieutenant pivota sur ses talons et quitta la pièce. Alexander était songeur. Ses doigts suivaient les motifs sculptés sur le manche de son poignard. Il les connaissait par cœur. C'était sa plus belle œuvre, et il la chérissait. Les chiens représentés étaient des *cù-sìth* : des chiens-fées. Mais ils évoquaient aussi le fameux Cuchulain de la légende. Grand-mère Caitlin utilisait ce nom pour taquiner grand-père Liam. Ces sculptures étaient son talisman. Jusqu'à ce jour, elles l'avaient bien protégé.

Il pressa l'arme contre sa poitrine et ferma les paupières. Le visage de Leticia lui apparut alors, avec son demi-sourire et ses grands yeux gris. Quelque chose lui disait que la jeune femme était toujours vivante et réussissait à s'en sortir dans ce pays hostile. « Roderick Campbell ne peut plus rien contre toi, Leticia. Tu es libre. » Envahi par un sentiment de paix, il se laissa gagner par le sommeil.

***

Une fine pluie était tombée du ciel tout au long de la journée du 17 septembre. Elle reflétait le désespoir qui gagnait peu à peu les habitants de Québec au fil des jours. On n'attendait même plus de renforts ni de vivres. Sous les ordres du commandant de Lévis, l'armée en déroute s'était repliée jusqu'à la rivière Jacques-Cartier. Elle devait reprendre des forces, car le moral des soldats était au plus bas. Envoyer les troupes au front n'aurait réussi qu'à anéantir l'énergie qui restait. Les hommes qui portaient encore les armes dans l'enceinte de la ville ne rataient pas une occasion de déserter. Il régnait dans Québec une anarchie désolante que le commandant Ramezay n'arrivait plus à contrôler. Une seule pensée habitait maintenant l'esprit des habitants : on les avait abandonnés à leur triste sort.

Les mouvements de la flotte anglaise et des troupes de terre qui encerclaient la ville portaient à croire qu'une nouvelle attaque se préparait. Ramezay, responsable de la défense de Québec, avait rassemblé ses officiers pour tenir un nouveau conseil. On manquait de tout, à commencer par les choses essentielles. De plus, étant donné l'absence d'une défense digne de ce nom, le massacre était inévitable. On décida donc de hisser le drapeau blanc au-dessus des remparts et on envoya un émissaire à Townshend pour négocier les conditions de la capitulation : Québec se rendait.

À l'aube du 18, une pâle lumière perçait les nuages récalcitrants. Un timide soleil réussit ensuite à se faire une place au-dessus des Hauteurs, où se regroupaient les troupes anglaises. Armand de Joannès, major de la capitale de la Nouvelle-France, s'avança au centre de la marée écarlate. Tout semblait si irréel pour les habitants qui observaient la scène du haut des remparts. De longues minutes s'écoulèrent. Tous les yeux agrandis d'incrédulité suivaient la cérémonie durant laquelle l'apposition des signatures officialisait la fin d'un régime. Comment en était-on arrivé là ? Comme pour sceller la reddition, des cris s'élevèrent brusquement pendant que Joannès s'inclinait respectueusement devant Townshend. Les troupes anglaises fêtaient leur victoire : « Québec est à nous ! »

On ouvrit les portes de la ville. La place d'Armes était bondée. Les officiers français s'y étaient rassemblés sous le drapeau fleurdelisé qui y flottait pour la dernière fois. L'entrée dans la ville de l'armée anglaise ayant été annoncée, les gens s'étaient agglutinés le long du chemin Saint-Louis. Une clameur s'élevait des vestiges des belles demeures.

Isabelle tenait serrée la main de Madeleine. Les deux jeunes femmes observaient avec un pincement au cœur la longue procession de vestes rouges envahissant leur ville. Le brigadier Townshend passa devant elles, sur sa monture, et fit son entrée dans la place. Un silence fébrile se fit lorsqu'on commença à abaisser le drapeau aux couleurs de la France.

— Maudits Anglais ! siffla Madeleine entre ses dents. Ils n'ont que des ruines. De toute façon, la colonie appartient toujours au roi de France à ce que j'en sais !

Isabelle allait l'approuver lorsqu'un détachement de Highlanders passa devant elle. Elle reconnut alors l'élégant officier qui lui avait parlé. L'homme la vit, inclina le chef et sourit. Repensant au soldat qui avait sauvé la vie de Ti'Paul, elle fouilla des yeux le régiment qui suivait, mais ne le vit pas. Elle n'était pas retournée le voir depuis le jour où elle lui avait rendu son poignard. Son père était dans une telle fureur lorsqu'il avait eu vent de ses escapades interdites qu'elle n'avait pas osé reprendre le chemin de l'hôpital. Quoi qu'il en soit, elle l'avait remercié comme il se devait et n'avait donc rien à se reprocher. Les religieuses s'organisaient très bien; son aide ne leur était pas indispensable. Et puis, Nicolas n'apprécierait sans doute pas la sollicitude qu'elle témoignait à l'ennemi blessé.

Une salve d'artillerie la fit sursauter. On hissait le drapeau anglais au-dessus de la ville. La jeune femme regarda d'un œil distrait le Union Jack claquer dans le vent. À la vérité, elle avait été soulagée de ne pas remettre les pieds là-bas. Les émanations pestilentielles, les horribles blessures, les morts qu'on ne cessait de sortir et qu'on jetait dans les fosses communes... Tout cela la bouleversait.

Une nouvelle salve la tira de ses rêveries. La garnison française rendait ses armes et était remplacée par les Vestes rouges. Les tambours roulaient, les fifres sifflaient et la cornemuse stridulait : funeste *Te Deum* que leur jouaient les Anglais. Isabelle écrasa rageusement, du dos de sa main, une grosse larme qui roulait sur sa joue. Qu'allait-il advenir d'eux? Et Nicolas dont elle était désespérément sans nouvelles? Et ses frères qui avaient fui avec tous les autres? Elle savait, au fond d'elle-même, que la capitulation ne serait pas acceptée si facilement. Il y aurait une riposte. Le sang coulerait à nouveau. Mais, bizarrement, elle se surprit à espérer que l'armée française ne tentât plus rien contre le conquérant.

— Ça s'arrêtera pas là, marmonna Madeleine qui, apparemment, pensait à la même chose sans pour autant avoir les mêmes espérances. Mon Julien et les autres viendront nous délivrer, tu verras, Isabelle. Ton beau des Méloizes se couvrira de gloire et tu pourras l'épouser. Ce sera un grand mariage...

Isabelle ne répondit pas. Elle ne savait plus trop où elle en était avec Nicolas. Elle avait espéré une lettre, un mot. Elle avait besoin qu'il la rassure concernant ses sentiments à son égard, qu'il démente les rumeurs. À la limite, elle pourrait lui pardonner son erreur si vraiment... Parfois, elle souhaitait qu'il apparaisse d'un coup et l'emmène avec lui. Mais, presque immédiatement, l'idée de quitter sa terre natale la faisait hésiter. Si Québec restait aux mains des Anglais, il était possible que Nicolas dût s'exiler en France. Le suivrait-elle?

Il y eut un mouvement de foule, et elle fut bousculée. Madeleine la retint fermement et l'entraîna derrière elle. Ramezay rejoignait sa demeure, qu'il ne quitterait que pour s'embarquer pour la France. Les visages qu'Isabelle croisait avaient un air famélique. Des bras se tendaient vers le conquérant, quémandant une bouchée de pain.

— Arrêtons-nous à l'église, demanda la jeune femme.

— Pourquoi?

— Je veux prier pour nous... pour que Dieu éclaire le cœur des Anglais.

— Encore faudrait-il qu'ils aient un cœur! siffla Madeleine avec hargne.

— Ils ne sont pas tous mauvais, Mado. Il ne faut pas les condamner parce qu'ils font ce qu'on attend d'eux.

— Qu'en sais-tu, Isa?

Les gentilles paroles du soldat Macdonald et la bienveillance de l'officier qu'elle avait croisé à l'hôpital et qui venait juste de la saluer lui revinrent d'un coup. Mais elle savait que, quoi qu'elle dît, sa cousine ne changerait pas d'opinion concernant les Anglais.

— Je le sais, c'est tout.

10

Le lys et le chardon

Chez les Lacroix, la vie reprenait son cours normal. Madeleine resterait encore avec la famille pour passer la saison froide, sa maison étant partie en fumée. On avait consacré les derniers jours à la cueillette des pommes du verger. Une partie de la récolte était allée chez les augustines qui possédaient un pressoir; on pourrait ainsi fabriquer du cidre. Le reste avait été entreposé dans les caves, au frais, et serait disponible l'hiver durant.

Bien que sept pommiers eussent été endommagés par les bombardements, la récolte était bonne. Seuls trois arbres étaient irrécupérables, ayant été fauchés par les boulets. Par une chance inouïe, la maison n'avait guère été touchée. Baptiste s'était empressé de réparer la corniche et un mur qui étaient abîmés.

Isabelle finissait de remplir son panier. Celui-là, avec quelques autres, était pour les ursulines, dont le verger avait été en partie détruit par les bombes. Les sœurs qui étaient rentrées de l'Hôpital général depuis maintenant une semaine nettoyaient leur couvent et effectuaient les réparations nécessaires pour qu'il soit habitable.

Baptiste hissa le dernier panier sur le siège de la voiture, pendant qu'elle s'enveloppait dans sa cape. Le vent était plutôt froid aujourd'hui. Elle grimpa et s'installa à côté de Madeleine, qui l'attendait. Tous les trois prirent la direction du couvent.

Tandis qu'ils passaient devant l'endroit où Nicolas lui avait demandé de devenir sa femme, Isabelle se sentit de nouveau envahie d'une humeur morose. La semaine dernière, sœur Clotilde lui avait remis le petit mot tant espéré du jeune seigneur. Toute la journée, elle avait tâté le pli dans le fond de sa poche, attendant le moment où elle pourrait le lire, seule dans sa chambre :

Chère amie,

Pardonnez mon retard pour vous répondre. La situation ne m'en a guère donné le temps jusqu'à ce soir. N'oubliez pas que je suis un soldat et que je suis au service du roi avant tout. Mais, rassurez-vous, vous occupez mon esprit à chaque instant qui passe. Je ne rêve que de vous retrouver. Depuis notre défaite, le matin du treize... comme si la date annonçait le malheur de notre patrie... je devine la piètre opinion que vous devez avoir de notre armée. Je ne puis vous le reprocher. Le chevalier de Lévis ayant repris le commandemant de l'armée après la mort du marquis de Montcalm, nous espérions encore pouvoir repousser les Anglais et les faire remonter sur leurs navires avant l'hiver. Mais il nous aurait fallu quelques jours de plus pour remettre de l'ordre dans les troupes et être en mesure de riposter... Nous avons commis beaucoup d'erreurs, je le reconnais humblement. Personnellement, croyez-moi, Isabelle, je ne m'en reproche qu'une seule en ce qui vous con-cerne : ne pas vous avoir rendu visite le soir où je suis venu expliquer les plans de Lévis à monsieur de Ramezay. Vous sachant en sécurité et pensant véritablement que nous arriverions à reprendre possession de Québec, j'ai préféré attendre... Par manque de temps, pourrais-je vous dire pour m'excuser. Mais, à la vérité, c'était que je ne supportais pas de devoir revivre une séparation. Quel égoïste je fais! Et maintenant, ces murs qui devaient vous protéger de l'ennemi vous retiennent prisonnière, loin de moi... Soyez prudente, ma mie. Ne vous exposez pas aux dangers de la ville occupée. Et, pour l'amour de nous, préservez votre cœur des mensonges qui ne feraient que le blesser sans raison.

Votre serviteur tout dévoué,
Nicolas Renaud d'Avène des Méloizes

Nicolas savait parfaitement ce que l'on colportait sur lui et s'en défendait. Sans être explicite, il cherchait à la rassurer. Isabelle avait regardé la lettre pendant longtemps après en avoir fini la lecture, attendant que naisse en elle un sentiment de soulagement. Mais rien n'était venu. Déçue, elle avait alors glissé la lettre sous son oreiller en retenant un sanglot. Cette nuit-là, Madeleine avait senti que quelque chose n'allait pas et l'avait simplement serrée dans ses bras sans poser de questions.

Évitant les tas de débris et les planches destinées aux réparations, la voiture s'arrêta enfin devant le couvent. On entendait les marteaux des menuisiers. Toujours dans ses pensées, Isabelle ne prêta pas atten-tion à la jeune fille qui accourait vers eux. De longues mèches de jais voletaient autour du minois basané aux yeux légèrement bridés.

— C'est pas Marcelline, là-bas? demanda Madeleine en sautant de son siège.

Les traits du visage qui se rapprochait devinrent soudain familiers.

— Marcelline? Oh! Marcelline!

Les deux amies s'étreignirent chaleureusement. Après avoir offert une pomme à la jeune fille, Isabelle l'invita à s'asseoir sur un banc avec elle, pendant que Madeleine s'occupait de la récolte avec Baptiste. Une forte odeur de cire à parquets venait du couvent. Les lieux faisaient surgir dans l'esprit d'Isabelle des souvenirs des moments heureux vécus là. Les deux cousines avaient souvent des fous rires pendant les leçons de violon. Pauvre sœur Marie-Marthe! Mais cette époque était bien loin maintenant.

Revenant à la jeune métisse, Isabelle lui posa une série de questions. Marcelline lui raconta les terreurs de la première nuit des bombardements. Son père adoptif et elle avaient fui peu avant l'aube, pour trouver refuge dans la famille vivant à Sillery. Dès qu'ils avaient appris que la ville s'était rendue, ils avaient décidé de revenir pour reprendre possession de leurs biens. Mais il ne restait plus rien du cabaret de Gauvain. L'homme avait donc confié sa fille aux ursulines en attendant de trouver un endroit convenable pour se loger.

Isabelle aurait bien aimé inviter son amie chez elle. Mais elle devinait la réaction de sa mère qui n'aimait pas les Sauvages et les traitait de tous les noms. Elle prit les mains de Marcelline dans les siennes.

— Si je peux faire quelque chose pour toi...

— Y a rien que vous pouvez faire pour moi, Isa, dit tristement Marcelline en baissant les yeux. J'devrai passer les grands froids avec les sœurs. P't'être qu'au printemps, papa pourra reconstruire son cabaret... Et tout redeviendra comme avant, enfin, presque.

— Hum. Tu seras bien, ici, Marcelline. Tu verras.

— J'sais ben. Seulement, j'aurais aimé avoir ma boîte à souvenirs, qui est restée dans la maison. Elle contenait le pendentif de maman. C'est tout c'qui me reste d'elle.

— Tu ne peux pas entrer dans la maison... C'est trop dangereux!

— J'sais ben, mais... en passant par le soupirail... J'ai caché la boîte dans la cave.

— Mais quelqu'un l'a peut-être volée. Depuis le début des bombardements, les pillards courent les rues.

— Pis, j'ai revu Toupinet...

— Toupinet? Il va bien?

— Oh, oui! Il serait prêt à m'aider en échange d'un peu de nourriture.

Isabelle réfléchit. Peut-être y avait-il une solution après tout.

— Bon, soit! Je trouverai quelque chose pour lui et j'irai le voir avec toi. Où habite-t-il? Le séminaire est tout démoli...

Elle s'interrompit brusquement, fixant une religieuse qui sortait du couvent. Un homme en jupe, qui avait les cheveux blonds, était avec la sœur et hochait la tête.

— Qu'est-ce qu'il y a? s'inquiéta Marcelline en regardant dans la même direction. Oh! Les Écossais! Ils viennent aider les ursulines à nettoyer la chapelle où est enterré le général Montcalm.

Deux Highlanders rejoignaient le duo. L'un possédait une chevelure aussi brune que le soldat Macdonald. Sur le coup, Isabelle crut qu'il s'agissait de lui. Mais l'homme était beaucoup plus grand et corpulent. Étrangement, elle était déçue.

— Ils sont quand même gentils, Isa, vous savez?

— Peut-être, mais j'aime pas trop m'approcher des soldats anglais. Tu sais ce qu'on raconte sur eux...

— Vous avez pas à avoir peur. Ils sont même catholiques!

La jeune femme prit une profonde inspiration et feignit de fouiller dans ses poches. Ce qu'elle se sentait idiote!

— Vraiment? Hum... il faut que je me remette en route, annonça-t-elle en se levant brusquement. Tu peux aller chercher Mado? Je viens de me rendre compte que j'ai oublié la liste des endroits où nous devons livrer nos pommes. Elle doit être restée sur le banc de la voiture.

Elle serra son amie contre son cœur et s'écarta en lui souriant.

— Je suis heureuse de t'avoir revue, Marcelline. Pour ta boîte, je viendrai te chercher lorsque nous aurons fini la mise en pots de la gelée. Dis à Madeleine que je l'attends dans la voiture. Qu'elle se dépêche! Nous avons beaucoup à faire aujourd'hui.

Perplexe devant l'attitude étrange de son amie, Marcelline acquiesça et s'engouffra dans le couvent en faisant un signe de la main. Isabelle se laissa tomber sur le siège de la calèche et referma la porte. Elle sortit de sa poche la liste griffonnée à la hâte sur un bout de papier. Prochain arrêt: le notaire Panet. Ensuite, l'auberge du Gobelet royal, dans le quartier du Palais de l'intendant. Elle jeta un regard vers l'entrée du couvent: il n'y avait plus personne. Elle se cala alors contre le dossier rembourré et ferma les paupières en attendant Madeleine et Baptiste.

Le temps avait passé, et Alexander n'avait pas revu la jeune femme aux yeux verts. Longtemps il avait espéré. Puis il avait compris qu'il ne la reverrait plus. Il était déçu. Mais sans doute était-ce mieux ainsi. Le seul souvenir du magnifique regard vert faisait en effet battre son cœur à grands coups. Or, il ne voulait pas de ce sentiment qui semblait vouloir naître.

Alexander secoua la tête pour effacer sa vision et boutonna sa veste encore un peu humide. Il venait de la nettoyer. Il devrait la repriser aussi, à quelques endroits. Chaque soldat était responsable de l'entretien de son équipement et de son uniforme. Il avait donc appris à se débrouiller.

Coll et Munro l'attendaient pour patrouiller dans les rues de la Basse-Ville. Suffisamment remis de ses blessures, il était sorti de l'hôpital et avait repris sa place dans son régiment, qui s'était installé dans un petit faubourg situé sur le bord de la rivière Saint-Charles. Il avait donc enfin pu visiter la ville conquise, si souvent admirée depuis les batteries de la pointe de Lévy.

Il avait constaté avec consternation l'ampleur de la destruction causée par les bombardements. Les rues de la Basse-Ville n'étaient plus que des enfilades de ruines, de squelettes de maisons. C'était la même désolation que dans son Écosse natale, dans les vertes et silencieuses vallées de ses Highlands. Les châteaux, les fiefs des clans proscrits dont les chefs s'étaient exilés et les villages qui les entouraient avaient eux aussi connu l'ardeur des Anglais à tout détruire pour mieux asservir l'ennemi.

Dès sa sortie de l'hôpital, le jeune homme s'était rendu au quartier général, situé dans le quartier Saint-Roch. Là, on lui avait indiqué l'endroit où était logée sa compagnie, avec les quatre autres compagnies des Fraser Highlanders. Le faubourg du bord de la rivière Saint-Charles baignait dans l'odeur désagréable de poissons et d'excréments venant des marais avoisinants. Il avait été en grande partie épargné par les bombardements. La population qui y vivait était majoritairement composée d'artisans et de marins, ce qui expliquait le nombre de cabarets.

Les gens vaquaient normalement à leurs besognes et ne prêtaient guère attention aux soldats. Cela faisait maintenant trois semaines que les Anglais occupaient Québec. La population semblait s'accommoder sans trop de difficultés du régime anglais. Il faut dire que le commerce engendré par la présence des quatre mille soldats adoucissait les rancœurs. Avec le mois d'octobre qui débutait, tout le monde avait la nourriture pour principale préoccupation. Les petits fermiers venaient vendre aux Anglais leurs récoltes et leur bétail, tandis que des femmes aux corps maigres offraient autre chose pour une piécette ou un morceau de pain.

Plusieurs citadins avaient repris possession de leur maison qui, après quelques réparations, serait de nouveau habitable. Certaines âmes charitables accueillaient même les moins chanceux qui avaient tout perdu. Les soldats nettoyaient des bâtiments réquisitionnés pour s'installer le plus confortablement possible. Les longs mois d'hiver arrivaient à grands pas; il fallait se préparer.

Alexander avait été envoyé avec un détachement de sa compagnie chez les ursulines pour aider au déblayage des débris et aux réparations les plus urgentes. Ses talents en menuiserie lui permettaient de se servir d'une lame pour autre chose que tuer, pour une fois. La routine s'était installée.

Entre les patrouilles et les travaux chez les religieuses, le jeune homme participait aux exercices et aux manœuvres militaires, sur la place d'Armes, sous les regards curieux des habitants et ceux, plus chaleureux, des jeunes filles. Les kilts attiraient l'attention! Son temps libre, il le passait le plus souvent dans les cabarets, notamment celui du Lapin qui court. Renouer avec ses vieilles habitudes, c'est-à-dire boire et jouer, l'aidait à oublier le vide de sa vie. Malgré l'interdiction faite par le nouveau gouverneur de la ville, James Murray, de servir des boissons alcoolisées aux soldats, il n'avait aucun problème pour obtenir le nombre de chopes qu'il désirait. Les soldats constituaient pour les cabaretiers une trop belle occasion pour remplir de nouveau leurs coffres!

Une forte odeur de goudron accueillit Alexander à sa sortie de la maison. La cale de radoub n'était située qu'à quelques minutes de là, sur la grève Saint-Nicolas, juste en face des ruines du Palais de l'intendant. À marée basse, on se dépêchait de réparer et de calfater les navires les moins endommagés. Au loin étaient ancrés dans la rade les bâtiments qu'on avait récemment vidés et dont on avait transporté à grand-peine les cargaisons de provisions jusqu'à la Haute-Ville pour les mettre à l'abri dans les magasins. Bientôt, ils quitteraient le port et redescendraient le fleuve pour se diriger soit vers l'Angleterre, soit vers New York, où ils passeraient l'hiver. La dépouille du général Wolfe avait déjà quitté la colonie à bord du *Royal William*. Au même moment, les prisonniers de guerre étaient partis pour la France sur d'autres navires britanniques. Ainsi, la garnison anglaise serait livrée à elle-même jusqu'au printemps prochain.

Rejoignant son frère et son cousin qui devisaient avec deux charmantes demoiselles, le jeune homme ne put rester insensible au magnifique paysage qui s'offrait à lui. Fidèle à ses habitudes, l'automne peignait, tel un artiste, les collines et les plaines de couleurs chaleureuses. Touches joyeuses sur fond gris contrastant singulièrement avec le spectacle de la ville détruite.

Des petits rires le ramenèrent au groupe. Munro ne pouvait s'empêcher de faire le pitre chaque fois qu'il rencontrait des demoiselles. Bien qu'il ne parlât pas un mot de la langue du pays, il trouvait toujours le moyen de les faire rire. D'un raclement de gorge, Alexander rappela son frère et son cousin à l'ordre. Tous trois, après avoir gentiment salué les gloussantes jeunes femmes, se dirigèrent vers le poste de relève.

La voiture s'était enlisée dans une profonde ornière, rue des Pauvres. Isabelle et Madeleine faisaient donc le reste du trajet à pied avec le dernier sac de pommes. Le soleil resplendissant les rendait joyeuses, et ce fut en chantant qu'elles arrivèrent à l'auberge du Gobelet royal. Le propriétaire, Michel Huet, les accueillit en boitillant.

Le vieil homme aux jambes très arquées effrayait Isabelle autrefois. La jeune femme avait toujours pensé qu'il était l'un de ces feux follets qu'on disait apercevoir la nuit sur l'île d'Orléans. Cela faisait rire Madeleine. Bien sûr, l'homme ne lui faisait plus peur maintenant. Cependant, un doute était resté dans son esprit quant à ses origines. Personne ne savait rien de lui, sinon qu'il était jadis le lieutenant d'un corsaire célèbre qui sillonnait les eaux de l'Atlantique et qu'il était marqué au fer rouge de la fleur de lys : un ancien prisonnier. Isabelle n'était pas tranquille et se demandait pourquoi son père faisait affaire avec un tel personnage.

Après s'être rafraîchies d'un verre de sirop d'orgeat, les deux jeunes femmes prirent le chemin du retour pour que Baptiste, qui devait avoir réussi à dégager la voiture, ne s'inquiète pas inutilement. Marquant la cadence avec leurs sabots, elles chantaient à tue-tête. Soudain, elles se retrouvèrent face à face avec deux soldats en jupe qui surgissaient en riant de l'ombre d'une porte cochère.

En les voyant, le plus grand des deux hommes s'immobilisa et se tut, donnant un coup de coude à l'autre qui regardait derrière son épaule. Paralysées, les deux cousines se rapprochèrent l'une de l'autre, prêtes à déguerpir. Elles savaient que les soldats, anglais ou français, représentaient un danger pour elles.

Pressentant le malaise des deux jeunes femmes, Coll s'inclina poliment et sourit. Néanmoins, il ne put s'empêcher de détailler les créatures. Il avait un faible pour les blondes et admirait le doré lumineux des chevelures qu'il avait devant lui. La plus grande des deux jeunes femmes l'attirait particulièrement. Il la devinait solide malgré sa maigreur, et ses yeux foudroyants révélaient un caractère de feu.

Munro courba aussi sa lourde carcasse en faisant tournoyer élégamment son bonnet devant lui.

— *Sae, why ye need tae be strolling here for? 'T is no place for bonnie wee lasses tae be*[64], dit doucement Coll.

Puis, il cria par-dessus son épaule :

– *Och! Alas! Will ye come out here?*

Un grognement leur parvint de la cour et Isabelle distingua un troisième homme faisant face au mur. Ses joues rosirent lorsqu'elle vit un petit jet et qu'elle comprit ce qu'il faisait. Le soldat se tourna enfin en secouant les pans de sa jupe à carreaux. Puis, levant la tête en s'approchant, il répondit au grand rouquin :

— *'T is ma last pint I pee, Coll. I'll no listen tae ye till ma mind is*[65]...

Alexander s'interrompit brusquement. Il déglutit et rougit légèrement.

— *Did the cat get ye tongue, Alas, or is the sight of a bonnie cratur disabling ye*[66]?

L'impatience gagnait Madeleine. Ne comprenant rien à l'idiome des Écossais et voyant que les soldats ne connaissaient pas un seul mot de sa langue, la jeune femme décida de mettre un terme à cette conversation à sens unique.

— Allez, viens, Isa! Baptiste nous attend.

Ce disant, elle empoigna le bras de sa cousine. Encore sous le choc, Isabelle ne résista pas et suivit Madeleine en trébuchant.

— Mademoiselle, appela une voix dans leur dos. *Please, wait!*

Elle jeta un œil derrière elle : le soldat lui faisait de grands signes de la main. Madeleine la tirait pour la faire avancer plus rapidement. Elles tournèrent au coin de la rue Saint-Vallier et prirent la direction de la rue des Pauvres. Les Écossais ne les suivaient pas, au grand soulagement de Madeleine, qui la lâcha enfin. Recouvrant enfin ses esprits, Isabelle se tourna vers sa cousine, l'air courroucé.

— Non, mais!... Qu'est-ce qui t'a pris, Mado? Ces hommes ne nous voulaient aucun mal!

— Ah, vraiment? Si tu sais pas faire la différence entre un regard pervers et un regard vertueux, tu ferais mieux de rester chez toi, Isa! cria Madeleine.

---

64. Dites-moi, pourquoi vous baladez-vous ici? Ce n'est pas un endroit pour de petites demoiselles comme vous.

65. Je pisse ma dernière pinte, Coll. Je ne t'écouterai pas tant que mon esprit sera...

66. As-tu perdu ta langue, Alas, ou la vue d'une créature te fait-elle perdre tous tes moyens?

Elle allait en rajouter, mais se ravisa. Piquée au vif, Isabelle n'avait pas envie d'en rester là.

— Tu me crois naïve à ce point, c'est ça? Ou bien me prends-tu pour plus délurée que je ne le suis vraiment? Penses-tu que je voulais faire les yeux doux à ces soldats?

Les deux cousines s'affrontèrent du regard. C'était la première fois qu'elles se disputaient aussi violemment. Cela attrista Madeleine, qui baissa la tête en se rendant compte qu'elle s'était emportée trop vite.

— Je... non. Excuse-moi.

Isabelle respirait profondément pour contenir ses larmes. En fait, Madeleine n'avait pas eu tout à fait tort de l'éloigner de là. Ce qui l'ennuyait plus que tout, c'était que revoir le soldat Macdonald l'ait bouleversée.

— Bon... d'accord, je te pardonne. Mais avoue que tu y es allée un peu fort.

— Isa, t'entends pas ce qu'on raconte sur les soldats anglais? Tu peux quand même pas ignorer qu'ils commettent des viols, pis qu'ils...

— Pas lui, la coupa Isabelle.

Madeleine demeura interdite un court instant.

— Lui? Qui ça?

— Euh... je connais celui qui est sorti en dernier de la cour des Paquin. C'est le soldat qui a sauvé la vie de Ti'Paul et de l'officier Gauthier dont je t'ai parlé. Tu te souviens?

— T'en es ben certaine?

— Oui.

— Tu aurais pu me prévenir...

— Tu ne m'en as pas donné le temps.

— C'est vrai, concéda Madeleine en souriant. Mais je continue de penser que c'est pas une bonne idée de fréquenter des soldats anglais. Il peut te demander des remerciements... enfin, tu sais?

— C'est stupide, Mado! Et puis, qui t'a parlé de les fréquenter? Nous les avons rencontrés par hasard. La moindre des choses aurait été de leur dire bonjour avant de continuer notre chemin.

Madeleine émit un petit rire.

— Tu veux qu'on rebrousse chemin pour aller le leur dire astheure qu'ils nous ont vues détaler comme des lièvres?

— Laisse tomber, Mado, grommela Isabelle. C'est trop tard. Allez, viens. Où en étions-nous? Ah oui... *Sur la plus haute branche, le rossignol chantait...*

— *Il y a longtemps que je t'aime, jamais je ne t'oublierai...*

Et elles remontèrent la rue des Pauvres en terminant leur chanson comme si rien ne s'était passé.

Fixant toujours l'endroit où avaient disparu les deux femmes, Alexander tentait de contrôler ses émotions. Une bonne bourrade lui remit les idées en place. Ses compagnons le dévisageaient d'un drôle d'air, un sourire en coin.

— Alors, Alas, le taquina Coll, les Canadiennes te font de l'effet? Ou bien est-ce le fait d'avoir été surpris en train d'arroser les murs qui te fait rougir autant?

— C'est vrai qu'elles étaient mignonnes, hein, Coll? intervint Munro. Il m'a semblé que tu changeais de couleur, toi aussi, devant la grande furie...

— Va au diable, Munro!

Alexander préféra ne rien répliquer et se mit en route. La nuit allait être longue.

***

Un nuage de poussière vola quand Isabelle souleva le couvercle du vieux coffre. Le soleil filtrait faiblement à travers les volets de la lucarne à palan du grenier et dessina de fines rayures lumineuses dans l'espace. Isabelle posa ses vieux jupons sur le sol et s'agenouilla devant le meuble de bois vermoulu. Ce coffre avait si souvent traversé l'océan au fond d'une cale humide que le temps qui s'y était incrusté racontait son histoire. Il appartenait à son père, qui l'emportait jadis avec lui durant ses longs voyages en mer.

La jeune femme caressa du bout des doigts le vieux tricorne orné d'une bordure de plumes à moitié rongée par les mulots. Dessous était rangée une veste bleue aux boutons dorés. Elle sourit : l'habit ne devait plus aller à son père, avec le poids que les années avaient accumulé autour de sa taille. Une canne de bois au pommeau de laiton poli représentant une tête d'aigle attira ensuite son attention. Les souvenirs affluaient. Elle revoyait son père en train de la menacer avec cette canne. Elle avait renversé un encrier sur sa chemise neuve. Elle rit. Jamais il n'avait levé la main sur elle...

Elle avait oublié l'existence de ce coffre, qu'elle avait l'habitude de venir explorer quand elle était enfant. Combien d'heures avait-elle passées à s'habiller en capitaine et à s'imaginer voguant sur l'azur des mers chaudes que son père lui avait décrites! Rien qu'en fermant les paupières et en respirant l'odeur de la veste, elle pouvait encore se représenter sur son navire fantasmagorique. Elle le voyait grand, majestueux. Elle entendait même le grincement des drisses, les cris des marins, le bruit de l'eau coupée par l'étrave... Elle soupira.

Elle n'avait pas le temps de traîner aujourd'hui. Il fallait nettoyer la maison de la cave au grenier pour l'hiver. C'était le grand ménage, quoi! Perrine et Sidonie n'y arrivaient plus seules. Elle les aidait donc de bonne grâce en s'occupant de sa chambre. Elle ramassa la pile de jupons et la déposa dans le coffre. Elle refermait le couvercle lorsqu'elle accrocha avec son doigt un ruban effiloché dépassant de la doublure. Curieuse, elle tira dessus. Le fond s'ouvrit, et une multitude de feuillets tombèrent et s'éparpillèrent dans le coffre. Une cachette secrète?

Tout excitée de sa découverte, Isabelle ramassa les feuillets pour se rendre compte que c'était en fait des lettres adressées à sa mère. Des lettres d'amour? Elle imaginait difficilement son père et sa mère entretenir une correspondance amoureuse... Mais, puisqu'ils s'étaient mariés, c'était sans doute qu'ils avaient éprouvé l'un pour l'autre, à un moment donné, autre chose que du respect. Elle déplia un feuillet et parcourut le message: « Ma douce Justine... mon amour éternel... mon cœur... » Les mots exprimaient un sentiment d'amour si puissant qu'elle en avait les larmes aux yeux. Son père avait une si belle plume... Dommage que sa mère ne s'en fût pas émue plus longtemps.

Isabelle ne voyait que très rarement ses parents se toucher en sa présence. Sa mère ne se laissait pas embrasser, même sur la main. Cette femme était plus froide qu'un glaçon. Comment son père avait-il pu tomber amoureux d'elle? Mais peut-être n'en avait-il pas été toujours ainsi... Il était vrai que Justine Lahaye était une très belle femme. Encore aujourd'hui, après trois grossesses et plusieurs années, elle était toujours aussi désirable. Enfin...

Isabelle lut quelques-unes des lettres. Elles étaient toutes signées d'un pseudonyme: votre tout dévoué, capitaine de votre cœur. Capitaine de votre cœur? Elle éclata de rire en dépliant un dernier feuillet. Ce texte-là était rédigé en anglais. Son père savait écrire l'anglais? En tout cas, l'écriture était la même que celle des autres lettres...

Entendant qu'on montait à l'échelle, la jeune femme fourra prestement la pile de lettres dans le couvercle, qu'elle referma. Au même moment, le visage souillé de suie de Madeleine apparut.

— Que fais-tu donc? Cela fait plusieurs minutes que je t'attends. Il me faut de la potasse pour la lessive. Perrine a disparu et Sidonie n'a pas le temps d'aller m'en chercher.

— J'y vais de ce pas, Mado.

Secouant ses jupes, elle se releva et mit discrètement sa main dans sa poche. Le papier craqua entre ses doigts. Elle avait gardé la dernière lettre.

Isabelle fouillait dans la réserve de savon, bien à l'abri des rongeurs dans une caisse de fer blanc, lorsqu'elle entendit quelqu'un descendre à la cave. Tournant la tête, elle reconnut l'ourlet de la jupe jaune de Perrine. Elle eut envie de surprendre la servante et de la faire crier de peur. Elle se cacha donc derrière un baril qui servait à la préparation des saumures. Là, toute frémissante, elle attendit le bon moment. Mais, lorsque Perrine se dirigea vers le garde-manger, toutes ses intentions enfantines s'envolèrent et le souvenir de sa mère remontant de la cave les bras chargés de provisions, le jour de la bataille, lui revint d'un coup. Qu'est-ce que Justine cachait d'autre dans la réserve?

La servante glissa la main dans sa poche et en sortit une clef qu'elle introduisit dans la serrure. La porte bien huilée s'ouvrit silencieusement et Perrine entra dans le réduit avec une chandelle à la main. La flamme vacilla quelques secondes, puis se stabilisa. Isabelle sortit de sa cachette et se dirigea à pas feutrés vers la porte restée ouverte. Elle attendit encore quelques secondes, se demandant si ce qu'elle faisait était bien. Perrine déplaçait des objets sur les étagères. Elle entendit un « pop » familier, puis un petit « glouglou ». Comprenant que Perrine se servait à l'insu de la famille, elle jugea son acte justifiable et fit irruption dans la petite pièce.

Perrine poussa un cri de surprise et faillit laisser tomber la cruche qu'elle tenait dans ses mains. Le contenu se déversa sur son menton et dégoulina dans son cou et sur sa chemise. Une forte odeur d'eau-de-vie piqua le nez d'Isabelle.

— Perrine Leblanc!

— Mam'zelle Isa! s'écria la servante en essayant, trop tard, de cacher la cruche derrière elle. Que faites-vous icitte? Vous étiez pas dans la laiterie à lessiver avec les autres?

— C'est ce que tu espérais, hein, Perrine? Depuis quand voles-tu nos provisions? Tu sais bien que c'est la disette, et...

Ses yeux, qui s'habituaient à la faible clarté, s'écarquillèrent brusquement. Elle parcourut les étagères d'un regard éberlué. Des pots, des jattes, des cruchons et des barriques de toutes sortes les garnissaient. Au plafond étaient suspendus des guirlandes de saucissons et des jambons. Le long d'un autre mur s'alignaient de beaux fromages, des pots de confitures et des marinades.

— Mais... d'où vient tout ceci? Je croyais que nos réserves étaient épuisées?

— Nos réserves de nourriture fraîche, oui, précisa Perrine sur un ton empreint de mépris. Vot' mère fait en sorte que vous manquiez de rien pour l'ordinaire...

— Tu veux dire que, pendant que les gens meurent de faim, ma très chère mère garde toute cette nourriture ici? C'est terrible!

— Terrible? Vous avez toujours eu de quoi vous met' sous la dent, mam'zelle Isa. De quoi vous plaignez-vous?

Isabelle ne cessait d'examiner les étagères. Des olives dans de la saumure, des câpres, des anchois. Des fruits secs, des fruits confits. Du café, du sucre, du chocolat et de la mélasse. Tout cela, en quantité suffisante pour nourrir une famille de huit pendant plusieurs mois. C'était scandaleux! Elle avait honte. Comment sa mère, qui se disait dévote, pouvait-elle dormir paisiblement tout en sachant que des enfants pleuraient parce qu'ils n'avaient rien à manger et que leur estomac ne cessait de crier famine? Comment? Elle reporta son regard sur Perrine, qui essuyait son menton et sa gorge avec un coin de son tablier.

— Et toi, tu sais depuis longtemps tout ce que renferme cette caverne?

— Que voulez-vous que j'y fasse? se défendit la servante en redressant le buste. Je me la boucle ou je me cherche une aut' place. Vous croyez que j'ai envie de me retrouver à la rue?

— Mamie Donie est au courant?

— Non, j'croirais pas...

— Et mon père? Il sait?

— Ben sûr qu'il sait! C'est lui qui fait les commandes. Sortez vot' tête de sous la couverte, mam'zelle Isa! Ça prend pas beaucoup de jarnigoine pour comprendre. C'est pas les coureux de côtes[67] qui nous fournissent tout ça.

La servante esquissa un mouvement pour sortir. Mais Isabelle, qui venait d'avoir une idée, lui barra la route.

— Et tu viens souvent ici pour te servir dans la réserve d'eau-de-vie de prune de mon père?

Perrine recula d'un pas devant le regard menaçant d'Isabelle.

— Non... c'est la première fois.

— Tu peux me le jurer sur la tête du p'tit Jésus? Tu sais qu'on peut se retrouver en enfer quand on fait de vilains mensonges...

— Ben... p't'être que je suis venue une fois ou deux.

— Hum... ou bien trois ou quatre?

— Vous allez pas me dénoncer, hein, mam'zelle Isa? Où j'irais?

_____

67. Colporteurs.

341

Isabelle n'aimait pas ce qu'elle faisait à la pauvre Perrine. Cependant, elle voulait s'assurer de sa loyauté envers elle.

— Étienne pourrait te prendre avec lui. Il t'aime bien, non?

La servante blêmit et laissa échapper un hoquet de surprise.

— Tu sais... il serait préférable de fermer la porte de la laiterie la prochaine fois.

Là, c'en était trop pour Perrine, qui éclata en sanglots. Isabelle se mordit la lèvre. Peut-être avait-elle été un peu trop loin.

— Je l'aime, monsieur Étienne. Pis lui aussi, il m'aime. Faut pas aller raconter ça à vot' mère... Elle comprendrait pas...

— Je ne dirai rien, Perrine, si tu me promets de ne pas revenir voler l'eau-de-vie de mon père.

— J'vous promets... sur la tête du p'tit Jésus.

— Bon. J'ai autre chose à te demander.

— Tout c'que vous voulez, mam'zelle Isa.

— La clef avec laquelle tu as ouvert cette porte, c'est celle de ma mère?

La jeune servante, le visage ruisselant de larmes, secoua la tête.

— Non, c'est un double. Elle sait que je dirai rien sur c'qui se trouve icitte. J'suis ben nourrie et logée. J'risquerais pas de perdre ça en allant parler des affaires qui me regardent pas.

— Je te crois. Lorsque je te la demanderai, je veux que tu me la donnes sans protester. Je connais de pauvres gens qui aimeraient bien avoir de temps en temps une douceur pour oublier leurs malheurs. Tu comprends?

Perrine secouait tant la tête que son bonnet menaçait de tomber.

— Je comprends. Vous voulez aider les pauvres. Mais y faudrait pas vider le garde-manger. Vot' mère s'en apercevrait.

— Ne t'en fais pas avec ça. Je m'arrangerai avec ma mère.

Isabelle se poussa sur le côté et laissa Perrine sortir de la pièce. Restée seule, encore tout ébranlée, elle soupira.

— Fausse dévote! murmura-t-elle entre ses dents.

En fait, que sa mère pût agir avec autant d'égoïsme ne la surprenait pas vraiment. Elle était surtout très déçue par le rôle de son père dans cette histoire.

***

Le petit matin s'annonçait frisquet. Isabelle enfila un mantelet de laine brune un peu usé et chaussa ses souliers de cuir de bœuf. Les sabots ne lui permettaient pas d'aller aussi vite qu'elle le désirait. De plus, le soleil de la veille avait asséché les rigoles et la boue.

Les rues étaient relativement propres, si ce n'étaient les tas de fumier, devant les demeures, qui dégageaient une odeur à vous retourner l'estomac.

D'un pas pressé, la jeune femme longea la rue Saint-Joachim, pour atteindre la côte de la Canoterie. Elle ne croisait que très peu de gens. Non qu'il fût trop tôt, mais toute la populace s'était rassemblée pour assister à une exécution publique. On pendait un Anglais pour la première fois aujourd'hui. Le soldat en question avait commis un vol et menacé sa victime, un commerçant canadien, avec une arme blanche. Il était certain que les gens de Québec allaient se délecter de cette exécution exemplaire. Le gouverneur Murray allait certainement gagner des voix.

Arrivée dans la Basse-Ville, Isabelle prit la rue Sous-le-Cap et frappa à la troisième porte. En fait, l'entrée du taudis n'était obstruée que par quelques planches mal ajustées. Un visage hâve apparut. Isabelle sourit et tendit un panier.

— C'est pour vous et vos enfants, madame Bouthillier.

La femme examina le contenu du panier : un beau saucisson, un pot de confitures, du fromage. Elle gémit devant tant de délices et ouvrit grand le battant, qui grinça horriblement.

— Oh! Merci, madame Lacroix! C'est trop généreux!

Trois marmots en haillons et pieds nus accoururent et encerclèrent la jeune femme en criant.

— En v'là, des manières! Vous allez ben vous tenir devant la dame Lacroix, mes p'tits sacripants! Assisez-vous si vous voulez une part.

Ils ne se le firent pas dire deux fois.

— Vous voulez entrer boire un peu d'eau, madame Lacroix?

La pauvre femme avait les yeux mouillés d'émotion. Isabelle connaissait son histoire. Son mari, goudronneur sur le chantier maritime de Levitre, s'était engagé dans la milice et avait été tué lors d'une escarmouche à Château-Richer au tout début du mois d'août. Seule avec ses quatre enfants dont le dernier n'était encore qu'un nourrisson, la veuve avait rapidement épuisé ses maigres économies. Elle ne possédait plus que ses quatre murs que les bombardements avaient abîmés et qu'elle ne pouvait réparer seule ou même faire réparer.

Isabelle avait souvent vu la femme avec ses enfants, devant la cathédrale, lors de la distribution de vivres. La veuve mettait son orgueil de côté et venait régulièrement chercher le peu de nourriture qu'on pouvait lui donner. L'hiver serait dur. Offrir à l'occasion à la famille un trésor tel que celui de ce matin était ce qu'Isabelle pouvait faire de mieux. La femme attendait la réponse à son invitation.

— Non, merci. Je dois retourner chez moi.

La femme hocha la tête et, prenant sa main entre ses doigts osseux, la serra fortement.

— Merci.

— Bon appétit.

Au bord des larmes, Isabelle reprit son panier vide et descendit les quelques marches menant à la rue. Elle entendit la porte se refermer derrière elle et les enfants crier pour réclamer leur pitance. Elle se demanda comment Dieu pouvait accepter qu'autant d'innocents en soient réduits à vivre si misérablement alors que d'autres, qui se disaient ses serviteurs, nageaient dans l'opulence... au Palais épiscopal et dans les couvents. Non, elle était injuste. Le Palais épiscopal n'était plus que ruines. Quant aux religieuses, elles étaient un pilier de la société et étaient dévouées corps et âme à leur prochain tel que l'exigeait Dieu. Cela, elle avait pu le constater. Les sœurs avaient soigné avec la plus grande charité chrétienne et le même altruisme Français et Anglais. Sa mère avait beaucoup à apprendre d'elles. Un séjour au couvent lui ferait du bien.

Sentant une présence, la jeune femme rouvrit les paupières et examina la rue : le soldat Macdonald se tenait sur le pas d'une porte et la fixait en silence. Elle se figea. L'arrivée de ses deux compagnons la fit réagir. Les trois hommes se consultaient, hésitaient. Finalement, le soldat Macdonald se décida à venir vers elle. « Fuis, Isa! Ne reste pas là! » Mais ses jambes refusaient de lui obéir. Le vent du large faisait battre ses jupes sur ses mollets. Elle attendit qu'il arrive à sa hauteur.

— Bonjour, dit-il d'une voix rauque en la regardant de ses beaux yeux bleus qui la firent frémir.

Il écarta une mèche qui volait devant son visage et la coinça derrière son oreille. Elle remarqua alors que la peau de son cou était encore un peu jaune et violet.

— Bonjour, répondit-elle d'une voix étranglée.

Il lui sourit en jetant un coup d'œil aux alentours.

— Vous... doit pas être seule ici.

— Je sais, mais ma cousine ne pouvait pas m'accompagner. Elle avait quelqu'un à visiter ce matin et...

L'homme fronça les sourcils.

— Votre cousine?

— Madeleine, la jeune femme qui était avec moi, hier. Je tiens à m'excuser pour son attitude... C'est qu'elle...

— *She disnae like us, aye?*

Isabelle fronça les sourcils.

— Elle doit pas aimer nous beaucoup, *aye*? Je comprendre.

— Merci.

— Vous... retourner chez vous?

Isabelle lorgna du coin de l'œil les deux autres soldats qui attendaient un peu plus loin.

— Oui. Mon père va s'inquiéter si je tarde.

— Hum...

Il tapotait nerveusement la crosse de son fusil, dont la baïonnette était enfoncée dans le sol, entre ses pieds. Isabelle savait que le plus sage était de partir sur-le-champ. Mais quelque chose l'en empêchait. Brusquement, elle se rendit compte qu'elle ne connaissait pas le prénom du soldat.

— Comment vous appelez-vous?

— Alexander. Alexander Macdonald.

— Enchantée, monsieur Alexander.

— Et vous, mademoiselle?

— Isabelle Lacroix.

— *Iseabail...*

— Non, on dit « I-sa-belle ».

— *Aye*, Isabelle. *Iseabail*, c'est dans la langue de mon pays.

— Ah! c'est... joli.

— Très joli, comme vous.

Il souriait. Sur un pied d'alerte, elle recula d'un pas, prête à fuir, comme si soudain un régiment entier de Highlanders se trouvait devant elle. Alexander tendit une main pour la retenir, craignant qu'elle ne s'enfuie encore une fois. Toute la nuit, lors de sa patrouille, son esprit avait été hanté par elle. Le simple fait de pouvoir lui parler librement, enfin, l'emplissait d'allégresse. Il souhaitait juste qu'elle lui accorde quelques minutes de plus.

— *Dinna go, please*. Je veux dire merci à vous, mademoiselle Lacroix.

La prononciation de son nom écorcha les oreilles d'Isabelle. Les Écossais avaient-ils tous un accent aussi prononcé?

— Je n'ai rien fait de plus que ce qu'auraient fait les religieuses, monsieur. Et puis... c'était la moindre des choses, étant donné ce que vous avez fait pour Ti'Paul.

Il haussa les épaules.

— Moi raccompagner vous jusque votre... *home*?

— Maison, rectifia-t-elle.

— Maison... *aye*!

— Ça va aller. Vous devez retourner à votre poste, je vous retarde.

— Ça va aller, répéta-t-il sur un ton enjoué. Moi, je finis. Je veux aller coucher...

De peur qu'elle ne prenne sa déclaration pour une offre malhonnête, il rajouta vite :

— Moi être fatigué... *Patrol* toute nuit.

Elle hocha la tête de haut en bas.

— Alors, bonne nuit, monsieur Alexander.

Se sentant toute bizarre, elle pivota sur ses talons. L'estran s'étendait devant elle, lisse et étincelant comme du satin sous le soleil. Des femmes et des enfants, seaux et pelles à la main, y recherchaient quelques mollusques. Pour éviter de passer devant les trois soldats et leurs « petites jupes », elle devait prendre la côte de la Montagne, ce qui ne l'enchantait guère, car cela rallongeait son trajet. Profitant de la marée basse, elle se mit en marche vers la pointe à Carcy, qu'elle pourrait franchir en passant par le sentier des chiens.

Après quelques pas, elle ne put s'empêcher de jeter un coup d'œil par-dessus son épaule. Ces hommes piquaient sa curiosité. Ils étaient si étranges dans leur uniforme ridicule. Le soldat Macdonald regardait toujours dans sa direction; elle se retourna vivement. Elle avait entendu des femmes raconter que les Highlanders étaient issus de tribus primitives vivant dans des régions sauvages et montagneuses. Pourtant, leurs officiers semblaient bien éduqués et parlaient le français souvent beaucoup mieux que leurs homologues anglais.

Dommage que son panier fût vide. Offrir un saucisson ou un fromage lui aurait donné une excuse pour rester un peu plus longtemps avec le soldat et en apprendre un peu plus sur ces... hommes curieux. Mais il était maintenant hors de question pour elle de revenir sur ses pas. Il pourrait penser qu'elle... Il y avait une profonde ornière dans le chemin, à deux pas devant elle. Elle trébucha en poussant un petit cri. Alexander la rejoignit en quelques enjambées. La soutenant par le bras, il l'aida à marcher jusqu'à un étai supportant un bateau de pêche abandonné contre lequel elle s'appuya.

— Vous avez mal, mademoiselle?

— Je crois... que je me suis foulé la cheville. Que c'est bête!

— Vous... permettez? demanda-t-il en s'accroupissant.

Comprenant qu'il voulait voir sa cheville, Isabelle regretta aussitôt sa petite comédie, qui risquait de tomber dans l'indécence. Elle lui permit néanmoins de jeter un coup d'œil sur son pied gauche en faisant une grimace. Soulevant légèrement sa jambe dans ses grandes mains, il se mit à palper l'articulation avec précaution. Ses paumes étaient calleuses, couvertes d'écorchures et d'échardes. Travaillait-il le bois?

Il y eut un court silence, pendant lequel la jeune femme prit soudain conscience de leur position quelque peu inconvenante : elle, en équilibre devant lui qui, le nez presque sous ses jupes retroussées, tenait toujours sa cheville dans son autre main. Le feu lui monta aux joues. Prenant note à son tour de la situation, Alexander tâta à la hâte la cheville blessée, qui ne semblait d'ailleurs pas si mal en point puisque la demoiselle ne se plaignait pas. Puis il la relâcha aussitôt.

— Vous avez mal? demanda-t-il tout de même.

— Un peu… Quoique je pense bien que ce n'est pas très grave.

Il acquiesça de la tête.

— Mais vous avez des blessures! s'écria-t-elle en remarquant une plaie infectée sur la main du soldat. Laissez-moi jeter un coup d'œil.

Elle prit la main et l'examina de près. Une minuscule pointe dépassait de la peau. Pinçant l'écharde avec ses ongles, elle tira d'un coup sec. Mais elle ne réussit qu'à retirer la moitié du fragment de bois. La deuxième tentative fut un succès; du sang perla.

— Il faudra nettoyer votre main et demander à quelqu'un de retirer les autres échardes. Cela va s'infecter sinon.

Mal à l'aise, l'homme essuya la perle rubiconde sur sa veste en bredouillant des remerciements. Leurs regards s'accrochèrent, et le feu qui embrasait déjà les joues d'Isabelle se répandit à tout son corps. La jeune femme se mordit la lèvre. Mais que faisait-elle donc? Cet homme était un soldat ennemi! Peut-être avait-il tiré sur ses frères, brûlé la maison de Madeleine et Julien, volé quelque chose dans le cabaret de Gauvain, et quoi encore? Elle ne devait pas se trouver en sa compagnie, encore moins lui parler…

— Venez, je aider vous pour marcher.

— Je…

Elle allait protester, mais il la prenait déjà par la taille. Son odeur de mâle l'enveloppa. Elle sentit son cœur tambouriner violemment dans sa poitrine pour l'avertir d'un danger imminent. Elle se raidit. Il le perçut et retira prestement sa main.

— *Sorry…*

Prenant appui sur sa cheville « blessée », elle risqua un premier pas. Puis elle en fit un deuxième en grimaçant légèrement. Elle était tombée dans son propre piège et cherchait maintenant à s'en sortir sans perdre la face. Une petite voix intérieure la chapitra. Elle serra les mâchoires pour contenir un juron qui aurait fait rire Madeleine.

— Je crois qu'elle n'est pas si mal, après tout, déclara-t-elle en évitant de le regarder.

— Hum...

Risquer sa vertu pour si peu! Ce qu'elle pouvait être stupide! Elle n'était plus en âge de jouer à la marelle ou à cache-cache avec les garçons dans les ruelles!

— J'irai lentement, monsieur Alexander, bredouilla-t-elle en reprenant son panier. Je vous remercie de votre aide.

— Vous êtes certaine?

Elle leva les yeux vers lui. Il était légèrement plus grand que la moyenne des hommes, mais il devait dépasser Nicolas de plus d'une tête... Que faisait-elle donc? Comment pouvait-elle comparer ce soldat avec son galant? Son seigneur des Méloizes... Qu'aurait-il pensé de ses manières? Il aurait certainement eu honte d'elle.

— Certaine. Adieu, monsieur.

Il recula de quelques pas et s'inclina. La plume d'autruche qui garnissait son bonnet frémissait dans la brise saturée d'effluves marins. Lui tournant le dos dans une virevolte de couleurs vives, le soldat s'éloigna pour rejoindre ses compatriotes. Les trois hommes disparurent ensuite au coin de la rue.

Le cœur encore tout en émoi, Isabelle avança prudemment sur le chemin.

***

Au cours des jours qui suivirent, Isabelle multiplia ses sorties. Emportant son panier garni de victuailles, elle découvrait le plaisir de partager avec les nécessiteux. Bien sûr, elle ne pouvait contenter tous les estomacs malheureux. Mais les sourires et les cris de joie provoqués par ses offrandes lui donnaient le sentiment du devoir accompli. Peut-être aussi ressentait-elle le besoin de soulager sa conscience. C'est qu'elle en avait avalé, des pâtés fondants, des tourtes, des civets de lièvre, des tartes à la crème, des crêpes, des brioches, des beignets! Sa gourmandise l'avait empêchée de remarquer l'indigence qui l'entourait.

Souvent, Madeleine l'accompagnait. Sur le chemin du retour, les deux jeunes femmes faisaient parfois un détour par le quartier du Palais et s'arrêtaient chez Geneviève Guyon, où vivait maintenant Françoise, revenue en ville avec ses trois enfants.

Ce jour-là, le petit Luc avait un rhume. Sa mère, qui attendait encore un bébé pour le printemps, avait besoin de répit. D'un commun accord, Isabelle et Madeleine offrirent un jour de congé à

Françoise, qui avait de plus en plus de cernes d'une visite à l'autre. Elles passèrent ainsi le reste de la matinée à amuser et à bercer l'enfant, puis l'après-midi à retoucher les vêtements des plus vieux qui grandissaient.

Ne voulant pas se faire surprendre par la nuit qui tombait rapidement à cette époque de l'année, les deux cousines ne s'attardèrent pas après le souper. Lorsqu'elles sortirent, il commençait déjà à faire sombre. Munies d'une lanterne, elles se hâtèrent pour ne pas faire de mauvaises rencontres. Devant le Lapin qui court, cependant, Isabelle ne put s'empêcher de ralentir le pas et de jeter un œil à l'intérieur du cabaret plein à craquer. Ce genre d'établissement lui était formellement interdit, mais l'intriguait au plus haut point. L'atmosphère y était tellement gaie : les rires et les chants flottaient dans l'air, invitant les passants à entrer chaque fois que la porte s'ouvrait.

— Viens, Isa. C'est pas un endroit pour nous. Allez, viens! Il va faire noir...

— Je veux juste regarder un peu. Il n'y a pas de mal à cela?

— Isa, tu sais ce que pense ton père de ces endroits! S'il venait à apprendre...

— Louis et Étienne fréquentent bien les cabarets, eux! Et puis, les gens semblent s'amuser...

— Ben sûr qu'ils s'amusent! grogna Madeleine. C'est pas de l'eau de mer qu'on sert icitte! Betôt, ils vont tous rouler sur le plancher, jusque dans la rue!

Ignorant la diatribe de sa cousine, Isabelle colla son nez au carreau crasseux et explora les lieux d'un œil curieux. Il y avait beaucoup d'hommes, des soldats surtout. Quelques femmes aussi. Un violon grinçait joyeusement au milieu du brouhaha. La gigue entraînait quelques danseurs, qui tournoyaient en frappant des mains et des pieds.

Un groupe, dans le fond de la salle, attira son attention. Des hommes à la veste rouge étaient attablés et semblaient concentrés. Ils jouaient aux cartes. D'autres soldats et quelques femmes aux allures aguichantes les entouraient. L'un des joueurs se leva et lança ses cartes au milieu de la table avec un sourire satisfait. Le cœur de la jeune femme fit un bond : c'était le soldat Alexander Macdonald.

Isabelle observa le jeune homme tandis qu'il ramassait ses gains en riant. Il n'était pas d'une beauté à faire fondre une femme, mais il avait un charme certain. Il reprenait maintenant sa place à la table de jeu. Elle ne vit donc plus que son profil.

— Isa!

Une femme se pencha sur l'Écossais.

— Isa! Qu'est-ce que tu fais?

— Juste quelques minutes.

— Isa! Entre pas là-dedans!

Mais Isabelle avait déjà poussé la porte. Une atmosphère enfumée chargée de l'odeur virile des corps l'accueillit et la prit à la gorge. Mais la bonne humeur, ponctuée de rots et de rires gras, de pets et de gloussements, l'incita à rester.

Furieuse, Madeleine suivit sa cousine en râlant. Mais Isabelle ne l'entendait plus. Elle se mit sur la pointe des pieds pour voir le soldat. Elle n'avait aucune idée de ce qu'elle faisait là et savait qu'elle n'avait rien à faire dans un endroit pareil. Mais cet homme l'attirait irrésistiblement. Une vive émotion lui pinça le cœur lorsqu'elle vit la femme, penchée sur lui, lui frôler la nuque de ses lèvres...

Un délicieux frisson parcourut le dos d'Alexander. Émilie gloussait dans son oreille et lui susurrait des choses qui en auraient fait rougir plus d'un. Elle lui faisait de bien belles promesses, la petite Québécoise! Il glissa sa main sous son jupon et caressa son mollet duveteux. Un coup de coude dans les côtes le fit grimacer.

— Hé! T'as oublié que j'avais reçu une balle de ce côté, Munro?

— J'ai de quoi te faire oublier ta blessure, Alas. Dis donc, c'est pas la belle bourgeoise avec qui tu as discuté l'autre matin, là-bas?

Alexander détourna momentanément son attention de ses cartes et de sa copine pour regarder dans la direction que lui indiquait son cousin. Il aperçut alors la jeune femme. Que pouvait-elle bien faire ici? S'était-il mépris à son sujet? Non, sans doute cherchait-elle simplement quelqu'un. Tel un enfant surpris avec une sucrerie, il retira subitement sa main des jupes d'Émilie et essaya de se concentrer sur le jeu.

— Macdonald! Tu nous suis, oui ou non?

— Ouais.

Il prit une carte et la lança sur les autres, au milieu.

— Tu vas pas la trouver? demanda Munro dans son gaélique rugueux.

— Elle est à moi, décréta Alexander en ramassant la levée.

Puis, il se tourna vers son cousin.

— Pour lui dire quoi?

— Ben... invite-la à notre table.

Le jeune homme grimaça en étudiant sa nouvelle main.

— Tu veux rire?

— C'est à toi de jouer, mon gros loup, susurra Émilie dans son oreille.

Il lança une carte. Macpherson lui adressa un regard mauvais, qu'il lui rendit. L'homme n'avait pas encore eu sa revanche. Mais il l'obtiendrait un jour, tôt ou tard. Les Écossais avaient la tête dure et une bonne mémoire. Son cousin le bouscula de nouveau.

— Bon sang! Elle te dévore littéralement du regard, mon vieux. Si tu ne profites pas de l'occasion, un autre le fera à ta place et tu auras perdu ta chance. De toute évidence, elle cherche à s'amuser un peu.

— Cesse tes âneries. Mademoiselle Lacroix n'est pas ce genre de fille.

— P'têt' ben qu'oui, p'têt' ben qu'non! Que ferait-elle ici sinon?

— Tu suis, Macdonald, oui ou non? grogna Cavanagh avec impatience.

Le jeune homme soupira et passa sa main dans sa tignasse. Il lança un coup d'œil vers l'entrée. La demoiselle Lacroix était toujours là, effectivement tournée dans sa direction... De toute façon, il n'arrivait plus à se concentrer depuis qu'il l'avait aperçue. Il passa sa main à son cousin en lui promettant la moitié des gains s'il arrivait à gagner la mise. Puis il se leva. Émilie s'accrocha à son bras en minaudant et en prenant un air contrarié.

— Où tu vas, mon gros loup? T'as pas fini ta partie!

— Euh... je dois parler à quelqu'un. *Dinna fash yerself, mo maiseag, I winna be lang*[68].

Plantant là la dame, il se fraya un chemin pour rejoindre la jeune femme, qui lui sourit en rougissant. À la voir ainsi dans cet endroit, il pensa à une colombe égarée dans un nid d'aigle. Puis, avisant à ses côtés la cousine et son air farouche, il se dit qu'il ferait mieux de garder ses distances. Il salua poliment.

— Bonsoir... Euh... Comment va... votre cheville?

— Ma cheville? Oh! Oui, ma cheville!

Pointant du doigt son pied droit, elle fit faire deux ou trois rotations à son articulation en assurant que cela allait beaucoup mieux. Madeleine suivait la conversation, sidérée. Alexander rit.

— Je croyais que c'était l'autre. Je me tromper...

Isabelle devint cramoisie.

— Euh... c'est que cela va si bien que je n'arrive plus à me rappeler quelle cheville était blessée.

— Ben sûr! grogna Mado, qui reçut un coup de pied discret dans le tibia.

Alexander, l'air benêt, ne savait trop que dire. Il invita la jeune femme à s'asseoir. Isabelle hésitait.

---

68. Ne t'offusque pas, ma belle, je ne serai pas long.

— Mademoiselle Lacroix doit rentrer chez elle, astheure. Nous cherchions... euh... son frère. Pis, comme je vois qu'il s'trouve point icitte, nous partons de ce pas. Bonsoir, monsieur.

Madeleine s'éloigna en traînant sa cousine derrière elle. Alexander regarda les deux sortir. Puis, réalisant que la jeune femme lui échappait encore, il quitta l'établissement à son tour. Les cousines, qui étaient en pleine discussion au milieu de la rue, se turent sur-le-champ et le considérèrent un instant. Madeleine s'empara du bras d'Isabelle encore une fois.

— Mesdemoiselles, *may I escort ye*? Euh... moi accompagner vous?

Au même moment, deux soldats passablement éméchés sortirent du cabaret et passèrent devant les jeunes femmes en leur lançant des regards insistants. L'un d'eux alla jusqu'à faire mine de vouloir tâter le derrière de Madeleine.

— C'est gentil à vous. Nous acceptons votre offre, dit alors Isabelle à Alexander.

— Isa, c'est un soldat pareil aux autres, batinse!

— Mado! Ne jure pas devant les gens!

— J'suis certaine qu'il jure plus que moi, de toute façon!

— Je t'assure qu'il n'est pas comme les autres. C'est lui qui a sauvé Ti'Paul. Pis, c'est lui qui a... enfin, tu te souviens de ce que je t'ai raconté?

— Ça veut rien dire! C'est un Anglais... Oh, bonyeu de bonyeu!

Alexander attendait en souriant. Isabelle lui fit signe de les suivre. Ils marchèrent en silence, écoutant les sons étouffés qui leur parvenaient de quelques maisons. La jeune femme lorgnait de temps à autre le soldat qui marchait à ses côtés. Le magnifique poignard pendait à sa ceinture, battant sa cuisse au rythme de ses pas. Son œil fut attiré par le genou qui dépassait de la jupe.

D'un coup, bizarrement, lui vinrent à l'esprit les fesses lisses d'Étienne. Les hommes avaient-ils tous les fesses lisses? Absorbée par ses réflexions sur l'anatomie masculine et ses mystères, elle mit le pied dans un trou et trébucha. Un bras solide l'empoigna et la soutint, l'empêchant de s'étaler de tout son long sur la chaussée. Se retenant à l'étoffe rouge, elle se remit sur pied. Madeleine la fusilla du regard.

— Je n'avais pas vu le trou! Il fait noir comme chez le diable. Tu n'as qu'à éclairer convenablement le chemin.

— Ben sûr, c'est de ma faute... Pis, tu t'es encore fait une entorse?
— Non.

Remarquant qu'elle se tenait toujours à la veste du soldat, Isabelle la relâcha vivement.

— Merci, bredouilla-t-elle.

Le jeune homme préféra ne rien ajouter, étant donné l'atmosphère explosive. Le trio prit la rue Saint-Jean dans un silence tendu. Tout à coup, Madeleine s'arrêta net au milieu de la chaussée.

— Qu'est-ce qu'il y a, Mado?

— Isa, tu peux pas lui montrer où tu habites, quand même!

— Mado...

Ne voulant pas être la cause d'une dispute entre les deux jeunes femmes, Alexander décida qu'il était temps pour lui de retourner au cabaret. Il s'inclina.

— Mademoiselle Lacroix, votre cousine a raison. Je vous laisse ici. *This part of Quebec is safer than the Lower-Toon...*

— Je ne comprends pas.

— Ici, plus sûr que le Basse-Ville.

— En effet, monsieur. Je... vous remercie de nous avoir accordé votre protection.

— *The pleasure was for me*, mademoiselle Lacroix.

S'inclinant derechef, il tourna les talons. Isabelle et Madeleine le regardèrent partir jusqu'à ce qu'il ait tourné au coin de la rue. Puis elles entrèrent dans la maison en face de laquelle elles se trouvaient.

— Qu'est-ce qui t'a pris? gronda Madeleine en se plantant devant sa cousine, les poings sur les hanches. C'est un soldat anglais, batinse! À quoi penses-tu? Faut fuir ce genre d'homme comme la peste.

Isabelle étira le cou. Sidonie dormait à sa place habituelle, dans le salon. La porte du bureau de son père était fermée : un rai de lumière indiquait qu'il s'y trouvait encore. Sa mère, elle, n'était visible nulle part. Elle revint à Madeleine.

— Ils ne sont pas pires que nos soldats.

— Justement! Pis, ne sais-tu pas qu'ils n'ont qu'une idée entre les deux oreilles et entre les cuisses? Des voleurs de vertu, j'te dis! s'exclama la cousine, révoltée par l'audace dont avait fait preuve Isabelle. Pis, crois-moi : après avoir pris leur butin, ils te laissent leur carte de visite. T'as pas entendu parler de certaines maladies, Isa?

— Parce que tu crois qu'ils sont tous pareils?

— Prouve-moi le contraire!

— Tu sais bien que je ne le peux pas. Mais il ne faut pas penser qu'il n'y a que les soldats qui... Pense à Marguerite Dumoulin. C'est un soldat qui lui a refilé ses démangeaisons, peut-être? Elle est plus sainte qu'une sainte!

— C'est son mari. Il a eu le malheur de se frotter d'un peu trop près à l'une de ces gentilles dames qui amusent justement les soldats, bonyeu! Tu sais ben qu'il fréquentait souvent le cabaret de la Vadeboncœur!

— Eh bien, c'est ça! Les hommes sont des hommes, Mado! Maris ou soldats, ils ont tous la même idée qui leur trotte dans la tête et... tu sais où, tiens! Quand l'épouse n'est pas disponible, ils vont voir ailleurs.

Madeleine devint rouge comme une pivoine et dévisagea Isabelle.

— Es-tu en train de me dire que mon Julien?... Ben alors! Pis ton des Méloizes? C'est un soldat, non? Plutôt joli, soit dit en passant!

— Sois pas si méchante, Mado, bredouilla Isabelle, au bord des larmes. On ne devrait pas se chicaner comme ça.

— T'as raison, murmura Madeleine après un moment de silence.

Isabelle eut alors un sentiment étrange. Elle prenait conscience qu'elle n'avait pas pensé un seul instant à Nicolas quand elle se trouvait en compagnie du soldat Macdonald. Puis, dans un mouvement d'agacement, elle se demanda s'il avait eu une pensée pour elle pendant qu'il se trouvait au lit avec... Non, elle ne voulait pas mettre en doute la parole de son amoureux, qui lui avait assuré que les rumeurs à son sujet n'étaient que médisances. Toutefois, le doute persistait. Elle revit alors la femme du cabaret se pencher et embrasser le séduisant soldat Alexander, devinant tout ce qu'elle ne tarderait pas à lui offrir, bestioles en prime!

— Batinse! jura-t-elle devant l'air ébahi de Madeleine avant de monter quatre à quatre l'escalier menant à sa chambre.

**

Les arbres s'effeuillaient avec le vent du sud-ouest, dans un tourbillon de couleurs vives. Dans le ciel azuré, les oies annonçaient bruyamment leur passage. Isabelle leva la tête et plissa les yeux pour mieux voir les formations en chevrons dans la lumière éblouissante du soleil. Le temps était assez doux. Elle déboutonna son mantelet sous son menton pour laisser l'air caresser sa gorge. Puis, lasse d'attendre, elle se leva en lissant sa jupe.

La jeune femme ne comprenait plus sa cousine. Madeleine était distante depuis quelques jours. Elle s'absentait sans raison, revenant au bout de deux ou trois heures seulement. Au début, Isabelle avait cru qu'elle revoyait son mari en cachette. Puis, elle avait pensé que, peut-être, elle voyait un autre homme. Mais elle avait vite balayé cette idée du revers de la main. Non, Madeleine aimait beaucoup trop son Julien pour prendre un amant. Restait la désagréable

354

impression que sa cousine la fuyait, et cela, depuis deux semaines, depuis l'épisode du cabaret.

Elle ne pouvait qu'en conclure que sa cousine lui en voulait encore pour son imprudence. C'était ridicule! Elles n'allaient tout de même pas se bouder pour une histoire pareille! Isabelle avait donc décidé de parler sérieusement avec Madeleine. Aujourd'hui, elles allaient profiter des derniers beaux jours en allant pique-niquer près du vieux moulin de l'ermitage Saint-Roch. Isabelle, qui devait voir Marcelline chez les ursulines pour organiser la récupération de son précieux coffre, avait donné rendez-vous à sa cousine sur le banc situé à l'entrée des jardins du couvent. Mais cela faisait maintenant près d'une demi-heure qu'elle attendait, et Madeleine ne s'était toujours pas montrée. Il était temps que cela cesse. Et son estomac qui se plaignait...

Des éclats de voix attirèrent son attention. Des soldats écossais quittaient la maison des religieuses. Malgré elle, elle chercha la silhouette élancée de celui qui était avant tout le sauveur de Ti'Paul, s'efforçait-elle de se rappeler. Si elle n'était plus retournée au cabaret, elle avait croisé Alexander à quelques reprises lors de ses sorties. Regards en coin, sourires gênés. Bonjours crispés. Ils avaient échangé quelques paroles polies. L'Écossais était courtois et cherchait apparemment à parfaire ses connaissances en français. Elle avait remarqué des progrès notables. L'idée que la femme du cabaret pût lui servir de professeur l'avait agacée, mais bon... Alexander n'était rien de plus que le sauveur de son frère. Elle n'éprouvait pour lui rien de plus que de la gratitude...

Pourtant, Isabelle se débattait avec sa conscience depuis quelques jours. Au fond d'elle-même, la jeune femme savait que ses rencontres avec le soldat n'étaient aucunement le fruit du hasard. Elle empruntait exprès des rues où elle savait qu'elle risquait de le croiser. D'un côté, elle se sermonnait de son comportement indigne d'une jeune femme de sa classe. De l'autre, elle voulait se venger de l'humiliation que lui faisaient subir les ragots sur Nicolas. Elle n'avait pas l'intention de rendre la pareille au jeune homme, oh, non! Ça, jamais! Mais... le jeu de séduction l'amusait. Puis, quel mal y avait-il à sentir l'effleurement de la main d'Alexander sur la sienne lorsqu'il se penchait avec elle pour ramasser le contenu de son panier qu'elle « renversait » parfois si bêtement? Les caresses de Nicolas lui manquaient. La nuit, elle en rêvait encore, et cela faisait naître en elle des pulsions si violentes qu'elle se réveillait toute pantoise.

Les pulsions, les sensations qu'elle éprouvait la laissaient rêveuse. Elle semblait avoir un appétit d'un genre nouveau. Curieuse, elle voulait goûter au plaisir. En même temps, elle méprisait ses pensées, son comportement si peu vertueux, et se sentait comme la dernière des dévergondées des bas quartiers. Avant de se rendormir, profondément troublée, elle se promettait d'aller trouver le père Baudoin et de lui demander l'absolution. Mais, au petit matin, ses bonnes intentions s'étaient envolées.

Elle allait empoigner l'anse de son panier lorsqu'une large main la devança. Les doigts s'effleurèrent.

— Laissez-moi vous aider...

Le souffle coupé, Isabelle se retourna et se retrouva le nez dans le gilet entrouvert d'Alexander qui, penché, lui adressait un merveilleux sourire.

— Oh! laissa-t-elle échapper en abandonnant son panier au jeune homme.

Il attendit qu'elle reprenne la parole. Puis, voyant qu'elle restait muette, il prit les devants :

— Vous rentrez chez vous?

— Euh... non. En fait, j'attendais... ma cousine Mado... qui ne se montre pas. Nous devions aller pique-niquer.

— Je vois. Alors, vous irez seule, je suppose? À moins que vous ne rentriez chez vous?

Elle ne répondit pas tout de suite, frémissant sous son regard bleu cristallin.

— Je... crois que c'est ce que je devrais faire.

En même temps, elle n'était pas certaine de ce qu'elle désirait faire. L'idée de pique-niquer seule ne la tentait guère. Mais elle ne souhaitait pas non plus rentrer immédiatement chez elle. Les cris des oies meublaient le silence. Brusquement, elle eut une idée...

Et si elle l'invitait? Quelle audace! Non, simplement pour le remercier de son acte de bravoure. Mais elle n'en finissait plus de le remercier... De plus, ils n'avaient pas de chaperon pour les accompagner! Elle pouvait demander à Mamie Donie. Seulement, la vieille femme n'était plus en âge de descendre la côte Sainte-Geneviève et de marcher jusqu'au moulin. De toute façon, sa nourrice refuserait certainement de la laisser fréquenter cet homme. Elle avancerait les mêmes raisons que Madeleine. Oh! Ces fichues convenances!

— Avez-vous mangé, Alexander?

Il hocha la tête de droite à gauche.

— Je vous invite... si cela vous intéresse.

— Moi?

Elle l'invitait à partager son repas avec elle? Quelle femme étrange! Il l'avait devinée audacieuse : ses agissements frôlaient parfois l'imprudence. Il s'était expliqué sa témérité par sa jeunesse et sa grande naïveté. Mais là? Même sa sœur Mary se faisait accompagner d'une amie lors d'une promenade avec un jeune homme. Que recherchait donc cette jeune femme? Qu'attendait-elle de lui, simple soldat britannique?

Il savait que certaines Canadiennes de qualité, veuves ou célibataires, se laissaient approcher par des officiers anglais et acceptaient sans gêne leurs invitations à dîner. La noblesse française dissoute, les Français devaient, pour se divertir un peu, fréquenter les Anglais. Ainsi, le château Saint-Louis, résidence du gouverneur, retrouvait son atmosphère de naguère, avec moins de faste, cependant, à cause de la disette.

Mais elle? Il pouvait difficilement croire qu'une si jolie femme pouvait s'intéresser à lui. Elle devait d'ailleurs être fiancée à un notable bien en vue. Peut-être cherchait-elle simplement à se divertir, comme les autres. Allait-il être assez stupide pour refuser ce qu'elle lui offrait? Il s'inclina légèrement, cherchant dans le vert mordoré caché sous le large chapeau de paille le soupçon de malice qui allumait souvent le regard des femmes légères.

— Je serai heureux de vous accompagner, mademoiselle Lacroix, si cela vous fait plaisir et vous distrait un peu.

Elle lui sourit béatement et le devança sur le sentier qui traversait les communs du couvent, derrière les murs des jardins.

Ignorant les regards curieux qui se posaient sur eux, Isabelle coupa à travers champs. Alexander se complaisait dans la contemplation de ses gestes. La végétation semblait s'écarter sur le passage de la jeune femme, qui voletait, aussi légère qu'un pétale sur un courant d'air tiède. Ses pieds, indifférents à l'endroit où ils se posaient, battaient l'herbe dans un doux bruissement.

Soulevant d'une main ses jupes pour sauter par-dessus un ru, elle découvrit la finesse d'une cheville, qui disparut aussitôt comme elle s'élançait dans un gloussement. Le bouffant de sa robe s'étalait avec l'amplitude d'une corolle. Tel un lys au milieu d'un bouquet de chardons, elle pivota pour le regarder et lui sourit.

La lumière glissait sur la peau de son visage, que la course avait rosi. « Que Dieu bénisse le papillon qui se posera sur ce velours crémeux », pensa-t-il. L'image qu'elle lui offrait lui emplit le cœur d'un sentiment nouveau. Ses battements prirent soudain un rythme différent.

Ses jupes s'étant prises dans des épines, elle tira dessus et arracha au passage une fleur, qui tomba sur l'herbe piétinée. Il se pencha pour la ramasser.

— Savez-vous ce que représente cette fleur pour moi? demanda-t-il à brûle-pourpoint.

Ils n'avaient pas échangé un seul mot jusqu'ici. Retenant son chapeau qui menaçait de s'envoler, elle secoua la tête. Ses magnifiques boucles blondes avaient la même teinte que le blé moissonné. Elles s'échappaient des rubans destinés à les discipliner, jouant dans le vent qui faisait onduler les hautes herbes autour d'eux. Sous le charme, il retint son souffle et en oublia presque la raison qui l'avait poussé à parler.

— Que disiez-vous, monsieur Alexander? Cela vous dérange-t-il que je vous appelle de cette façon?

— Non... c'est très bien. Mais... vous pouvez laisser tomber le « monsieur ».

Il rit; elle l'imita.

— Alors?

— Quoi?

— La fleur. Que disiez-vous à propos des chardons?

— Euh... Ah, oui! Le chardon est l'emblème végétal de mon pays.

— L'Angleterre?

— L'Écosse, rectifia-t-il.

— C'est curieux. Pourquoi avoir choisi une fleur sauvage... aussi... particulière? Vous ressemblerait-elle? demanda-t-elle avec un sourire narquois.

— Hum... c'est à cause des Anglais.

— Des Anglais?

Elle leva son visage, exprimant un vif intérêt.

— L'histoire remonte à bien longtemps. Mais nous ne nous lassons pas de la raconter.

— Alors, racontez-moi... Alexander. Ça m'intéresse.

Elle pencha la tête de côté et haussa les sourcils.

— Hum... c'était une nuit d'encre. Les Anglais s'étaient mis en tête d'attaquer par surprise le campement d'un régiment écossais. Pour ne pas faire de bruit, ils avaient tous retiré leurs chaussures. Ils avaient encerclé la troupe endormie et s'étaient approchés à pas de loup. Soudain, d'horribles cris déchirèrent la nuit...

Isabelle grimaça de dégoût, ce qui fit sourire Alexander.

— Oh! Évitez-moi les détails du massacre, c'est horrible!

— *Och!* Pas tant que ça. Les Écossais s'étaient servis de touffes de chardons pour en faire une barricade. Les cris des Anglais qui marchaient dessus les réveillèrent. Ils se mirent aussitôt à la poursuite des ennemis pour les mettre en pièces... enfin. Depuis, le chardon n'a cessé d'inspirer notre détermination. « *Nemo me impune lacessit* » ou « qui s'y frotte s'y pique ». C'est la devise de notre prestigieux ordre du Chardon.

Il s'approcha d'elle, huma la fleur pourpre et la lui offrit en s'inclinant.

— Dans ma langue natale, on l'appelle *cluaran*.

— C'est de l'anglais?

— Non, du gaélique. Une vieille langue d'origine celte. Les Écossais ne sont pas des Anglais, mademoiselle Lacroix. Nous n'avons pas les mêmes origines. Donc, nous ne leur ressemblons pas et ne pensons pas comme eux. Mais... comme vous, nous avons dû nous soumettre à eux.

Embarrassée, elle baissa les yeux sur la délicate fleur. Le ton du soldat s'était soudain durci. Lorsqu'elle releva la tête, Alexander marchait devant et se dirigeait vers le moulin dont les ailes émergeaient d'un taillis de saules. Elle courut jusqu'à lui en glissant la fleur de chardon dans sa poche. Plus tard, elle la presserait entre deux pages d'un gros livre.

L'endroit offrait une certaine intimité qui ne déplut pas à Alexander. De plus, des arbustes les protégeaient de la brise. Isabelle retira son mantelet et le plia soigneusement. Puis, elle étala une nappe, dans l'herbe, sur laquelle elle déposa le déjeuner. Elle prit deux gobelets et lui en offrit un.

— Pardonnez mon ignorance... à propos de vos origines, commença-t-elle pour dissiper le malaise qui s'installait.

— Pardonnez ma rudesse, mademoiselle Lacroix. Je sais que, pour vous, un Écossais, un Irlandais et un Anglais sont tous pareils. Vous apprendrez à faire la différence.

— Oui... sans doute. Euh... je n'ai que du vin. Je sais que les soldats préfèrent des boissons plus... fortifiantes...

— Je sais apprécier un bon vin, vous savez.

— Oui... je suppose que oui. Désolée... je ne voulais pas vous offenser.

— Ce n'est pas grave. Mais vous avez raison : je préfère le whisky.

Elle sourit. Il prit la bouteille qu'elle lui tendait et la déboucha. Puis, il versa un peu du liquide rouge foncé dans les gobelets et leva le sien dans sa direction.

— *Slàinte*!

— C'est encore du gaélique?

Il opina du chef et cala son gobelet dans l'herbe après en avoir bu une gorgée.

— « Slãnte! » Et comment dit-on... pain?

— *Aran*.

— Et... soleil?

— *Grian.*

Elle répéta le mot et rit.

— Maintenant, si on essayait quelque chose de plus compliqué. Traduisez-moi « la journée est magnifique ».

— *Tha an latha cho brèagha.*

— « Ha an la-o ko brrriiia. »

Alexander éclata de rire à son tour.

— C'est presque ça, dit-il en étendant ses jambes dans l'herbe et en lissant son kilt sur ses cuisses.

Isabelle lorgnait la « petite jupe », comme l'appelaient les gens quand ils parlaient de l'uniforme des Écossais.

— Pourquoi portez-vous cette... jupe?

— Ce n'est pas une jupe, mais un kilt. Chez nous, seuls les hommes peuvent le porter. C'est beaucoup plus pratique et confortable que la culotte. Les couleurs sont habituellement celles du clan auquel nous appartenons, expliqua-t-il avec sérieux. Celles-ci sont celles du clan de Fraser de Lovat, qui a levé le régiment.

Elle plissa le nez. Pratique, cette jupe? Hum... et les courants d'air?

— Est-ce que ce sont aussi vos couleurs?

Il eut un air songeur.

— Non. Je suis du clan des Macdonald de Glencoe. Le port du tartan est proscrit en Écosse, depuis 1747. Celui de notre régiment est le seul autorisé.

— Ce n'est pas un peu froid... je veux dire... avec le vent, et l'hiver?

Il pouffa de rire, ce qui la plongea dans l'embarras.

— Si cet habit ne nous procurait pas le confort nécessaire par temps froid, nous l'aurions abandonné depuis bien longtemps.

Demeurant sceptique, Isabelle lui sourit et lui tendit l'assiette qu'elle venait de garnir.

— Où avez-vous appris à parler le français? J'ai remarqué qu'à part les officiers, très peu d'entre vous le parlaient.

— Mon grand-père maternel a tenu à ce que je l'apprenne. Il pensait que cela me servirait un jour. Il... avait raison, ajouta-t-il en posant sur elle un regard sérieux.

— Ah! fit-elle en baissant la tête et en rougissant légèrement. Et comment s'appelait votre grand-père?

— John Campbell... John Buidhe Campbell de Glenlyon. La montre... c'est lui qui me l'a offerte.

Isabelle devint cramoisie et détourna la tête pour cacher son embarras derrière le bord de son chapeau.

— La montre... oui. Alexander, je... ne voulais pas fouiller dans vos affaires... je veux dire...

— Je ne vous en veux pas, mademoiselle Lacroix.

— Ce que j'ai fait était... très... impoli. Vous savez... ce n'est pas dans mes habitudes de fouiller dans les affaires d'autrui. Je suis trop curieuse... Pardonnez-moi.

Alexander observait la jeune femme qui pinçait nerveusement son morceau de pain et l'émiettait dans son assiette. Les toiles des ailes du moulin claquaient dans le vent. Les carouges aux belles épaulettes rouges, qui tardaient à partir pour d'autres cieux, chantaient joyeusement. Il glissa son index sous le menton d'Isabelle pour ramener son regard vers le sien. Ce qu'il avait envie de l'embrasser!

— Vous n'avez rien fait que je doive vous pardonner, mademoiselle.

Puis il retira lentement son doigt. Isabelle reprit contenance.

— Parlez-moi de vous, Alexander.

— Que voulez-vous savoir?

— Eh bien, ce que l'on raconte habituellement. Avez-vous des frères, des sœurs? Où êtes-vous né? Peut-être pourriez-vous me conter quelques anecdotes qui ont marqué votre enfance?

Il resta silencieux pendant un long moment, ne sachant pas ce qu'il pouvait bien lui dire d'intéressant sur sa vie.

— Je suis né dans une petite vallée des Highlands. Vous savez où c'est, les Highlands?

Elle fit non de la tête, la bouche pleine de pain. Ce n'était pas surprenant.

— C'est un territoire montagneux situé au nord de l'Écosse. La vallée où je suis né s'appelle Glencoe. Mon père et ma mère ont eu neuf enfants. Six sont toujours vivants... enfin, je le crois.

— Vous n'avez pas de nouvelles d'eux?

— Pas vraiment. Il y a mon frère Coll, qui fait partie de mon régiment. C'est le grand rouquin qui m'accompagne lors de mes patrouilles. Le petit gros, c'est Munro, mon cousin. Je suis le plus jeune de ma famille.

— Et les Highlands... c'est beau?

Il se tourna vers elle, puisant son inspiration dans ses yeux verts.

— Si c'est beau? Je dirais que c'est... magnifique!

Tout en mangeant, il lui décrivit son pays, lui expliqua ses traditions, lui raconta quelques anecdotes comiques, quoique bien anodines, de son enfance. Alors que la conversation avait un ton badin, les yeux parlaient un tout autre langage. Au bout de plusieurs minutes, Alexander se tut. Le silence s'emplit du bourdonnement des abeilles, qui convoitaient les restes de leurs agapes.

— Et vous? lui demanda-t-il brusquement pour se ressaisir.

— Moi? Que voulez-vous savoir?

Il rit et s'allongea en prenant appui sur un coude. Le soleil traversait les mèches volantes d'Isabelle, les parant d'une poussière d'or lumineuse. Il y aurait volontiers glissé la main.

— Eh bien, vous savez! Ce que l'on raconte habituellement.

— Vous vous moquez de moi, Alexander Macdonald, dit Isabelle en riant à son tour. L'histoire de ma famille est sans doute un peu plus compliquée que la vôtre. J'ai deux frères que mon père a eus avec sa première femme. Puis deux autres qu'il a eus avec ma mère. En fait, je n'ai que des frères. C'est pourquoi ma cousine Madeleine m'est si chère. Elle est la sœur que je n'ai jamais eue. Mon père est négociant et fils d'un négociant.

— Et je suppose que l'un de vos frères sera négociant à son tour!

— Oh! Il y a bien Étienne, qui s'occupe du négoce de la fourrure. Mais les affaires ne l'intéressent pas vraiment. Louis, lui, est boulanger. Guillaume étudie encore au séminaire. Enfin... il y étudiait jusqu'à ce qu'on suspende les cours...

Retenant d'une main son chapeau qui vibrait sous le vent, Isabelle tourna son regard vers l'eau miroitante de la rivière Saint-Charles, visible à travers les buissons. Alexander pressentit un malaise et se dit qu'il n'aurait pas dû poser cette question. Les frères de la jeune femme faisaient certainement partie de la milice. L'un d'eux avait peut-être même été tué lors d'une échauffourée ou pendant la bataille des Hauteurs.

— Pardonnez mon indiscrétion, mademoiselle. Je...

La bouche d'Isabelle se tordit légèrement.

— Reste le plus jeune, Paul. Il rêve de faire une carrière militaire.

— C'est celui qui voulait faire la guerre sur les Hauteurs?

— Celui-là même. Mais rassurez-vous, je l'ai bien grondé. Il ne recommencera pas avant longtemps, croyez-moi.

Elle dénoua le large ruban de soie sous son menton et retira le chapeau de paille, qu'elle coinça sous son mantelet, dans l'herbe. Quelques feuilles s'accumulaient sur la nappe. D'une main gracieuse, elle en ramassa une qui s'était posée sur l'assiette de biscuits. Elle en contempla un moment les teintes vives avant de l'envoyer dans un tourbillon qui l'emporta au-delà des buissons de vinaigriers. Les boucles qui s'échappaient de son bonnet dansaient autour de son visage. Le léger fichu avait glissé de ses épaules menues.

Alexander s'attarda sur la courbure des seins, remonta le cou gracile jusqu'à la bouche de poupée qui s'arrondissait délicieuse-ment. Cette femme le troublait. Conscient de l'inconvenance de son regard posé sur elle, il le reporta sur les reflets lumineux de la rivière. L'image d'Isabelle restait néanmoins bien gravée dans son esprit.

Un certain embarras s'installait. Isabelle regardait autour d'elle, fouillait dans le panier vide. Un courant d'émotion coulait dans ses veines.

— Vous aimez les olives aux anchois? finit-elle par lui demander en lui présentant le bocal pour briser le malaise.

Il sursauta lorsqu'elle toucha son bras. Une larme de vin s'échappa de son verre et atterrit sur sa manche.

— Oh! Votre chemise... elle va être tachée. C'est de ma faute.

— Ce n'est rien.

— Je suis navrée, Alexander... Attendez.

Elle imbiba une serviette d'eau et frotta la tache. Il sentit la chaleur de ses doigts à travers sa chemise et ferma les yeux.

— Voilà! Je n'arriverai pas à l'enlever totalement, mais ainsi, elle sera plus facile à nettoyer.

— *Tapadh leat.*

— Qu'est-ce que ça veut dire?

— Merci.

— « Yi... wilcome, mistère Macdonald. »

Ils rirent. Il la trouvait si belle lorsqu'elle riait. Ses joues se creu-saient en formant deux délicieuses fossettes. Ses lèvres pleines s'éti-raient exquisément, découvrant une dentition parfaite, prête à cro-quer dans la vie. Elle respirait la joie de vivre, et Alexander en avait tant besoin. Sous le charme, il ne pouvait détacher d'elle son regard.

Que lui voulait-elle donc, cette petite bourgeoise insouciante? N'était-il pour elle rien de plus qu'un divertissement? Tant d'offi-ciers auraient volontiers accompagné la demoiselle Lacroix à ce pique-nique...

Isabelle venait de piquer une olive farcie et la lui présentait sur la pointe de son couteau. Il ouvrit la bouche. Elle l'observa en riant.

— C'est bon?

— Très salé.

— J'ai une idée! lança-t-elle, heureuse d'avoir trouvé comment occuper son esprit qui se troublait. Nous allons faire un jeu auquel j'avais l'habitude de jouer avec Madeleine.

Elle promena son regard autour d'elle, fouilla dans le panier, puis haussa les épaules.

— Zut! Les serviettes sont trop petites... Ah! Mon fichu!

Elle retira le carré de gaze qui couvrait ses épaules, inconsciente, dans sa naïveté, de la gorge qu'elle dévoilait. Puis, elle se dressa devant lui sur les genoux.

— Retournez-vous, que je vous bande les yeux.

Alexander la dévisagea, perplexe.

— Allons, je ne vous ferai rien de mal! Vous n'aurez qu'à ouvrir la bouche et à deviner ce que j'y mettrai.

Docilement, il se prêta au jeu de la belle. Elle le gava alors de jambon fumé, de noix bien grasses, de fruits confits dont les noms lui étaient inconnus. Ils rirent lorsqu'elle mit par mégarde un peu de confiture sur sa joue. Il soupira lorsqu'elle l'essuya avec ses doigts, effleurant au passage le coin de sa bouche.

— À vous, maintenant!

Il survola d'une main tous les délices étalés sur la nappe. Il hésita au-dessus d'un ananas confit et d'un morceau de fromage de Hollande, pour finalement s'emparer d'une prune à l'eau-de-vie.

— Ouvrez.

Elle obéit servilement et croqua dans le fruit gorgé de sirop. Une giclée de jus coula sur son menton; elle l'essuya d'un coup de langue en gloussant.

— Une prune à l'eau-de-vie! Pas de chance, Alexander!

— *Och*! *'T is no fair*! Vous les connaissez déjà tous!

— Ayez un peu d'imagination, mon ami.

Elle sourit et entrouvrit la bouche dans l'attente de la prochaine surprise. Alexander détourna son regard des lèvres grenat, luisantes de jus, et fit le tour des douceurs en réfléchissant. Puis il trempa un petit cornichon au vinaigre dans la confiture et le glissa sur la langue d'Isabelle, qui croqua dedans avec appétit.

— Mmmm...

Elle se mit à mâcher lentement. Alexander ne pouvait détacher ses yeux de cette bouche qui bougeait avec une sensualité gourmande. Il avait envie d'y goûter. Mais, non, il ne devait pas... Un moment de flottement. Le souffle lui manquait. Il s'approcha, refoulant le bon sens dans un recoin de son esprit enfiévré, et huma son odeur.

Isabelle s'arrêta de mastiquer et se tendit légèrement, mais ne bougea pas. L'haleine douceâtre d'Alexander caressait sa peau. Son cœur se mit à battre follement, tandis que son esprit tentait de lui dicter la réaction à adopter. Le repousser? Elle en était incapable. Cette chose nouvelle qu'était le désir la dominait et la ramollissait.

Alexander s'enhardit et brava les convenances. Il posa délicatement ses lèvres sur le vernis sucré, tel un papillon attiré par le nectar d'une fleur. Elle poussa un petit cri de surprise et s'écarta un peu.

Il attendit. Mais elle n'enleva pas son bandeau et ne s'éloigna pas davantage.

— C'est... nouveau, bafouilla-t-elle après avoir avalé le cornichon. Aigre-doux... J'aime bien. C'était un cornichon, avec... autre chose...

— Autre chose? Peut-être aimeriez-vous y goûter de nouveau?

— Y goûter? Je ne sais pas... Peut-être...

Il se pencha de nouveau sur la belle gourmande et embrassa doucement ses lèvres, qui ne fuyaient plus.

— Et maintenant, mademoiselle Lacroix? Vous arrivez à deviner?

Des lèvres tremblantes aucun son ne sortit. La poitrine de la jeune femme se soulevait et s'abaissait rapidement sous la violence de l'émotion. Une bouffée de désir le poussa alors de nouveau vers elle. Il investit même sa bouche avec sa langue, avec une certaine hésitation d'abord, puis avec insistance. La prenant par les épaules, il la pressa contre lui avec une brusquerie qui la fit gémir. Ce baiser qu'il lui volait, elle ne le lui refusait pas, lui répondait même avec avidité.

Isabelle, la gourmande. Oh oui! La gourmandise était un péché. Malheureusement, la jeune femme était encore trop saisie de vertige pour y réfléchir. Au premier contact de la bouche d'Alexander sur la sienne, une explosion de mille papillons l'avait ébranlée. Maintenant, ces papillons voletaient dans son ventre, sous sa peau, la chatouillant du bout de leurs ailes délicates. Sensation étrange mais tellement délicieuse...

Elle suffoqua contre cette bouche qui la fouillait avec tant d'appétence et chancela. Alexander la retint contre lui et la poussa doucement sur la nappe. La porcelaine tinta; un geai cajola. Le vent les caressait doucement et faisait bruire les feuilles des arbres, tout autour. Le grincement continu de la roue du moulin et le clapotis des vagues sur la berge se mêlaient aux cris lointains d'enfants qui s'amusaient et aux martèlements de la reconstruction.

Les battements de leurs cœurs dominaient tous les bruits... Nouveau vertige. Isabelle s'accrocha au col de la chemise d'Alexander. La pression qu'exerçait le bassin du jeune homme contre le sien fit naître en elle des pensées impures. Elle en fut ébranlée. La gourmandise était un péché véniel, certes. Mais celui de la chair... Puis, le visage de Nicolas se dessina dans son esprit.

Nicolas, ne l'aimait-elle donc pas? Cela faisait si longtemps que tous les deux étaient séparés. Puis, elle avait toujours des doutes quant à ce qui s'était réellement passé chez sa sœur, Angélique Péan. Son amoureux reviendrait peut-être dans son bel uniforme galonné. Son beau visage s'éclairerait pour elle. Il l'embrasserait, lui dirait qu'il l'aimait. Il la prendrait dans ses bras et la porterait jusqu'à l'église... Mais ça, c'était dans les contes. La réalité était bien différente. Et puis, la bouche de Nicolas n'avait jamais engendré chez elle tant d'émotions, n'avait jamais provoqué en elle cette sensation dans le creux de son ventre qui enlevait toute volonté.

Oh, l'infidèle! De quelle nature était-elle donc pour céder si facilement aux tentations de la chair? Elle gémit et, à contrecœur, repoussa Alexander.

— Non... c'est... mal. Il faut s'arrêter...

Il s'écarta, tout aussi bouleversé qu'elle. Elle resta là, couchée sur la nappe, avec son bandeau, la respiration saccadée et la bouche encore tout engourdie.

— *Sorry*, mademoiselle Lacroix. Pardonnez mon audace... Je... je n'aurais pas dû.

— Non! Si! Enfin, peut-être... Je ne sais pas... C'est que...

Elle se tut. Doucement, il lui retira le bandeau, effleurant sa pommette au passage. Elle le contempla longuement en silence. Les longs cils noirs du jeune homme bordaient joliment ses yeux mi-clos. Son nez, busqué, était ce qu'elle aimait le moins sur son visage, bien qu'elle l'imaginât difficilement autrement. Et cette bouche... si singulière, unique. Elle le trouva beau. Soudain, ce n'était plus un soldat écossais qu'elle avait devant elle, mais simplement un homme qu'elle avait terriblement envie d'aimer, même si c'était une folie.

— Comment dit-on en gaélique « Alexander a embrassé Isabelle »?

— *Thug Alasdair pòg do Iseabail.*

— « Houg Alasdair pâk do *Iseabail...* » Quelle langue étrange, et belle à la fois! Alasdair... c'est la traduction de votre prénom?

— Oui.

— C'est très joli. Alasdair...

Il aima la façon dont elle prononça son nom. Avec douceur, mais aussi avec force et conviction. Il en frémit de plaisir. Dans sa bouche, son prénom était celui d'un seigneur, d'un roi. Mais seigneur il n'était pas.

Depuis qu'il l'avait vue pour la première fois, il trouvait que cette femme rayonnait. Son seul sourire lui faisait oublier les crimes que la guerre l'avait poussé à commettre. Aujourd'hui... il ne trouvait pas les mots qui exprimaient le mieux ce qu'il ressentait.

— Alexander?

— Oui?

— Je... t'aime bien.

— *Mo chridh' àghmhor.*

Il se pencha légèrement. Puis, hésitant à l'embrasser de nouveau, il écarta une mèche blonde qui lui barrait la joue. Isabelle glissa un doigt léger sur ses lèvres, puis dans la fossette qui marquait son menton volontaire.

— Cela veut dire?

— Mon cœur... de joie.

Le sang affluait sous la peau fine d'Isabelle, rosissant son teint de lys, tandis que son corps s'alanguissait toujours plus sous lui, telle une colombe se soumettant doucement à la main qui la tenait captive. Ses longs cils dorés papillonnaient sur ses prunelles, comme un voile sur un monde inconnu, interdit. Résolument, Alexander plongea dans ce monde émeraude et mordoré.

Dans un dernier sursaut de pudeur, Isabelle baissa les paupières pour fuir ce regard qui s'immisçait en elle, mettant son âme en émoi.

— Isabelle... chuchota-t-il pour la ramener à lui.

Les paupières frémirent et se soulevèrent doucement. Puis, les yeux le fixèrent. Et tandis que la poitrine se gonflait, les belles lèvres carmin s'entrouvrirent, tremblantes. Un roitelet prit son envol dans un léger battement d'ailes, en criant. L'herbe caressée par le vent frémissait. Au milieu des bruits d'un monde bien réel, elle lui murmura :

— Embrasse-moi encore, Alexander...

11

Contre vents et marées

Un vent coulis glacé se glissait dans les interstices de la fenêtre rudement battue par une pluie d'automne et sifflait une sinistre rengaine. N'arrivant pas à s'endormir, Alexander prit la pièce de bois qu'il avait commencé à travailler. Les contours étaient encore un peu anguleux. Mais quand il les aurait polis au sable, ils seraient aussi lisses et courbes que...

L'image d'Isabelle s'imposa dans son esprit. Caressant les traits de la vierge qu'il tenait, il sentit ceux de la belle bourgeoise. Il referma ses paupières pour réentendre la rivière couler, les ailes du moulin craquer, les jupes bruire doucement... et la jeune femme soupirer.

Il étendit le bras pour attraper son *sgian dhu* et, à l'aveuglette, entreprit d'affiner les plis de la tunique de la figurine. La couche de Coll craqua. Au rythme de sa respiration, il savait que son frère ne dormait pas non plus.

— Que fais-tu? lui demanda Coll dans un chuchotement, comme pour confirmer sa pensée.

— Rien de bien important.

Se soulevant sur un coude, son frère regarda dans sa direction.

— Je croyais que tu l'avais terminée?

— Non. Pour moi, elle ne sera jamais vraiment terminée. Mais il faudra bien que je la remette aux ursulines un jour.

— Elle sera magnifique, Alas.

— Hum... ouais, magnifique.

— On n'y voit rien! Tu devrais dormir.

Il y eut un long silence, entrecoupé des ronflements des hommes avec qui ils partageaient la pièce mal chauffée. La voix de Coll résonna à nouveau.

— Où étais-tu passé, aujourd'hui? Après la corvée chez les religieuses, tu as disparu. Nous nous sommes inquiétés. On a encore retrouvé un soldat mort, ce matin, dans le fossé qui longe les fortifications : un grenadier avec un couteau dans le ventre. C'est le quatrième depuis un mois et le deuxième cette semaine. Tu es prudent au moins?

— Ne t'en fais pas pour moi.

Coll hésita. Il connaissait assez bien Alexander pour avoir une bonne idée de ses états d'âme : son frère était amoureux. Enfin, il se lança :

— Tu étais avec cette femme?

Le bruit du couteau ripant le bois cessa.

— Qui ça, Émilie?

— Pas Émilie, imbécile. L'autre, la belle bourgeoise.

Un grognement confirma les soupçons de Coll.

— Tu es certain de ce que tu fais? Tu t'y brûleras, Alas, et tu le sais.

— Je sais très bien ce que je fais, Coll. Je ne suis plus un gamin, je te ferai remarquer.

— Ça, je le sais. Mais, en amour, tous les hommes sont des gamins.

— Qui parle d'amour?

— Moi.

— Je ne suis pas amoureux. Elle est agréable et belle, et...

— Et tu es en train de tomber amoureux d'elle, Alas. Ne te mens pas à toi-même.

Alexander déposa son œuvre sur le bord de la fenêtre et s'assit sur sa couche. Il soupira et son œil fatigué eut un tic. Il ferma les paupières pour les masser.

— Je n'ai pas envie de parler de ça, murmura-t-il.

L'ombre de Coll bougea. Son frère avait-il raison? Depuis quelques jours, il n'arrivait pas à rester assez calme pour pouvoir analyser ce qu'il ressentait réellement pour Isabelle. Cet après-midi... lorsqu'il avait embrassé la jeune femme, cela avait été comme tremper ses lèvres dans l'hydromel des dieux. Il s'était abreuvé à la source de la vie. Mais cet élixir allait corroder son âme s'il n'y prenait pas garde; il s'était juré de ne plus jamais aimer. D'un autre côté, il serait bien stupide de ne pas profiter de ce que lui offrait la belle bourgeoise! Avec cette femme dans ses bras, il s'était senti invincible. Elle avait été le bouclier qui se dressait entre la vie et lui, comme celles qui, avant elle, avaient réussi à trouver le chemin de son cœur.

— Tu viens de perdre Leticia. Tu es encore... fragile.

— Ça va, Coll. Je vois où tu veux en venir.

— Ne me dis pas que le départ de Leticia ne t'a pas bouleversé. Tu ne tenais plus à la vie après... enfin...

— Ma flagellation? N'aie pas peur des mots.

— D'accord. Mais si nous n'avions pas fait de serment tous les deux, Alas, où serais-tu aujourd'hui? Même l'attention de Christina ne te touchait pas.

Alexander ne répondit rien, plongeant son regard dans la nuit noire, par la fenêtre.

— Eh bien, je vais te le dire, moi. Tu serais encore sur la pointe de Lévy à te faire boulotter les tripes par les vers. Voilà où tu serais. Tu es... trop sensible, Alas.

— Arrête de raconter des âneries.

— Mais ouvre donc les yeux! Cette femme se moque de toi, ne le vois-tu donc pas? Ne t'accroche pas à elle. Elle n'appartient pas au même monde que nous. Elle ne peut que se servir de toi. Elle est peut-être mariée ou fiancée, et désire seulement prendre un peu de bon temps avec un soldat étranger. Elle ne sera pas la première ni la dernière à le faire. En plus, son père et ses frères, si elle en a, doivent porter l'uniforme. Ils te feront la peau, c'est certain. Prends la petite Émilie, à la place, elle est mignonne. Et elle s'est entichée de toi, c'est évident!

— Je ne suis pas stupide! Je sais très bien que je ne pourrai jamais avoir Isabelle pour moi. Seulement... elle me plaît. Et puis, si je lui plais aussi, pourquoi ne pas en profiter le temps que durera cette fichue guerre?

Sur ces derniers mots, il se recoucha dans un mouvement brusque de colère.

— Et quand la guerre sera terminée, que feras-tu?

— Avec la grâce de Dieu, peut-être n'en verrai-je pas la fin...

Un silence lourd de sous-entendus s'abattit sur les deux frères.

— Ne fais pas ça, Alas! Reviens avec moi en Écosse, chuchota Coll après un moment. Je t'en conjure, ne fais pas ça!

— Faire quoi?

— Te résigner à mourir. Il ne faut pas. Un bon guerrier doit toujours se sentir invincible. Anticiper sa mort, c'est accepter d'avance la défaite.

— La mort me suit à la trace, Coll, et depuis bien longtemps. Je ne sais pour quelle raison, mais elle ne me quitte pas d'une semelle. Si elle a refusé pour le moment de me prendre, je la sens tout autour de moi... Elle attend.

— Elle est là pour nous tous, mon frère. Mais il ne faut pas la défier.

— Le courage n'est-il pas là?

— Non. Pas de cette façon. Défier la mort, c'est la provoquer, l'appeler. Combattre tes ennemis, tes peurs, la mort, là se trouve le courage. Attendre est un acte de lâcheté.

— Tu ne peux pas comprendre, Coll. Tu ne sais pas ce qu'est ma vie. Alors, ne me juge pas.

— D'accord, je ne peux pas tout comprendre. Mais sache que tu n'es pas le seul à souffrir. Et puis, d'autres ont besoin de toi.

Une exclamation de dérision s'échappa de la gorge d'Alexander. Munro se retourna sur sa couche en grognant. Après une série de sons incongrus, le silence retomba.

— Tu veux encore me parler de père?

Coll savait qu'il était inutile de s'étendre sur le sujet. Alexander avait la tête aussi dure que la pierre. Il osa néanmoins avancer un dernier argument.

— Le courage, c'est d'affronter ses peurs, Alas. Or je crois que revoir père en est une pour toi.

Sur ce, il se tut. Une porte claqua quelque part, dans le quartier. Des éclats de voix retentirent dans le lointain. Un enfant pleurait et appelait sa mère. Les paroles de Coll résonnèrent de nouveau dans sa tête, le dardant de leur vérité. Oui, il avait peur... Il avait peur du regard que son père poserait sur lui s'il rentrait. Des premières paroles qu'il lui dirait. Du premier geste qu'il aurait pour lui. Pourquoi Coll avait-il toujours raison?

***

— Toupinet? Hou! hou! T'es là?

— Tu es bien certaine qu'il vit ici? Il me semble...

— Attendez! s'écria Marcelline. Parlez-lui, mam'zelle Isa. Depuis que les Anglais sont dans la ville, il se cache et ne sort que la nuit.

— Toupinet, c'est mademoiselle Lacroix! Viens, j'ai quelque chose pour toi.

Quelques vieilles planches noires de suie bougèrent et une tignasse en émergea. Toupinet dévisagea les deux jeunes femmes d'un air suspect. Puis, les reconnaissant, il s'extirpa de l'amas de bois en s'étirant.

— Ben, il dormait, le paresseux!

— Viens, mon ami. Vois ce que je t'apporte. Deux belles pommes rouges et un morceau de fromage.

— Pas de pâtiss'ies?

— Non, pas de pâtisseries aujourd'hui. Tu sais bien que la boulangerie de Louis est toute démolie.

Un peu déçu, l'homme s'empara tout de même des provisions

et les fourra dans les poches de sa veste toute crasseuse. Isabelle ne put s'empêcher de grimacer devant son aspect pitoyable.

— Qui nettoie tes vêtements?

— Pe'sonne.

— Toupinet, il faut te laver un peu! Tu dois être couvert de vermine...

Il se gratta la tête et examina ses ongles avant de mettre son index dans sa bouche.

— Pouah! fit Marcelline en se détournant. Allez, viens, on va faire un tour.

Isabelle se promit de faire en sorte que Toupinet eût un endroit convenable pour passer l'hiver. Les grands froids arrivaient; la première neige était tombée durant la nuit. Bien que le soleil eût rapidement tout fait fondre, le sol restait dur et résonnait sous leurs pas.

Les rues étaient encombrées des débris que les ouvriers retiraient des squelettes de pierres. Une odeur de cendres mouillées planait. Évitant les crottes de cheval encore fumantes et les plaques de glace, les trois amis descendirent dans la Basse-Ville en devisant gaiement. Marcelline racontait la chasse aux mulots à laquelle on se livrait au couvent, insistant sur les faits cocasses et la peur irraisonnée de sœur Catherine à l'égard des bêtes inoffensives.

Rue De Meules, Isabelle ressentit un immense chagrin devant la façade du magasin de son père. On voyait le bleu du ciel par les fenêtres et des poutres calcinées coiffaient piteusement le bâtiment. Le cabaret était dans un état tout aussi lamentable. Il n'avait plus de toit et le plancher du deuxième étage s'ouvrait en partie sur le premier. Le rez-de-chaussée semblait encore en bon état, mais les risques de s'y blesser étaient trop grands. Le soupirail restait donc la meilleure entrée et Toupinet, avec son petit gabarit, était l'homme tout désigné pour s'y glisser.

Marcelline expliqua par deux fois à Toupinet tous les détails de sa mission et les lui fit répéter pour être certaine qu'il eût bien compris. Les étripe-chats qui protégeaient habituellement le soupirail avaient disparu: les lieux avaient été visités. Cependant, Marcelline ne craignait pas pour sa précieuse boîte. Elle l'avait soigneusement enterrée dans le coin sud-est de la cave.

Les deux jeunes femmes regardèrent Toupinet s'introduire dans le bâtiment et se laisser tomber au sol. Marcelline le dirigeait vers la cachette; Isabelle l'encourageait. Tout à coup, un craquement les figea sur place. Croyant que le bâtiment allait s'effondrer, Isabelle allait crier à Toupinet de revenir sur-le-champ lorsqu'une main se plaqua sur sa bouche. Une horrible odeur de chou bouilli emplit ses narines.

La jeune femme battit tant qu'elle put des mains et des pieds, mais rien n'y fit. L'homme l'entraînait dans la froide humidité du sombre tunnel qui servait de passage entre les deux bâtiments. Immobilisée contre le mur, elle put voir un deuxième homme faire subir le même traitement à Marcelline, qui se débattait tout autant en faisant voler ses jupes colorées. Son agresseur à elle lui parla en anglais. Dans les mots menaçants qu'il lui adressait, elle ne retrouva pas ce curieux accent écossais et en fut soulagée un instant. Le malotru se mit à fourrager sous ses jupes. Elle prit alors pleinement conscience de ce qu'il voulait d'elle et poussa un cri de rage qui gronda dans la main toujours plaquée sur sa bouche.

L'agresseur remplaça sa main malodorante par une bouche à l'haleine fétide, pleine de relents d'alcool. Isabelle eut un léger tournis. Marcelline, à force de se débattre, réussit à échapper à l'autre individu. Mais l'homme, rugissant, la rattrapa sans difficulté par les cheveux et l'attira à lui. Les rires éraillés des deux soldats résonnaient sinistrement dans le petit passage. Isabelle avait la gorge nouée par les sanglots : elle allait être violée.

Marcelline poussa un cri aigu. Se libérant de la bouche impudente, Isabelle réussit à tourner la tête dans la direction de son amie. Ce qu'elle vit l'emplit de désarroi : Marcelline subissait les assauts répétés de l'homme. Telle une poupée de chiffon, elle était secouée de soubresauts et son regard fixe exprimait sa terreur. Tout à coup, Isabelle sentit la main de son propre agresseur se glisser entre ses cuisses. Elle poussa un cri désespéré. Le membre durci se frottait contre elle, cherchait à pénétrer ses chairs vierges tandis que le soldat grognait comme un vieil ours. Quelque chose de chaud coula entre ses cuisses et l'immonde individu râla de plaisir dans ses oreilles. Elle hurla de dégoût.

Son agresseur la frappa au visage pour la faire taire, mais les cris continuaient de résonner. Isabelle vit alors un Toupinet hurlant de rage arriver en courant comme il le pouvait, de sa démarche si particulière. Les poings levés, il se jeta sur l'homme qui la retenait toujours prisonnière. Mais le deuxième soldat, qui en avait fini avec Marcelline, se releva et se précipita sur lui. Isabelle entrevit l'éclat de l'acier. Avant d'avoir compris qu'il s'agissait d'un couteau, elle vit son ami s'écrouler au sol.

— Nooon ! Toupinet ! Nooon !

L'étau qui l'enserrait se relâcha. Elle glissa contre le mur, aux pieds de son agresseur qui s'engueulait avec son acolyte. Puis, des voix et des cris lui parvinrent de la rue De Meules. On venait. Les deux malotrus prirent la poudre d'escampette du côté du fleuve.

Isabelle rampa jusqu'à Marcelline, qui ne bougeait pas depuis plusieurs minutes. Elle rabaissa ses jupes sur ses cuisses nues et dégagea son visage mouillé de larmes.

— Marcelline, réponds-moi! Marcelline!

Isabelle secouait son amie en l'appelant. Mais Marcelline restait emmurée dans une catatonie profonde. Calant sa tête sur ses genoux, Isabelle lui parlait doucement et lui caressait les cheveux. Elle ferma les yeux pour ne plus voir le corps du pauvre Toupinet allongé près d'elles.

Des bruits de pas précipités; des voix qui se rapprochaient. Le cliquetis des armes résonnait dans le tunnel que des silhouettes envahissaient. D'autres soldats anglais... Sentant des mains se poser sur elle, Isabelle poussa un cri. À la peur se mêla la haine.

— Ne me touchez pas! Allez-vous-en! Infâmes monstres, vous les avez tués! Oh! Marcelline...

Les larmes coulaient et mouillaient ses joues. Mais on ne la laissait pas tranquille. Les mains revenaient à la charge, tiraient ses bras qui enserraient la tête de Marcelline. Elle refusait de céder. Ils n'auraient pas son amie; ils ne la toucheraient plus. Les mains s'obstinaient. Des voix parlaient fort. Marcelline geignait. Isabelle avait l'impression que sa tête allait exploser.

— Laissez-nous! Allez-vous-en, salauds! Truands! Violeurs! Fichez-nous la paix! Retournez chez vous!

Elle vit deux hommes soulever le corps de Toupinet. On lui arracha enfin Marcelline des bras et on la força à se relever. Mais ses jambes refusaient d'obéir. Elle allait glisser au sol lorsque deux bras la soulevèrent fermement. Le nez dans une veste rouge, elle crut que son assaillant était revenu pour la tourmenter de plus belle. Elle cria et tenta de griffer le soldat au visage. Mais l'homme esquiva et lui retint le poignet en le broyant entre ses doigts. Sentant un objet s'enfoncer dans son ventre, Isabelle crut sa dernière heure venue et poussa un long gémissement. Le soldat déplaça le pommeau de son épée.

— *Dinna be afraid, Isabelle, 't is me, Alexander...*

Pendant un instant, elle ne sut qui s'adressait à elle. Puis, le nom prit peu à peu un visage : Alexander... Alexander? Isabelle s'accrocha à cette bouée et enfouit son nez dans la veste de l'homme, déversant sa frayeur et son immense chagrin. Elle se sentit emportée, ballottée pendant un moment. Alexander pouvait l'emmener jusqu'à l'autre bout du monde s'il le voulait, elle n'en avait cure, pourvu qu'il restât avec elle. Il s'immobilisa et la serra si fort contre sa poitrine qu'elle sentit palpiter son cœur. Il marmonna des mots dont elle ne comprit pas le sens. Mais, au ton rude qu'il usa, elle put deviner ce qu'il exprimait.

Il la déposa sur le sable mouillé de la plage et s'adressa à elle d'une voix douce :

— *'T is over*... Isabelle. *A Thighearna! Mic an diabhail sin!* Ils les ont attrapés. Ils seront jugés et pendus pour ce qu'ils ont fait. Pour ce qu'ils t'ont...

Sa phrase resta en suspens et se perdit dans un drôle de sanglot. Prise de vertige, Isabelle sentit son estomac se soulever et se mit à genoux pour vomir. Toute l'horreur de ce qu'elle venait de vivre réveillait son esprit engourdi. Un incoercible tremblement s'empara d'elle tandis que la scène se déroulait de nouveau dans sa tête : Marcelline criant; Toupinet tombant...

La jeune femme prit une poignée de sable mouillé et frotta sa bouche avec vigueur pour effacer toute trace qu'aurait pu laisser sur elle son agresseur. Les grains mouillés et rugueux éraflaient sa peau délicate. Mais la douleur lui faisait du bien. Elle prit une autre poignée de sable et recommença avec acharnement son geste de purification. Lorsqu'elle voulut soulever ses jupes pour nettoyer ses cuisses, Alexander l'arrêta.

— Je suis sale, je dois... je dois...

— Isabelle! *No!*

— Il m'a...

— *No! 'T is over!* la coupa-t-il rudement, complètement bouleversé.

Il ne voulait pas savoir; il ne voulait pas voir. Il refusait d'entendre la vérité, quelle qu'elle fût. Une terrible angoisse pesait sur sa poitrine. Isabelle refuserait désormais qu'il l'approche, qu'il la touche. Elle dirigerait sur lui sa haine et sa rancœur. Il ne pouvait supporter cette idée...

Le visage convulsé, la jeune femme geignait et se débattait pour se délivrer de sa poigne. Il lui fallait nettoyer ces immondes souillures, faire disparaître l'odeur du viol. Mais, lorsqu'elle vit son expression, elle cessa de protester et de bouger. Il la fixait si curieusement, la transperçait. Une douleur sourde commença alors à lui crisper le ventre. Les yeux d'Alexander exprimaient une immense tristesse, mais autre chose aussi... et elle eut peur.

— Alex... gémit-elle, au bord des larmes.

Il secoua mollement la tête de gauche à droite, puis ferma les paupières. La douleur la déchira. Elle empoigna le col de sa chemise et s'accrocha à lui.

— Alex!

Il ne l'aimerait plus. Il ne voudrait pas d'une femme violée.

Même si l'ignoble individu n'avait pas été jusqu'au bout de son acte, il l'avait souillée.

— Alex! Regarde-moi!

Puis, sans crier gare, une autre crainte s'insinua dans son esprit. Et si elle ne pouvait plus supporter qu'un homme la touche? Si la bouche d'Alexander sur la sienne ne faisait plus naître ces milliers de papillons en elle? Si elle n'arrivait plus à l'aimer, elle non plus?

Comme pour exorciser l'angoisse qui l'envahissait, Isabelle plaqua ses lèvres sur celles d'Alexander. Au début, il tenta de la repousser. Ensuite, tandis qu'elle s'accrochait toujours à lui avec l'énergie du désespoir, il se détendit lentement contre elle. Plaquant ses grandes mains dans son dos, il la serra contre lui. Le sable se mêlant à leur salive râpait la peau tendre de leurs lèvres, grinçait entre leurs dents. Mais la nécessité immédiate de s'assurer de l'amour inconditionnel de l'autre leur faisait oublier ce détail.

— Je suis... dé-désolée, Alex. Déésoolée... sanglota-t-elle.

— Moi aussi, *a ghràidh*... Moi aussi...

Épuisés, rassurés, ils restèrent longtemps enlacés au bord du fleuve, à écouter le clapotis des vagues se brisant sur les rochers. Isabelle aperçut cinq soldats highlanders non loin d'eux. Ils tenaient à distance les curieux qui s'étaient rassemblés sur les quais. Ce ne fut qu'alors que la jeune femme sentit le froid mordant de novembre.

***

Retirant prestement ses jambes, Madeleine poussa un cri. Isabelle, heureuse de son méfait, laissa échapper un rire rauque.

— Isa, t'as les pieds gelés! Mets-les sur la brique, bonyeu!

— Mais tu es bien plus chaude et douce que la brique, ma chère cousine! Je suis tellement habituée à partager mon lit avec toi que je n'arrivais plus à dormir au couvent.

Les deux jeunes femmes se blottirent l'une contre l'autre dans le lit que la chaleur de la bassinoire avait abandonné. Elles se turent et se réfugièrent chacune dans leurs pensées. Le vent sifflait et secouait les battants de la fenêtre. Une neige floconneuse saupoudrait la ville, recouvrant d'un suaire lumineux sous le clair de lune les habitations ouvertes à tous venants.

— Je me suis ennuyée, Isa. Je suis si heureuse que tu ailles mieux.

— Moi aussi, tu sais. Je n'aime pas dormir seule, surtout depuis...

Madeleine serra les mains d'Isabelle entre les siennes et souffla dessus pour les réchauffer. De petits nuages se formaient autour de leur nez rouge lorsqu'elles respiraient. Bien que l'on eût fait un grand feu, le vent s'insinuait dans la maison par les moindres interstices et glaçait les os. Isabelle frissonna et rabattit la couverture de laine sur leurs têtes déjà couvertes d'un bonnet de laine.

La jeune femme était heureuse de se retrouver enfin chez elle, avec les siens, et de pouvoir dormir dans sa chambre. Mais ce qui la réjouissait le plus, c'était de retrouver Madeleine et la complicité qu'elles avaient toutes les deux. La nuit, au couvent, seule dans sa cellule, elle se réveillait en se débattant et en donnant des coups à des agresseurs imaginaires. La solitude ne lui apportait guère de réconfort.

Le bruit de la respiration de Madeleine était rassurant et l'aidait à se détendre. Elle souhaitait ne pas faire de cauchemar cette nuit.

— Comment va Marcelline?

— Ni mieux ni moins bien. Elle refuse de sortir de sa chambre, même pour prendre ses repas. Elle m'attriste beaucoup. J'ai essayé de lui parler, mais j'ai l'impression que mes mots ne traversent pas le mur qu'elle a érigé autour d'elle. Je suis inquiète.

— Faut comprendre, Isa. Ce qu'elle... ce que vous avez subi...

— Je sais. Pour elle, ce fut bien pire, je t'assure.

Il y eut un silence. Puis Madeleine demanda de but en blanc à Isabelle:

— Tu l'as revu?

— Qui ça, l'homme?

— Non... ton Écossais.

La jeune femme soupira. Elle savait bien que le sujet devait être abordé un jour ou l'autre. Madeleine avait deviné ce qui se passait entre elle et Alexander et elle en avait été choquée. Cependant, elle n'avait pas cherché à la dissuader de continuer à le voir. Isabelle lui en était profondément reconnaissante.

— Non. Serait-il venu ici?

Soudain, elle s'inquiéta.

— Pas icitte. Mais je l'ai vu au couvent, hier. Je croyais qu'il t'avait rendu visite.

— Non. Tu lui as parlé?

— À ton avis?

Puis, pour se rattraper, Madeleine prit un ton plus doux.

— Mais il m'a regardée. Il semblait hésiter à venir me parler.

— Et?

— Il est parti.

— Tu n'es même pas allée le trouver?

— Isa! Je pouvais pas!

Madeleine n'avait pas du tout envie de parler à cet homme. Bien qu'elle sût qu'il avait probablement sauvé la vie d'Isabelle, elle n'arrivait pas à oublier qu'il était de ceux qui menaçaient la vie de Julien, dont elle n'avait pas de nouvelles. La dernière lettre qu'elle avait reçue datait de trois semaines déjà. C'était le vieux forgeron Desjardins qui la lui avait remise. Julien lui disait qu'il allait bien et qu'il s'ennuyait d'elle, que les nuits étaient longues et froides sans elle. Mais il gardait espoir de la retrouver bientôt... Ils pourraient alors faire cet enfant qui tardait à gonfler son ventre désespérément plat... Elle en avait pleuré plusieurs heures.

Si au moins elle avait réussi à lui donner cet enfant qu'il voulait tant avant cette damnée guerre! Elle aurait maintenant en elle un peu de lui. Mais voilà, à cause de ces foutus Anglais, ils se retrouvaient séparés et avaient tout perdu. Elle en voulait à Alexander. Elle en voulait aussi à Isabelle, qui ne la comprenait pas, ne partageait pas son malheur. Elle l'enviait de pouvoir toucher la main de celui qu'elle chérissait, embrasser ses lèvres et se presser contre lui, entendre sa voix lui murmurer de belles choses...

Pour la première fois, elle était vraiment jalouse de cette cousine qu'elle aimait comme sa sœur, et cela la rendait malheureuse. Elle faisait beaucoup d'efforts pour lutter contre ce sentiment, mais rien n'y faisait. Comme disait l'adage : le bonheur des uns fait le malheur des autres. Refusant de culpabiliser Isabelle, Madeleine avait fait d'Alexander un bouc émissaire. Elle reportait sur le soldat tous ses malheurs à elle qui faisaient son bonheur à lui.

Mais combien éphémère était le bonheur! L'Écossais l'apprendrait bien assez tôt. Investie d'une grande mission, la jeune femme comptait se servir de lui à son insu pour causer la perte des Anglais. Isabelle était encore trop jeune et trop naïve. Elle comprendrait un jour l'erreur qu'elle avait commise. Comment avait-elle pu oublier si vite le beau Nicolas pour vivre une idylle impossible avec un soldat aux allures rustaudes? Non... lorsque l'armée du roi de France franchirait, victorieuse, les portes de Québec et qu'elle verrait son fier capitaine sur son étalon, elle en oublierait jusqu'au nom de son Écossais.

— De quoi vous parlez ensemble?

— De tout et de rien. Il me parle de son pays, de ses coutumes. Il n'est pas très bavard sur sa famille ou sur lui-même. Je le soupçonne d'être un peu timide. Tu savais qu'il n'aimait pas plus les Anglais que nous?

— Pourquoi il se bat sous leur drapeau, d'abord?

— Il n'a pas eu le choix. Son peuple meurt de faim. On les pourchasse dans leurs montagnes. C'est pourquoi il s'est fait mercenaire... Il me dit aussi des choses dans sa langue. Il parle trois langues, Mado, tu te rends compte? Sa langue maternelle, c'est le gaélique. J'ai abandonné l'idée de l'apprendre; c'est trop compliqué. Puis, il y a son anglais, qu'il dit être du scots. C'est vrai que cela sonne différemment de l'anglais habituel. Enfin, son français est bon, malgré son fort accent. J'avoue que j'aime bien sa façon de prononcer mon nom...

— Te parle-t-il parfois des intentions de Murray?

— Ce n'est qu'un soldat, Mado, pas un officier. Il se fiche bien de ce que veut le gouverneur Murray.

— Il doit ben entendre parler les officiers... Il doit ben avoir une idée de la date à laquelle les renforts et les provisions sont attendus...

Isabelle s'agita.

— Pourquoi tu me demandes ça? Pourquoi ça t'intéresse tant?

Se mordant la lèvre, Madeleine chercha une excuse.

— Ben, on n'a plus rien à manger, ou presque... Pis...

— Mado...

— Hum?

— Je pense que je l'aime.

— Pis lui? Il t'aime aussi, il te l'a dit?

— Il n'a pas besoin de me le dire; je le sens. Il y a des gestes qui expriment mieux les sentiments que les mots.

— Ne confonds pas désir et amour, Isa. Pour un homme, aimer a parfois un sens bien particulier. Il te veut peut-être. Mais est-ce qu'il t'aime vraiment?

Isabelle ne répliqua pas.

— Ne lui donne pas l'occasion de te faire du mal. Tu souffriras toute seule, pendant que lui se vantera auprès de ses copains de t'avoir bien eue. Que fais-tu de ton seigneur des Méloizes? Tu vas abandonner un bon parti pour un petit soldat de rien du tout? Tu vas gâcher tes chances de faire un beau mariage à cause de lui?

Isabelle remua et tourna le dos à sa cousine.

— Isa... je m'inquiète pour toi!

— J'ai sommeil, Mado. Bonne nuit.

— Isa...

Aucune réponse. Une profonde tristesse envahit Madeleine. Quelque chose se brisait entre elles. Pourquoi la guerre devait-elle pousser ses batailles jusque dans la cour de ceux qui s'aimaient? La jeune femme soupira et ferma les paupières.

— Bonne nuit, cousine.

***

Couperin emplissait le salon de sa présence musicale. Les doigts d'Isabelle dansaient sur le clavier, jouant une polonaise, lorsqu'un couinement interrompit l'harmonie.

— Ti'Paul! Fais sortir cet animal d'ici, je m'exerce!

— C'est pas moi qui l'ai fait entrer, Isa. C'est pas facile à attraper, ces bêtes-là!

— Prends-le par la queue et accroche-le au mur, qu'on en finisse!

Ti'Paul la dévisagea, éberlué.

— Tu veux que j'accroche un porcelet au mur, par la queue? Ça va pas!

Isabelle éclata de rire. Charles-Hubert poussa un soupir. Cela faisait si longtemps qu'il n'avait pas entendu sa fille rire comme ça. Trois semaines s'étaient écoulées depuis... il se refusait à prononcer le mot, même dans sa tête. Ce jour-là, sa nièce Marguerite – sœur Clotilde – était arrivée chez lui en pleurs : « C'est terrible! Ma chère cousine Isa... C'est terrible! » Puis, au milieu des sanglots, Charles-Hubert avait entendu les mots « attaquées », « Anglais » et « violées ». Il avait alors compris ce qu'elle tentait d'expliquer : sa petite fille avait été violée par un Anglais!

Il avait attrapé sa redingote et sa canne et avait traversé le verger pour se précipiter au couvent. Il avait cru qu'il n'arriverait pas jusque-là et avait dû s'arrêter à quelques reprises, tant la douleur était vive dans sa poitrine. Mais son vieux cœur avait tenu bon. Il avait trouvé sa fille installée dans une chambre, lavée et changée. Elle lui avait paru si fragile. Son visage était tuméfié à la pommette gauche. « Cela disparaîtra », s'était-il dit. Ce qui l'inquiétait surtout, c'était l'état de son âme.

La directrice du couvent l'avait invité dans son bureau. Sans se départir de son air austère, elle lui avait froidement raconté les faits. Marcelline avait elle aussi été victime des malfaiteurs, de même que le malheureux Toupinet. Les jeunes femmes avaient eu de la chance dans leur malheur. Un détachement de Highlanders s'était porté à leur secours. Un peu tard... mais tout de même. Les conséquences auraient pu être beaucoup plus graves.

« Beaucoup plus graves? Mais qu'est-ce qui aurait pu être plus grave pour Isabelle que d'être violée? » s'était-il exclamé en contenant difficilement sa rage. « Elle aurait pu être égorgée comme Toupinet, que Dieu ait son âme. » Quel malheur! Dieu le punissait de ses fautes et c'était sa fille qui en faisait les frais. Oh! Quel malheur!

Isabelle avait délaissé le clavecin pour jouer avec Blaise, le cochonnet, et Ti'Paul sur le plancher. Justine, son livre sur les genoux, les regardait d'un œil triste. Charles-Hubert savait que sa femme était atterrée par ce qui arrivait. Bien que le viol n'ait pas été consommé, il n'en était pas moins un viol. Les chances d'Isabelle de faire un bon mariage s'en trouvaient réduites à... presque rien. Nicolas Renaud d'Avène des Méloizes, qui était en fuite avec l'armée, ne tarderait pas à apprendre la vérité. De toute façon, ses relations avec Isabelle s'étaient brusquement interrompues avec la guerre. Les possibilités qu'ils puissent un jour se retrouver étaient bien minces...

Il y avait une chose que Charles-Hubert n'avait pu se résoudre à révéler à Justine. La directrice des ursulines lui avait confié qu'Isabelle entretenait une relation « étroite » avec l'un des soldats highlanders qui travaillaient à l'occasion au couvent. Elle avait une bonne opinion de cet homme : il était travailleur et possédait un don pour l'art. Elle lui avait montré une magnifique statue de la Vierge qu'il avait sculptée dans un morceau de poutre ramassé parmi les débris de la ville. Charles-Hubert n'en revenait pas : cette religieuse vantait les mérites d'un soldat de la race de ceux qui avaient arraché une partie de son âme à Isabelle ! Hors de lui, il avait quitté le bureau sous le regard stupéfait de la directrice.

Il avait laissé passer plusieurs jours. Isabelle était rentrée à la maison, où on l'avait entourée d'attentions et d'amour. Il n'avait pas encore osé parler à sa fille de ses relations, bien que cette histoire lui trottât dans la tête jour et nuit depuis. Mais, aujourd'hui, Isabelle semblait plus sereine...

Un mélange d'odeurs d'encre, de cuir et de tabac flottait dans la pièce sombre. Un bon feu brûlait dans l'âtre et faisait briller les dorures du grand bureau derrière lequel venait de s'asseoir Charles-Hubert. Isabelle prit place dans le confortable fauteuil en damassé grenat. Son père paraissait si tourmenté.

Des livres étaient ouverts, d'autres soigneusement empilés sur un coin du meuble. Des plumes effilochées étaient éparpillées; une bouteille d'encre était débouchée. La jeune femme admira le flacon de porcelaine de Sèvres aux délicats motifs qu'on appelait des chinoiseries. Son père avait passé une partie de sa vie entre ces murs. Combien d'heures était-il resté assis à son bureau, vérifiant encore et encore ses livres de comptes ? Lorsqu'elle était petite, il avait l'habitude de la prendre sur ses genoux pour l'embrasser sur la joue et lui souhaiter bonne nuit. Parfois, il prenait quelques minutes de son précieux temps pour lui raconter une histoire ou une de ses aventures en mer. Mais, aujourd'hui, il ne serait certainement pas question de beaux contes. Son père avait un air grave et le teint gris... Elle se demanda soudain s'il n'était pas malade.

— Comment te sens-tu, Isabelle?

— Mieux, papa. Beaucoup mieux.

Il avait posé ses yeux clairs sur elle et la fixait intensément, comme s'il cherchait à percer un mystère. Elle s'agita sur sa chaise, devinant brusquement ce qui pouvait le troubler autant. Il fallait bien qu'on en arrive à cet entretien. Elle s'y attendait et savait gré à son père que cela se passe à huis clos. Elle avait déjà préparé sa défense: ni rien ni personne ne l'empêcherait d'aimer Alexander. Elle était prête à subir l'exil pour être avec lui, ce qui n'était pas le cas avec Nicolas. Qu'allait-elle dire à ce dernier d'ailleurs? Elle avait commencé une bonne dizaine de lettres, qui avaient toutes fini dans les flammes.

Son père pianotait sur le sous-main de buvard taché d'encre et de cire à cacheter. Elle avait remarqué qu'il passait beaucoup plus de temps dans son bureau dernièrement. Ses affaires allaient-elles bien depuis que les Anglais avaient pris les rênes du gouvernement de Québec?

— Isabelle, commença-t-il enfin en se levant, j'aimerais que nous discutions de ton avenir.

— De mon avenir?

Lui tournant le dos, il se dirigea à pas lents vers la fenêtre.

— Oui. Tu es une femme maintenant et... les hommes... je veux dire... tu es en âge de te marier. Il faut donc y penser.

Il se tourna légèrement de côté et lui sourit faiblement. Isabelle contint son envie de protester et attendit de voir où il voulait en venir.

— Nicolas Renaud d'Avène des Méloizes a demandé ta main... enfin, officieusement. De toute évidence, il ne peut pas le faire d'une manière officielle pour le moment. Mais cela fait déjà plus de deux mois, et je me dis que tu as amplement eu le temps d'y réfléchir. Je voudrais donc savoir ce que tu as décidé de lui répondre.

— Papa, je... je ne l'épouserai pas.

Charles-Hubert laissa ses épaules s'affaisser et pencha la tête. Son crâne dégarni luisait à la lueur des flammes.

— Je m'en doutais. J'en suis désolé. Il semblait si amoureux de toi. C'est un homme bien, Isabelle, de belle allure et à l'avenir prometteur. Cette chance ne se représentera pas de sitôt.

— Je sais.

— Hum... puis-je connaître la raison de ce refus?

— J'aime un autre homme. Il ne serait pas juste pour Nicolas que je l'épouse alors que mon cœur appartient à un autre.

— Je vois. Et... cet autre homme, je peux connaître son nom?

Isabelle baissa le regard sur ses mains posées à plat sur ses cuisses. Ses ongles étaient dans un piteux état et la peau autour était toute rongée. Elle replia ses doigts à l'intérieur de ses paumes et leva son visage vers son père.

— Alexander Macdonald.

Il accusa le coup sans broncher. « Il est donc au fait, se dit Isabelle. Il voulait simplement que je lui confirme de vive voix ce dont il était instruit. » Cependant, elle savait que ce n'était pas Madeleine qui avait tout raconté. Elle lui avait fait promettre de se taire lors de sa première visite chez les ursulines. Sœur Clotilde? Non plus. Après tout, qui que ce fût, elle s'en moquait bien. Bientôt, toute la ville saurait. On les avait vus ensemble ce matin-là, sur la grève du Cul-de-Sac. Les mauvaises langues devaient s'en donner à cœur joie!

— Mais c'est un soldat anglais, Isabelle!

Le ton s'était durci. La jeune femme se raidit.

— Un soldat highlander.

— C'est du pareil au même. Il a tiré sur nous, il a combattu contre tes frères!

Isabelle ferma les yeux et serra les dents. Son père n'avait pas l'habitude de lui parler sur ce ton. Elle était près d'éclater en sanglots, mais elle tint bon. Cette fois, elle ne plierait pas. Il ne connaissait pas Alexander; il ne pouvait le juger.

— Je sais tout cela. Mais Alex est un homme très bien. Il a même sauvé la vie d'un officier français sur les Hauteurs et...

— Et tu as cru à ses histoires?

— Je l'ai vu, papa!

— Quoi?

Isabelle lui raconta alors ce qui l'avait conduite à s'aventurer sur la route de Sainte-Foy et lui décrivit toute la scène qui s'était déroulée dans la cour des Valleyrand. Elle n'omit que les détails les plus choquants, notamment le prélèvement des scalps dont elle et Ti'Paul avaient été témoins. Elle expliqua ensuite comment Alexander et elle s'étaient retrouvés après. Le hasard s'acharnait à les placer sur le même chemin. N'était-ce pas un signe? Revenant vers son bureau, Charles-Hubert resta silencieux pendant un long moment, le regard perdu dans les chiffres du livre de comptes ouvert devant lui.

— Je vois. Que vais-je dire à ta mère? Elle n'en sait encore rien. Quelles sont tes intentions maintenant?

— Je ne sais pas encore. Nous nous voyons très peu. Il a ses corvées et son entraînement. Pour le moment, c'est bien ainsi.

— Et lorsque vous vous voyez, vous êtes seuls?

— Papa!

Charles-Hubert était rouge de colère. Il se contenait avec difficulté.

— J'ai le droit de savoir ce que fait ma fille avec...

— Rien! Nous ne faisons rien! Nous sommes rarement seuls. Son frère Coll ou Mado nous accompagnent parfois.

— Si jamais cet homme abusait de toi, Isabelle, je te jure sur ce que j'ai de plus cher qu'il irait rejoindre les deux malfaiteurs qui vous ont agressées, Marcelline et toi.

— Cela n'arrivera jamais. Vous ne connaissez pas Alexander, papa. Il ne ferait jamais une pareille chose.

— Comment peux-tu le savoir? C'est un homme, que je sache. Il est loin de sa patrie et en terre conquise. C'est plutôt enivrant pour un soldat de s'approprier la fille du vaincu! Je veux... non, j'exige que tu cesses de le voir!

Elle ne dit rien, le fixant avec impavidité.

— Cet homme ne t'apportera rien de bon, ma fille. Tu comprends cela?

— Je l'aime! Comment pouvez-vous me demander cela, papa?

Il s'était déjà retourné pour lui cacher les larmes qui jaillissaient. Que pouvait-il lui dire pour lui expliquer les conséquences qu'il y avait à se laisser courtiser par l'ennemi? À la limite, il pouvait comprendre que cet Écossais lui plût. Une jeune femme aussi jolie et sensuelle ne pouvait certes pas rester insensible aux compliments d'un homme. Mais Isabelle était toujours promise à des Méloizes. Elle devait apprendre à tenir sa place. De plus, elle ne devait pas oublier que la guerre n'était pas encore finie et que trois de ses frères risquaient...

Une douleur à la poitrine le fit grimacer. Crispant ses doigts sur sa chemise trempée de sueur, il se laissa tomber dans son fauteuil.

— Papa, vous allez bien?

— Oui... Je crois que je digère mal le pâté d'oie de Sidonie, c'est tout. Laisse-moi, maintenant. Je dois réfléchir à tout cela...

— Bien. Je suis désolée de vous causer tant de soucis.

D'un geste de la main, il la congédia. Elle pensa l'embrasser, comme chaque fois qu'elle quittait son bureau. Mais elle se ravisa et sortit en refermant doucement la porte derrière elle.

Resté seul, Charles-Hubert attendit que la douleur se dissipe. Puis, il se leva lentement et se versa un verre d'eau-de-vie de prune.

Il but le liquide d'un trait et s'approcha du magnifique globe ter-restre qu'il avait rapporté de France dix ans plus tôt. Il fit tourner la sphère et la regarda pendant un long moment avant de l'arrêter brusquement. Son doigt s'était posé sur l'Amérique du Sud. Il le fit voyager d'un continent à l'autre, traverser les océans : l'Afrique, l'Europe... Ah ! La France. Il hésita. La Grande-Bretagne, l'Écosse.

— Un Écossais... marmonna-t-il tout haut en faisant une grimace de mépris.

Quelle différence y avait-il avec un Anglais ? Et puis, qu'est-ce que cet Écossais avait de plus que des Méloizes ? Bien sûr, il avait entendu comme tout le monde ce qu'on racontait sur le capitaine... et il savait qu'Isabelle était profondément blessée par ces rumeurs. Toutefois, ce n'étaient que des médisances. Dans les jours qui avaient suivi la défaite, des Méloizes avait servi de lien entre le camp de Beauport et Ramezay, lieutenant du roi de France toujours en poste à Québec. Lors de sa mission consistant à informer Ramezay du départ des troupes pour la rivière Jacques-Cartier, des Méloizes avait effectivement passé une partie de la nuit chez sa sœur, avec une femme, dans l'une des chambres.

Cependant, le jeune homme apprenait en fait à la pauvre dame le décès de son époux, mort à la suite de graves blessures subies lors de la bataille des Hauteurs. Bien que la veuve eût nié avoir profité des bras réconfortants du capitaine, il n'en avait malheu-reusement pas fallu plus pour faire marcher les mauvaises langues. On continuait d'ailleurs à médire dans le dos d'Isabelle. Il savait toutefois que ces ragots étaient destinés avant tout à le blesser, lui, l'ami de l'intendant Bigot.

La colère s'atténuait, se muait en un sentiment de culpabilité. Charles-Hubert secoua la tête et retourna à son fauteuil. Avait-il le droit d'exiger d'Isabelle qu'elle rompe avec cet homme et ne le revoie plus ? Il avait toujours tout fait pour qu'elle soit heureuse. Allait-il lui refuser le bonheur aujourd'hui ? Avait-il le droit d'im-poser à sa fille un homme que « lui » jugeait digne d'elle ? Il savait que, s'il l'exigeait, elle se plierait à ses désirs et épouserait des Méloizes. Mais elle ne l'aimait pas. Or il savait trop bien ce qu'était un mariage sans amour...

D'accord, il avait ses enfants, qui lui apportaient beaucoup d'amour. Mais les enfants grandissaient et quittaient le nid familial. Louis et Étienne avaient leur propre vie. Il en serait bientôt de même pour Guillaume. Puis maintenant, Isabelle... Sa maison se vidait. Bien sûr, il restait encore Paul. Mais cela ne suffisait pas à combler ce manque d'amour, ce fossé entre Justine et lui. Il ressentait plus cruellement encore qu'avant cette absence de sentiments entre sa femme et lui. Cependant, n'avait-il pas été l'artisan de son propre malheur?

Dès le début, il avait su Justine amoureuse d'un autre homme. En dépit de cela, il avait contracté avec Pierre Lahaye un mariage avec sa fille. En affaires, il avait toujours su jouer les bonnes cartes. Ainsi, il avait négocié avec son ami la vie d'une femme en échange de l'exclusivité d'importation. Il récoltait aujourd'hui le fruit de ce judicieux accord qui lui avait rapporté richesse et pouvoir... mais point d'amour. Il avait égoïstement enlevé à Justine sa chance de vivre un amour vrai, celui qui faisait tout pardonner...

Fixant d'un œil vide les chiffres qu'il avait sous les yeux, il ferma le registre dans un claquement. Il avait honte, tellement honte... de sa cupidité, de son avidité. Il voulait? Il obtenait. L'argent était le pouvoir suprême. Il pouvait pousser un homme à vendre sa fille, à prendre la nourriture de la bouche d'un enfant qui a faim. Il permettait d'obtenir le prestige, le respect de ses pairs, la réussite sociale... Mais qu'est-ce que tout cela valait quand le plus important manquait : l'amour?

Ainsi, toute sa vie, il avait fait fausse route. Et c'était maintenant seulement, alors qu'il se trouvait sur le seuil de la mort, qu'il s'en rendait compte! Quel imbécile il était! La rage l'envahissait, gonflait sa poitrine. Ne pouvant plus contenir les sanglots qui lui montaient à la gorge, il éclata et pleura longuement toutes les larmes refoulées depuis des années.

***

Les flocons virevoltaient doucement et couvraient d'un fin duvet les nouvelles toitures entourant la place d'Armes. Quelques pigeons se disputaient des miettes sur les marches de l'église des récollets.

— *Right about face!* cria l'officier. *Prime and load!*

Les crosses des fusils claquèrent sur le sol gelé. Au rythme du roulement de tambour, Alexander retira une cartouche à blanc de sa cartouchière et en déchira l'embout avec ses dents. Puis, il fit les gestes habituels pour charger son arme.

— *Port arm!... Make ready!... Take aim!*

La crosse bien calée dans le creux de son épaule, il visa le canon droit devant lui. Mais un ruban bleu ondula au bout d'un bras, dans son champ de vision. Son cœur fit un bond.

— *Fire!*

Une explosion retentit dans la place. Les pigeons affolés s'envo-

lèrent en tous sens dans un vacarme de roucoulements et de battements d'ailes. Quelques plumes volèrent autour des têtes des soldats.

— T'as pas tiré? chuchota Munro à son cousin.

— *Recover your arms!... Kneel!... Stand up!... Shoulder arms!*

Alexander lança un sourire du côté du ruban bleu et arrondit les
lèvres pour envoyer un baiser soufflé. Isabelle fit mine de l'attraper
et porta son poing à sa poitrine. Le jeune homme avait du mal à
suivre les manœuvres. Cela faisait sept jours qu'il n'avait pas eu de
nouvelles de la jeune femme, et il s'était inquiété. Il avait bien vu
Madeleine au marché, mais il n'avait pas osé aller la trouver. Il
connaissait trop bien son opinion sur les soldats britanniques.

— Alas...

Il avait manqué une manœuvre. Encore heureux que l'officier
regardât dans une autre direction. Il aurait récolté une corvée sup-
plémentaire sinon.

— *Left wheel, march!... Halt!*

La neige crissait sous leurs pieds. Il claqua des talons et chercha
Isabelle parmi la foule de curieux qui se rassemblaient tous les
jours pour assister aux exercices militaires.

— *Present arms!... Dismiss!*

Les soldats rompirent aussitôt les rangs. Fourrant son Brown
Bess dans les mains de Munro, Alexander se précipita vers l'endroit
où il avait vu la jeune femme. Mais elle avait disparu. Hébété, il tournait la tête de tous les côtés. Soudain, deux petites mains glacées lui
masquèrent la vue et un délicieux gloussement monta à ses oreilles.

— Devine!

— Hum... Marie?

— Comment ça, Marie?

— Oh! Désolé... Jeanne, alors.

— Quoi?!

— Anne? Aïe!

— Cela t'apprendra! Ce n'est que moi. M'aurais-tu déjà oubliée?

Il se retourna en faisant voler le tartan cramoisi autour de lui.
Puis il attrapa la main d'Isabelle et la porta à sa bouche.

— Ah! Isabelle! Comment pourrais-je oublier celle qui a le plus
joli prénom d'entre toutes? Où étais-tu? Je...

L'entraînant derrière elle, Isabelle se faufila entre les gens qui
se dispersaient pour vaquer à leurs occupations. Quelques regards
réprobateurs se posèrent sur eux. Ils les ignorèrent, s'empressant
de trouver un coin tranquille.

— Ah! Isabelle! murmura Alexander en poussant la jeune femme
contre une porte, dans l'ombre d'un portique.

Ils s'embrassèrent avec fougue et s'étreignirent avec force avant de se regarder dans les yeux. Leurs haleines, qui se mêlaient, formaient une vapeur blanche dans l'air glacé.

— Isabelle... où étais-tu? Ce fut tellement long!

— Alors, je t'ai un peu manqué?

— Un peu, beaucoup...

— À la folie?

— À la folie!

Il chercha de nouveau ses lèvres; elle le repoussa doucement.

— J'ai été malade. Rien qu'un rhume, mais je ne voulais pas te le passer.

— Mais j'étais malade quand même... d'inquiétude!

Elle rit entre ses bras et posa sa joue rougie de froid et de plaisir sur sa poitrine.

— Je suis rétablie, maintenant. Tu as quelques minutes?

— Je suis de garde à midi... *Damn it!*

— Oh! Je croyais que tu aurais la soirée de libre.

Il caressa son visage et le contempla avec amour. Il avait tellement envie d'être seul avec elle... Après tout, peut-être qu'il pourrait trouver un moyen.

— Ce soir, tu seras chez toi?

— Bien sûr, pourquoi?

— Ton ruban... accroche-le à la fenêtre de ta chambre. Je ne te promets rien, Isabelle, mais j'essaierai.

— Tu es fou, Alex...

— Oui, fou de toi!

Il l'embrassa une dernière fois et s'écarta à contrecœur. Il devait rejoindre son détachement pour la corvée de bois de chauffage avant le changement de garde. Résigné, il s'éloigna en courant, glissant dans la neige. Isabelle allait lui crier qu'elle l'attendrait, mais un couple qu'elle connaissait l'observait, stupéfait. Elle sourit donc simplement et prit le chemin du quartier du Palais.

La neige s'était changée en une fine pluie qui givrait le paysage et verglaçait la chaussée. Les rues étaient quasi désertes; les gens préféraient rester bien à l'abri et au chaud. Les soldats de garde se relayaient toutes les heures pour se réchauffer devant un poêle de tôle dont on tentait de nourrir le feu au bois vert. Les réserves de combustibles, qui n'avaient jamais été aussi basses, ne satisfaisaient pas aux besoins de la garnison.

Alexander et ses compagnons terminaient leur parcours dans la Basse-Ville. Avant le changement, Alexander désirait passer par l'échoppe du forgeron pour une commande particulière. L'atelier était situé dans la rue Notre-Dame, près de la pointe à Carcy, juste à côté de celui du tonnelier Bédard.

La mince couche de glace craquait sous ses pieds et rendait le trajet de patrouille hasardeux. Il avait vu quelques citadins attacher des crampons métalliques sous leurs bottes, avec des lanières de cuir. Il devrait trouver un moyen de s'en fabriquer avec quelques vieux clous.

Le jeune homme jeta un coup d'œil sur sa montre. Il restait encore trois heures avant qu'il aille retrouver Isabelle. Il avait de la chance. Comme il l'avait deviné, l'officier responsable des sentinelles jusqu'à minuit était Archibald Campbell. Si les choses devaient mal tourner, il pourrait se risquer à lui demander de le couvrir. MacNicol avait accepté de le remplacer pendant une heure, en échange d'une heure de corvée de déneigement. Mais il l'avait bien averti de ne pas en prendre l'habitude.

Perdu dans ses pensées, Alexander avait dépassé l'enseigne du forgeron Desjardins. Une claque sur son épaule le fit revenir à la réalité.

— C'est pas ici? lui demanda Coll en lui indiquant le panneau de bois à moitié calciné.

Par miracle, les deux premiers étages de l'édifice avaient survécu aux bombardements et n'avaient été que légèrement endommagés par les flammes. Coll se posta près de la porte, le fusil en bandoulière mais facilement accessible. Finlay Gordon s'adossa contre le mur en reluquant une jeune femme qui passait à la hâte, une cruche sous le bras.

— Hé, Finlay! plaisanta Coll. Et Christina? Si elle apprend que son mari fait les yeux doux à...

— Je ne fais les yeux doux à personne. Je regardais une jolie fille, c'est tout!

— Ouais... Alors, toutes les filles que nous avons croisées ce soir étaient jolies!

Finlay lui jeta un regard noir et se détourna. Après le procès d'Alexander, Christina Leslie s'était rendue tous les jours sous la tente-hôpital du campement de la pointe de Lévy pour prodiguer des soins au jeune homme et lui tenir compagnie. Elle tenait à ce que son témoignage garde toute sa crédibilité. Lorsque le blessé avait reçu son congé, elle avait élu domicile dans sa tente.

Évidemment, pour Alexander, il n'avait pas été question de mettre en pratique ce qu'elle avait raconté. Mais la jeune femme et les quatre hommes avaient noué des liens d'amitié. Christina s'était rapprochée de Finlay en particulier. Ainsi, ce qui devait arriver arriva. Lorsque l'épouse de l'un des officiers de la compagnie était morte en couches, Finlay avait obtenu la permission de se marier avec la jolie Christina. La jeune femme venait de célébrer ses quatorze ans, âge à partir duquel l'armée ne pourvoyait plus à ses besoins. Depuis, les deux tourtereaux ne rataient jamais une occasion de se retrouver seuls.

Alexander et Coll savaient que Finlay était amoureux et que c'était sa jeune épouse qu'il voyait en chaque femme. Mais ils aimaient bien le taquiner. Finlay était un bon garçon. Il était seulement un peu soupe au lait, ce qui amusait ses camarades.

Alexander poussa la porte de la forge et laissa sortir deux clients avant d'entrer. Une douce chaleur diffusée par le fourneau rougeoyant régnait dans l'échoppe. Le propriétaire était occupé avec une cliente, derrière le paravent qui protégeait les flammes des courants d'air. En attendant qu'il ait terminé, le jeune homme sortit de son *sporran* la pièce qu'il souhaitait faire monter en sautoir. C'était un petit ovale taillé dans une corne de bœuf qu'il s'était réservée pour en faire une corne à poudre.

Il savait que son travail était apprécié et qu'il aurait pu tirer un bon profit de la corne à poudre. Mais il avait un projet précis en tête, et c'était tout ce qu'il avait trouvé pour le réaliser. La pièce ovale devait être montée d'une façon spécifique, selon un dessin qu'il avait tracé, et devait pouvoir s'ouvrir comme un médaillon. Le travail était d'une telle précision que c'était plutôt celui d'un orfèvre. Mais Alexander n'avait pas les moyens. Si le forgeron pouvait y arriver... il aurait quelque chose à offrir à Isabelle pour le nouvel an.

Au bout d'un moment, Alexander, qui s'impatientait, s'approcha discrètement afin de faire connaître sa présence. La voix de la cliente qui le précédait lui parut soudain familière; il tendit l'oreille.

— ... Et Baptiste viendra chercher la livre de clous pis le tranchoir.

— D'accord, madame Gosselin. J'vous prépare ça dans les plus brefs délais. Y a-t'y aut' chose que j'peux faire pour vous être utile?

— Ben sûr, monsieur Desjardins. Tenez, v'là du courrier pour mon Julien. J'ai pas pu rien tirer de ma cousine sur son Anglais. Il lui...

Elle s'interrompit brusquement, alarmée par l'expression du visage de son interlocuteur. Alexander se tendit et attendit. Lorsqu'elle se retourna, Madeleine devint blême et crut défaillir.

— Désolé d'interrompre votre conversation, dit le jeune homme avec impassibilité. Bonsoir, madame.

— Monsieur Macdonald... je ... je ne vous ai pas entendu entrer. Je croyais que...

— ... Que les derniers clients étaient partis? termina-t-il pour elle. Je les ai croisés. Je suis navré de ne pas m'être annoncé plus tôt.

— Pas autant que moi.

— Je n'en doute pas. Veuillez me donner cette lettre, madame.

Madeleine crispa ses doigts sur le pli qu'elle tenait dans sa main et recula d'un pas. Elle paniquait.

— Vous n'avez pas le droit de lire cette lettre... bredouilla-t-elle.

Alexander émit un sifflement aigu. Quelques secondes plus tard, Coll apparut, fusil et baïonnette en main.

— Coll, je soupçonne cette dame de comploter contre le gouvernement de Murray et, de ce fait, contre le roi George. Prends la lettre qu'elle tient...

— J'ai rien à voir là-dedans! s'écria le forgeron en levant les mains devant lui.

— Madame Madeleine, continua Alexander en ignorant l'homme qui gesticulait derrière son paravent, venez avec nous, je vous prie.

Pendant que le groupe marchait, le cerveau d'Alexander fonctionnait à pleine vapeur. Le soldat se trouvait dans une situation des plus délicates. D'une part, il jouait son cœur en faisant arrêter la cousine de celle qu'il aimait. D'autre part, il risquait sa tête en la laissant filer avec, sans doute, des informations importantes. Tous devinaient que l'armée française préparait une riposte pour le printemps. Alexander avait ainsi des raisons de croire que cette lettre pouvait contenir des renseignements qui pourraient nuire aux troupes britanniques.

Comment pouvait-il tirer son épingle du jeu? Il sortit la lettre de sa poche et la déplia. Coll jeta un coup d'œil par-dessus son épaule.

— Elle est rédigée en français. Pas de chance!

— Ouais.

Les deux avaient eu la même idée. Ils s'étaient arrêtés de marcher. Alexander tentait de décoder le message. Il cherchait un mot qu'il reconnaîtrait, un nom...

— Tu connais quelqu'un qui saurait lire ceci? demanda-t-il à Coll.

— Glenlyon. Peut-être aussi le sergent Fraser. Mais je ne lui fais pas confiance, à celui-là. Il vendrait sa propre mère pour une prime.

— Hum...

Alexander regarda Madeleine, indécis. Pourquoi avait-il fallu qu'il tombe sur elle, aujourd'hui? Puis, une terrible idée lui vint à l'esprit, lui crispant l'estomac. Et si Isabelle s'était jouée de lui? Si son seul but, dans toute cette histoire, était de lui soutirer des renseignements qui pourraient être utiles à l'ennemi? Il chassa vite cette pensée. Non, elle se serait adressée à un plus haut gradé que lui. Un officier lui en aurait certainement beaucoup plus appris. De plus, il ne se souvenait pas qu'elle se fût intéressée aux affaires militaires de quelque manière que ce fût.

Avant de prendre une décision concernant Madeleine, il devait absolument savoir ce que contenait cette lettre. Pendant qu'il réfléchissait ainsi, la jeune femme piétinait, signe évident de sa grande nervosité. Elle n'était pas totalement innocente, cela, il en était certain. Soudain, il regretta de n'avoir pu suivre les leçons de grammaire française à cause de son retour à Glencoe.

— Qu'as-tu l'intention de faire? lui demanda Finlay.

— Je ne sais pas encore. Si je remets cette lettre au lieutenant Campbell, il sera obligé de la faire suivre au capitaine, et cette femme sera mise aux arrêts.

— Il doit bien y avoir un moyen de trouver quelqu'un pour la traduire! Sommes-nous vraiment obligés de la dénoncer?

Coll ne cessait de lancer des regards vers Madeleine. Alexander le soupçonnait de s'en être amouraché.

— Coll, j'aimerais...

Quel imbroglio! Il secoua mollement la tête et s'approcha de Madeleine, qui le toisait froidement. « Cela ne doit pas être de tout repos d'avoir une femme comme elle », pensa-t-il. Puis, il brandit le pli sous son nez.

— À qui est adressé ceci?

— Cela ne vous regarde pas.

— Je suis d'accord avec vous, madame. Mais peut-être que le gouverneur Murray ne le serait pas, lui. Vous comprenez?

— Vous allez me livrer à lui pour un simple bout de papier?

Elle pouffa de rire, mais cela sonna faux. Coll était très mal à l'aise.

— Laisse-la partir, Alas. Il ne doit rien y avoir de bien méchant dans cette lettre.

Alexander avait très envie de relâcher cette femme qui lui faisait perdre son temps. Mais, en même temps, il voulait briser la suffisance de Madeleine à son égard.

— Dites-moi ce qu'il y a dans cette lettre, et je vous laisse partir.

Elle le dévisagea, éberluée.

— Cette lettre est pour mon mari. Vous savez ce que peut écrire une femme à son époux, monsieur Macdonald. Des banalités... rien de plus.

— Ce qu'une femme amoureuse écrit à son mari n'est jamais banal, madame, et vice versa. Y aurait-il autre chose? Je sais que votre mari est dans la milice. Peut-être avez-vous ajouté quelques petites informations en post-scriptum?

— Non, monsieur.

— Le jurez-vous?

— Le jurer? Vous me croiriez sur parole?

— Est-ce que votre parole vaut qu'on se donne la peine d'y croire? Ou bien serai-je obligé de me faire traduire vos mots par une personne qui nous est chère à tous les deux?

Madeleine pinça les lèvres. Il avait touché son orgueil, et c'était ce qu'il recherchait. Si vraiment elle était ce qu'Isabelle lui en avait dit, il pourrait la croire.

— Je le jure.

Satisfait, Alexander redressa le buste et recula d'un pas en fourrant le pli dans son *sporran*.

— Rendez-moi cette lettre.

— Non.

— S'il vous plaît, insista Madeleine en tendant la main.

Il hésita, mais resta sur sa décision : il gardait la lettre pour faire comprendre à Madeleine que, si elle s'était moquée de lui, il pourrait toujours s'en servir.

— *Go home*. Rentrez chez vous, madame.

Il s'était détourné et s'éloignait lorsqu'il entendit un cri de rage. Tournant la tête, il n'eut que le temps de voir un poing s'abattre sur sa mâchoire. Coll et Finlay maîtrisèrent la jeune femme assez rapidement en l'empoignant par les bras. Elle se débattit quelques minutes en criant et en jurant. Coll tentait de la calmer en lui parlant doucement. Mais entendre la langue de l'ennemi ne fit qu'attiser sa fureur.

— *Home*? Je n'ai plus de *home*! Vous l'avez brûlée, ma maison! *Home* parti en boucane, imbécile! Vous comprenez ce que je dis?

Elle hoqueta puis, d'un coup, éclata en sanglots.

— Regardez autour de vous, regardez ce qui reste de ma vie! Je n'ai plus rien... même Julien... Vous m'avez tout pris... Tout!

Coll osa passer un bras autour de ses épaules et l'attira contre lui. Elle ne résista pas et cacha son visage dans la laine mouillée de sa cape. Posant délicatement la main sur ses cheveux, dans lesquels s'agglutinaient des cristaux fondants, il la caressa doucement et la laissa se vider de son chagrin. Au bout d'un moment, il lui murmura à l'oreille :

— *I'm sorry, we dinna intend tae harm ye... dinna want tae fight ye... but 't is war, lass. 'T will be over soon. I ken what ye feel, there isna a Hielanman who disna... Sassannachs dirks tinted wi' our bluid.*

Elle renifla et s'essuya les yeux avec sa manche.

— J'comprends rien à vot' foutue langue.

— Mon frère s'excuse de ce qui vous arrive, madame. Nous n'avons jamais vraiment voulu nous battre contre vous. Mais la guerre est ce qu'elle est. Nous comprenons ce que vous ressentez. Croyez-moi.

Elle s'écarta de Coll un peu brusquement et défia les trois soldats du regard.

— Comment osez-vous dire que vous comprenez ce que je ressens?

— Le sang des Highlanders a aussi rougi les poignards des Anglais. Il n'y a pas une génération, dans ma famille, qui n'ait pas pleuré la mort d'un des siens causée par un Anglais. J'ai perdu un frère...

— D'abord, expliquez-moi c'que vous faites dans leurs régiments? C'est pas un peu bizarre?

— Parfois, on est obligé de danser avec le diable pour mieux l'étourdir.

— Qu'est-ce que vous voulez dire?

Il hésita. La hargne avait disparu du visage de la jeune femme, mais pas cette condescendance qui l'agaçait.

— Peut-être une autre fois, laissa-t-il tomber froidement.

Puis, s'adressant à Coll:

— *Escort the lass tae the Upper-Toon.*

Le ruban bleu noué au tourniquet fouettait le bois du volet qu'il tenait ouvert. La masse sombre de la maison Lacroix se découpait sur un ciel qui se piquetait progressivement d'étoiles. Un vent glacial faisait claquer le kilt d'Alexander sur ses cuisses engourdies. Le jeune homme scrutait les ombres derrière les vitres givrées. Il savait qu'Isabelle était avec sa cousine et hésitait encore à lui faire signe. Il n'avait pas très envie de se retrouver face à face avec Madeleine, mais il désirait tant tenir Isabelle dans ses bras. Il aurait aimé qu'elle devine sa présence sans qu'il ait à faire un geste.

Le silence de la nuit l'aidait à se calmer. Il n'avait qu'une heure devant lui et devait se décider rapidement. Il frotta ensemble ses mains glacées, souffla dessus puis les enfouit sous ses aisselles pour les réchauffer un peu. En définitive, son caleçon n'était pas de trop ce soir.

Une ombre s'immobilisa devant la fenêtre. Il reconnut d'emblée le profil de celle qu'il aimait. N'y tenant plus, il chercha un objet à lancer et ramassa un bout de glaçon. Il rata sa cible une première fois, puis une deuxième. Pour un tireur d'élite, il faisait assez piètre figure. La troisième fois, il fit enfin mouche. L'ombre se définit tandis qu'Isabelle se rapprochait de la fenêtre.

— Alex? C'est toi?

Il secoua la main; elle lui fit signe d'attendre.

Toute frissonnante et rose de plaisir, la jeune femme referma la fenêtre. L'air glacial qui s'était engouffré dans la chambre fit gronder les flammes dans l'âtre. Il n'y avait que trois chambres avec une cheminée à l'étage, et elle avait la chance de disposer de l'une d'elles.

— Isa, est-ce que je m'imagine des choses ou ben est-ce qu'Alexander est venu jusqu'ici pour te voir? demanda Madeleine, estomaquée.

— Tu as deviné juste, chère cousine. Il m'attend en bas.

— Mais la garde est jusqu'à demain midi... Comment?...

— Il a trouvé un moyen, c'est tout.

Isabelle attrapa son bonnet, puis, songeuse, regarda Madeleine en pinçant les lèvres.

— Tu ne diras rien à personne, Mado, n'est-ce pas?

— Tu sors le rejoindre?

— Tu crois peut-être qu'il va monter ici? Promets-moi, Mado, je t'en prie!

— D'accord. Mais j'te trouve ben imprudente, Isa.

— Amoureuse, tu veux dire!

Elle disparut dans le couloir en laissant sa cousine se débattre avec sa jalousie et son envie. Cela ferait bientôt six mois que Madeleine ne passait plus ses nuits avec Julien. Elle avait pu le voir à quelques reprises et rester un peu avec lui. Mais leurs étreintes étaient tellement brèves. Et puis, la dernière datait déjà de plus de deux mois. Elle n'avait pas revu Julien depuis cette rencontre, au lendemain de la bataille des Hauteurs. Il lui manquait tant... Elle avait tant envie de sentir son corps contre le sien, sa chaleur sur sa peau, la douceur de ses doigts... Elle avait besoin qu'un homme la serre fort dans ses bras et la rassure.

Lorsque Coll l'avait prise contre lui, pendant un instant, elle avait imaginé être dans les bras de Julien. Ces mots étranges qu'il lui avait murmurés à l'oreille l'avaient calmée. Mais la raison l'avait vite ramenée à la réalité du moment. Elle s'était détachée du soldat en le haïssant encore plus pour son geste à lui et sa faiblesse à elle.

— Où allez-vous comme ça, ma fille? demanda abruptement Justine, cachée dans l'ombre du salon.

Isabelle sursauta et poussa un petit cri de surprise en se retournant vivement.

— Maman? Mais... que faites-vous là?

— C'est moi qui vous pose la question, Isabelle. J'attends que vous me répondiez.

— Je... j'allais marcher un peu pour... regarder le ciel. Il est si magnifique ce soir.

— Pas question. Vous venez à peine de vous remettre de la maladie. Voulez-vous attraper la mort? Noël est dans trois semaines à peine. Je ne veux pas de rechute. Vous pourriez contaminer toute la famille, et nous serions obligés de nous isoler pendant tout le temps des fêtes. C'est ce que vous souhaitez?

La jeune femme baissa les yeux et enfonça ses ongles dans ses paumes.

— Non...

— Et puis, vous oubliez le couvre-feu. Vous ne voudriez tout de même pas vous retrouver seule face aux soldats anglais qui patrouillent?

Isabelle soupira. Elle devait trouver un autre moyen, coûte que coûte. Elle retira son mantelet et l'accrocha au mur. Puis, après avoir souhaité le bonsoir à sa mère, elle gravit les marches à la hâte.

Justine demeura un long moment dans le noir à fixer l'endroit où avait disparu sa fille. Puis, lentement, elle se leva de son fauteuil pour ranger le livre qu'elle avait refermé depuis longtemps déjà. Isabelle avait changé, et cela l'agaçait. Après l'horrible agression dont elle avait été victime, elle aurait dû sombrer dans une profonde mélancolie, comme la petite Marcelline. Mais, au lieu de cela, sa fille explosait de bonheur. C'était très curieux. Un seul sentiment pouvait lui faire oublier son affreuse expérience: l'amour. Pourtant, il y avait bien longtemps que monsieur des Méloizes ne donnait plus de ses nouvelles. Quelque chose lui échappait certainement...

Crispant ses doigts sur son châle, elle ferma les paupières. Cette enfant était un constant rappel de ce qu'elle avait à jamais perdu. Pourquoi Dieu lui avait-il donc donné une fille? Pour la punir davantage? Isabelle lui rappelait trop sa jeunesse à elle, surtout aujourd'hui. Elle lui ressemblait tant, trop. Elle avait le même visage ovale, les mêmes pommettes rondes qui se creusaient lorsqu'un sourire se dessinait. Elle-même, cependant, avait l'impression de ne pas avoir souri depuis des années. Ainsi, voir sa fille si heureuse alors que le malheur s'abattait sur eux tous la rendait amère.

La vie ne lui avait apporté que déceptions. Elle l'avait aigrie à un point tel qu'elle n'arrivait plus à se supporter elle-même. Comment en était-elle arrivée là? Pourtant, Charles-Hubert était un époux exemplaire depuis le début. Il était attentionné et aimant, malgré la froideur à peine voilée qu'elle lui témoignait. Pourquoi s'obstinait-elle donc à vivre dans ses souvenirs? Elle aurait pu apprendre à être heureuse, si elle l'avait voulu, si elle avait essayé d'oublier...

L'horloge sonna onze coups. Elle allait demander à Perrine de lui préparer une tasse de tisane et de la lui porter à sa chambre.

Au bord des larmes, Isabelle referma la porte derrière elle.

— Qu'est-ce qu'y a? lui demanda Madeleine, un peu surprise de la voir revenir si vite. Alexander est parti?

— Oh! J'espère que non, Mado! bredouilla Isabelle en allant vers la fenêtre. Maman m'a vue au moment où je mettais mon mantelet. Elle m'a formellement interdit de sortir, prétextant ma maladie récente. Je suis au désespoir!

— Elle n'a pas tout à fait tort, Isa. Il fait si froid.

— Mais je veux voir Alex! Cela fait plus d'une semaine!

— Et moi, deux mois.

Isabelle regarda bizarrement sa cousine. Dans son égoïsme, elle avait oublié que Madeleine vivait loin de son mari depuis le début de l'été. Ce qu'elle était sotte! Elle se jeta sur elle et lui prit les mains.

— Pardon, Mado, je ne suis qu'une pauvre égoïste imbécile! J'oubliais que...

— T'as pas à t'excuser, Isa. Tu n'y es pour rien. Pourquoi devrais-tu être malheureuse parce que je le suis? C'est moi, l'imbécile et l'égoïste. Je devrais me réjouir de ton bonheur...

— Mado...

Isabelle essuya une grosse larme qui roulait sur la joue de sa cousine.

— Je t'aime, Mado. Tes malheurs sont les miens.

— Pis tes bonheurs sont les miens. Ouvre la fenêtre et dis-lui de monter.

— Quoi? s'exclama Isabelle, les yeux écarquillés. Tu veux qu'Alex monte ici, dans ma chambre? Tu n'y penses pas, Mado! Si maman ou papa venaient à entrer... je n'ose même pas imaginer leur réaction!

— Je monterai la garde. Je trouverai un moyen de les empêcher d'entrer. Je frapperai deux coups secs sur le mur en cas de danger.

— Mado, tu es folle! Mais je t'aime comme ça!

Elle l'embrassa et courut à la fenêtre, où elle hésita.

— Mais... comment montera-t-il jusqu'ici? Je ne peux quand même pas le faire entrer dans le salon...

— Par le mur, bonyeu, Isa! Il a escaladé la falaise de l'anse au Foulon. Qu'est-ce qu'un petit mur de pierres pour lui? T'en fais pas! Je te ramène une corde pis je sors lui expliquer. S'il veut vraiment te voir, il le fera.

Les minutes s'égrenaient lentement. Le froid mordait cruellement Alexander malgré le caleçon de laine qu'il avait enfilé. Au bout d'un moment, il crut qu'Isabelle ne viendrait pas. Il se préparait à partir lorsqu'il vit enfin une silhouette enveloppée dans une longue cape surgir de l'entrée de la maison. Il attendit qu'elle s'approche, le cœur battant.

— Isabelle?

La silhouette s'immobilisa. Soudain, il remarqua qu'elle était plus haute et mince que celle d'Isabelle. Il recula dans l'ombre, prêt à déguerpir.

— Monsieur Macdonald... c'est moi, Madeleine.

Mais que faisait-elle là? Isabelle l'avait-elle envoyée pour le congédier?

— Isabelle ne peut pas descendre vous rejoindre. Elle... Je lui ai proposé de venir vous en avertir.

Elle s'était arrêtée à quelques pas de lui et le fixait de ses grands yeux qui lui rappelaient étrangement ceux d'Isabelle. Il se rendait compte pour la première fois combien les deux cousines se ressemblaient et il comprenait pourquoi Coll était tombé amoureux de Madeleine, pour son plus grand malheur. La jeune femme était déjà mariée; pire, elle les détestait.

— Je vois, répondit-il d'une voix basse. Je retourne à mon...

— Passez par la fenêtre, le coupa-t-elle.

— Quoi?

Isabelle apparut à la fenêtre et lança une corde, qui se déroula dans le vide, jusqu'au sol.

— Pensez-vous que vous y arriverez, monsieur Macdonald?

Incrédule, Alexander fixait la corde qui ondulait dans le vent. C'était complètement fou!

— Elle veut que je grimpe comme un voleur jusque dans... sa chambre?

— Dépêchez-vous, monsieur!

Madeleine évitait de le regarder. Il s'empara de la corde, hésitant.

— Pourquoi faites-vous ça?

Après ce qui était arrivé un peu plus tôt, il pensait qu'elle voulait peut-être l'attirer dans un piège pour se venger. Que se passerait-il si le père d'Isabelle les surprenait dans la chambre? Puis, il chassa cette idée: non, elle ne compromettrait jamais sa cousine dans un plan aussi machiavélique.

— J'aime Isabelle... La vérité, c'est que je désapprouve totalement les sentiments qu'elle vous porte, que je souhaiterais vous voir quitter cette ville que vous avez réduite en ruine avec du plomb plein le cul et que je me plairais à voir l'armée du roi de France vous mettre en déroute comme vous l'avez fait avec la nôtre. Mais je m'en veux de m'être servie d'Isabelle pour voir mes rêves se concrétiser. La lettre que vous m'avez confisquée ne contient rien qui puisse vous nuire, monsieur Macdonald. Je l'ai juré, pis je le soutiens. Cependant, elle aurait pu et aurait dû. Je devais communiquer tous les renseignements que j'arrivais à glaner sur vos troupes et sur les intentions de Murray. Évidemment, j'ai rien trouvé. Murray est ben trop occupé à faire régner un semblant d'ordre pis à reconstruire ce que vous avez détruit. Et Isabelle ne m'a rien révélé d'intéressant... C'est pas que j'vous déteste personnellement, monsieur... Mais vous devez me comprendre...

Le vent sifflait dans les branches, s'infiltrait dans leurs vêtements pour les gonfler et les faisait grelotter. Ils se jaugèrent en silence, le temps qu'un chat file entre les jambes d'Alexander. Le jeune homme lança un regard vers la fenêtre, où attendait Isabelle en se frictionnant les bras.

— Je vais vous faire une confidence, madame Madeleine. Nous avons quelque chose en commun : la haine des Anglais. Je ne veux pas me disculper d'être du mauvais côté dans cette guerre... mais je n'ai pas eu le choix.

Madeleine haussa les épaules. Puis, constatant qu'Isabelle était toujours penchée à la fenêtre, elle pressa Alexander :

— Vous devriez vous dépêcher! Ma cousine va attraper la mort!

Le soldat tira sur la corde pour en vérifier la solidité. Madeleine le retint par le bras.

— J'voudrais savoir une chose...

— Oui?

— Isabelle, vous l'aimez vraiment? J'veux dire... j'veux pas qu'elle souffre à cause de vous... J'hésiterais pas à vous le faire payer.

Alexander dévisagea Madeleine d'un drôle d'air. Puis, fouillant dans son *sporran*, il en extirpa la lettre et la lui tendit.

— Me croirez-vous si je vous dis que je l'aime? De toute façon, vous savez que je pourrais vous dire n'importe quoi pour que vous me laissiez aller la retrouver...

Les doigts gourds de la jeune femme se refermèrent sur le papier.

— C'est vrai. Mais il y a des gestes qui en disent plus que des mots, monsieur. Allez, grouillez-vous!

Elle s'écarta pour le laisser grimper. La cape et la « petite jupe » se soulevaient dans le vent, mais Madeleine ne le remarqua pas : elle gardait les yeux rivés à la lettre destinée à Julien. Il la lui avait rendue. Gage de bonne foi? Avait-il réussi à la faire traduire auparavant? Comment savoir?

La fenêtre refermée, Isabelle et Alexander se jetèrent dans les bras l'un de l'autre et s'étreignirent avec fougue. Frissonnante, la jeune femme s'écarta en poussant un cri étouffé.

— Tu es complètement glacé!

— Réchauffe-moi...

— Retire ta cape et ta veste. Elles sont gelées.

Les doigts perclus par le froid, le jeune homme allait lentement. Isabelle eut pitié et l'aida à déboutonner et à enlever sa veste. En ce faisant, elle effleura l'étoffe de sa chemise et sentit la chaleur de ses bras et les mouvements de ses muscles. Se rendant brusquement compte de la situation dans laquelle ils se trouvaient, elle se sentit très mal à l'aise. Ce n'était peut-être pas une si bonne idée d'avoir invité Alexander dans sa chambre. C'était la première fois qu'ils se rencontraient dans un endroit aussi intime.

Son cœur se mit à battre furieusement et son visage s'empourpra. Ils ne bougeaient plus ni l'un ni l'autre et se regardaient en silence. Elle voyait la poitrine d'Alexander se soulever fortement et sentait son souffle tiède sur ses joues. La lumière des flammes éclairait son front, ses pommettes saillantes et sa mâchoire, et creusait des ombres sous ses arcades sourcilières. Il avait retiré son béret, découvrant ses cheveux en bataille. Elle retrouvait cette beauté sauvage qui l'avait émue à l'Hôpital général. Elle se sentait attirée, mais se disait en même temps qu'il lui fallait faire attention pour préserver sa vertu.

— Je n'ai que quelques minutes, murmura Alexander. Je dois repartir pour le changement de garde... Isabelle, tu m'as manqué.

— Tu m'as manqué aussi.

Elle l'entraîna vers une chaise et s'assit sur le tabouret de la coiffeuse, à côté de lui.

— Raconte-moi tes journées. Qu'as-tu fait?

Ils discutèrent de leurs activités quotidiennes et d'autres banalités pendant quelques minutes. Ils se dévoraient des yeux et s'effleuraient les mains, conscients de la présence du lit derrière eux.

Isabelle observait les genoux rougis qui dépassaient de l'étoffe givrée et raide du kilt. Elle sentit une main glisser le long du bas de laine qui gainait son mollet. Cette masse d'os et de muscles pourrait très bien profiter de la situation. Elle leva son visage vers celui d'Alexander. Le jeune homme s'était tu. Son regard scintillant de désir lui indiquait que des idées similaires lui travaillaient l'esprit. Lentement, il se mit debout devant elle et, prenant sa tête dans ses mains encore froides, l'attira à lui et la força à se lever. Ses lèvres effleurèrent alors les siennes avec douceur.

— *A Thighearna mhór... mo nighean a's bòidhche*[69]... *Iseabail...* Une semaine, c'est trop long...

Il prit sa bouche, tandis que ses mains erraient sur ses épaules, dans son dos. Fermant les paupières, Isabelle se sentit transportée sur un nuage. L'odeur d'Alexander agissait comme un puissant aphrodisiaque sur elle. Elle gémit lorsqu'il la poussa contre le mur et l'écrasa de sa masse. Elle avait énormément de mal à rester lucide. Elle avait tant envie de s'abandonner à lui...

Elle enfouit ses doigts dans l'épaisse chevelure mouillée, dont elle fit fondre les glaçons restés accrochés. Elle aimait ses cheveux, si foncés par temps sombre, aux si beaux reflets de bronze au soleil.

La bouche d'Alexander traça un sentier humide dans son cou, jusqu'à sa gorge. Renversant la tête en arrière, elle soupira profondément. Les petits poils drus du menton du jeune homme lui râpaient légèrement la peau à la naissance des seins. Il respirait bruyamment. Un frisson extatique la parcourut de la tête aux pieds. Entrouvrant les yeux, elle vit leur reflet dans le miroir, et cela l'excita davantage. Ce tableau d'un couple d'amoureux en quête de volupté lui rappelait celui que lui avaient offert Étienne et Perrine dans la laiterie. Elle se dessina en esprit ce corps élancé mais robuste qui se penchait sur elle, au dos large sous la chemise et aux cuisses fortes sous le kilt. Se surprenant à imaginer les fesses assurément lisses d'Alexander, elle sentit ses joues s'empourprer et des papillons voleter dans tout son corps. Sa raison, en même temps, cherchait à lui rappeler les limites à ne pas franchir. Mais c'était si difficile...

L'une des mains d'Alexander glissa sur le corsage. La respiration d'Isabelle se précipita. Une petite voix avertit la jeune femme du danger grandissant. Les doigts caressaient le camelot du corps de robe, puis se refermèrent en coupe sur un sein et se mirent à le masser délicatement. Isabelle se tendit. Alexander grogna légère-

---

69. Oh, grand Dieu! Ma beauté…

ment, tandis qu'elle enfonçait ses ongles dans ses épaules. Croisant son propre regard dans le miroir, elle revit soudain l'expression terrifiée de Marcelline par-dessus l'épaule de son agresseur et paniqua. « C'est Alexander, tu l'aimes. Il ne te fera jamais de mal! » Mais l'image qu'elle voyait ne cessait de lui en rappeler une autre, si horrible.

— Alex...

Il ne répondit rien, trop occupé à explorer de sa bouche sa peau, à l'encolure de sa robe. Elle le repoussa brusquement.

— Alex... il ne faut pas!

Affolée, elle avait parlé un peu trop fort. Elle porta sa main à sa bouche. Deux coups furent frappés sur le mur. Alarmé et confus, Alexander se redressa et attendit qu'elle lui dise quoi faire. Mais elle restait muette. Il attrapa sur le lit sa cape et sa veste. Des voix leur parvinrent de l'autre côté de la cloison. Isabelle réagit enfin. Elle prit Alexander par le bras et le tira dans un coin de la chambre, puis ouvrit la grande armoire et le poussa derrière le battant du meuble. Ensuite, avisant la corde restée attachée au lit, elle lança dessus un peignoir qui traînait. On frappait à la porte.

— Isabelle?

C'était la voix de sa mère. La jeune femme jeta un dernier regard circulaire dans la pièce, puis se dirigea vers la porte. Elle entendit alors la voix de Madeleine et attendit. Des chuchotements, mais rien de compréhensible. Elle décida d'entrouvrir la porte.

— Isabelle, que fais-tu encore éveillée à cette heure? J'ai vu de la lumière sous ta porte... Tu vas bien, ma fille?

— Oui, maman. Je... lisais, c'est tout. Je n'arrive pas à dormir.

Sa mère haussa les sourcils en voyant sa tenue.

— Si tu te déshabillais et retirais ton corset, cela t'aiderait un peu.

— Euh... oui. C'est que ma lecture m'a prise, et...

— J'allais justement lui donner un coup de main pour la débarrasser de ses vêtements, ma tante. J'étais descendue lui préparer une décoction de tilleul pour l'aider à s'endormir.

Justine regarda les deux jeunes femmes d'un air intrigué et haussa les épaules.

— Bon... ne tardez pas, les filles. Je retourne me coucher. Bonne nuit.

Lorsqu'elle fut partie, Madeleine entra dans la chambre et referma prestement la porte. Le battant de la grande armoire grinça; Alexander lui sourit. Il avait enfilé sa veste, ce qui la soulagea. Grisée par le coup audacieux qu'ils venaient de réussir, elle pouffa de rire.

— Tu trouves ça drôle? s'indigna Isabelle. Je suis morte de trouille, et toi, tu trouves ça drôle? Va donc me chercher cette tisane; j'en aurai certainement besoin.

Madeleine jeta un œil rieur vers Alexander et sortit. Isabelle, tournée vers la porte qui venait de se refermer, poussa un soupir de soulagement. Ils l'avaient échappé belle! Alexander l'enlaça par-derrière et posa son menton sur le dessus de son crâne.

— Je n'aurais pas dû venir ici. C'est trop dangereux pour toi.

Dangereux pour elle? Oh, oui! Mais pas pour les raisons qu'il s'imaginait.

— Et pour toi, alors? Mon père pourrait te faire pendre pour cela!

Il la fit pivoter entre ses bras et posa ses lèvres sur son front. Il dut se faire violence pour se contenter de ces quelques caresses et baisers.

— Je suis prêt à recommencer, et même à faire plus, pour revivre ces moments, Isabelle. Je dois partir, maintenant. Et toi, tu dois dormir.

Il tourna la tête vers le grand lit, puis ferma les paupières en repensant aux courbes du corps d'Isabelle qu'il avait caressées. Il avait osé... elle avait vibré... pour lui.

— Je penserai à toi cette nuit.

— Moi aussi, Alex.

Elle leva vers lui ses yeux pétillants et lui sourit doucement. Sa voix avait chanté les mots, comme celle de Connie. Son regard lui faisait penser à celui de Kirsty; sa bouche avait le petit sourire moqueur de Leticia. Non, il ne pouvait plus se le cacher : il était amoureux d'Isabelle, comme il l'avait été de ces autres femmes... qu'il avait perdues.

— Isabelle?

Il hésita. Elle attendait qu'il parle. Ses fins sourcils se rapprochèrent dans un visage inquiet. Il l'embrassa une dernière fois et l'étreignit si fort qu'elle en gémit. La peur de la perdre après qu'il aurait prononcé les mots lui tordait les entrailles.

— *I love ye...*

Encore tout ébaubie, Isabelle le vit disparaître, dans un tourbillon de mèches et de cape, dans la nuit glaciale. Ce fut Madeleine qui la sortit de son état de grâce en faisant claquer les volets et en grommelant.

— Ben quoi?

— Il me l'a dit... Il m'aime...

12

Jours noirs, nuits blanches

Les jours se succédaient; la glace qui couvrait le fleuve et la rivière Saint-Charles s'épaississait. On avait balisé avec de jeunes conifères des « ponts » qu'empruntaient les carrioles pour passer d'une rive à l'autre. Alexander entendait les grelots des chevaux, la nuit, lorsque les voitures passaient dans la rue en faisant crisser la neige sous les patins.

Les conditions de vie dans la ville occupée étaient difficiles. La mauvaise alimentation due au manque de denrées fraîches était responsable d'une hausse des cas de scorbut. Les militaires, en particulier, étaient touchés, à cause des abus d'alcool. La maladie devenait une menace plus importante que l'armée française, dont on surveillait scrupuleusement tous les mouvements. L'hiver s'annonçait rude, surtout pour les compagnies qui logeaient dans les maisons hâtivement rafistolées et mal chauffées.

Isabelle tentait d'adoucir le quotidien d'Alexander en lui offrant, lorsqu'elle le pouvait, des pots de confitures, des pommes et d'autres douceurs qu'il partageait avec ses compagnons. Ayant jugé sa dernière escapade trop risquée, le jeune homme n'était pas retourné dans la rue Saint-Jean. Les deux amoureux se contentaient de brèves rencontres derrière le mur d'une cour ou d'un rendez-vous près du moulin de l'ermitage Saint-Roch, au bord de la rivière Saint-Charles.

Isabelle invitait parfois Madeleine à aller patiner sur le cours d'eau gelé et à regarder les « petites jupes » disputer des parties d'un jeu curieux: le curling. Il s'agissait de faire glisser de grosses pierres sur la glace qu'on balayait et de les envoyer le plus près possible d'une quille, en chassant si nécessaire les pierres des autres. Les parties se terminaient parfois par des querelles qui amusaient beaucoup les curieux.

Après les exercices militaires quotidiens, entre deux corvées de déneigement, de nettoyage des latrines ou de sciage du bois de chauffage, Alexander, lorsqu'il ne pouvait voir Isabelle, restait dans sa chambre à sculpter des pièces qu'on lui commandait en échange d'une rémunération ou se rendait au Lapin qui court. Là, il jouait aux cartes et aux dés, histoire de tromper sa solitude et de prendre un pichet de « petite bière » avec ses camarades.

En cette première journée de l'an 1760, l'avenir s'annonçait terne pour lui, malgré le ciel clair et la température clémente. Le jeune homme travaillait sur une sculpture avec son couteau en pensant à celle qui était devenue le centre de sa vie. Il avait beaucoup réfléchi ces derniers temps... Malgré tout l'amour qu'il avait pour Isabelle, il ne savait comment considérer un futur avec elle. Il ne possédait pour toute fortune qu'une dizaine de livres. Pour un simple soldat dépensant d'avance son salaire du mois, c'était considérable. Mais, pour une femme comme Isabelle qui n'avait rien connu d'autre que les douceurs de la vie, c'était bien dérisoire et bien insuffisant pour l'établissement d'un ménage.

En ces moments de déprime, Alexander entendait la voix de sa raison lui dicter d'oublier Isabelle et de trouver plutôt une gentille fille dans l'un des faubourgs de Québec. Il savait aussi qu'Émilie ne se ferait pas prier s'il lui faisait signe. Mais son cœur lui criait de faire confiance au destin. Cependant, le destin ne l'avait-il pas toujours abandonné à la fin? Il repensa à Leticia, comme cela lui arrivait souvent. Un calcul rapide des mois écoulés depuis son départ lui indiquait qu'elle devait avoir mis au monde l'enfant d'Evan. Il souhaitait ardemment que tout se fût bien passé pour elle et l'enfant et que les deux fussent en bonne santé. Il aurait tant aimé pouvoir l'aider... mais, bon, la vie en avait décidé autrement.

Parfois, aussi, il pensait à son frère John. Il regrettait de ne pas avoir eu le courage de l'affronter et de régler cette histoire qui le rongeait depuis maintenant quinze ans. Son frère, son image... Il se revoyait en train de s'amuser avec lui dans les lochs ou de courir sur les landes couvertes de bruyères. Il devenait nostalgique. L'Écosse lui manquait terriblement, bien qu'il se refusât à l'admettre. Sa vie était désormais ici, dans ce Canada en construction. Mais, justement, il ne savait où aller ni que faire de sa vie dans ce nouveau pays.

Plusieurs soldats se promettaient de faire comme ces hommes qui couraient les bois pour faire fortune dans le commerce de la fourrure. Son goût pour l'aventure et la possibilité de récolter assez d'argent pour pouvoir faire une demande en mariage convenable le faisaient rêver. Mais il lui faudrait partir plusieurs mois, voire des années. Isabelle n'attendrait pas aussi longtemps; et lui, supporterait-il l'éloignement? De toute façon, il fallait déjà attendre que cette fichue guerre se termine. Pour le moment, le gouverneur Murray avait interdit tout mariage entre les soldats et les Canadiennes. Alexander avait donc l'impression de se trouver dans une impasse.

Un groupe de soldats entra dans la chambre. Ils étaient dix à se partager un espace d'environ trente pieds sur seize. La pièce, proprement tenue, ne possédait que deux fenêtres et une cheminée pour se chauffer qui les exposaient cependant au froid. Les officiers, eux, avaient la chance d'avoir des poêles de fonte ou de tôle. Hormis les paillasses alignées le long des murs, le mobilier était constitué d'une table et de cinq chaises bancales.

Munro déposa un gros poulet sur la table. Les hommes se disputaient déjà les plumes pour garnir leurs matelas bien minces. À tour de rôle, les soldats se partageaient les travaux inhérents à la bonne tenue de la chambrée, ce qui incluait la préparation des repas. Alexander n'était pas de corvée de cuisine aujourd'hui. Il observa donc les autres d'un œil désintéressé, puis reporta son attention sur le visage de l'enfant Jésus qu'il finissait de ciseler. Celui-là, il l'offrirait à sœur Clotilde, qui lui avait tricoté une paire de bas pour couvrir ses genoux. Les religieuses étaient bonnes avec le régiment highlander. Le fait que la majorité des soldats fussent catholiques n'était certainement pas étranger à cette charité bienvenue en des temps si froids.

Des effluves d'alcool annonçant une présence lui firent lever la tête. Coll se tenait derrière lui et lui offrait un cruchon d'eau-de-vie en affichant un large sourire. Alexander lui prit le récipient des mains.

— Où avez-vous déniché ça?

— Ça vient du cabaretier.

— Il vous l'a donné?

— Tu penses? Nous avons déneigé sa devanture et fendu deux cordes de bois pour trois cruchons de tafia. C'est pas le whisky de la distillerie de Glencoe, mais... c'est toujours mieux que la bière d'épinette qu'on nous sert habituellement.

Alexander s'envoya une bonne rasade de liquide dans le gosier et s'ébroua en l'avalant. Le feu fit son chemin jusque dans son estomac. Il était plutôt costaud, ce tafia! Enfin, cela lui ferait oublier qu'il ne pouvait voir Isabelle aujourd'hui.

En échange de menus services, les soldats de la chambrée s'étaient aussi procurés de quoi préparer un repas digne de la *Hogmanay*[70]. Au menu: du poulet, deux saucissons, quatre navets et un chou, en plus

---

70. Fête du jour de l'an en Écosse.

de leur ration quotidienne de bœuf salé, de pois, de pain et de beurre. Un vrai festin, quoi! Ce fut donc la panse bien remplie et le sang en feu que, un moment plus tard, les soldats quittèrent la chambre pour terminer la soirée au cabaret. Là, quelques dames charitables leur offriraient certainement de quoi leur réchauffer le cœur.

La grande salle du Lapin qui court grouillait de monde. Le jour de l'an étant férié pour les soldats, nombreux étaient ceux qui avaient commencé assez tôt à se livrer à leurs loisirs préférés qu'étaient le jeu, l'alcool et les femmes. Quelques-uns dormaient sur les tables en ronflant. D'autres, à la démarche titubante, tentaient de se rendre jusqu'aux latrines. Les dés roulaient et les pièces d'argent tintaient dans une joyeuse cacophonie de rires et de grognements. En ce jour de fête, les officiers fermaient les yeux sur les écarts de conduite, pourvu qu'une discipline relative fût respectée.

Coll poussa Alexander vers une table où on jouait au whist. La petite Émilie Allaire leur sourit en les voyant arriver. Alexander hésita. Coll lui donna une bourrade dans le dos pour l'encourager. Il savait bien ce qui minait son frère et il ne voulait pas le laisser se morfondre seul dans son coin.

— Allez, viens! Ce soir, toutes les filles de Québec sont à nos pieds. Elles sont plutôt mignonnes, tu ne trouves pas?

— Une seule me suffirait.

— Alex, ne te fais pas d'illusions. Cette fille appartient à la bourgeoisie française. Tu sais bien qu'un jour ou l'autre... Bah! Parlons d'autre chose, veux-tu? Ce soir, c'est ma tournée.

Au milieu des rires, Alexander et Coll prirent place autour de la table de jeu. Munro lutinait une petite demoiselle dans un coin, enfouissant allègrement son nez dans le décolleté. Finlay était absent. Tous savaient bien pourquoi et ne se lassaient pas de faire des commentaires égrillards sur ce qui l'occupait. On avait même lancé des paris sur la date probable d'une paternité prochaine.

Un archet fit doucement grincer les cordes d'un vieux violon, écorchant les oreilles. Puis, après quelques secondes, réchauffé, il s'agita avec plus d'ardeur et d'habileté. Une flûte allemande et une guimbarde se joignirent alors à lui. La musique emplit le cabaret, exacerbant la joie et les sens déjà à fleur de peau. La grande majorité des soldats, écossais ou irlandais, se mit à chanter en chœur. Munro, en sa qualité de ténor reconnu, entonna un air de son répertoire sous les acclamations:

— *Came ye o'er frae France? Came ye down by Lunnon? Saw ye Geordie Whelps, and his bonny woman?*...

Certains l'accompagnaient. D'autres écoutaient en versant quelques larmes nostalgiques sur un temps révolu où la gloire des clans faisait encore couler le sang des braves et l'encre des bardes. Ainsi, l'âme jacobite n'allait pas s'éteindre en cette nuit où on buvait à la santé des Stuarts.

Absorbé par son jeu, Alexander n'avait pas remarqué le parfum bon marché qui flottait autour de lui depuis plusieurs minutes déjà. Ce ne fut que lorsque deux petites mains vinrent lui masser les épaules qu'il se rendit compte de la présence d'Émilie derrière lui. Il tressaillit. Elle se pencha sur lui en lui offrant le spectacle de son décolleté qu'elle avait relâché en guise d'appât. L'effet fut instantané. Il lorgna avec envie les deux masses de chair rose qui venaient vers lui.

L'abstinence qu'il s'était imposée depuis le début de ses rencontres avec Isabelle et l'alcool pris en quantité diffusèrent rapidement le désir dans tout son corps, en particulier entre ses cuisses. Cela n'échappa pas à Émilie.

— Ben alors, mon bel Alex... T'as plus besoin de ton « gentil porte-bonheur »? susurra la jeune femme en imitant le lourd accent de l'Écossais. Moi qui croyais que ta chance venait de moi... Il me semble que tu me négliges depuis quelque temps.

— Oh! Émilie...

Les fines lèvres esquissèrent un sourire, et la petite femme se laissa glisser sur les genoux d'Alexander, sous les regards amusés des autres, qui l'encourageaient. Elle embrassa le soldat à pleine bouche, satisfaite de sentir son membre se durcir contre sa cuisse.

— J'cré que ta langue se francise plutôt ben, pis qu'elle prend une tournure plus élégante aussi... J'pourrais savoir qui te l'enseigne aussi ben? J'étais pas assez bonne pour toi, mon gros loup?

— *Aye!* « Gros loup »! Ha! ha! ha! *The wee lass is gantin for it! Ye auld devil, give her a bite in the doup*[71]!

Tous les joueurs de la table s'esclaffèrent.

— C'est quoi qu'ils racontent, tes amis?

— Rien d'important.

— J'suis toute seule ce soir, murmura la belle impertinente dans le creux de l'oreille d'Alexander en prenant soin d'effleurer de la main le sexe tendu. J'aimerais ben que tu me souhaites la bonne année...

— *Bliadhna Mhath Alasdair! Ye should take a lang stroll, if ye see what I meen? Go wish the lassie happy Hogmanay like a true Scotsman*[72]!

---

71. Hé! Gros loup, la petite dame en redemande! Sacré vieux diable, croque-lui le popotin!
72. Bonne année, Alexander! Va faire un tour, si tu vois ce que je veux dire! Va souhaiter bonne année à la demoiselle comme un vrai Écossais!

Ivre, le jeune homme se laissa prendre au jeu. Il ramassa ses gains et suivit Émilie jusque dans une alcôve fermée par un simple drap. L'endroit n'était meublé que d'une chaise, d'un banc et d'une petite table. Alexander poussa la table et la chaise dans un coin et s'emplit les mains des charmants attributs que lui offrait la dame en déboutonnant son corsage.

Enivré par l'alcool et par un puissant désir charnel qu'il n'arrivait plus à maîtriser, il saisit Émilie à bras-le-corps et la mit à quatre pattes sur le plancher. Retroussant ses jupes, elle lui présenta sa croupe ondulante qu'il massa brutalement. Puis, sans autre préliminaire, il la pénétra violemment et profondément en poussant un long soupir de satisfaction.

Mi-homme, mi-bête, il s'agita sur les genoux qu'il s'érafla, mêlant douleur et plaisir. Le feu parcourait ses veines. Son râle de jouissance se perdit dans la chevelure de la petite femme. Ses jambes étant trop molles pour le soutenir davantage, il s'effondra sur les lames de bois crasseuses en entraînant Émilie avec lui. Ils restèrent ensuite sans bouger dans un désordre de membres, de cheveux et de vêtements, écoutant la ballade *Mo Ghile Mear*.

Au bout d'un long moment, Émilie s'assit pour contempler en silence Alexander, qui fixait les poutres du plafond. Elle savait que le soldat était éperdument amoureux de la jolie fille du marchand Lacroix : les gens jasaient, et les nouvelles se répandaient rapidement. Elle l'aimait tout en comprenant qu'il n'y aurait jamais de place pour elle dans son cœur. Ce soir, elle avait profité sans honte de sa faiblesse d'homme, tout en sachant qu'elle n'aurait jamais rien de plus de lui.

Perdu dans les abîmes de la culpabilité et des remords, Alexander se redressa sur les genoux. Il baissa les yeux sur le corps à moitié dénudé d'Émilie et ferma les paupières, pestant intérieurement. La tête lui tournait drôlement. La jeune femme se pencha vers lui et posa ses lèvres sur les siennes, glissant une main dans sa chemise ouverte. Mais, comme si le contact l'avait brûlé, Alexander s'écarta vivement.

— Je suis... désolé... Je n'aurais pas dû, marmonna-t-il. Non, je n'aurais pas dû.

— T'es un homme, Alex, et t'as des besoins d'homme à satisfaire. C'est normal.

Honteux et chancelant, il s'accrocha à la table pour se mettre debout. Émilie reboutonnait son corsage en le regardant tristement.

— Dommage que tu sois tombé amoureux de la mauvaise fille. J'aurais fait une bonne femme pour toi, tu sais ? J'suis fidèle à mon homme...

Elle s'approcha de lui et rajusta tranquillement ses vêtements. Il la laissa faire sans bouger.

— Et toi, je t'aime bien.

— Tu ne devrais pas. Je ne mérite pas ton affection.

« Mais tu mérites celle de la fille du marchand? » Sans rien dire, elle s'écarta en serrant les dents.

Alexander s'en voulait et se dégoûtait. Il avait profité des sentiments d'Émilie et abusé de la confiance d'Isabelle. Pour la première fois, le plaisir du sexe lui laissait un goût amer dans la bouche. Après une fugace caresse sur la joue d'Émilie et quelques excuses, il ramassa sa veste et sa cape et sortit du cabaret.

L'air froid lui mordit la peau du cou et du visage, mais cela lui fit du bien. Isabelle... Elle seule occupait son esprit, son corps, son cœur... Il se rendait compte avec consternation qu'il était éperdu d'amour pour une femme qu'il ne pourrait jamais posséder. Il se mit à marcher pour se changer les idées. Mais, presque à son insu, ses pas le menèrent à la rue Saint-Jean. Là, il observa la belle maison de pierres des Lacroix tout en prenant soin de rester dans l'ombre d'une porte cochère. Ses doigts caressaient son *sporran*, dans lequel il avait caché le médaillon de corne qu'il comptait offrir à Isabelle à la première occasion qui se présenterait.

Il était retourné chez le forgeron pour passer sa commande. Monsieur Desjardins s'était empressé auprès de lui après s'être assuré qu'il ne dirait rien. Bien sûr qu'on pourrait fabriquer ce qu'il demandait, selon son croquis. Son gendre était apprenti orfèvre à Trois-Rivières. Il s'arrangerait avec lui et ne demandait rien pour le service, si ce n'était peut-être qu'on oublie sa participation au mouvement de résistance française. Mais il devrait faire appel à des amis sauvages, avec qui il commerçait régulièrement, comme intermédiaires. Or ils voudraient être dédommagés pour leur déplacement. Si Alexander pouvait débourser une livre... Alexander avait accepté. Il avait eu le médaillon la veille et était satisfait du travail effectué. La pièce avait été coulée dans le bronze, qui était plus joli et plus solide que l'étain. Le bijou n'était pas comparable à celui d'un orfèvre d'Édimbourg comme son arrière-grand-père, Kenneth Dunn, mais il dénotait un talent certain de la part de celui qui l'avait fabriqué.

Un petit groupe déboucha au coin de la rue. Il le regarda passer devant lui. C'étaient trois jeunes gens dans la vingtaine, emmitouflés dans d'épaisses pelisses et coiffés de chauds bonnets de fourrure. Les joyeux fêtards frappèrent à la porte des Lacroix, qui s'ouvrit presque aussitôt. Des notes de musique et des rires s'échappèrent dans l'air glacé. Les trois individus s'engouffrèrent dans la maison en se frottant les mains et en martelant le seuil de leurs pieds pour enlever la neige qui s'était agglutinée sur leurs bottes et leurs mitasses[73]. Mais, bon sang! Que faisait-il ici? De toute évidence, Isabelle était en assez bonne compagnie pour se passer de lui et l'oublier. « *An donas ort, Alasdair!*[74] » marmonna-t-il entre ses dents. Il ferait bien mieux de retourner parmi les siens, dans son monde. Coll avait sans doute raison.

Tandis que le jeune homme sortait de l'ombre, tête baissée, et reprenait le chemin du retour, une silhouette bougea à l'une des fenêtres de la maison. Isabelle se redressa et posa ses mains sur la vitre givrée, suivant des yeux la silhouette qui cheminait dans la rue au milieu des bourrasques de neige. Les pans de la cape volaient et claquaient dans le vent. Un soldat? Son cœur se serra.

Alexander occupait ses pensées depuis l'aube. Elle n'avait pas eu deux minutes à elle pour sortir aujourd'hui. Avec le repas traditionnel et la veillée à préparer, Perrine et Sidonie avaient eu besoin d'aide. Pourtant, elle aurait tant aimé aller retrouver Alexander pour lui souhaiter la bonne année. Elle se demanda si on fêtait le nouvel an en Écosse. Il était catholique; les mœurs devaient être semblables. Que faisait-il en ce moment? Sans doute s'amusait-il avec ses compatriotes.

La jeune femme caressa distraitement l'écharpe qui était nouée autour de son cou. Sa mère l'avait harcelée pour qu'elle la retire : « Tu gâches ta toilette! » Mais Isabelle, n'en faisant qu'à sa tête, avait fini par prétexter un mal de gorge, et sa mère, craignant une rechute, n'avait plus insisté. Cette écharpe lui réchauffait le cœur : elle l'avait tricotée pour Alexander et souhaitait qu'il l'apprécie. Mais elle devrait attendre un autre jour pour la lui offrir. Un soupir s'échappa de sa gorge comme Madeleine lui présentait un gobelet de cristal rempli de punch bien chaud fleurant bon la cannelle et la muscade.

— Isa, viens! On te réclame de nouveau au clavecin. Nous avons grand besoin de tes dix jolis doigts pour faire la fête.

— J'arrive.

Mais le cœur n'y était pas. Elle quitta la fenêtre et traîna son air morose jusqu'au clavecin. Soudain, un cri retentit dans la cuisine. Tous se précipitèrent et trouvèrent Ti'Paul en larmes. Le garçon regardait d'un œil horrifié le plat de résistance qui trônait sur la table : le cochonnet, tout luisant de gélatine et une pomme enfouie

---

73. Longues jambières de toile, de laine ou de cuir qui protègent du froid.
74. Va au diable, Alexander!

sous son groin, était confortablement installé sur un plateau d'étain garni de pommes cuites. Personne n'avait cru bon d'expliquer à Ti'Paul à quoi était destiné son cher ami Blaise. Voilà qui n'était pas pour égayer Isabelle.

***

Les deux amoureux ne se revirent, par hasard, que quatre jours plus tard alors qu'Isabelle allait rendre visite à Françoise, qui était souffrante. Ils se réfugièrent dans le renfoncement d'une porte cochère et s'étreignirent avec fougue. Son nez rouge enfoui dans la laine rêche de la veste rouge, la jeune femme respirait enfin l'odeur de son Écossais, dont les mains parcouraient les courbes de son corps avec empressement.

Clouée au mur de pierres, Isabelle ferma les paupières et soupira. Il leur devenait de plus en plus difficile de respecter les convenances. Les mains d'Alexander se faisaient dangereusement audacieuses. Prise d'un délicieux vertige, s'armant de pudeur, elle repoussa le soldat.

— Alex... je suis tellement heureuse de te voir! Je voulais me libérer quelques minutes, au jour de l'an, mais je n'ai pas pu.

— Nous nous retrouvons aujourd'hui. Profitons de ces instants!

Il allait reposer sa bouche sur la sienne, mais elle le repoussa de nouveau et déroula son écharpe bleue. Elle la portait tous les jours, dans l'espoir de le croiser lors de ses sorties.

— C'est pour toi, lui murmura-t-elle en la lui passant autour du cou avec un large sourire. Je l'ai tricotée moi-même.

— Pour moi? s'exclama-t-il, ravi, en humant l'odeur qui s'y était imprégnée. Merci. Elle est belle.

— Elle te tiendra chaud.

Lui pêcha un objet dans son *sporran*.

— Ferme les yeux. Moi aussi, j'ai quelque chose pour toi.

— Vraiment? Oh, Alex!

Il prit sa main et y déposa un objet froid et lourd.

— C'est tout ce que je pouvais me permettre...

Elle leva lentement les paupières. Son cœur fit un bond et des larmes montèrent.

— Oh!

Ce fut tout ce qu'elle put prononcer : sa gorge était nouée d'émotion. S'essuyant les yeux, elle examina le magnifique médaillon qui reposait dans le creux de sa main. Il était divinement ciselé de ces mêmes motifs entrelacés qu'elle avait tant de fois admirés.

— Tu... l'as fait... pour moi?

Un doigt sous son menton tremblotant lui fit lever la tête et ramener son regard mouillé vers lui.

— Pour toi, acquiesça Alexander dans un souffle.

Pour elle, il aurait construit la tour de Babel.

— J'aurais préféré qu'il soit monté sur l'or ou l'argent...

Elle hocha la tête avec vivacité, posant le bout de ses doigts gantés sur ses lèvres pour le faire taire.

— Il est merveilleux en bronze, Alex. Tu n'aurais pu m'offrir plus beau présent. Je le chérirai toute ma vie...

En disant ces mots, elle se sentit frémir. Pourquoi avait-elle la drôle d'impression que ce bijou serait pour elle comme une relique, le souvenir d'un amour impossible? Sa poitrine s'emplit de sanglots, qu'elle ne put contenir.

— *Dinna cry, Isabelle...* lui murmura Alexander.

Il l'entoura de ses bras et la serra contre lui en lui embrassant les paupières.

— Je suis... désolée. Je devrais rire... au lieu de pleurer comme une enfant...

— *Tha e ceart gu leòr*[75]...

Il plongea dans le vert de son regard qui lui rappelait tant celui des collines de Glencoe. Des paillettes d'or y étincelaient au soleil. Jamais il ne pourrait s'en lasser. Cependant, une ombre y passa, et il en devinait la cause. Il savait que le bonheur qu'il vivait ne pouvait durer... qu'elle le remercierait un jour de sa présence, de son amour et demanderait qu'ils ne se revoient plus. Il avait longuement réfléchi à ce que lui répétait inlassablement Coll, cela, depuis qu'il avait avoué son amour à la jeune femme. Il en était arrivé à la conclusion que son frère ne pouvait qu'avoir raison, et il avait envie de hurler sa souffrance. Mais Isabelle appartenait à un monde auquel il ne pourrait jamais accéder. Et il ne pouvait exiger d'elle qu'elle fasse partie du sien. C'était une idylle sans lendemain. Isabelle l'avait certainement compris, elle aussi. Seulement, il ne pensait pas que ce jour arriverait aussi rapidement.

Comme pour conjurer ce qu'il pressentait, il serra les épaules d'Isabelle et l'attira à lui pour l'embrasser farouchement. Il se pressa fort contre elle, l'immobilisant contre le mur. Elle ne chercha pas à écarter les mains qui se glissaient sous sa cape pour caresser les formes qui moulaient son corsage.

— Isabelle... *a ghràidh mo chridhe...* je te désire tant que je

---

75. Ça va...

n'arrive plus à dormir la nuit. Bon sang! Je voudrais pouvoir t'aimer...

— Alex...

Elle le repoussa un peu brusquement lorsqu'il chercha à délacer son vêtement.

— Alex!

Le regard affolé, Isabelle fixait un point par-dessus son épaule. Il se retourna pour voir ce qui l'avait effrayée : un homme habillé d'un lourd capot[76] de laine brune, l'air d'avoir avalé sa canne, les observait. La bouche de l'inconnu se tendit imperceptiblement, mais cela n'échappa pas à Alexander. Les trois demeurèrent ainsi sans bouger un court instant, puis l'homme se détourna et continua son chemin en battant le sol de ses semelles. Isabelle laissa échapper un petit gémissement qui le ramena vers elle.

— Tu connais cet homme?

Elle hocha la tête, aussi pâle qu'un drap.

— C'est le notaire Panet. Il est venu voir mon père à quelques reprises ces derniers jours.

— Isabelle, si cela t'embarrasse qu'on nous voie ensemble...

— Non, Alex, le coupa-t-elle abruptement, cela ne me gêne nullement, tu devrais le savoir. Mais je m'inquiète...

— Tu crois qu'il ira tout raconter à ton père?

— Mon père est au courant pour nous. C'est plutôt ma mère... Je crains qu'elle n'accepte pas facilement. Mais, connaissant monsieur Panet, je ne pense pas qu'il aille rapporter ce qu'il a vu. Enfin, je l'espère.

Elle se mordit la lèvre. La main enfouie sous sa cape bougea et lui rappela ce qu'elle devait demander au jeune homme. Elle n'avait pas vraiment envie d'en arriver là, mais c'était la seule solution qu'elle voyait pour préserver sa vertu.

— Alex... je crois... il faudrait que nous espacions nos rencontres...

« Et voilà! » songea-t-il avec amertume.

— Ce serait plus sage... pour le moment.

— Bien sûr... murmura-t-il en s'écartant d'elle.

Elle le retint par le col de sa veste, la mine accablée, le souffle court. Elle semblait sur le point d'ajouter quelque chose, mais ne dit rien. Il prit ses mains.

— Je comprends.

Ils entendirent, dans le lointain, le claquement des Brown Bess des soldats en exercice. Isabelle tressaillit et ferma les yeux.

---

76. Manteau d'étoffe ou de fourrure pour homme.

— Alex, ne crois pas que je ne veux plus te voir. C'est que...

Comment pouvait-elle lui expliquer qu'elle craignait de succomber à ses caresses, à l'extase qu'elles lui procuraient? Qu'elle avait peur de la force de ses sentiments, des sensations qu'il faisait naître en elle? Elle serra les dents et se maudit *in petto*. Pourquoi avait-elle choisi ce moment pour lui parler de cela? La magie qui les enveloppait quelques minutes plus tôt s'était envolée. Une sourde angoisse lui crispa l'estomac. Et s'il trouvait une femme plus disponible qu'elle et qui lui accorderait ce qu'elle lui refusait? Après tout, il était un homme normalement constitué et les femmes en quête d'affection ne manquaient pas dans Québec. Elle eut soudain envie de revenir sur sa décision. Mais sa peur viscérale de la colère divine l'emporta, et elle ne dit rien. S'il l'aimait, il comprendrait...

Alexander libéra les mains de la jeune femme et mit les siennes sous ses aisselles pour les réchauffer. Il sentit le malaise qui s'était emparé d'Isabelle et l'attribua au fait qu'elle cherchait les mots pour lui dire ce qu'il appréhendait depuis quelques semaines. Mais le silence se prolongeait.

— Bon, bredouilla-t-il, j'attendrai que tu me fasses signe.

D'une certaine façon, il se sentait un peu soulagé. Depuis son étreinte avec Émilie, il était de plus en plus obsédé par Isabelle et il avait de folles envies de la posséder. Il craignait ainsi que la raison n'arrive plus à le contenir. Une bouffée de chaleur l'envahit, et il se détourna pour dissimuler son trouble. Isabelle n'était pas de ces femmes qui se donnaient après un seul baiser langoureux. S'il la sentait frémir de plaisir lorsqu'il osait dépasser les limites de la bienséance, il la sentait aussi se raidir de crainte. Alors, il retenait ses gestes. Isabelle ne pouvait pas se compromettre avec un soldat britannique.

— Je dois me rendre chez Geneviève Guyon, où habite ma belle-sœur, annonça Isabelle d'une voix hésitante. Elle attend un enfant et ne se sent pas très bien. J'ai promis de l'aider en m'occupant de son plus jeune, Luc. Il fait ses dents et est d'humeur plutôt irascible, ces temps-ci. Tu... veux m'accompagner? À moins que tu ne doives aller?...

— Je suis de corvée pour le repas, mais j'ai encore quelques minutes devant moi.

Il fit un effort pour sourire et s'inclina devant elle.

***

Janvier fut marqué par une grosse tempête de neige et par du

416

verglas. Les chemins pentus étaient impraticables. Pour descendre les pentes en toute sécurité avec leurs fusils chargés, les soldats devaient se laisser glisser sur leur postérieur, ce qui faisait bien rire les gens. Les « petites jupes » trouvaient l'exercice plus risqué que les autres et utilisaient au sens propre l'expression « coûter la peau des fesses ».

L'armée anglaise mena quelques attaques sur des postes français, avec des succès mitigés. Les troupes françaises commandées par Lévis adoptèrent une stratégie de guérilla, harcelant et menaçant les soldats anglais qui s'aventuraient hors des murs de Québec. Les activités militaires reprirent donc, et, au cours du mois de février, Alexander participa à plusieurs expéditions punitives. Certains n'en revenaient pas.

Le mois de mars débuta avec l'attaque, par un détachement anglais, d'un poste français à Saint-Augustin. Quatre-vingts prisonniers furent ramenés. D'après les estimations, l'armée rebelle comptait sept mille hommes, soldats réguliers, miliciens et Sauvages confondus.

En ce mercredi des Cendres, le père Récher discourait du haut de sa chaire. Isabelle entendait son prône comme à travers un épais brouillard. Son corps, tel un automate, imitait les mouvements de l'assemblée qui s'agenouillait, se levait, s'asseyait. L'église baignait dans une lumière grise où flottaient les volutes odorantes de l'encens. Sa mère se tenait à sa droite; Ti'Paul, à sa gauche, ne cessait de gesticuler. Son père, s'étant plaint d'un malaise, ne les avait pas accompagnés. Sans lui, le banc familial paraissait étrangement vide. Charles-Hubert ne manquait jamais un office religieux.

Le regard rivé sur une statue décapitée de la Vierge perchée au-dessus d'une multitude de lampions, la jeune femme fut frappée par quelques mots du prêche : péché, Marie-Louison, enfant, hérétiques... Elle tourna la tête vers le curé, qui accusait haut et fort. Les âmes des filles de la colonie étaient en danger. « L'Anglais foule aux pieds l'innocence de nos blanches brebis qui s'égarent. »

Il fallait préserver les jeunes vierges de la dent avide de ces Chiens rouges que leur imposait un roi hérétique! Le religieux nommait Marie-Louison Guérin, dont il faisait le bouc émissaire du troupeau des brebis perdues. « Elle a commis l'horrible péché de la chair, et l'enfant qu'elle porte en est le fruit empoisonné! Mais il y en a d'autres, et il faut à tout prix les dénoncer pour arrêter l'œuvre de Satan! » Isabelle fut parcourue d'un affreux frisson. Elle avait un ardent désir de se faire absoudre d'un péché qu'elle n'avait pas commis...

Elle n'avait revu Alexander que sept fois depuis le jour où elle avait demandé qu'ils espacent leurs rendez-vous. Elle avait pensé que cela ferait tiédir leurs sentiments. Mais cela ne faisait au contraire que les enflammer à chaque rencontre. Alexander faisait des efforts pour ne pas la brusquer. Mais, au moindre effleurement, au moindre regard un peu trop insistant, leurs bouches se joignaient et leurs corps s'embrasaient.

— Mon père, pardonnez-moi, car j'ai péché, murmura Isabelle, les yeux fermés.

L'obscurité du confessionnal était rassurante. Cependant, la jeune femme préférait éviter le regard inquisiteur du père Baudoin, de l'autre côté de la grille.

— J'écoute, mon enfant.

— En pensée seulement, mon père, s'empressa-t-elle d'ajouter.

— Parlez-moi de votre péché.

— Oui...

— S'agit-il d'un homme, ma fille?

— Euh... oui. J'aime un homme, mon père, et il m'aime aussi.

— Avez-vous fait quelque chose qui vous condamne aux yeux de Dieu?

« Non, mais aux yeux des hommes, assurément », pensa-t-elle amèrement.

Elle rassembla ses jupes autour d'elle pour se faire le plus petite possible sur le prie-Dieu. La respiration sifflante du père jésuite rompait le silence. L'homme ne paraissait pas outré par son aveu: le ton de sa voix n'exprimait pas le reproche, mais plutôt quelque chose comme de la lassitude. Elle l'entendit s'agiter et garda obstinément la tête baissée. Elle avait les doigts crispés sur sa croix de baptême en argent, qui pendait à un ruban de soie bleue, à son cou, avec le médaillon de corne.

— Pas aux yeux de Dieu, mon père. Notre amour est chaste, mais...

— Les mouvements du cœur animent la chair, et Dieu sait combien, dans l'adversité, la foi peut nous faire défaut. Il faut vous armer de volonté, mon enfant.

— Je sais, mon père. Seulement, je crains de succomber... Donnez-moi la force.

— Vous devez la trouver en vous-même, mon enfant. Fortifiez votre foi dans la prière. Chaque homme sur cette terre cherche son salut dans la vertu. Ce n'est pas toujours facile. La foi a ses failles et la chair est faible, comme nous le savons tous. Mais, dans la prière, chacun puise l'énergie qui lui permet d'éloigner les tentations. Vous devez résister. S'il le faut, évitez de revoir cet homme, mon enfant.

Ne plus revoir Alexander... Cela lui paraissait l'ultime sacrifice pour préserver sa vertu. En serait-elle capable? En même temps, continuer de le voir la conduirait à sa perte, elle en était persuadée. Ils ne pouvaient plus se rencontrer sans se toucher. Les sensations qu'elle éprouvait alors lui enlevaient toute volonté, jusqu'à ce que sa conscience la sermonne. Alexander était un homme à la sensualité si troublante. Une ardeur proche de la violence couvait en lui... réveillant la sienne. Cela la terrifiait.

— Dans mes prières, je demanderai à Dieu la force nécessaire.

— Vous dites que cet homme vous aime. Il comprendra. Si Dieu vous destine l'un à l'autre, le jour viendra où vos efforts seront récompensés. Je prierai pour vous, mon enfant...

Perdue parmi les retardataires qui devisaient amicalement sur le parvis de l'église, Isabelle, confortée dans sa foi et imprégnée d'une force nouvelle, cherchait sa mère et Ti'Paul. Incrédule et honteuse à la fois, elle fit le constat qu'ils étaient partis sans elle. Retroussant ses jupons pour ne pas les salir dans la boue, elle prit le chemin de la maison en maugréant. Elle n'avait pas fait dix pas qu'une voix aiguë l'appela. Perrine agitait les bras en accourant. Elle arriva devant elle, tout essoufflée.

— Mam'zelle Isa, c'est vot' père! Il a eu... il a eu une attaque!

— Une quoi? De quoi parles-tu, Perrine?

— Vot' père... Sidonie l'a retrouvé étendu su' le plancher de son bureau... Il... il est...

— Mort? risqua Isabelle en blêmissant.

— Non... mais il est au plus mal. Baptiste est parti quérir le médecin.

Il semblait à Isabelle que le sol s'ouvrait sous ses pieds. Son père, qui était tout pour elle... Non, il ne pouvait pas mourir, il n'en avait pas le droit!

Les volets clos ne laissaient pénétrer qu'un mince rai de lumière. Une chandelle se consumait sur la table de chevet et les ombres dansaient sur les murs, autour du lit du moribond. Isabelle se souvenait d'avoir vu des Sauvages onduler de cette façon autour d'un feu de la Saint-Jean. Les Hurons de Lorette venaient parfois participer à cette fête chrétienne. Jamais, alors, elle n'avait vu leurs rites païens comme impies. Leurs gestes, qui avaient tout du mystique, l'intriguaient beaucoup. Elle s'était même demandé si leur

419

Dieu ne serait pas plus compatissant que le sien, qu'elle craignait tant. Le Dieu des Hurons, qu'on appelait le Grand Manitou, lui aurait-il infligé cette nouvelle épreuve? Sur cette pensée, elle récita un nouveau *Je vous salue, Marie.*

Les traits de Charles-Hubert trahissaient sa souffrance. Mais Isabelle ne pouvait savoir que c'était celle de son âme qui le terrassait ainsi. Le malade entendait le cliquetis des perles d'un chapelet et des prières marmonnées, inutiles, étant donné son état. Dieu ne lui accordait ce court sursis que dans un but bien précis. Il entrouvrit ses paupières fatiguées et tourna légèrement la tête dans la direction de sa fille bien-aimée.

Alertée par son halètement, la jeune femme leva la tête, puis, le voyant éveillé, s'agenouilla près du lit. Charles-Hubert posa sa main sur le bonnet qui couvrait la chevelure blonde. Sa fille avait illuminé sa vie. Ayant passé les dernières journées à le veiller et à lui prodiguer des soins, elle avait des cernes qui soulignaient son manque de sommeil. Il lui était reconnaissant de tout ce qu'elle faisait pour rendre sa maladie moins pénible. Mais il n'écoutait pas vraiment les passages de Rousseau ou du chevalier de Troyes qu'elle lui lisait pour le distraire. Il avait l'esprit ailleurs.

— Isabelle, ma fille... j'ai été, dans ma vie, un mauvais sujet de notre Tout-Puissant. Je le reconnais et le confesse... J'ai fait des choses dont je ne suis pas très fier. Mais jamais, au grand jamais, je n'ai voulu blesser qui que ce soit. Je ne suis qu'un homme qui aime sans retour...

Elle leva ses yeux humides vers lui, l'air de ne pas comprendre.

— Papa, qu'avez-vous à vous reprocher? Vous avez été le meilleur père que j'eusse jamais espéré avoir. Vous êtes un homme bon et dévoué...

— Laissons Dieu en juger, veux-tu? Ah! Ma petite Isabelle, la vie me quitte plus tôt que je ne l'aurais souhaité. J'aurais tant voulu être certain que tu es bien heureuse avant de partir...

— Papa, n'avez-vous donc pas été un tout petit peu heureux?

Charles-Hubert sourit.

— Bien sûr... grâce à toi.

— C'est... c'est ma mère qui vous a rendu si malheureux?

Il soupira et se détourna.

— Ta mère... Tu sais, ma chouette, Montesquieu dit qu'il y a deux sortes de gens malheureux. Les premiers ont une âme défaillante. Ils ne désirent rien; rien ne les touche. Ils sont dans une telle langueur que leur vie leur semble une charge. Mais ils craignent tout de même la mort. Les seconds désirent tout ce qu'ils ne peuvent pas avoir, espèrent en vain l'inaccessible, l'impossible. Leur âme est dévorée par la volonté d'obtenir ce qui leur est interdit. Je suis de ceux-là. J'ai aimé ta mère comme je n'ai jamais aimé aucune autre femme. Mais... Justine est de ceux que rien ne touche. J'ai essayé, ma chouette, j'ai essayé de la rendre heureuse... Dieu sait combien j'ai essayé.

— Papa, je sais. Maman n'est pas facile...

Il serra fort les mains d'Isabelle entre les siennes.

— J'aurais tant aimé la voir sourire, ne serait-ce qu'une fois. Isabelle, je ne veux pas t'imposer une vie aussi triste.

— Mais vous avez toujours tout fait pour me rendre la vie heureuse, papa.

— Je parle de ton avenir. Cet homme, cet Écossais... Tu le vois toujours malgré mon interdit, n'est-ce pas?

Charles-Hubert sentit les mains de sa fille glisser des siennes, et il serra plus fort pour les retenir. La jeune femme baissait les paupières.

— Oui, papa. Mais pas souvent, rassurez-vous.

— Tu l'aimes vraiment?

Elle hésita.

— Plus que je ne l'aurais cru possible.

— Hum...

Regardant les mains qui emprisonnaient les siennes, Isabelle réalisa brusquement combien son père avait vieilli. La peau, aussi mince que du papier de riz, laissait transparaître un réseau de veines bleutées sous un doux duvet doré. Cette peau noircirait-elle comme celle des morts qu'on enfouissait sous la neige jusqu'à ce que le sol dégèle? Le scorbut faisait tant de victimes parmi les soldats... Elle avait peur pour Alexander et lui portait des pommes de la réserve de sa mère.

— Je souhaite pour toi une vie confortable et heureuse. Mais, parfois, on doit sacrifier un aspect au profit de l'autre. Tu devras bientôt faire un choix, Isabelle. Réfléchis bien.

— Je ne suis pas certaine de bien comprendre ce que vous essayez de me dire, papa.

Il hocha la tête. Elle essuya le coin de ses yeux avec le drap en refoulant un sanglot.

— Il t'aime?

— Alexander? Oui.

— Hum... en effet, quel homme ne tomberait pas amoureux de toi? Ce que j'essaie de te dire, ma fille, c'est que tu as ma bénédiction... si ton cœur choisit cet Alexander Macdonald.

Elle releva d'un coup la tête, estomaquée.

— Votre bénédiction? Vous voulez dire...

— J'ai appris que l'amour ne se commande pas et que la soumission n'est qu'une vertu, non un mouvement du cœur. Si certains semblent bien disposés à s'accommoder de l'obéissance, je sais que toi, tu ne le pourras pas. Tu ressembles trop à ta mère... Cela va sans doute te paraître invraisemblable, mais Justine n'a pas toujours été celle que tu connais aujourd'hui. Elle était la joie de vivre personnifiée. Une explosion de couleurs un jour de pluie, un rayon de soleil... Cependant, dans mon obstination à vouloir me l'approprier, je l'ai éteinte. Elle rayonnait pour un autre que moi. Vois-tu, Isabelle, j'ai contraint ta mère à m'épouser. Elle ne m'aimait pas.

— Papa?

L'aveu bouleversait Isabelle. Relâchant la main de son père qu'elle tenait serrée entre les siennes, elle fronça les sourcils. Les lettres d'amour qu'elle avait trouvées par hasard dans le vieux coffre du grenier lui revinrent soudain à l'esprit. Elle avait naturellement cru qu'elles étaient de son père, bien que l'écriture ne fût pas la même. Elle se rappela celle qui était en anglais et qu'elle avait cachée entre les pages d'un de ses livres. Elles seraient donc de la main d'un autre homme? Sa mère aurait eu un amant?

— Papa, vous n'êtes pas obligé de me raconter cela.

— Je le dois, Isabelle, je le veux. Il y a tellement de choses qui me pèsent sur le cœur, qui m'étouffent... des choses que tu ne sais pas et...

La main de Charles-Hubert se souleva, tremblante. Puis elle retomba sur le lit, formant un poing serré. L'homme plissa les yeux, contemplant la jeune femme d'un regard étrange. Puis, se détournant, il poursuivit:

— Mon testament se trouve entre les mains du notaire Panet, qui le confiera à l'un de ses collègues. Son état de santé l'oblige au repos... Tout est prêt.

— Ne me parlez pas de la mort, geignit Isabelle en enfouissant son visage baigné de larmes dans ses mains. Je ne supporterai pas que vous mouriez...

— Mes forces me quittent, ma fille. C'est la volonté de Dieu. Ton frère Louis n'est pas ici, donc je m'adresserai à toi pour... un dernier service.

Isabelle acquiesça d'un signe de tête et, levant les yeux, elle croisa le regard si terne de son père posé sur elle.

— Je ferai tout ce que vous me demanderez, promit-elle en sanglotant bruyamment.

— Dans mon bureau, sur la plus haute étagère de la bibliothèque, il y a une cassette noire cachée derrière mes journaux de navigation. Je veux que tu la prennes et que tu ailles la porter à une amie qui m'est très chère.

— Une amie?

— Marie-Josephte Dunoncourt. Elle habite à Château-Richer, chez sa sœur, madame Anne Chénier.

— Anne Chénier, répéta Isabelle pour mémoriser le nom. Qui est cette dame Dunoncourt?

— Une bonne amie envers qui j'ai une dette. Tu le feras?

— Oui, papa.

— Bon... c'est bien. Me voilà plus tranquille maintenant.

Une rafale de vent fit vibrer les battants des volets; le rayon lumineux oscilla sur les draps. Charles-Hubert posa sa main sur la tête d'Isabelle et la caressa doucement, en silence, pendant un moment. Un attelage passa.

— Tu es le portrait de ta mère, Isabelle. Et je remercie le ciel de t'avoir préservée de porter les traits de ton père...

***

Les jours passaient. L'état de santé de Charles-Hubert ne s'améliorait guère, celui de Françoise non plus. Isabelle ne put refuser l'aide que lui réclamait sa belle-sœur, dont la grossesse arrivait à son terme et à laquelle le médecin avait interdit de quitter le lit. Le petit Luc, privé de sa maman, terrorisait toute la maisonnée avec ses crises. La seule personne qui réussissait à le calmer était sa chère tante Isa.

Ce fut le cœur lourd et d'un pas traînant que la jeune femme descendit dans le quartier du Palais. La neige qui fondait rendait les rues impraticables en voiture. Les ruisseaux qui traversaient la ville se gonflaient et creusaient les chemins, emportant comme toujours des détritus qui finissaient dans le fleuve. Une patrouille de « petites jupes » remontait la rue Saint-Vallier. Que faisait Alexander en ce moment même? Elle n'avait pas cherché à le revoir depuis le début de la maladie de son père. Il devait se poser des questions sur son silence prolongé.

Elle mit ses mains sous ses aisselles pour les réchauffer. Le prétexte de ne pas ennuyer le soldat avec son malheur la servait bien. Mais, au fond, qui leurrait-elle donc? Depuis des jours qu'elle ne faisait que pleurer, elle avait bien besoin de ces bras qui, d'une tendre étreinte, pourraient alléger un peu le poids de la tragédie qui s'abattait sur elle. Cependant, ces bras d'homme représentaient en même temps un danger. Revoir Alexander une fois de plus serait peut-être une fois de trop. Elle avait pensé à lui faire parvenir une lettre pour lui expliquer. Après dix tentatives infructueuses, elle avait abandonné. Non, elle lui expliquerait de vive voix. Ce serait mieux. Il suffirait qu'ils ne restent pas seuls ensemble.

D'un pas hésitant, elle bifurqua sur la rue Saint-Nicolas. Elle ne savait pas où logeait Alexander. Elle irait donc au Lapin qui court. Là, on lui indiquerait peut-être où le trouver. Si tôt dans la journée, l'endroit était tranquille. Le tenancier, Jean Mercier, ne savait pas où étaient les soldats écossais aujourd'hui. Il l'informa qu'ils n'étaient libres qu'à partir de six heures, l'après-midi. Elle décida de repasser plus tard.

***

Le bois était soigneusement empilé contre le mur de la maison. Alexander s'assit sur la bûche à fendre et souffla un peu. S'emparant de sa gourde, il constata qu'il avait déjà bu toute sa ration de rhum. Il pesta. Son dos le faisait beaucoup souffrir, et l'idée de devoir fendre une seule autre bûche lui donnait envie de hurler. Or il lui en restait encore six à fendre. Il se leva et, prenant son courage et la hache à deux mains, il termina sa besogne. Le boucher le paya pour son travail, et il s'en alla. Il était interdit aux soldats de travailler pour les habitants de la ville. Mais c'était pour eux la seule façon de se procurer un peu d'alcool. Alexander en avait besoin pour oublier... Isabelle occupait son esprit du matin au soir. Elle ne lui avait pas donné signe de vie depuis plus de deux semaines.

Au début, être sans nouvelles ne l'avait pas vraiment inquiété. De plus, avec le travail de menuiserie qu'il avait commencé dans la Basse-Ville et les exercices militaires qui s'intensifiaient, le temps filait sans qu'il s'en rende vraiment compte. Ensuite, le doute, sournois, s'était insinué et installé. Elle s'était lassée de lui, lui avait préféré un homme de sa propre classe, aux manières beaucoup plus policées et à la fortune bien établie. Il avait fini par se dire qu'il devait se faire une raison. Mais il n'y arrivait pas. Elle était là, dans sa tête, dans son sang, sous sa peau... Et son cœur souffrait terriblement. Coll avait cessé de lui répéter qu'il devait l'oublier, sachant que c'était vain.

Le soleil déclinait. Les soldats rentraient pour le repas du soir. Lui n'avait pas faim: même son appétit l'avait abandonné. La seule nourriture qui le soulageait un peu, c'était la spontanéité d'Émilie, qu'il avait recommencé à voir depuis quelques jours. La jeune femme le comprenait et ne posait pas de questions, se contentant de ce qu'il voulait bien lui offrir. Il était arrivé devant le cabaret et, immobile, hésitait à y entrer. La petite serveuse travaillait dans les cuisines de l'établissement et s'y trouvait certainement en ce moment. Elle pourrait lui offrir un morceau de fromage ou autre chose, comme elle le faisait parfois. Son estomac, las du régime à base d'alcool, émit un bruyant borborygme. Il poussa la porte et pénétra à l'intérieur.

La lanterne se balançait et projetait sur la chaussée son faisceau lumineux qui chassait l'obscurité et les rats. Baptiste était allé chercher Isabelle et la raccompagnait jusqu'à la maison. Avec les soldats qui sortaient à moitié ivres des cabarets, il n'était pas prudent pour une jeune femme de se promener seule dans le quartier. Elle s'informa auprès du vieux serviteur de l'état de son père : il restait désespérément le même. Si seulement elle pouvait voir Alexander, ne serait-ce que quelques instants...

Le Lapin qui court n'était qu'à quelques pas, mais elle n'osait pas demander à Baptiste de l'y conduire. Croisant le regard quasi paternel que l'homme posait sur elle, elle se résigna à retourner sagement chez elle.

En entrant dans la cuisine, Isabelle s'assit à table pour grignoter un reste de jambon froid. Sa mère était montée veiller son père. Ti'Paul dormait déjà. Madeleine et Perrine jouaient aux cartes dans le salon. La jeune femme préféra rester seule dans l'obscurité de la pièce. Une bonne odeur de pâté de tourte[77] flottait. Une nuée de tourtes s'étaient arrêtées dans les champs, et on en avait tué des centaines à grands coups de bâton ces derniers jours. De quoi festoyer pendant quelque temps. Le dîner du lendemain était sur le feu et mijoterait toute la nuit.

Avalant sa dernière bouchée de pain et l'arrosant de vin, Isabelle se levait pour monter se coucher lorsqu'on frappa à la porte de la cuisine. Elle fut surprise de voir apparaître sœur Clotilde, qui était dans un état proche de la panique. Après avoir fait asseoir sa cousine et lui avoir versé un verre de vin, elle lui demanda ce qui la bouleversait à ce point. Mais sœur Clotilde n'arrivait pas à parler clairement. Elle bafouillait des mots auxquels il était difficile de donner un sens.

---

77. La tourte voyageuse était un oiseau d'Amérique qui vivait en colonies. Cette espèce est aujourd'hui disparue.

Alertées par les pleurs de la religieuse, Perrine et Madeleine arrivèrent dans la pièce.

— Qu'est-ce qu'y a? demanda Perrine. Est ben caduque[78], not' sœur Clotilde!

— Tout ce que j'ai pu tirer d'elle, c'est que Marcelline ne va pas bien.

— Marcelline?

— Elle n'arrête pas de dire que son âme est perdue. Je ne comprends pas…

À ces mots, sœur Clotilde pleura de plus belle. Elle bredouilla encore quelque chose. Madeleine, qui croyait avoir enfin déchiffré le message, blêmit.

— Oh, bonyeu!

Inquiète, Isabelle tourna vers elle un regard interrogateur.

— Si j'ai ben compris, Marcelline est… morte.

— Quoi?! s'écria Isabelle en écarquillant les yeux de stupeur. Morte? Marcelline est morte?

La pauvre religieuse éplorée acquiesça de la tête et avala son vin.

— Trouvée… ce soir…

— Trouvée? Mais où? De quoi parles-tu, mon amie? Raconte-nous donc, tu nous inquiètes!

— C'est Jacques, le porteur d'eau, qui l'a trouvée… à l'une des branches du gros érable, sur le cap Diamant…

Le sang se retira du visage d'Isabelle. À une branche? Non, elle avait dû mal interpréter les propos de sœur Clotilde. Toutefois, voyant les visages atterrés de Perrine et de Madeleine, elle comprit que Marcelline s'était pendue.

Frappé par l'horreur de la nouvelle, son esprit refusait d'y croire. Marcelline… Marcelline morte? On avait trouvé la jeune femme pendue avec des lambeaux de jupon… Comment était-ce possible? Isabelle sentait un terrible faix s'abattre sur elle, l'écraser. Elle se sentait en partie responsable de la mort de son amie. Trop occupée avec Alexander, puis avec ses propres malheurs, elle avait négligé Marcelline, ne lui avait pas tendu la main. Sœur Clotilde leur raconta que Marcelline était enceinte. La jeune métisse ne voulait pas de l'enfant issu de la sauvagerie d'un Anglais. Elle ne supportait pas de vivre cette calamité.

***

---

78. Triste.

Déterminée, Isabelle n'attendit pas l'arrivée de Baptiste chez madame Guyon, le lendemain. Elle partit seule et prit le chemin du cabaret. Elle avait besoin de voir Alexander et s'en voulait affreusement de ne pas lui avoir fait signe avant. Armée d'un petit couteau, elle marchait d'un pas rapide, sa lanterne au bout du bras. Des éclats de voix lui parvenaient. Une dispute avait éclaté quelque part, dans l'une des rues du quartier qu'occupait la garnison des mercenaires écossais. Elle rasait les murs telle une ombre, regardait sans cesse de tous côtés. Chaque craquement faisait bondir son cœur. Enfin, elle vit l'enseigne du Lapin qui court osciller au-dessus de la porte.

Les dés n'étaient pas avec lui, ce soir. Alexander choisit donc de quitter la table de jeu pour aller boire un dernier verre avec Coll et Finlay, qui fêtait la naissance prochaine de son premier enfant. La journée avait été dure et l'alcool embrouillait son esprit. Il écoutait d'une oreille distraite les deux autres qui parlaient de la dernière attaque des Français contre un détachement de grenadiers sortis couper du bois.

Tout en buvant, le jeune homme laissa son regard errer dans la salle. Deux officiers étaient attablés près de la porte. L'un d'eux portait un bandage autour de la tête et levait son verre. Non loin, la place d'Arthur Lamm était vide... et le resterait. Lamm était mort du scorbut le matin même. Son violon ne résonnerait plus jamais. Une jeune servante à la démarche souple traversait la grande salle. Alexander la trouvait plutôt jolie avec ses cheveux roux remontés et cachés sous un bonnet impeccable, ses joues bien rondes et son sourire enjôleur. Comme il se complaisait à imaginer le reste de son corps, la voix d'Émilie retentit juste à côté de son oreille, et il tressaillit.

— J't'y prends à lorgner la belle Suzette, ma foi!

Esquissant un sourire charmeur, il prit la jeune femme sur ses genoux.

— Serais-tu jalouse?

— Ai-je des raisons de l'être, Alex?

— Cela dépend de toi... lui susurra-t-il en l'embrassant sur la nuque.

— Mais t'es infatigable!

Elle lui sourit étrangement.

— J'vas finir par craire que t'es tombé amoureux de moi!

Elle l'embrassa sur la bouche et commença à se lever. Mais il l'attrapa par la taille et l'attira à lui. Elle gloussa et fit mine de le repousser. Il y mit plus d'ardeur.

— Je pourrais peut-être...

— Dis pas de bêtises, Alex. T'as encore trop bu.

— Je me sens en pleine forme, Émilie, ma douce. *Let me show ye...*

Il l'embrassa à pleine bouche. Déséquilibré par son geste, il tomba à la renverse sur le plancher en entraînant avec lui la jeune femme. Ses compagnons riaient. Retenant la servante contre lui, il roula alors sous la table. Émilie ne trouvait pas cela drôle du tout et tentait de se dégager. Il la repoussa au sol et la couvrit de son corps pour l'immobiliser.

— Arrête, Alex! J'suis pas une petite Marie-couche-toi-là que tu peux prendre comme tu veux, où tu veux!

— *Alasdair, Sguir dheth*[79]!

— *Och! Coll, dinna see?*...

— *Thig an-seo, Alas*[80]...

Alexander grogna et se redressa brusquement, se frappant la tête au meuble.

— *God damn*! Bon, ça va! J'ai compris.

Il prit appui sur son banc pour se relever. Un silence singulier régnait autour de la table. S'ébrouant comme un jeune chiot, il cligna des yeux pour régler sa vision qui se dédoublait. Hum... Émilie avait raison, il avait trop bu. Jurant, il se mit complètement debout et pivota sur ses talons. Là, il se figea sur-le-champ devant le regard éberlué qui le fixait.

La bouche grande ouverte, se retenant de crier, Isabelle secouait la tête. Puis, bousculant un client au passage, elle franchit l'espace qui la séparait de la porte en courant. L'air vivifiant du soir l'accueillit et la fit frissonner. Elle entendit Alexander l'appeler. Ce qu'elle avait été bête de venir ici, croyant trouver des bras où se blottir. Apparemment, ils étaient déjà bien occupés à réconforter quelqu'un d'autre!

— Isabelle! *Wait! God damn!* Isabelle!

Ayant laissé tomber sa lanterne dans sa fuite, la jeune femme courait dans l'obscurité. Sa vue se brouillait; son cœur battait à lui rompre la poitrine. Les sanglots l'étouffaient. Lorsqu'elle fut certaine de ne plus être poursuivie, elle s'écroula sur les genoux et laissa toute la douleur prendre place dans son corps. Un coup de poignard n'aurait pas été pire. Ce qu'elle pouvait haïr Alexander! Haïr comme jamais auparavant. Il l'avait trahie...

---

79. Alexander, arrête!
80. Viens ici, Alex…

— Va au diable, Alexander Macdonald! murmura-t-elle entre ses dents.

Trébuchant dans le noir, Alexander s'affala de tout son long sur la chaussée. Isabelle avait disparu au coin de la rue. Il l'avait irrémédiablement perdue... Grognant, il se releva. À ce moment-là, un rire lui fit tourner la tête : Macpherson avait la bouche fendue jusqu'aux oreilles.

— Va te faire foutre, Macpherson!

— Je crains que tu n'aies vraiment pas de chance avec les dames, Macdonald. Elles te fuient toutes...

— Ta gueule!

Alexander le foudroyait du regard, les poings serrés.

— Mais, comme on dit... une femme de perdue, dix doigts de retrouvés! railla l'autre en portant sa main à son entrecuisse en un geste disgracieux.

Mais atteint en pleine mâchoire, il s'écroula au sol devant les curieux qui avaient suivi toute la scène. Grimaçant en se frottant les jointures, Alexander, chancelant, se pencha sur lui.

— Tu as raison : dix doigts de retrouvés. Et si tu ne veux pas goûter aux cinq autres, je te conseille de te la fermer.

**

Pendant la semaine qui suivit, l'état de santé de Charles-Hubert empira considérablement. Une deuxième attaque laissa le malade à moitié paralysé. Isabelle ne quittait pour ainsi dire plus le chevet de son père, dormant dans un fauteuil et mangeant sur le bureau de la chambre. Madeleine tenta sans succès de la faire sortir de la pièce à l'air vicié et à l'atmosphère lugubre : la jeune femme semblait avoir perdu goût à la vie.

Le soir du 7 avril, Justine pressa séparément Baptiste et Perrine d'aller quérir le prêtre pour qu'il donne les sacrements de pénitence, de viatique et d'extrême-onction à son époux mourant. Elle était persuadée que ces hérétiques d'Anglais avaient fait entrer le diable dans Québec. Or le diable ne pourrait s'occuper de deux messagers à la fois pour retarder la venue du prêtre et, par conséquent, s'approprier l'âme du mourant. Peu avant minuit, Charles-Hubert Lacroix poussa son dernier soupir, à l'âge de cinquante-huit ans. Isabelle, inconsolable, s'enfonçait dans le chagrin.

La jeune femme vécut la veillée du corps et les funérailles comme un rêve. Elle était tellement perdue dans son immense peine qu'elle ne remarqua pas les larmes que laissa couler sa mère. Puis, le jeune notaire, Pierre Larue, fit la lecture du testament. Elle l'écouta sans intérêt détailler les biens de son père et ne réagit même pas lorsqu'il dévoila la mauvaise posture des affaires familiales. Si le roi acceptait enfin de rembourser le papier-monnaie, ils seraient à l'abri. Sinon... Tant pis!

Justine invita monsieur Larue à souper avec eux. Isabelle fut complètement indifférente à la présence du jeune homme, qui n'avait d'yeux que pour elle. Elle demeura polie, sans plus, s'excusa et se retira tôt pour aller endormir sa peine. Madeleine usa de toute son imagination pour tenter de sortir sa cousine de sa torpeur. Mais rien n'y fit. Isabelle refusait tout contact avec le monde extérieur et se refermait sur elle-même. Si personne n'arrivait à la sortir de sa prostration, pensait Madeleine, elle suivrait à coup sûr son père et Marcelline dans la tombe. Il n'y avait plus qu'un seul recours...

La jeune femme trouva Alexander adossé contre un mur, en haut de l'escalier Casse-Cou. Il fixait les flots gris acier du fleuve. Le pont de glace s'était rompu; toute communication avec la Côte-du-Sud était coupée. Madeleine avait longuement hésité à aller trouver le soldat. Mais il restait son dernier espoir. Se sentant observé, il se retourna. Sur le coup, il parut surpris de la trouver là. Puis, son visage redevint grave, triste même. Il se détourna et reporta son regard au loin. Elle pensa que quelque chose s'était passé entre les deux amoureux et commença à douter de son idée. Mal à l'aise, elle était sur le point de rebrousser chemin lorsqu'il l'interpella:

— C'est elle qui vous envoie?

— Non. J'suis venue de mon propre chef.

Elle fit quelques pas vers lui et s'accouda à la rampe de bois, imitant son attitude. L'odeur des corps en putréfaction qu'on n'avait pu enterrer pendant l'hiver et qui émergeaient maintenant de la neige avait pris la ville d'assaut. C'était insupportable. Madeleine portait toujours sur elle un mouchoir imbibé d'eau de Cologne quand elle quittait la maison. Cependant, Alexander ne semblait pas incommodé; il respirait profondément l'air vicié.

Non loin d'eux, les premiers rouges-gorges picoraient le sol, indifférents à leur présence. Les activités de reconstruction avaient repris dans la Basse-Ville, emplissant les rues d'un tintamarre assourdissant.

— Bon. Pourquoi êtes-vous venue me trouver? Vous voulez me faire la morale ou vous venez me remercier de me tenir loin d'elle?

— Vous faire la morale? Pourquoi j'vous ferais la morale? Pis, si j'vous disais que je n'approuve pas le fait que vous la délaissiez?

Alexander laissa échapper un rire ironique et se tourna légèrement vers Madeleine. La jeune femme ne put s'empêcher de trouver qu'il n'avait pas vraiment meilleure mine que sa cousine. Il s'était vraiment passé quelque chose entre ces deux-là.

— Comment va-t-elle?

— Au plus mal, monsieur Macdonald. Depuis la mort de son père, cela empire chaque jour.

Il haussa les sourcils.

— La mort de son père?

Il se souvenait vaguement avoir entendu parler du décès d'un riche marchand de la ville. Mais, trop occupé qu'il était à ramasser les morceaux de sa vie, il n'y avait pas vraiment porté attention. Cependant, un soir de patrouille, il était passé devant la maison de la rue Saint-Jean. Ne voyant personne, il s'était approché de la fenêtre et avait osé jeter un œil à l'intérieur. Isabelle était assise devant un clavecin. Une musique triste emplissait la pièce. Adossé contre le mur, le jeune homme avait écouté, l'âme en miettes. Il entendait la voix du cœur de sa bien-aimée crier de douleur et il croyait naïvement en être la cause. La musique s'était interrompue sur une note discordante. De peur d'être découvert, il s'était éloigné. Ainsi, c'était son père que la jeune femme pleurait ce jour-là...

— Quand? s'enquit-il d'un air concerné.

— Vous saviez pas? Il est mort le 7 avril dernier. Pis, il y a son amie Marcelline qui est morte peu de temps avant. J'crains pour sa santé. Elle mange plus; elle dort plus. J'ai pensé que vous pourriez l'aider...

— Pour cela, il faudrait qu'elle accepte de me voir.

Il laissa à nouveau son regard errer au-dessus de la Basse-Ville.

— Que s'est-il passé? Vous vous êtes disputés?

Il ne répondit pas, se contenta de hausser les épaules d'un air las et croisa les bras dans une attitude fermée. Madeleine ne se laissa pas démonter et revint à la charge.

— Monsieur Macdonald, il faut faire quelque chose pour Isabelle. Si vous l'aimez vraiment comme vous le prétendez...

Il sursauta un peu et redressa le torse, raide comme une barre de fer. Voyant ses mâchoires se contracter fortement, Madeleine posa sa main sur son bras.

— Vous l'aimez toujours, n'est-ce pas?

Il hocha la tête et déglutit.

— Elle refusera de me voir, madame Madeleine, murmura-t-il. Elle... ne vous a pas raconté? Je croyais...

— Isabelle ne parle plus ni à moi ni à personne, monsieur Macdonald. De toute façon, ce qui s'est produit entre vous deux ne regarde que vous. Mais j'sais qu'elle vous aime toujours...

Il baissa les yeux.

— J'en doute.

— Je n'ai pas dit qu'elle ne vous en voulait pas, mais... Nous n'avons pas à lui demander quoi que ce soit. Nous n'avons qu'à arranger une rencontre... fortuite. Elle a besoin de vous.

— Je ne sais pas...

— Alexander, l'implora-t-elle doucement, faites-le pour elle!

Il fut touché de la confiance qu'elle lui témoignait et remarqua qu'elle l'appelait par son prénom pour la première fois. Lui offrant un mince sourire, il resta un instant à fixer la main qui pressait son bras. Les doigts étaient longs et fins; les ongles, coupés très court, étaient d'une propreté parfaite.

— Qu'avez-vous en tête?

Elle sourit de satisfaction.

— Eh bien... il y a longtemps qu'elle n'a pas fait de pique-nique!

13

Le chant des anges de la géhenne

Un nordet cinglant s'était levé. Hors d'haleine, les deux cousines se réfugièrent dans le moulin. Isabelle referma la porte en maugréant, les plongeant dans la pénombre. Un éclair illumina le ciel, dont une parcelle était visible par la fenêtre. La jeune femme frémit. Elle détestait tellement les orages!

— Quelle journée! J'aurais grandement préféré rester bien au chaud à la maison, plutôt que de venir grignoter ici au froid, Mado. Qu'est-ce qui t'est passé par la tête?

— T'as besoin de te changer les idées, cousine. Beau, pas beau, j'ai décidé de te sortir de ton cercueil.

— Mado!

— Je m'excuse, Isa. Mais t'es plutôt blêmette. Tu dois prendre un peu l'air.

Isabelle grimaça en parcourant du regard l'intérieur poussiéreux du moulin, abandonné depuis l'automne.

— Hummph... Prendre un peu l'air, tu parles!

Madeleine ignora la remarque et fit mine de fouiller dans le panier.

— Batinse! J'ai oublié les verres.

— On n'aura qu'à boire au goulot.

— Non, je retourne les chercher. Tu restes icitte, pis tu déballes tout. Je reviens betôt.

— Mado, ça va pas?! La maison est trop loin et il vente à écorner les bœufs! Ce n'est pas nécessaire, je te dis.

Mais Madeleine était déjà sortie. Isabelle la regarda courir, tête baissée, sous les bourrasques et les gouttelettes qui commençaient à tomber.

— Batinse de torrieu de... grrrr! On aurait pu s'en passer, des verres! On aurait pu aussi se passer de ce pique-nique, avec ce temps de chien! Bientôt, il pleuvra des cordes et elle ne pourra plus revenir! Je vais me retrouver toute seule ici à attendre la fin de l'orage.

Elle referma la porte d'un violent coup de pied. La poussière blanche qui recouvrait le plancher se souleva alors en un fin nuage. Bougonnant encore, elle attrapa le balai posé près de la porte et se mit en devoir de nettoyer un coin pour étendre la nappe. Ceci fait, elle fouilla dans le panier. Un tintement la fit sourciller : les verres étaient là.

— Oh, la Mado! Elle non plus n'a pas toute sa tête ces temps-ci!

Elle étala la nappe sur le sol et y déposa les victuailles. Puis, elle s'assit sur une boîte de bois pour attendre sa cousine. Soudain, un bruit lui fit lever la tête. Le fond de la pièce était plongé dans la pénombre. Sans doute était-ce un mulot qui avait l'intention de s'inviter au festin. Elle hésita un moment. Le bruit se reproduisit.

— La sapristi de bestiole! Elle ne va pas venir manger mon fromage, celle-là!

Elle s'empara du balai et se dirigea avec prudence vers la grande huche à farine. Un éclair illumina alors le coin sombre; elle s'immobilisa, le souffle court. Alors que le tonnerre grondait, une haute silhouette apparut devant elle. Elle poussa un cri de frayeur. Alexander se défit de son manteau d'ombre.

— *Dinna fear, Isabelle*. C'est moi.

— Alexander? Mais... mais!...

Il se tenait à quelques pas d'elle, souriant d'un air gêné et se raclant la gorge. L'esprit d'Isabelle tournait à toute vitesse; les émotions se succédaient en elle. Alexander, ici? Et Madeleine qui insistait tellement pour qu'elle l'accompagne en pique-nique un jour de pluie... et avait disparu... Cela sentait le coup monté. Puis, toute la rancœur refoulée ces dernières semaines lui monta à la gorge, l'étouffant. Elle resserra les mains sur son balai, qu'elle brandit bien haut au-dessus de sa tête.

— Espèce de... coureur de jupons sans scrupules! Étalon en cavale! Tartufe en jupette! Espèce de... de... Roméo à la noix! Va-t'en, je ne veux plus te revoir, Alexander Macdonald! Tu t'es bien moqué de moi, hein? Avoue que tu m'as bien eue! Dire que je suis tombée amoureuse de toi... Vieux bouc en rut! Tiens!

Le balai s'abattit d'un coup, soulevant un nuage de farine. Alexander l'évita en bondissant de côté et ne put s'empêcher de sourire malgré la situation. Remarquant l'amusement sur les traits de l'Écossais et rageant de l'avoir raté de si peu, Isabelle releva le balai et le menaça de nouveau en l'acculant contre le mur. Mais elle hésita un instant et Alexander en profita pour s'emparer de son arme, ce qu'il fit aussi facilement que s'il eût été Achille devant Hector. La fureur de la jeune femme décupla.

— Tu es ignoble, Alexander! rugit-elle en cherchant à le griffer. Ce que tu m'as fait est ignoble! Je ne te le pardonnerai jamais!

Puis, voyant la vanité de ses attaques, elle retroussa ses jupes, fit le tour de la huche et sortit du moulin dans un nuage de farine. Elle voulait retourner chez elle, retrouver sa chambre et son lit... Elle voulait surtout ne plus revoir cet homme qui s'était moqué d'elle.

— Isabelle!

Le vent poussait des rideaux de pluie qui fouettaient le visage. Le vacarme de la tempête étouffait les appels d'Alexander.

— *God damn, Isabelle!*

Il la rejoignit et empoigna son bras.

— Laisse-moi! Va retrouver ta petite... copine! Elle... Aïe!

Il lui tordait le bras et l'attrapait par la taille pour l'empêcher de se sauver de nouveau. Le ciel se zébra d'éclairs, éclaboussant de sa lumière blafarde le paysage gris. Se raidissant, Isabelle se mordit la lèvre. Puis, elle explosa de fureur et débita une brochette de grossièretés qui auraient même fait rougir Perrine. Les gouttes de pluie glacée s'écrasaient sur son visage et dégoulinaient dans son cou et dans son dos.

— *Och! Isabelle, 't is enough!* gronda Alexander en entraînant la jeune femme vers le moulin.

Il referma la porte sur la tempête et s'y adossa, observant Isabelle qui secouait ses vêtements mouillés en pestant.

— Calme-toi, Isabelle, nous allons discuter.

Un étrange éclat de rire résonna dans le moulin. Alexander ferma les paupières, le cœur transpercé par la froideur d'Isabelle. Lui tournant le dos et se refusant à lui faire face, la jeune femme recommença à déverser sur lui sa hargne et sa rancœur. Il comprenait, mais trouvait cela difficile à supporter. Au bout d'un moment, ayant épuisé tout son vocabulaire d'injures, elle se calma.

— Discuter? Mais de quoi, dis-moi? Je sais ce que j'ai vu ce soir-là, et... et... je n'ai pas besoin de détails, crois-moi!

La voix haut perchée d'Isabelle énerva de nouveau Alexander. Il reconnaissait sa faute, mais ne se considérait pas comme le seul responsable. Après tout, c'était elle qui l'avait cavalièrement congédié!

— Je veux que tu comprennes...

— J'ai déjà tout compris, figure-toi!

Elle lui lança un regard meurtrier. Alors, un vent de colère se leva en lui, balayant tous ses efforts pour rester maître de ses émotions. Avant de venir, il avait envisagé mille et un scénarios dans sa tête et pensé aux solutions possibles. Tout cela fut emporté dans la tornade de ses sens. Empoignant solidement Isabelle par le bras, il la fit pivoter et la poussa fermement contre la huche. De la farine se répandit sur le bonnet mouillé et la robe noire, et la fit tousser. Les yeux larmoyants, elle croisa le regard saphir qui la fixait durement. Soudain, elle eut peur d'Alexander.

— Je ne suis pas un pantin, Isabelle Lacroix! Ni un chien qu'on abandonne et qu'on rappelle lorsque l'envie nous prend. Pendant des jours, j'ai attendu que tu m'envoies un mot. Mais rien! Pendant des jours, je me suis retenu d'aller te trouver chez toi, à cause de ce que tu m'avais demandé. Comment pouvais-je deviner ce qui t'arrivait? J'ai tout simplement cru que...

Ses mots se perdirent dans un grondement de tonnerre. Isabelle se ressaisit et redressa le buste. Son cœur se mit à battre plus fort; elle réalisait brusquement combien il lui avait manqué et combien elle avait été sotte et égoïste. Il pensait qu'elle ne voulait plus de lui. Comment pouvait-il en être autrement? Ne pouvant soutenir davantage le regard intense qui la fouillait, elle se détourna.

— Je suis navrée, Alex. Je sais que j'aurais dû t'envoyer un mot pour t'expliquer. J'ai voulu le faire plusieurs fois. Pour finir, j'ai préféré aller te voir au Lapin qui court. Et là... là, je t'ai vu avec cette femme... Cela m'a tellement déçue et blessée! Tu n'as vraiment pas été long à me remplacer...

— Cette femme n'est rien de plus... qu'une amie. Je croyais que tu ne voulais plus de moi, Isabelle. Émilie, elle... enfin...

— Mais avec quel genre « d'amie » roule-t-on sous les tables, dis-moi? Non! Oh non! Je ne veux pas savoir!

Ce disant, elle se boucha les oreilles. Il la relâcha et s'écarta, mettant un espace entre eux. Deux grosses larmes tracèrent un sentier sur les joues couvertes de farine de la jeune femme.

— Isabelle... *By God! I am sae sorry.*

— Quel gâchis! Quel beau gâchis!

Le jour s'enfuyait devant l'ire des cieux et l'obscurité envahissait la pièce. Au-dessus de leurs têtes, l'arbre du moulin craquait, rendant l'atmosphère encore plus lugubre. Isabelle frissonna et fit quelques pas vers le panier de victuailles qu'elle avait abandonné sur la caisse de bois. Elle hésitait quant à la suite à donner à cette conversation.

— Avec cet orage, je crois bien que Mado ne reviendra pas de sitôt... Et je devine que tu as un peu de temps devant toi...

— J'ai deux heures avant le couvre-feu.

Elle retira son mantelet mouillé et dégagea ses cheveux collés à son visage. Il remarqua alors ses cernes profonds et remercia intérieurement Madeleine de l'avoir prévenu. L'invitant à s'asseoir, elle essaya de déboucher la bouteille de vin. Il la regarda faire en silence, prenant place en face d'elle.

Durant sa longue attente, avant que les deux cousines arrivent, Alexander se débattait entre son envie de se sauver et celle de rester. En fait, il avait peur de revoir Isabelle. Il craignait qu'elle ne lui confirme ce qu'il pensait. Mais, pris dans l'engrenage des manigances de Madeleine, il n'avait pu reculer. Jamais il n'aurait cru qu'une femme pût lui faire autant d'effet. Isabelle avait bousculé sa morne existence, son âme. Elle était la sensualité de Connie, la douceur de Kirsty, la force de Leticia, l'amour de sa mère... Il ne voulait pas perdre tout cela. À la vérité, elle l'avait tout retourné, comme on retourne un gant. Or il était si facile de jeter un gant quand on n'en voulait plus.

— Isabelle, je dois savoir si je compte encore un peu pour toi.

Surprise, la jeune femme suspendit son geste. Il lui prit la bouteille des mains et l'ouvrit, avant de la poser sur le sol, entre eux.

— Je suis désolée que tu doutes de mes sentiments à ton égard, Alex.

— N'ai-je pas de bonnes raisons d'en douter?

Fuyant le regard bleu, elle se mit à fouiller dans le panier. Elle devait bien lui donner raison. Mettant la main sur les verres qu'elle cherchait, elle fit mine de les examiner.

— Je pourrais te poser la même question, Alex, déclara-t-elle en tournant vers lui des yeux accusateurs.

« En effet », se dit-il. Il eut alors envie d'être une tortue pour pouvoir rentrer sa tête dans sa carapace.

— Quoi que tu puisses penser de ce que tu as vu, il n'y a rien entre... Émilie et moi.

Il attendit sa réaction. Mais, remplissant les verres en se mordant la lèvre, elle ne dit rien.

— Pourquoi ne pas m'avoir fait demander? Tu as traversé de terribles moments, je le sais... Ta cousine a eu la gentillesse de m'expliquer.

— Ainsi, Mado a organisé cette rencontre, laissa-t-elle tomber dans un rire amer. Je ne voulais pas t'embêter avec ma peine. Une femme qui pleure tout le temps, c'est ennuyant.

— Il n'y a pas de mal à pleurer la mort d'un être cher. Croyais-tu vraiment que j'en serais importuné?

— Je ne sais pas... oui, peut-être.

À la vérité, une autre raison l'avait empêchée de le mander. Mais, celle-là, elle préférait ne rien lui en dire. Elle vida son verre à grandes gorgées et le lui présenta afin qu'il le remplisse de nouveau. L'alcool lui réchauffait le corps, et cela lui faisait du bien. Plusieurs minutes s'écoulèrent. La tempête giflait toujours le moulin dans un vacarme d'enfer.

— Je suis triste que ton père soit mort, Isabelle. Vraiment...

Elle renifla, s'efforçant d'endiguer le flot de larmes qui menaçait. Vidant son verre, elle réclama encore du vin.

— Je n'arrive pas à croire que je ne le verrai plus... oh, bon Dieu!

Elle but une gorgée, puis éclata en sanglots.

— *Iseabail, a ghràidh...* murmura Alexander en passant prudemment son bras autour de ses épaules.

La jeune femme se blottit contre lui, lui chatouillant le nez avec ses cheveux parfumés. Soulagé, il effleura son front de ses lèvres et ferma les paupières. Il avait tant envie de lui enlever ce satané bonnet et de laisser courir ses doigts dans la soie d'or de sa chevelure. Il avait tant besoin de sentir la douceur de cette femme.

— Oh! Alex! Je suis seule, toute seule maintenant. Mon père mort... que vais-je devenir?

— Tu n'es pas seule, Isabelle... Je suis là.

Les idées se bousculaient dans la tête d'Alexander; des images de cadavres venaient le troubler. La perception de sa propre vie et de celle d'Isabelle lui rappelait combien ils étaient fragiles. La mort allait un jour les visiter et les refroidir, et cela pourrait être demain ou même dans une heure... Il décida de se concentrer sur la douceur du moment pour en profiter. *Carpe diem.*

Écrasée par son immense chagrin et un peu ivre, Isabelle hoqueta bruyamment dans sa veste. Il lui caressa doucement le dos, le menton posé sur le dessus de son crâne. Il voulait lui dire qu'il l'aimait, lui, qu'il allait l'emmener loin d'ici et faire son bonheur. Mais il y avait la réalité... Il la laissa déverser sa peine et patienta en s'efforçant d'apaiser son propre désarroi.

Elle se calma un peu et renifla encore. Alexander resta muet. Ce qu'il aimait ces yeux qui se baissaient lorsqu'il les croisait, ce teint qui rosissait, cette respiration qui se précipitait et soulevait cette poitrine bien ronde! Soupçonnait-elle ses pensées, ses désirs? Avait-elle les mêmes? Ou bien était-elle naïve au point de croire que les pensées et les sentiments qu'elle suscitait en lui étaient toujours respectueuses, vertueuses? Isabelle, belle vierge inaccessible.

Cependant, c'était une femme gourmande, qui aimait la vie et ses plaisirs, ça oui. Il l'avait constaté lors de leurs rencontres. Il avait vu ses lèvres trembler de désir, s'entrouvrir lorsqu'il se penchait vers elle. Il la sentait frémir lorsqu'il l'effleurait, la caressait plus audacieusement. Doucement, il approcha sa main de son visage. Elle ne détourna pas la tête. En ce moment même, elle luttait contre sa conscience. Il pouvait le jurer à sa respiration qui se précipitait, à ses doigts qui se crispaient, à ses paupières qui se plissaient. Un éclair lança sa lumière sur la peau d'Isabelle qui, hagarde, se tendit dans l'attente du grondement qui allait suivre.

Alexander embrassa la joue de la jeune femme. Il avait soif d'elle. Il s'abreuva du chagrin qui inondait ses lèvres. Oh! Isabelle, supplice de Tantale! Déchiré, il voulait la consoler, l'envelopper de ces mots qui réchauffent. Mais, au fond de lui, il avait aussi envie d'autre chose. Tout en sachant qu'il profitait de la situation, il l'embrassa tendrement sur la bouche.

Se sentant transportée, Isabelle garda les paupières baissées. Elle s'enivra de l'haleine à la fois douce et âcre d'Alexander. Les grandes mains de l'Écossais encadrèrent sa taille et l'attirèrent plus étroitement contre lui. Une aria de Bach s'éleva dans sa tête et assourdit les rugissements du vent furieux qui cherchait à arracher le moulin de la terre pour les emmener sous d'autres cieux où ils pourraient s'aimer librement.

Les caresses se firent plus précises; les respirations, saccadées. Elle sentait sa croix d'argent lui brûler la peau, mais pas autant que les mains, la bouche et le regard de l'homme posés sur elle. Elle luttait contre sa conscience, contre son désir. Toutefois, la proximité du péché l'excitait aussi. Elle devrait se confesser; on la condamnerait aux feux éternels, certainement...

Alexander posa ses lèvres sur sa tempe, puis lui chuchota à l'oreille des mots qu'elle ne comprenait pas. Sa voix suave la réconforta. Il posa ensuite sa bouche sur son cou, et un grand frisson la secoua. Les lèvres mouillèrent la base de son cou, dans le petit creux de la clavicule. Elle renversa sa tête vers l'arrière; son bonnet glissa et ses cheveux, libérés, tombèrent en cascades lumineuses sur ses épaules et dans son dos. Alexander interrompit son geste et la regarda pendant un moment, subjugué.

— *Iseabail... mo nighean a's bòidhche...*

Il tendit la main et passa ses doigts dans la magnifique et longue chevelure ondulante. Il n'avait encore jamais vu les cheveux d'Isabelle libres comme ça. Il avait bien tenté de les imaginer, mais... ce fleuve de lumière qui coulait entre ses doigts... Quelle merveille!

Il chercha la bouche de la jeune femme, osa une main dans l'encolure de la chemisette découvrant et caressant le satin de sa peau.

— Pourquoi t'es-tu éloignée de moi? chuchota-t-il.

— Parce que... je t'aime.

— Tu m'aimes, et tu cherches à ne plus me voir?

Il avait presque envie de rire de cette contradiction, mais, ne voulant pas la vexer, il se contint. Tandis qu'il se remettait à explorer son visage et son cou, sa main, qui errait sous la fine batiste, se referma sur un sein tiède qui débordait légèrement du corset. La jeune femme poussa un profond soupir.

— *A ghràidh mo chridhe...*

— Alex, on ne doit pas...

Il posa sa bouche sur la gorge moite, empêchant Isabelle de reprendre pied dans la réalité, et tira sur l'encolure de la robe qui collait à la peau. Elle sentit la pointe de ses seins se durcir et frotter contre l'étoffe, qui résistait. Elle devrait payer pour ce qu'elle faisait, pour ce qu'elle le laissait faire. Car elle n'avait plus la force ni l'envie de résister. La musique, dans sa tête, se faisait complice de la volupté.

— Isabelle, quel châtiment me serait pire que celui de ne pouvoir t'aimer? J'ai cru mourir, ces derniers jours...

Il l'embrassa sur les paupières, sur les joues, sur le nez. Ses mains, grandes ouvertes dans son dos, la plaquaient contre lui avec force. Elle frissonna de plaisir lorsque sa bouche trouva refuge dans les profondeurs de son décolleté. Il avait raison: quel châtiment serait pire que celui de ne pouvoir l'aimer de tout son cœur et de tout son corps? Elle était tout simplement envoûtée, emportée par les sensations que faisaient naître en elle les caresses et les baisers. Elle avait des papillons dans le ventre et à l'intérieur de ses cuisses; elle frémissait.

Sa robe glissa sur ses épaules. Alexander avait réussi à la délacer. Surprise par l'air froid, elle poussa un petit cri et tenta de couvrir sa poitrine qui débordait maintenant généreusement du corsage. Il l'arrêta, lui prenant les mains et lui plaquant les bras de chaque côté de son corps.

— Tu es... *sae beautiful... a ghràidh...*

Le demi-regard saphir la détaillait avec envie et allumait partout où il se posait un feu qui parcourait sa peau. Malgré le froid, elle avait très chaud. La bouche d'Alexander emprisonna un mamelon dressé, et elle gémit. Une larme coula le long de sa joue. Pourquoi pleurait-elle, alors qu'elle frissonnait d'extase? Elle pensa à Nicolas. Infidèle elle était... oui, mais aussi désespérément amoureuse. Brusquement, le jeune homme la souleva. Elle vit les murs de pierres tournoyer autour d'elle et se retrouva assise sur des caisses de bois.

— Alex...

— *Tuch! Tuch!*

Les mains s'affairaient sur ses vêtements, libérant ses bras et ses jambes. Impatientes et tremblantes, elles exprimaient, dans leur langage muet, le désir de l'homme. Tandis que les yeux dévoraient, la bouche, gourmande, goûtait à tout au passage, insatiable et sans pudeur. Isabelle n'offrait pas ou si peu de résistance. Sa conscience la sermonnait, mais ses avertissements se noyaient dans la frénésie des sensations. Comme une courtisane accomplie, la jeune femme ondulait sous ces mains qui écartaient maintenant fermement ses cuisses. Ses paupières se fermèrent, et elle s'abandonna aux fantasmes que lui inspirait cette danse fascinante. Elle revit le coup de reins souple d'Étienne; elle entendit les halètements de Perrine... Comprenant soudain que c'étaient là les siens, elle eut un sursaut de lucidité.

— Alex... non.

Mais elle protestait si faiblement... L'obscurité les enveloppait. Une odeur indéfinissable émanant de leurs corps dominait maintenant celle du moulin. Le parfum singulier l'enivra. Elle commettait l'irréparable... et elle aimait cela.

— Isabelle, *mo rùin*, je veux t'aimer... *Let me...*

Oh oui! Elle avait besoin d'être aimée, elle l'avait ardemment souhaité toute sa vie. Enfonçant ses doigts dans la chevelure d'Alexander, elle attira le jeune homme à elle pour l'embrasser. « Aime-moi... » chuchota-t-elle dans sa tête, tandis que les mains exploraient son intimité. Elle poussa un gémissement de plaisir et serra davantage ses paupières sur les images qui défilaient. La volupté la submergeait totalement. Étienne et Perrine dans la laiterie... Alexander et elle dans le moulin... Elle imaginait tant de choses... Le diable, les démons, ces monstres qui dévoraient les âmes pécheresses... Brusquement, une terreur sourde lui barra l'estomac. Elle tenta une dernière fois de résister lorsqu'elle sentit le membre tiède et rigide effleurer l'intérieur de ses cuisses, tel le sceptre impérieux du malin la condamnant.

— Alex! Non!

— Isabelle... *Let me love ye*[81]...

Les mots qu'il lui susurrait dans l'une ou l'autre langue agissaient sur elle comme des formules d'envoûtement, annihilant toute réserve, réduisant au silence toute protestation. Il la contrôlait

---

81. Laisse-moi t'aimer...

totalement, l'avait à sa merci. Alors que la hampe fouillait entre ses cuisses à la recherche de l'antre interdit, elle luttait contre les démons qui l'entraînaient vers la géhenne, se débattait dans un tumulte intérieur.

— Alex!

— *Winna hurt long, ma love... winna... O mo Dhia!*

Les yeux écarquillés de saisissement, elle poussa un cri étranglé. La poigne ferme autour de ses hanches l'empêchait de se dégager. Il était maintenant en elle. La pétrissant avec une brutalité à la fois retenue et débridée, il bougeait à son propre rythme, faisant fi de ses protestations, gémissant. L'Anglais achevait sa conquête.

Ce fut bref et violent. La douleur de l'hymen déchiré se dissipait. Mais une autre, plus terrible, grandissait et lui nouait la gorge. Ses larmes coulaient à flots. Qu'avait-elle fait? Qu'avait-elle fait?! Elle était désormais perdue.

— *Sorry, Iseabail, dinna want tae hurt ye. Dinna*[82]... murmura Alexander un peu plus tard.

La jeune femme ouvrit les paupières. Le souffle court, elle fixa les profondeurs des ténèbres. Les volets de la fenêtre battaient; les démons s'applaudissaient de leur victoire. La tête d'Alexander reposait, lourde, sur son épaule; sa chevelure lui chatouillait les joues. Le jeune homme respirait bruyamment dans son oreille. Brusquement, elle se demanda où était Madeleine et l'imagina entrant au même moment. Quelle tête elle ferait, elle, la complice du malin!

Remuant un peu, elle étira le bras et referma les doigts sur un bout d'étoffe: son jupon. Elle tira dessus pour recouvrir son ventre moite. Son mouvement dérangea Alexander. Il leva la tête, et leurs regards se croisèrent un instant. Puis celui d'Isabelle s'échappa dans l'ombre. Le jeune homme se redressa alors, la libérant enfin. Privée de chaleur, elle sentit le froid lui mordre la peau et frissonna. D'un geste brusque, elle s'essuya le visage.

— Isabelle... chuchota doucement Alexander, l'air contrit.

Incapable de proférer le moindre son, elle se recroquevilla sur la caisse. Son esprit tentait de reprendre possession de ses sens et de trouver des raisons de ne pas lui en vouloir. Mais il avait pris son plaisir avec elle, comme il l'avait probablement fait avec la femme du cabaret! Et combien d'autres? Il lui avait joué de son violon pour mieux l'envoûter, et elle avait succombé. Elle lui en voulait amèrement. Mais, en fait, elle s'en voulait surtout à elle-même.

— Je suis... désolé.

---

82. Désolé, Isabelle, je ne voulais par te faire de mal. Je ne voulais pas...

Isabelle demeura immobile, pleurant silencieusement. Elle s'attendait à de plates excuses, telles que « tu n'as rien fait pour m'empêcher » ou encore « tu semblais pourtant bien apprécier ». Mais il ne dit rien de tel. Ces reproches, elle se les faisait à elle-même. Car, au fond, elle savait qu'elle n'était victime que de sa propre mollesse.

Victime consentante, elle s'était immolée sur le bûcher de l'amour. Son corps, sourd aux avertissements de son esprit, avait répondu aux caresses et avait encouragé le jeune homme. Mais, au dernier moment, à cet ultime instant précédant le passage au péché mortel, prise de panique, elle avait tenté d'arrêter Alexander. C'était alors trop tard...

Pour finir, Alexander s'écarta et essuya doucement l'intérieur de ses cuisses avec ses jupons, qu'il rabaissa d'un air honteux. Elle se redressa et entreprit de replacer ses vêtements désordonnés comme s'il s'agissait de morceaux d'elle-même. Lentement, délicatement et avec application, elle se rhabillait, se rajustait. Malgré tout, elle n'arrivait pas à retrouver l'intégrité de sa personne. Une partie d'elle-même était à jamais perdue. Elle se tourna avec lenteur vers le jeune homme.

— Je... dois rentrer. Il est tard.

Il finissait de reboutonner son gilet. Il leva vers elle un visage inquiet.

— Isabelle, *I thought*... je croyais que...

Finalement, la plate excuse venait.

— Aide-moi à ramasser, s'il te plaît.

Côte à côte, laissant une certaine distance entre eux, ils prirent le chemin du retour dans un silence insoutenable. Chacun avait l'esprit occupé à affronter la tempête qui le secouait intérieurement. La pluie avait cessé, mais le vent était toujours aussi cinglant et les éclairs déchiraient sporadiquement les ténèbres. Alexander avait couvert avec sa veste les épaules d'Isabelle, qui frissonnait sous le mantelet encore tout trempé. Resté en simple chemise et gilet, il se frictionnait vigoureusement.

« Une courtisane! Tu n'es qu'une courtisane, Isabelle! Pis encore, une catin! » La jeune femme grelottait. Alexander la reconduisait chez elle, en parfait gentleman. Il lui souhaiterait le bonsoir, en parfait gentleman. Puis, il la planterait là pour aller rejoindre ses compagnons et leur raconter comment il avait bien eu la fille du marchand Lacroix, en parfait salaud! Voilà ce qui allait se passer. Voilà tout ce qu'elle méritait.

Son bonnet négligemment enfoncé sur sa tête menaçait de s'envoler; ses cheveux, qu'elle n'avait pas eu le courage de replacer sous sa coiffe, volaient en tous sens. Elle s'en moquait. Le mauvais temps lui servirait d'excuse pour expliquer sa dégaine. Madeleine aurait des comptes à lui rendre... Elle la tenait pour responsable de ce qui lui était arrivé.

Un chien aboya derrière une clôture, sur leur passage. La jeune femme sursauta et faillit mettre le pied dans une flaque d'eau où se reflétait la lune qui s'extirpait timidement d'une bande de nuages. Alexander la rattrapa par le coude. Il avait tant envie de la serrer dans ses bras et de tout reprendre depuis le moment où, éprouvée par son immense chagrin, elle s'était blottie contre lui.

L'attitude détachée et le silence persistant d'Isabelle l'agaçaient un peu, l'inquiétaient surtout. Il aurait nettement préféré une scène, une crise de larmes ou une pluie d'injures et de coups de poing. Il comprenait que, pour une femme, la perte de sa virginité était un moment décisif de sa vie, une forme de rite de passage... enfin, c'était ce que lui avait expliqué Kirsty. C'était un don précieux. Que la jeune femme aimât ou non celui à qui elle l'offrait, l'homme aurait à jamais une place dans son âme. Alexander se demandait quelle place Isabelle lui réserverait...

Dans un élan de passion, aurait-il tout gâché? Mais, elle, ne s'était-elle pas donnée à lui de son propre gré, par désir? Il avait bien senti sa réticence, entendu ses faibles protestations à certains moments. Mais, pour lui, c'était dû à la crainte de l'inconnu, car il la sentait aussi frémir de plaisir. C'est pourquoi il avait tenté de la rassurer.

La maison de la rue Saint-Jean était sombre et semblait déserte. Seul un photophore éclairait l'une des fenêtres, à l'étage. Isabelle trouva cela curieux. Mais où donc était passé tout le monde? Inquiète, la jeune femme poussa la porte cochère, qui grinça. Alexander s'immobilisa. Il se sentait tellement bête. Ils n'allaient tout de même pas se quitter de cette façon! Déterminé, il ouvrit la porte plus grande et entraîna Isabelle derrière lui, dans la cour.

— Alex!

Posant le panier à terre, il la prit par les épaules et la força à le regarder.

— *Listen tae me, Isabelle. Ye must believe me, I dinna wanna tae hurt ye.*

— P-parle-moi en français, veux-tu? explosa-t-elle brusquement, au bord des larmes.

— *Aye*, se reprit-il, penaud. Isabelle, crois-moi, je ne voulais pas te blesser.

Elle ne dit rien, ne bougea point. Torturé par son silence, il la secoua un peu pour la forcer à réagir.

— Isabelle!

Puis, il la relâcha avec douceur. Elle le regarda, bouleversée, et se détourna en fermant les yeux. Que devait-il faire maintenant? Il se sentait si démuni, si... bête! S'excuser et l'embrasser? Partir sur-le-champ et l'oublier? Rien de tout cela ne lui paraissait approprié.

Il étendit les bras et prit les mains qui se tordaient ensemble. Elles étaient glacées et tremblaient.

— Isabelle, nous ne pouvons pas nous quitter comme cela, murmura-t-il.

La jeune femme hoqueta. Alexander prit son visage dans ses mains, avec empressement, et l'embrassa tendrement. Elle se demanda ce qu'il désirait, maintenant qu'elle lui avait cédé. Qu'elle fût sa maîtresse? Celle avec laquelle il passerait ses temps libres de manière agréable?

Un bruissement et un craquement de bois interrompirent ses réflexions. Alexander la tira brusquement vers la haie de lilas.

— Quelqu'un vient.

Des voix approchaient effectivement. Elles venaient du verger. Pensant les avoir reconnues, Isabelle poussa le Highlander vers la laiterie.

— Reste ici, et surtout ne te montre pas, ou nous sommes perdus!

Elle referma derrière lui la porte qui grinça. Les voix se turent. Isabelle fit un pas en avant. Trois silhouettes avancèrent prudemment vers elle.

— Isa? Mais que fais-tu là?

— Louis? Étienne? C'est bien vous? Guillaume?

Elle s'élança dans les bras de son frère aîné, qui l'étreignit avec force.

— Oh, mes frères! Cela fait si longtemps! Je me demandais si vous reviendriez jamais. Que de malheurs! Que de malheurs! Le ciel n'en finit plus de nous tomber sur la tête! Notre bon papa...

— Qu'est-ce qui s'passe, Isa? Not' père est malade? Où est-il? Nous sommes venus tout à l'heure, et la maison était vide. Où est tout le monde?

— Je ne sais pas. Mais papa... il nous a quittés.

L'émotion l'étrangla. Louis ne dit rien, mais un son étrange s'échappa de sa gorge. Il se détourna, courbant l'échine et enfouissant son visage dans ses mains.

— Comment c'est arrivé? demanda Étienne d'une voix éraillée par les abus.

— Nous pensons que c'est son cœur. Le médecin n'a rien pu faire pour lui. Il est mort il y a trois semaines.

— Torrieu!

— C'est l'œuvre du diable! s'écria Guillaume en se balançant d'un pied sur l'autre. Ils me l'ont dit. Le diable veut s'emparer de nous. Il ne faut pas le laisser faire. Il faut exterminer son armée de chiens!

Isabelle fronça les sourcils. Que disait donc Guillaume? Sous le clair de lune, le regard exalté du garçon était inquiétant. Elle pensa que l'annonce de la mort de Charles-Hubert le plongeait dans un moment de folie.

— On vient vous chercher, Isa. Fais tes bagages. N'emporte que le strict nécessaire, dit abruptement Étienne pour couper court aux élucubrations de leur frère, qui se tut d'emblée.

— Pourquoi? Qu'est-ce qui se passe?

— Lévis va porter le coup de grâce aux Anglais. Des Méloizes ne veut pas que tu sois icitte quand l'armée française tombera sur eux, continua d'expliquer Louis en s'essuyant les yeux.

— Mais de quoi parles-tu?

— Le diable! Le diable! Regardez, il est parmi nous! cria Guillaume en pointant le doigt sur Isabelle.

— Nous avançons nos postes d'avant-garde. Des troupes arrivent de Montréal, poursuivit Louis. Elles ont débarqué à Saint-Augustin hier. Elles traversaient la rivière Cap-Rouge et marchaient sur Sainte-Foy quand des Méloizes m'a envoyé devant avec les éclaireurs. Il veut que nous te conduisions en lieu sûr. Il s'en fait beaucoup pour toi. La fin approche, Isa. Nous avons réuni sept mille hommes. Les Anglais ne feront jamais le poids avec leurs effectifs qui en représentent la moitié. Où sont donc ta mère, Ti'Paul et les autres?

— Je ne sais pas... je...

Isabelle commençait à s'affoler. Ils allaient attaquer la garnison anglaise? Des Méloizes l'envoyait chercher? Mais elle ne pouvait pas partir! Encore moins pour aller retrouver Nicolas! Plus maintenant!

— Je ne peux pas...

— Il faut courir! Il faut nous cacher! reprit Guillaume en piétinant furieusement le sol. Ils vont tous nous massacrer! Ces chiens du diable!

Étienne se dirigea vers la porte qui menait à la cuisine. Un éclair éblouissant baigna la cour de lumière. La silhouette de Guillaume se figea dans cette infime parcelle de temps, sinistre. Isabelle plissa le front: qu'avait donc son frère? Avait-il bu?

— Tout le monde doit partir, Isabelle. Tu viens avec nous, insista Étienne qui s'était immobilisé juste devant la laiterie où était tapi Alexander. Julien est venu chercher Madeleine tout à l'heure pour la conduire chez le cousin Louis Perron. Où t'étais donc? Pourquoi t'es pas avec les autres?

Il la dévisagea soudain avec un drôle d'air. La jeune femme se rendit compte alors qu'elle portait toujours la veste d'Alexander sur ses épaules qui s'étaient remises à trembler. Un étrange silence les enveloppa. Même Guillaume s'était arrêté de crier ses incohérences.

Dans la laiterie, Alexander se tendit, la main sur le manche de son poignard. Il s'attendait à voir la porte s'ouvrir d'un moment à l'autre et il s'était arrêté de respirer. Un coup de canon rompit brusquement le silence et fit vibrer les cruches sur l'étagère, au-dessus de sa tête. Le couvre-feu, songea-t-il en serrant les dents. Merde! Il serait absent lors de l'appel!

— Où t'as eu ça? demanda Étienne à sa sœur sur un ton presque menaçant.

Isabelle recula d'instinct et resserra les pans de la veste sur elle.

— Où t'as pris cet habit, Isa? C'est un de ces chiens... Batèche! Dis-moi pas que tu te laisses courtiser par eux, astheure? T'en as pas eu assez de te faire violer...

— Tais-toi, Étienne! cria Isabelle, livide. Ce ne sont pas tes affaires! Puis, qui t'a parlé de ça?

— C'est Madeleine qui l'a raconté à Julien dans l'une de ses lettres. Tu te balades seule dans la ville pleine de soldats anglais... Tu cours après la misère ou ben t'es plus innocente qu'on le pense?

— Je n'étais pas seule. Marcelline et Toupinet étaient avec moi!

Étienne se tut, stupéfait.

— Marcelline?

— Madeleine n'a rien dit pour elle? Marcelline a aussi...

— Quoi? Marcelline aussi?

Il expira bruyamment. Les veines de son cou se gonflaient sous l'effet de la fureur. Un cri déchira le silence.

— Étienne, je suis désolée... Je me doutais bien qu'il y avait quelque chose entre vous. Je suis navrée de te l'apprendre de cette façon...

Le jeune homme la fusilla du regard. Puis, d'un coup, il empoigna le col de la veste et lui arracha le vêtement, qu'il brandit devant elle.

— Ça, c'est l'habit du diable, Isabelle Lacroix! Où est Marcelline? Que lui ont-ils fait, ces torrieux de salauds?!

Les sanglots et l'émotion faisaient trembloter le menton

d'Isabelle. La jeune femme était complètement terrifiée, certaine de ce qu'Étienne ferait s'il découvrait Alexander, surtout après qu'elle lui aurait répondu.

— Elle est... morte.

— Morte?

Il y avait tant de douleur dans la façon dont il avait prononcé ce mot qu'Isabelle sentit son estomac se crisper. Étienne resta là, pantois, la veste pendant au bout de son bras. Elle n'osa la lui reprendre, malgré le froid.

— Morte?

— Étienne, murmura Louis en s'approchant.

— Morte? Elle est morte? Ils ont tué Marcelline?

— Non, tenta d'expliquer Isabelle, elle... s'est pendue.

Comme si on lui arrachait le cœur, Étienne poussa un hurlement à glacer le sang. Il tomba à genoux et lâcha la veste.

— Je suis désolée, Étienne. Je ne savais pas que tu l'aimais autant...

Louis lui prit le bras.

— Y a des choses que tu sais pas, Isa. Marcelline... était sa fille.

Le choc de la nouvelle la fit chanceler. Elle hoqueta et écarquilla les yeux; Étienne s'était effondré sur le sol et gémissait. Marcelline... l'enfant d'Étienne?

— Va faire tes bagages. Tu viens avec nous.

Les mots parvenaient à ses oreilles, mais n'arrivaient pas à percer sa torpeur. Elle fixait toujours son frère, incrédule.

— Isa!

Un bras la secoua rudement, comme pour lui remettre les idées en place. Elle se tourna.

— T'as compris?

— Je n'irai pas avec vous, Louis, déclara-t-elle doucement en se dégageant.

Étienne, qui s'était remis debout, fou de rage, lui lança l'habit rouge en plein visage. Elle serra les dents.

— T'as pas répondu à ma question. À qui est cette veste de chien? hurla-t-il en détachant bien ses mots.

— Il n'a rien à voir avec ce qui est arrivé à Marcelline...

Isabelle paniquait. Le goût des baisers de son amant lui revenait à la bouche.

— Ceux qui nous ont attaqués ont été pendus. Le gouverneur Murray...

— Qu'il aille au diable, ce bâtard de Murray! J'ai trop vu de mes compagnons se faire déchiqueter par ses maudits boulets pis dépecer par les sabres de sa bande de sauvages en jupes pour avoir la moindre sympathie pour lui!

— Parce que tu penses que nos valeureux soldats français sont des saints, eux? explosa brusquement Isabelle. Je t'assure que, s'ils se trouvaient en sol anglais, ils feraient tout autant de veuves et d'orphelins! Ils ne se sont pas gênés pour nous piller, et cela, dès le début des bombardements. Ils ont aussi violé des nôtres, Étienne!

— Comment peux-tu parler comme ça après ce qu'ils t'ont fait? T'as p't'être aimé ça...

Le bruit de la gifle fit sursauter Louis. Guillaume se mit à chanter. Portant une main à sa joue, Étienne lança un regard mauvais à sa sœur et cracha au sol.

— T'es qu'une traînée, pis une traîtresse! Où il est?

— Il n'a rien à voir avec... Non, Étienne!

Isabelle criait, affolée. Son frère avait dégainé son poignard. Instinctivement, elle se plaça devant la porte de la laiterie. Il allait découper Alexander en morceaux pour venger Marcelline! Elle devait faire quelque chose, elle devait l'avertir! Louis l'empoigna par le bras.

— Alex!

Elle se débattait comme une diablesse, en vain. Étienne était entré dans la laiterie. Un seul son leur parvint, un gémissement étouffé, puis plus rien. Isabelle se mit à pleurer.

— Non, Alex...

À grands cris, Guillaume prédisait l'horreur et la folie de l'Apocalypse qui allait s'abattre sur les hommes. Il sautillait sur place, tendait les bras au ciel. La fureur s'empara alors de la jeune femme. Louis avait bien du mal à la retenir. La porte de la laiterie grinça. La chemise blanche d'Alexander ressortait dans l'obscurité. Qui tenait qui? L'éclat d'une lame posée sur une gorge brilla. Bizarrement, Isabelle fut soulagée. Alexander poussa Étienne devant lui et pointa sa lame dans sa direction en haletant. Guillaume gesticulait toujours, appelait la clémence des cieux. Enfin, Louis relâcha Isabelle, qui alla rejoindre son amoureux.

— Sale petite traînée! siffla Étienne avec hargne. T'es ben la fille de Justine!

— Tais-toi, Étienne, l'avertit Louis. Fais attention à ce que tu dis.

— Torrieu, Louis! Ta sœur fraie avec les Anglais pendant que nous, on s'échine pour les bouter hors d'icitte!

— C'est ta sœur itou, pis t'en as pas deux. Calme-toi un peu. C'est p't'être pas ce que tu penses.

Un rire sarcastique fit trembler Isabelle, qu'Alexander serra contre lui. Guillaume tournait sur lui-même, les bras au ciel, en poussant des cris démentiels.

— Mais, Louis! T'es aveugle ou ben il fait trop noir? rugit Étienne. J'suis prêt à te jurer qu'il l'a même déjà eue ben comme il faut!

Louis regardait Isabelle d'un air gêné. Il n'osait lui demander de confirmer ce dont il se doutait en fait au fond de lui-même. Il connaissait bien sa petite sœur : elle était passionnée, fougueuse. Audacieuse et curieuse, elle croquait dans la vie, elle était prête à tout et à n'importe quoi. C'était un tourbillon qui balayait tout sur son passage. Mais c'était Isabelle, et il l'aimait telle qu'elle était. Il l'avait toujours aimée tendrement, depuis sa naissance. Ce soir, sous la lune, avec ses cheveux en bataille, sa tenue maculée et en désordre, il la voyait soudain comme la femme qu'elle était devenue. Belle, gracieuse, gourmande des plaisirs de la vie. Une femme faite pour aimer et être aimée avec passion. Mais, même dans le domaine de l'amour, elle cherchait inconsciemment à provoquer. Il en avait toujours été ainsi.

Pauvre Isa! Elle avait toujours cherché à attirer par ses frasques l'attention que sa mère lui refusait cruellement. Elle n'avait jamais compris que l'effet provoqué était invariablement contraire à celui qu'elle espérait. Des Méloizes serait bien déçu et amer. Bon Dieu! Un Anglais! Le rival était de taille! Il savait que les Écossais étaient des guerriers infatigables, il le savait trop bien : l'un d'eux l'avait poursuivi jusqu'à la rivière Saint-Charles en brandissant sa redoutable épée et en hurlant à la manière d'un Sauvage, ce triste matin de leur défaite sur les Hauteurs. La chance avait voulu que l'homme en question ne sût pas nager. Incroyable! Sinon, il aurait été transformé en saucissons pour chiens.

Guillaume ne cessait de crier à qui voulait l'entendre que le diable était parmi eux. Louis lui ordonna de se taire et se tourna vers sa sœur.

— Isabelle...

— Louis, ne me demande pas de partir. Je n'irai pas avec vous.

— T'existes plus pour moi! lança Étienne avec mépris.

Guillaume tournait en rond en psalmodiant des prières et en faisant de grands signes de croix. Louis s'agita; il ne savait que faire de son jeune frère. Il reporta son attention sur l'Écossais.

— M'est avis que vous parlez le français... Vous avez tout entendu?

Alexander hésita : Louis était armé. Isabelle enfonçait ses doigts dans son bras.

— Oui.

— Pis, j'imagine que vous avez l'intention d'aller tout rapporter à vot' capitaine?

— Eh bien...

Alexander regarda Isabelle, qui tremblait comme une feuille et s'accrochait à lui.

— ... Je ne sais pas encore.

Étienne poussa un cri de rage en se jetant sur Alexander. Isabelle hurla de frayeur.

— Étienne, non!

Louis attrapa son frère à bras-le-corps.

— C'est pas le moment de se battre, batinse! Laissons-le partir... sinon toute la garnison va nous tomber dessus.

— Quoi? Mais ça va pas?! Il sait trop de choses!

Louis savait qu'il devrait laisser Étienne tuer l'Écossais. Mais il y avait Isabelle... Et puis, il y avait peut-être un autre moyen d'empêcher le soldat de sonner l'alarme. Il défia l'homme du regard.

— On va le laisser partir. Il ne voudra certainement pas causer d'ennuis à Isabelle...

Alexander ne dit rien. Il continuait de fixer les trois hommes qui lui faisaient face. Bien sûr, ils le laissaient partir pour le suivre et le faire taire quelques rues plus loin. Il pourrait jurer qu'il ne dirait rien de ce qu'il avait entendu, cela ne changerait rien. Ces hommes étaient des soldats, comme lui. Ils savaient qu'il n'avait pas le choix, qu'il lui fallait rapporter la vérité à son supérieur, ne serait-ce que pour justifier son absence lors de l'appel. Mais il y avait Isabelle et ces hommes étaient ses frères. Il était coincé.

Un bruit de porte qui claque et des pas précipités à l'intérieur de la maison alarmèrent les frères Lacroix.

— J'espère que t'as pas invité tout son régiment, marmonna Étienne en passant devant Isabelle.

Une silhouette apparut alors. L'homme se figea, stupéfait dans la lueur de la lanterne qu'il tenait, et dévisagea Étienne.

— Toi, icitte? Ben, ça alors! Louis est avec toi?

— Baptiste! s'écria Louis en s'élançant vers le vieux domestique.

Isabelle se détacha d'Alexander et se dirigea vers eux pour savoir où étaient passés sa mère et Ti'Paul.

— Louis, quelle chance! Ta femme... J'cré qu'elle va avoir son petiot betôt... Mademoiselle Isa, on vous cherchait partout! Venez, y vont avoir besoin de vous cette nuit.

***

Une forte odeur de tabac flottait dans la pièce mal éclairée. La pointe d'une plume crissait sur le papier. Alexander grimaça et changea de position pour la énième fois sur sa chaise. Il gardait le regard fixé sur la tabatière de faïence posée sur le coin du bureau : la scène de chasse qui était peinte dessus s'effaçait à deux endroits et le bord était ébréché.

— Voulez-vous un peu de vin ? lui demanda le lieutenant Campbell sans lever la tête.

— Non, merci.

En fait, il aurait volontiers pris quelque chose à boire. Mais son envie de quitter le bureau au plus vite était plus forte. La plume grinçait toujours affreusement. D'aussi loin qu'il se souvînt, son ami avait toujours torturé ses plumes de cette façon. Alexander se revit soudain dans la maison de Fortingall, que son grand-père Campbell avait fait construire à son retour d'exil en France, six ans après le soulèvement de 1715. Il aimait les odeurs de la pièce dans laquelle il suivait ses leçons avec Archibald : celles de l'encre et de la poussière des livres ; celles du café et des petits gâteaux qui venaient des cuisines. L'époque de l'insouciance !

N'étant pas très doué pour les lettres et les chiffres, Alexander trichait à l'occasion. Il envoyait Archie quémander une collation à la cuisine et profitait de son absence pour copier les réponses aux questionnaires que le précepteur leur soumettait. Archie n'était pas dupe. Il savait très bien comment Alexander s'y prenait pour terminer en cinq minutes ce que lui faisait en trente minutes. Mais il n'en avait jamais soufflé un mot à quiconque.

Les jours de beau temps, la fenêtre ouverte laissait pénétrer dans la salle de classe les chants des oiseaux et une armée de mouches qu'ils s'amusaient à écraser avec le plat des livres lorsqu'ils se retrouvaient seuls pour les ennuyeuses périodes de lecture. Le but était de tuer le plus d'insectes possible avant que le tapage et les fous rires n'attirent la bonne. Celle-ci ne manquait jamais de les réprimander et les obligeait d'un doigt rigide à nettoyer les meubles et les murs maculés de traces jaunes et noires.

Combien de fois avait-il écouté celui qu'il considérait comme son grand frère refaire l'histoire de l'Écosse ? Couchés dans les bruyères, ils s'imaginaient brandissant la grande épée écossaise sous la rose blanche de la maison des Stuarts. L'instant d'après, inspirés par les nuages, ils inventaient des animaux fantastiques. À cette époque, ils étaient loin de se douter qu'un jour viendrait où ils se rangeraient du côté de leur bourreau pour combattre ceux avec lesquels ils avaient si longtemps comploté pour remettre les Stuarts sur le trône. La vie avait parfois de ces retournements...

À l'instar de son père, Archie avait l'âme jacobite. Mais, comme plusieurs clans highlanders, la famille connaissait des dissensions. L'aîné des Campbell, John, n'éprouvait, lui, aucune sympathie pour la cause. S'étant engagé dans la Garde noire, il servait brillamment le roi George II. Ainsi, pendant que son père, John Buidhe, se cachait dans les montagnes après la défaite des clans, à Culloden, lui vivait la défaite de l'armée anglo-hollandaise, à Fontenoy. Il était maintenant le septième laird de Glenlyon et tous le surnommaient *An Coirneal Dhu*[83].

John fils ne s'était jamais marié et consacrait sa vie à l'armée. Taciturne et mélancolique, il était convaincu que les malheurs qui ne cessaient de s'abattre sur lui étaient dus à la malédiction de Glencoe qui pesait sur sa famille depuis le terrible massacre de 1692. Archie avait raconté à Alexander l'une des rares journées de chasse qu'il avait passées avec son frère. Étant donné les désaccords avec leur père, John se tenait éloigné du domaine familial. Ce jour-là, Archie, qui était très jeune et que le manque d'expérience avec les armes à feu avait poussé à l'imprudence, avait légèrement blessé John en tirant sur un lièvre. Son frère l'avait alors consolé avec philosophie en lui expliquant que ce n'était là que la malédiction qui s'acharnait sur lui.

Reposant sa plume, Archibald saupoudra le papier de cendres puis le secoua au-dessus de la corbeille. Il parcourut les lignes une dernière fois et plia la feuille afin de la cacheter.

— Voilà! fit-il en tendant le pli au sergent MacAlpin, qui venait d'entrer à sa demande. Faites immédiatement porter ceci au gouverneur Murray.

— Oui, monsieur!

La porte se referma sur un silence pesant. Les bruits de pas du sergent s'éloignaient. Dans la pièce, il n'y eut plus que le crépitement des flammes et le grincement agaçant de l'enseigne du Lion d'or – établissement où logeait le lieutenant –, qui se balançait dans le vent, sous la fenêtre. Archibald, ses cheveux roux et courts dressés sur la tête comme les poils d'un chat sauvage apeuré, caressait distraitement, avec son index, le duvet doré sous son nez. Alexander se prit à se demander pourquoi son oncle n'était pas encore fiancé, n'avait même pas de petite amie. C'était pourtant un homme très séduisant, plaisant. Un bon parti, quoi! Cette idée lui fit penser que, si aucun des trois fils de Glenlyon ne se mariait et n'avait d'héritier, ce serait la fin de cette branche-ci des Campbell. Mais peut-être

83. Le colonel noir.

était-ce justement ce que les trois hommes recherchaient, afin que meure avec eux la malédiction de Glencoe... Archie croyait-il vraiment à cette histoire?

— Vous êtes certain de ne pas vouloir de vin, Alex? J'aurais bien voulu vous offrir du whisky, mais je n'en ai plus.

— Si vous n'avez plus besoin de moi, j'aimerais disposer...

— Désolé, Alex. Je dois attendre les ordres du gouverneur. Il voudra certainement vous interroger personnellement.

Alexander ne put retenir un soupir de déception. Il croisa les chevilles et les bras.

— C'est tout ce que vous avez pu entendre sur les intentions du chevalier de Lévis?

— Oui, c'est tout. Je vous l'ai dit: j'étais derrière un mur; je n'ai pu saisir que la moitié des paroles.

— Et vous ne savez pas qui ils étaient? Aucun nom n'a été prononcé?

— Aucun. Comme il faisait noir et que je n'étais pas bien armé, j'ai cru préférable de rester à l'abri. Ils étaient plusieurs.

— Quatre.

— Trois. Ça aussi, je vous l'ai dit.

Archie le scrutait de son regard clair. Observateur silencieux à qui rien n'échappait, son oncle se doutait qu'il ne lui révélait pas toute la vérité; il le connaissait trop bien. Mais Alexander avait rapporté l'essentiel, le reste était de nature personnelle. Au milieu des traits un peu austères de son parent, un léger retroussement des commissures des lèvres lui indiquait qu'il devinait justement le reste de l'affaire.

Alexander avait longuement arpenté la rue, devant l'auberge, réfléchissant à ce qu'il devait faire de l'information qu'il avait entendue. C'était trop important pour qu'il se taise. D'un autre côté, il ne voulait pas nuire délibérément aux frères d'Isabelle, encore moins à la jeune femme. Dans tous les cas, qu'il parle ou non, il trahissait. La question était simplement de choisir qui. Lui était alors venue cette histoire qui n'était pas si éloignée de la vérité: caché dans un appentis, il avait surpris une conversation entre trois hommes qu'il soupçonnait d'appartenir au camp ennemi, mais qu'il n'avait pu identifier.

Sa déclaration faite, il s'en remettait à son lieutenant quant à savoir quoi en faire. Cependant, pour expliquer sa présence dans la dépendance, il avait dû avouer y être en compagnie d'une dame, qu'il n'avait pas nommée. Cela avait fait sourire Archie et avait allumé une lueur dans ses yeux. Mais le lieutenant n'avait pas insisté.

— L'ennemi avance... Si les troupes françaises ont débarqué hier, les sept mille hommes devraient arriver aux abords des murs dans... disons environ quatre jours. Il faut absolument avertir nos postes de Lorette et de Sainte-Foy. Mais avec la maladie qui décime nos forces... Depuis septembre dernier, il y a eu près de sept cents décès dans nos régiments et le nombre de malades s'élève à plus de deux mille. C'est désastreux!

Du bout du doigt, Archie, songeur, tapota la surface du bureau en continuant d'observer Alexander.

— Vos gencives me semblent en bon état, mon ami...

— Je le pense.

Alexander exhiba sa dentition et éclata de rire, ce qui détendit un peu l'atmosphère.

— Je vois qu'on vous nourrit bien. Les dames de Québec sont généreuses avec nous, les Highlanders...

— Oui, parfois.

— Celle que vous... raccompagniez si galamment chez elle, vous la voyez souvent?

Alexander se tenait sur ses gardes. Il se carra dans son siège, et décroisa les jambes et les bras avec nervosité. Cela n'échappa pas à Archie.

— Simple curiosité, Alex. Je ne lui veux rien. Je n'ai pas jugé nécessaire de faire mention de la présence de cette personne dans mon rapport. Il serait de toute façon inutile de l'interroger pour tenter de lui soutirer les noms des hommes qui se trouvaient là. Une Canadienne ne trahirait pas les siens pour une amourette au clair de lune. Cela ne ferait que nous faire perdre un temps précieux. Je me fie à votre parole et accepte les conséquences éventuelles de ma décision. Cependant, il ne faut pas oublier que nous sommes en guerre et que les habitants de cette ville, aussi accueillants puissent-ils se montrer, restent fidèles à la France au fond d'eux-mêmes. En tant que Highlanders, nous pouvons le comprendre assez facile-ment, non? En ami, je veux vous mettre en garde. Vous avez manqué à l'appel, ce soir. Le sergent Ross l'a souligné lorsqu'il a déposé son rapport. De plus, votre conduite des derniers jours est loin d'être exemplaire : bagarres, abus d'alcool et maintenant non-respect du couvre-feu... Je prends sur moi d'effacer l'absence lors du couvre-feu... Mais je ne pourrai pas toujours le faire, vous comprenez?

— Oui, monsieur.

Archie eut une moue attristée. En dépit de la conspiration du silence qui les rapprochait, les deux hommes ne retrouveraient jamais leur camaraderie d'antan.

***

Il faisait chaud dans la chambre. On avait fermé tous les volets pour empêcher le soleil du matin d'entrer. Seules quelques chandelles, qui finissaient de se consumer, éclairaient la pièce. Pour le moment, Françoise somnolait, accordant à tous un petit répit. Les bruits de la ville qui se réveillait leur parvenaient sourdement. Le canon du réveil des soldats avait retenti depuis longtemps. Isabelle n'avait pu s'empêcher de penser à Alexander. Elle se demandait s'il était allé rapporter au gouverneur l'annonce de l'arrivée des troupes françaises.

Tandis que Baptiste leur apprenait, à elle et à ses frères, que le travail de Françoise avait commencé, Alexander, que tous avaient alors oublié, s'était discrètement éclipsé. Isabelle ne lui en voulait pas, sachant qu'Étienne n'aurait jamais consenti à le laisser partir vivant. D'ailleurs, son frère lui avait juré que, s'il recroisait un jour le chemin de l'Écossais, il n'hésiterait pas à le tuer. Puis, il était parti rejoindre l'armée, laissant Louis et Guillaume à Québec, avec leur famille.

Isabelle était peinée de la réaction qu'avait Étienne concernant Alexander. Mais elle ne s'attendait à rien de moins de sa part. Le jeune homme avait toujours été un farouche défenseur de sa liberté; la présence anglaise en terre française était pour lui intolérable. Il ne pouvait accepter que sa sœur s'unisse à un soldat anglais. Il ne pouvait la comprendre, et il ne le pourrait jamais. Il était si différent de leur père, contrairement à Louis, qui avait un tempérament conciliant et souple. Sans doute Étienne ressemblait-il à sa mère, la première épouse de Charles-Hubert... Dans ce cas, cela signifiait que Jeanne Lemelin avait probablement été une femme revêche.

La porte s'ouvrit et Perrine entra avec une cuvette remplie d'eau fumante. Geneviève suivait avec des linges propres. Un long gémissement fit redresser la tête de la sage-femme, qui s'était assoupie sur une chaise, près du lit. Françoise délirait. L'enfant ne sortait pas; il était trop gros pour le bassin de sa mère. Toute la nuit, Françoise avait gémi, crié et hurlé de douleur en raison de l'effort, mais rien n'y avait fait. L'enfant restait coincé dans la matrice. Tous craignaient pour sa vie et celle de sa mère. Les contractions s'espaçaient, signe indubitable de la grande faiblesse de Françoise. On avait fait appeler un prêtre dans l'espoir qu'un miracle se produise.

Après s'être penchée sur Françoise, la sage-femme se dirigea vers Geneviève et lui parla à voix basse. Geneviève pâlit et hocha la tête. Puis elle sortit de la chambre avec empressement dans un frou-

frou de jupes. Quelques minutes plus tard, Louis arriva. Après avoir congédié Perrine, la sage-femme expliqua la situation au père, qui sembla près de tourner de l'œil : l'enfant ne sortirait pas; il fallait rapidement prendre une décision; la vie de Françoise en dépendait.

Dans le petit salon, Louis était effondré sur une chaise et pleurait. Isabelle, restée auprès de lui à sa demande, le regardait, impuissante.

— Pourquoi c'est à moi de choisir? Qui suis-je, moi, pour décider de la vie d'une femme ou d'un enfant? C'est pas au bon Dieu de faire ces choses-là?

Incapable de lui répondre, Isabelle fixait la pointe de ses pieds.

— J'peux pas perdre Françoise... Je l'aime! Et les enfants ont besoin de leur mère! J'peux pas la leur enlever pour la remplacer par un p'tit frère ou une p'tite sœur... Oh, Isa! J'dois tuer mon enfant pour sauver ma femme, c'est pas juste! Après mon père, c'est mon enfant que j'perds...

Isabelle se leva et prit la main de son frère dans les siennes. Elle devinait le tourment qui lui bourrelait l'âme, mais elle ne pouvait rien pour lui, sinon l'appuyer dans son choix.

— Dieu connaît ton cœur, Louis. Il sait que ce choix est difficile; il ne te jugera pas.

Étant donné la tournure des événements, Madeleine était repartie pour la maison de la rue Saint-Jean avec Sidonie, les enfants de Françoise et ceux de Geneviève Guyon, l'amie qui hébergeait Françoise depuis les bombardements. Justine se berçait devant la fenêtre qui donnait sur la rivière Saint-Charles et son chantier naval; elle murmurait son chapelet. Une faible odeur de goudron persistait : les travaux de radoub avaient repris à l'arrivée du printemps. Au loin, la voix forte du crieur public et celle de l'interprète français, étouffées par les épais murs de pierres, annonçaient une proclamation qu'on ne comprenait pas.

Assis à la table, Guillaume fixait une image pieuse clouée au mur qui lui faisait face et marmonnait. Ses yeux vides inquiétaient Isabelle. Son frère, animé d'une telle verve habituellement, était si étrange depuis la veille. Il semblait enfermé dans un monde bien à lui. Cependant, elle n'avait osé en parler à Louis.

Ce dernier marchait de long en large depuis la porte d'entrée jusqu'au pied de l'escalier d'où leur parvenaient les cris déchirants de Françoise. Il semblait hésiter entre fuir et secourir sa femme et son enfant. Mais il restait là, dans la cuisine, avec sa barbe et son teint gris. Isabelle pensa qu'il devait souffrir autant que sa femme.

— Buvez vot' café, ça vous f'ra du bien! Elle est forte, not' Françoise. Vous verrez, elle s'en sortira.

Louis regarda la tasse que lui tendait Perrine, sans vraiment voir ni entendre. Ses tempes étaient moites; ses doigts pianotaient nerveusement sur sa cuisse. Soudain, les cris se muèrent en hurlements lugubres. Sursautant, la servante laissa échapper la tasse, qui se brisa. En proie à la panique, Louis piétina la tasse et courut jusqu'à l'escalier.

— Bon sang! Qu'est-ce qu'ils lui font? Pourquoi tous ces cris? Isa, va voir!

Figée d'effroi, Isabelle ne bougea point. Son frère vint vers elle et la secoua.

— Va voir, Isabelle! Françoise a besoin de toi!

Rassemblant son courage, la jeune femme grimpa à l'étage. La porte de la chambre était fermée, mais les cris qui traversaient la mince paroi de bois l'atteignaient comme des tranchoirs. Elle tremblait. Un nouveau cri la fit bondir tandis qu'elle pénétrait dans la pièce, où elle se pétrifia d'horreur. Dans le lit, Françoise, défigurée par la douleur atroce et les cheveux en désordre, avait les poignets attachés par des bandelettes de tissu aux poteaux et les jambes maintenues écartées par Geneviève. On aurait dit une démente faisant une crise de folie. C'est qu'il ne fallait pas qu'elle gêne la sage-femme dans son travail délicat. Sous elle, les draps carminés suintaient abondamment.

Isabelle ne pouvait voir ce que faisait la sage-femme, qui lui tournait le dos. Suivant le regard épouvanté de Geneviève, elle s'approcha d'une bassine qu'elle n'avait pas remarquée immédiatement. Voyant des amas sanguinolents, elle crut d'abord qu'il s'agissait de la matrice qu'on avait découpée pour faciliter la sortie du bébé. Puis, comprenant de quoi il s'agissait, elle fut prise d'une violente nausée: quelque chose ressemblait vaguement à une main, avec ses minuscules doigts recroquevillés sur la paume; on distinguait aussi un bras... Isabelle porta sa main glacée à sa bouche pour contenir son cri. On découpait le bébé pour sauver la mère...

***

Il n'y eut pas de vagissements ni de poignées de main. Les visages n'exprimaient pas le bonheur du miracle de la vie, mais plutôt la tristesse du sacrifice d'un petit être. Le rhum ne servait pas à fêter un événement heureux, mais à noyer une douleur extrême. Toute la famille était réunie et partageait un silence accablant dans le salon des Guyon. Sur des tréteaux était posée une petite boîte de bois d'érable sur laquelle brûlait un cierge. À l'intérieur reposait le petit Maurice Lacroix.

Une voiture attendait devant la maison. Prostrée dans un fauteuil tendu de coutil usé jusqu'à la trame, Isabelle se berçait en sanglotant. Trop de deuils, trop de deuils...

Françoise, lavée et changée, reposait à l'étage, dans un lit propre. Elle ne criait plus, ayant sombré avec sa douleur dans un profond sommeil. Louis, nettoyé et rasé, discutait avec le prêtre des dernières dispositions à prendre pour la cérémonie des anges. Personne n'avait rien dit au prêtre des circonstances de la mort du nourrisson : l'enfant était mort-né. Louis, conscient du terrible péché qu'il avait permis, remettait son âme directement entre les mains de Dieu, qui se chargerait de le juger s'Il le considérait comme coupable. Toutefois, pour la forme, il avait demandé à être entendu en confession.

Se remettant lentement de la nuit affolante qu'elle avait passée, Isabelle commençait seulement maintenant à prendre conscience de ce qu'elle avait fait avec Alexander et des conséquences qui en découleraient. La réalité du fait accompli pesait sur elle comme le poids de l'amant sur son corps. Remords et indifférence, joie et tristesse, une série d'émotions contradictoires se mêlaient en elle, tandis que son ventre gardait l'empreinte laissée en elle par l'assaut de son amant.

« Catin! Vulgaire catin! » Ces mots ne cessaient de lui marteler l'intérieur du crâne. Cependant, en même temps, elle n'avait pas l'impression d'avoir commis la pire des fautes et elle avait le sentiment d'avoir manqué quelque chose. Elle se sentait frustrée, elle savait qu'elle s'était refusé le partage du plaisir avec Alexander.

Lentement, elle se leva et fit quelques pas vers le miroir. Pendant de longues minutes, elle étudia ses traits tirés qu'aucun fard ne dissimulait. Non, elle n'était pas une catin. Le visage qu'elle avait en face d'elle était celui d'une femme amoureuse qui n'avait pu trouver la force de résister au fol amour, mais qui n'avait pu se résoudre à s'y abandonner totalement.

Au souvenir des caresses, elle sentit un frisson extatique la parcourir et elle soupira. L'épais lainage encore humide de son mantelet ne lui procurait aucune chaleur. Elle avait besoin d'autre chose pour la réconforter. Alexander commençait son tour de garde à midi et ne le terminerait que le lendemain, à la même heure. Pensait-il à elle? Sans doute, mais de quelle façon? Il lui avait pris... non, elle lui avait donné son bien le plus précieux, ce qu'elle devait conserver intact pour un époux. Il l'avait compris. Mais, en dépit des paroles rassurantes qu'il lui avait soufflées, bien qu'elle se fût rendu compte qu'il éprouvait des remords, elle était restée froide et distante avec lui. Finalement, il serait normal qu'il eût autant d'amertume qu'elle.

Il y avait beaucoup de mouvements de troupes aujourd'hui, mais Isabelle n'y prêta guère d'attention en entrant dans l'église. Ce ne fut qu'à la sortie, sur le parvis, qu'elle remarqua, comme tout le monde, une proclamation du gouvernement britannique clouée à la porte : on leur accordait trois fois vingt-quatre heures pour quitter les murs de la ville avec leur famille et leurs effets et on leur demandait d'attendre d'autres ordres pour revenir.

Louis se tourna vers sa sœur. Isabelle ouvrait déjà la bouche pour défendre Alexander, mais il lui intima de ne rien dire. Prétextant qu'il préférait marcher, ce qui ne devait pas être un gros mensonge de toute façon, il l'invita à l'accompagner jusqu'à la maison paternelle et laissa les autres partir en voiture.

— Ce n'était qu'une question de temps... commença-t-il en resserrant son col autour de son cou.

Le noroît s'était levé, apportant avec lui l'air frais de l'intérieur des terres. Le soleil, lui, jouait à cache-cache derrière des nuages anthracite menaçants. Isabelle marchait à côté de son frère et le regardait sans comprendre.

— Que veux-tu dire ?

— Nous savons que les Anglais envoient régulièrement des éclaireurs jusqu'à nos postes d'avant-garde. Ce n'était donc qu'une question d'heures avant qu'ils découvrent les mouvements de nos troupes. Ton... ami n'a fait qu'accélérer un peu les choses.

— Il n'avait pas le choix, Louis.

— Je sais.

Il soupira. Elle l'observa attentivement. Cela faisait maintenant une dizaine de mois qu'il combattait avec les troupes françaises. Le sympathique boulanger de la place du Marché n'était plus. Il avait beaucoup changé. Vieilli : un peu ; mûri : beaucoup. Il avait vécu la guerre. Il avait certainement tué, peut-être scalpé. C'était si facile de perdre l'esprit lors des combats. Combien d'hommes se laissaient aller à la pire cruauté sous l'emprise de la peur et de la fureur ? Elle avait assez entendu d'histoires d'horreur à ce sujet et pensait que Louis ne devait pas faire exception à la règle.

— Comment ça se passe à la maison depuis que notre père est mort ? demanda Louis en examinant une coupure infectée à l'un de ses doigts.

— On survit, je suppose... Plus rien ne sera jamais pareil sans papa.

— Hum, non. Ta mère, elle est comment?

— Elle reste souvent enfermée dans sa chambre. Elle ne nous parle presque plus.

— La mort de son mari la peine sans doute plus qu'on ne le croit.

Isabelle fronça les sourcils et se mordit la langue pour ne pas faire de remarque méchante. Louis changea de sujet, ne faisant cependant que changer son épine de pied.

— Des Méloizes m'a fait promettre de te mettre en sécurité.

— Comment va-t-il?

— Bien. Une blessure à l'épaule lui cause quelques soucis. Mais il est solide. Qu'est-ce que je vais lui dire, Isa?

— Je devrais peut-être lui écrire.

— Oui, je le pense. Ce s'rait la moindre des choses, vu les circonstances.

La jeune femme demeura muette. Louis lui toucha le bras et se tourna vers elle.

— Est-ce que tu cherches à lui faire du tort?

Elle s'immobilisa et le dévisagea d'un air choqué.

— Tu penses que je fréquente un Britannique uniquement pour me venger? Tu n'y es pas du tout, Louis!

— Je sais c'qu'on a raconté sur des Méloizes. Tu ne dois pas croire ces histoires, Isa!

La jeune femme se détourna et fixa un chien qui fourrageait dans un tas d'immondices.

— Ce n'est plus important, aujourd'hui... murmura-t-elle. Je ne pourrai jamais plus retourner auprès de Nicolas.

— T'as bien réfléchi? Je t'assure que tu peux lui faire confiance. Il ne s'est rien passé...

— Il ne s'agit pas de lui, mais de moi, Louis! Même si je le voulais, je ne pourrais pas retourner vers lui comme si de rien n'était.

Louis examina sa sœur attentivement. Elle mâchouillait nerveusement une mèche de cheveux. Soudain, il la revit comme la veille, dans la cour de la rue Saint-Jean: avec une drôle d'allure et une lueur particulière dans l'œil...

— Ne me juge pas, je t'en prie, Louis, murmura-t-elle en levant vers lui ses yeux humides.

Il hocha lentement la tête et attrapa la mèche malmenée pour la placer derrière son oreille.

— Tu as tellement changé. Tu es... enfin... Cet homme, tu l'aimes?

— Oui.

— Comment il s'appelle?

— Alexander Macdonald.

— Hum... comment est-ce qu'il s'est trouvé sur ton chemin pis a réussi à te faire oublier Nicolas des Méloizes?

— Simple concours de circonstances...

Ils se remirent à marcher. Elle lui raconta son histoire; il l'écouta en silence, la regardant parfois à la dérobée. Elle souriait quand elle évoquait Alexander. Elle avait les yeux brillants d'une femme amoureuse, ceux qu'il avait un jour contemplés dans le visage de Françoise, le lendemain de leur nuit de noces.

— J'espère vraiment qu'il t'aime autant que toi tu sembles l'aimer, p'tite sœur. Tu sais, les hommes peuvent dire de ben belles choses pour gagner le cœur... pis le corps... d'une femme.

Les joues d'Isabelle s'empourprèrent violemment. Elle baissa la tête. Elle n'avait pas besoin qu'on sème le doute dans son esprit, surtout en ce moment.

— Isa? J'veux juste pas que tu sois naïve. T'es encore ben jeune pis... si jolie.

Il lui sourit. Comme ils passaient devant les sentinelles postées à la porte Saint-Jean, ils se turent et plongèrent chacun dans leurs propres pensées. L'un des gardes dévisagea Louis avec méfiance. Puis, il les laissa aller sans les importuner.

— Tu repars quand? demanda Isabelle après s'être assurée qu'ils furent hors de portée de voix des soldats.

— J'm'en irai quand Françoise et les enfants seront installés chez not' cousin Perrot, à Charlesbourg. Tu devrais venir avec nous, Isa! C'est dangereux de rester icitte toute seule avec ta mère et Ti'Paul. Baptiste est trop vieux pour vous défendre.

« Et Alexander? » pensa la jeune femme avec un pincement au cœur.

Louis ralentit. Isabelle remarqua ses mocassins usés et rapiécés : il avait grandement besoin d'une nouvelle paire de bottes.

— Tu devrais prendre les bottes neuves de papa.

Se penchant sur ses pieds, il haussa les épaules.

— Il a beaucoup souffert?

— Il ne se plaignait jamais et dormait beaucoup. En fait, je pense qu'il souffrait beaucoup plus dans son esprit que dans son corps.

— Je suppose... Qui peut se vanter de pouvoir mourir l'esprit tranquille?

Isabelle acquiesça d'un signe de tête, se disant que sa propre conscience avait déjà un fardeau à porter.

— Qui est madame de Dunoncourt? demanda-t-elle, se souvenant brusquement de la mission que lui avait confiée son père.

Son frère s'arrêta net et la regarda d'un air éberlué.

— Qui t'a parlé de madame Dunoncourt?

— Papa. Il voulait que je lui porte une cassette.

— Une cassette? Pis... tu l'as fait?

— Euh... j'ai oublié. Avec tout ce qui s'est passé, je n'y ai plus repensé, jusqu'à aujourd'hui. Mais je vais le faire dès que...

— Je le ferai, la coupa Louis d'une voix un peu agacée, ce qui intrigua Isabelle.

— Tu sais ce qu'il y a dans ce coffret, Louis?

— Rien de ben important.

— Tu es sûr? Est-ce que ça a quelque chose à voir avec son commerce?

— Son commerce?

— Je ne suis pas aussi naïve que tu le crois, Louis. Je sais que papa manigançait des affaires pas très correctes.

Louis la dévisagea en silence, imperturbable. Puis, il soupira en fermant les paupières.

— Père a fait des choses qui n'étaient pas toujours ben correctes, c'est vrai, Isa. Mais ça sert à rien de brasser tout ça aujourd'hui.

— Que contient cette cassette, Louis? Tu le sais... Papa m'a chargée de la porter à madame Dunoncourt parce que tu n'étais pas là. Il m'a fait promettre...

— Rien de plus que de l'argent... peut-être un ou deux souvenirs. Madame Dunoncourt était sa maîtresse avant qu'il rencontre ta mère. Il devait l'épouser au retour de son dernier voyage à La Rochelle. Mais le destin a voulu qu'il tombe amoureux de Justine Lahaye et qu'il la marie, elle. Seulement, madame Dunoncourt attendait un enfant de lui, Isa.

— Oh!

Isabelle porta une main à sa bouche. Louis regretta aussitôt ses confidences et lui entoura les épaules de son bras.

— Cet enfant... je le connais?

— Marcel-Marie Brideau, tu te souviens de lui?

— Le jeune Brideau qui me faisait la cour?

— Oui. Je l'avais bien à l'œil, rassure-toi. Heureusement que des Méloizes t'en a détournée. Je suis désolé. Je n'aurais pas dû te raconter ça aujourd'hui. Papa est parti. Oublions tout ça.

Ils approchaient de la maison. Par les fenêtres ouvertes leur parvint la voix monocorde de Guillaume, qui récitait des prières en latin. Louis émit un grognement et lança un regard désespéré à Isabelle. Depuis la capitulation de Québec, ses frères lui causaient bien des soucis. Étienne avait de plus en plus d'accès de violence et son insubordination avait valu à son cadet des remontrances de la part du lieutenant Hertel. Si l'officier n'avait pas eu autant d'amitié pour Étienne, ce dernier se serait certainement retrouvé mis aux fers plus d'une fois. Quant à Guillaume, ses problèmes étaient d'un tout autre ordre.

— Isa, t'as remarqué que Guillaume dit des choses bizarres?

— Oui. Hier, je me demandais s'il n'avait pas trop bu. Mais ce matin... il semble toujours ailleurs.

— J'pense qu'il perd la tête.

— Guillaume devient fou?!

— Non... c'est juste que... des fois, ses phrases ne sont pas très logiques, n'ont pas trop de sens. Il raconte que des voix lui disent de faire des choses affreuses. Une nuit, les bruits d'une dispute m'ont réveillé. J'suis sorti de la cabane, pis j'ai vu Guillaume tout nu qui gesticulait comme un pantin. J'pensais qu'il se chicanait avec un autre gars, mais il discutait avec des personnages imaginaires. Pis, quand il parle tout seul, il ne nous entend pas. Dès qu'il voit l'habit rouge de l'ennemi, il dit que c'est le diable et il se met à délirer.

— Guillaume n'est pas fou! Il a simplement trop vu d'horreurs et...

— Isa, il peut être dangereux. Un jour, il s'en est pris à son ami Jasmin parc'qu'il parlait à voix basse avec un aut' copain. Il pensait que les deux autres complotaient contre lui et montaient un plan pour l'assassiner durant son sommeil. Une autre fois, il s'est mis à poursuivre un soldat avec une hache juste parce qu'il portait un capot rouge. Si je le surveillais pas constamment, il ferait des choses terribles...

Consternée, Isabelle s'adossa au mur de la maison et resta un moment sans bouger.

— Il est comme ça depuis longtemps?

— Quelques mois. Il a commencé à parler tout seul après la grande bataille des Hauteurs. Pas souvent, mais assez pour qu'on trouve ça étrange. Ensuite, il a commencé à avoir des crises : il croit que quelqu'un lui veut du mal. Astheure, j'peux pas être avec lui jour et nuit... Il faut faire quelque chose.

— Tu as pensé à quoi?

— Ben, à l'Hôpital général. J'pense... qu'il faut le faire interner.

— Maman ne le supportera jamais!

— Isa... Tu lui en parles pas. Je le ferai.

La main sur la poignée de la porte, Louis regardait sa sœur d'un air triste. Isabelle hocha la tête.

— Pis, pour le coffret de madame Dunoncourt, je m'en occupe demain matin.

L'attaque des Français contre la garnison anglaise était imminente. C'était une question de jours, disait-on. Les coffres et les
bagages s'empilaient dans le salon. Isabelle zigzaguait entre eux,
comme dans un labyrinthe d'où elle n'arrivait plus à sortir. La
mélancolie la rattrapait. Elle pleurait lorsque la canne de son père
abandonnée près de la porte d'entrée accrochait son regard;
personne n'avait cru bon de l'enlever. Elle pleurait lorsqu'elle voyait
Françoise siroter son bouillon fortifiant, bien calée dans un fauteuil,
le teint si pâle et le ventre si vide. Elle pleura aussi lorsque les cahiers
de classe de Guillaume s'éparpillèrent sur le plancher quand elle
retira quelques livres des étagères de la bibliothèque. Puis encore,
lorsque Perrine servit le dernier morceau de jambon de la réserve.

Il semblait à la jeune femme que sa vie éclatait en mille morceaux. Telles les feuilles d'un chêne arrachées par les bourrasques,
les fragments s'envolaient loin d'elle. Arriverait-elle jamais à tous les
recoller ensemble? La nuit, elle se blottissait contre Madeleine en
serrant son médaillon contre son cœur. Puis elle sombrait dans un
profond sommeil et rêvait d'immenses jardins où des fleurs embaumaient sous un soleil radieux; d'enfants qui babillaient et s'amusaient; et d'un grand Écossais à la chevelure de bronze qui lui tendait
les bras en souriant.

14

Le dernier combat

Ils se tenaient l'un en face de l'autre, séparés par la distance d'un bras et figés dans l'incertitude quant à leurs sentiments réciproques. Leurs regards se sondaient fébrilement. Dans un geste hésitant, Alexander tendit à Isabelle son poing fermé, qu'il ouvrit lentement : un objet sombre et lisse apparut dans la lumière du soir. Oppressée par l'angoisse, la jeune femme examina le galet en forme de cœur.

— Il est à toi.

Alexander prit sa main, crispée sur sa jupe, et, la forçant à l'ouvrir, y déposa la pierre tiède et douce.

— Tu peux en faire ce que tu veux. Mais décide-toi maintenant.

Roulant sa lèvre entre ses dents, Isabelle hocha la tête.

— Et si je le lance ?

— Je disparais de ta vie.

La jeune femme contempla le galet pendant un moment. Puis, elle le fit glisser dans sa poche. Un indicible sentiment de soulagement poussa Alexander vers elle. Il l'enlaça, la serra contre lui et l'embrassa sur la tempe. Le message qu'il tenait dans sa main depuis le début de l'après-midi avait été sa pire torture. Il avait cru...

— Isabelle... chuchota-t-il d'une voix altérée, pardonne-moi.

Pour toute réponse, elle le serra plus fort. Puis, levant vers lui son visage, elle lui offrit ses lèvres, qu'il prit sans plus attendre.

Leurs ombres s'étiraient derrière eux ; la route, elle, s'étirait devant. Le soir tombait sur le paysage qui baignait dans une douce lumière ocrée. Sombre dans le clair-obscur, le moulin se dressait au-dessus des buissons de vinaigriers qui l'entouraient. Alexander tirait sur le bras d'Isabelle pour l'inciter à hâter le pas.

Le cœur battant d'espoir et d'amour, impatients de se toucher, ils s'engouffrèrent dans la pénombre du bâtiment. Ils n'avaient que deux heures pour eux : deux heures pour se dire adieu. L'armée française avançait et Québec se vidait de ses habitants. La voiture des Lacroix, chargée, était prête pour l'exode. Isabelle avait bien tenté de dissuader sa mère de partir pour Charlesbourg. Mais l'état de santé de Françoise, qui se trouvait déjà là-bas, exigeait des soins et il fallait s'occuper du petit Luc. « Lorsque nous reviendrons, le drapeau français flottera de nouveau au-dessus de Québec », lui avait assuré Justine.

Cette éventualité, qui n'avait pas effleuré l'esprit d'Isabelle jusque-là, fit prendre conscience à la jeune femme qu'Alexander pouvait disparaître de sa vie aussi brusquement qu'il y était apparu. Le Highlander risquait d'être fait prisonnier et d'être déporté vers son pays, d'où il ne reviendrait jamais. Pire, il pouvait être tué! Toutes ces idées qui s'agitaient dans sa tête l'avaient enfin fait réagir. Elle voulait savoir quels étaient les sentiments réels d'Alexander à son égard. Elle voulait en avoir le cœur net, même si cela signifiait en être déchirée à tout jamais. Elle avait donc fait porter un message au jeune homme, au Lapin qui court, dans l'espoir qu'il le reçoive à temps. Son vœu avait été exaucé. Il l'avait attendue sur le chemin Saint-Vallier, près des marécages.

Alexander alluma la chandelle qu'Isabelle avait eu la sagesse d'apporter avec elle. Dans son sac, la jeune femme avait également mis une bonne couverture, une bouteille de vin et un pot de confitures de framboises qu'elle avait dérobé dans la réserve maintenant presque vide. Elle étala la couverture, s'installa dessus et convia le jeune homme à l'y rejoindre.

— Je n'ai pas de verres, annonça-t-elle en lui tendant la bouteille de vin.

Il s'assit en face d'elle et prit la bouteille. Un éclat particulier brillait dans les yeux verts posés sur lui. Depuis qu'il fréquentait Isabelle, il avait observé chez elle des changements. De la jeune femme insouciante qu'il avait d'abord connue, il ne restait presque plus rien, hormis ce rire cristallin qui s'échappait de sa gorge et éclaboussait son cœur. Aujourd'hui, il avait devant lui une femme qui connaissait les misères de la guerre, mais qui arrivait tout de même à s'émerveiller de petits riens. Lui-même était bien placé pour savoir combien les choses futiles pouvaient devenir importantes parfois lorsqu'on se retrouvait au bord du gouffre. Et combien les choses qui nous semblaient essentielles auparavant pouvaient devenir insignifiantes. Simple question de survie de l'âme.

— Nous quittons la ville, annonça Isabelle en dénouant les lacets de son corsage. Nous allons à Charlesbourg.

— Charlesbourg? répéta Alexander en la regardant faire d'un œil intrigué. Euh... oui. Vu la situation, je suppose que c'est ce qu'il y a de mieux à faire.

— Ce n'est pas mon avis. Mais ma mère insiste et Louis l'exige.

— Louis?

— Oui, mon frère.

Elle lui lança un coup d'œil tout en se contorsionnant comme un papillon qui cherche à se libérer de son cocon. Le corps de sa robe glissa enfin au sol dans un doux bruissement. Haussant les sourcils, Alexander suivait les mouvements de la jeune femme avec un intérêt grandissant.

— Ton frère... oui.

Isabelle s'interrompit dans ses gestes.

— Mon frère Louis, celui dont la femme attendait un bébé!

Elle semblait agacée de devoir apporter des détails. Lui la fixait, l'air de ne pas comprendre. Après un soupir, elle lui arracha la bouteille des mains et en avala quelques gorgées avant de la lui rendre. Il cligna des yeux et l'imita.

— Elle l'a perdu, laissa-t-elle tomber en essuyant une larme de vin qui coulait sur son menton.

Puis, après s'être essuyé les doigts, elle s'attaqua aux cordons de sa jupe.

— Je suis... désolé pour eux, dit-il, sincèrement attristé, mais encore plus déconcerté par l'attitude bizarre d'Isabelle.

La jeune femme s'évertuait en maugréant à défaire le nœud qu'elle venait de former. Puis, dans un soupir, elle courba l'échine et laissa ses bras tomber mollement de chaque côté de son corps.

— Tu as déjà assisté à un accouchement?

Elle patienta quelques secondes.

— Non, répondit-il en lui offrant de nouveau la bouteille, qu'elle accepta.

Elle avala encore deux gorgées devant le jeune homme totalement dérouté.

— Pour moi, c'était la première fois, Alex.

Elle se tut, le regard perdu dans la pénombre du moulin. Tout était silencieux: l'arbre du mécanisme du bâtiment ne cognait pas contre le heurtoir; le rouet ne grinçait pas; les volets ne claquaient qu'à petits coups. On entendait seulement le chant des oiseaux du soir.

— Le bébé était trop gros, murmura-t-elle. Sais-tu comment, alors, on sort l'enfant du corps de sa mère?

— Non.

— On le coupe en morceaux comme de la viande à boucherie, déclara-t-elle froidement.

Un lourd silence retomba sur eux, tandis que l'horreur des mots d'Isabelle pénétrait l'esprit d'Alexander. Le jeune homme porta la bouteille à sa bouche. Isabelle retourna à ses cordons.

— Mais, heureusement, Françoise va bien. Ensuite, il y a mon frère Guillaume. Tu sais, celui qui annonçait l'Apocalypse?

— Oui, je me souviens assez bien de lui...

— Eh bien, Guillaume est un peu... dérangé. Il voit le diable partout et entend des voix.

Elle réussit enfin à défaire le nœud et se mit debout pour retirer sa jupe. Ne portant plus que ses vêtements de corps, elle le surplombait et le regardait d'un drôle d'air. Il n'osait bouger. Puis, les doigts de la jeune femme se mirent à trembler et à s'affairer sur les rubans du corset.

— Il va falloir l'interner, dit-elle en se laissant retomber sur les genoux. Mon frère... Guillaume... interné. Et... et l'armée française...

Elle hoqueta.

— Isabelle...

— L'armée française va attaquer...

— Isabelle...

— Il y aura des morts, encore. D'autres vies seront à jamais détruites, comme celles du petit Maurice, de Guillaume, de Marcelline, de Toupinet... Des innocents...

Un nouveau sanglot la secoua. Elle ferma les yeux et finit de délacer son corset en silence.

— Nous n'y pouvons rien, c'est la guerre, murmura tristement Alexander.

La lueur de la petite flamme jetait des ombres sur la peau d'Isabelle et faisait ressortir sa fine ossature. Il pouvait suivre le rythme de sa folle respiration rien qu'en voyant l'étoffe de sa chemisette se tendre. Les lèvres vermillon s'entrouvrirent, et une fine vapeur s'en échappa dans l'air frisquet de cette soirée d'avril. La jeune femme frissonna et souleva ses paupières.

— J'ai peur, Alex... pour toi, pour nous. Et toi?

Il réfléchit un moment.

— Oui, moi aussi, j'ai peur.

— Et de quoi as-tu peur?

— J'ai peur de te perdre... et de mourir. J'ai peur de ce que sera demain.

Elle hocha lentement la tête de haut en bas et retira son corset.

— Alex... j'ai envie de toi... murmura-t-elle dans un trémolo qui trahissait sa nervosité.

Profondément troublé par le changement d'attitude et les paroles d'Isabelle, Alexander déposa la bouteille de vin et s'approcha de la jeune femme sans rien dire. Ses doigts, comme animés d'une vie propre, entreprirent de finir de la dévêtir en tremblant légèrement. Il débuta par la coiffe, dont il retira délicatement les épingles et dénoua les rubans. Les soyeuses boucles d'or tombèrent. Il les huma. Un délicieux parfum s'en dégageait : français, il en était certain. Toujours en silence, il s'appliqua à déshabiller Isabelle avec une lenteur calculée, alors que son cœur menaçait d'éclater dans sa poitrine. De son côté, elle se mit en devoir de retirer ses vêtements à lui.

— Il paraît que la deuxième fois, c'est mieux, dit-elle doucement.

Curieusement, la honte et l'angoisse qui lui vrillaient le ventre depuis le soir de la tempête s'étaient transformées en un ardent désir. Elle avait faim de découvrir ce qui faisait crier les amants. Elle voulait connaître ces émois, ces vibrations du corps qui transportent jusqu'à l'extase absolue. Et elle voulait oublier tout le reste.

Les muscles saillaient sous ses doigts, bougeant au gré de ses caresses. Dressée sur les genoux, elle s'enhardit et embrassa doucement le jeune homme sur la bouche, goûtant sa langue : arôme boisé, légèrement âcre. Il y avait aussi cette perpétuelle odeur de tabac sur lui. Elle aimait respirer le parfum de son corps et voulait s'en imprégner pour l'emporter avec elle, afin qu'il lui tienne compagnie durant les nuits qu'elle passerait à se morfondre.

Timidement, elle retroussa la chemise du jeune homme et la fit passer par-dessus sa tête. Puis, elle fit une pause, prenant un moment pour admirer ce corps qu'elle avait tant de fois dessiné dans ses songes. Bien qu'il fût assez svelte, une solide musculature sculptait ses épaules et son abdomen.

Alexander ne bougeait plus. Dressé lui aussi sur les genoux, il gardait ses mains posées à plat sur les hanches de la jeune femme. Il n'en revenait pas : il ne s'était pas le moins du monde attendu à ce qu'Isabelle lui permette de la toucher si tôt après ce qui s'était passé lors de leur dernière rencontre. Se rappelant cette soirée et la façon dont elle s'était terminée, il lui revint à l'esprit quelque chose qu'il voulait mettre au clair.

— Isabelle, après vous avoir faussé compagnie, à tes frères et toi, je suis allé trouver mon supérieur.

— Je sais.

— Isabelle... je n'avais pas le choix. Je ne pouvais pas...

— Chut! fit-elle en posant son index sur ses lèvres. Aime-moi, Alex. Tu feras la guerre plus tard.

Alexander respirait bruyamment; sa poitrine se soulevait à un rythme qui trahissait ses émotions. Elle bougea en le frôlant, consciente de l'effet qu'elle produisait sur lui. Puis, laissant ses paupières se fermer, elle s'abandonna enfin. Lui baissa les yeux sur le corps nu et frissonnant qui s'offrait à lui.

Il découvrit la grâce de la création. Fruit sublime du jardin d'Éden, prêt à être cueilli. Il grava dans sa mémoire la courbe parfaite des hanches, le léger renflement du ventre lisse, la finesse de la taille, la poitrine ronde et lourde. Où donc avait-il déjà vu un corps aussi merveilleux, aussi pâle que le marbre? Chez son grand-père Campbell, il s'en souvenait, maintenant. Un jour, il avait pris et caressé une statuette. Il se croyait seul...

— Elle est belle, n'est-ce pas? dit une voix forte dans son dos.

Les doigts crispés sur la statuette par la peur, Alexander se retourna d'un bond. Son grand-père Campbell était adossé au chambranle de la porte de son bureau et l'observait d'un œil amusé, un sourire moqueur sur les lèvres.

— Je... je suis désolé, grand-père. Je vais la remettre où je...

— Pourquoi? Je te laisse l'admirer encore un peu, si tu le désires, Alasdair. La perfection n'est pas de ce monde, je le concède. Mais la grâce... si. Elle ne devrait d'ailleurs pas faire le seul bonheur des yeux. Sais-tu qu'il y a d'autres façons de voir qu'avec les yeux?

Se demandant si son grand-père se moquait de lui, Alexander, muet, acquiesça de la tête.

— Ferme tes paupières et caresse la sculpture. Que vois-tu?

Il obéit, parcourut des doigts les courbes polies, s'attardant sur certaines formes qui suscitaient en lui des émotions et faisaient rougir ses joues.

— Je vois... la douceur.

C'était la chose la plus décente qu'il avait trouvée à répondre.

— C'est bien... compte tenu de ton jeune âge. Mais je pense que c'est plus subtil que cela. En fait, tu vois ce que l'artiste a vu lorsqu'il a créé son œuvre, que ce fût en rêve ou en face d'une femme bien réelle qu'il aimait et voulait immortaliser.

Isabelle grelottait. Jusqu'ici, il n'avait pas remarqué le froid qui mordait leur peau nue, tant il brûlait à l'intérieur.

— Regarde-moi, ordonna-t-il à la jeune femme dans un murmure. Regarde l'effet que tu produis sur moi, Isabelle. Te rends-tu seulement compte du pouvoir que tu as sur moi et sur tous les hommes?

Elle avait entrouvert les paupières.

— Tu peux obtenir ce que tu veux de n'importe quel homme, si tu le désires. Tu comprends cela? Un battement de cils, un sourire, et il se prosterne devant toi, Isabelle. Quelles armes efficaces avez-vous, vous, les femmes, pour conquérir et dominer le cœur des hommes!

Il parlait lentement, mais avec fermeté et peut-être aussi un peu de colère. Isabelle en était toute troublée. Le froid la faisait frissonner. Elle voulait se blottir contre Alexander, dans la chaleur qu'elle sentait irradier de son corps. Mais les traits du jeune homme s'étaient durcis, et elle ne comprenait pas pourquoi. Lui reprochait-il l'audace dont elle faisait preuve ce soir?

— Des guerres ont éclaté, des nations se sont entre-détruites pour des femmes. Combien de Grecs et de Troyens sont tombés pour la belle Hélène?

— Alex...

— *Tuch! Listen tae me.* Laisse-moi terminer. Je veux que tu saches, Isabelle...

De son regard enflammé, il caressa ce corps qu'il aspirait follement à s'approprier.

— Cette guerre, je la ferai pour toi. Tu es mon Hélène, tu comprends?

Isabelle hocha la tête, ne pouvant retenir une larme, qui coula sur sa joue. Lui ne dit plus rien. Il l'embrassa et goûta la perle de cristal. Puis, ce fut au tour de leurs corps de s'exprimer. Alexander parcourut des mains les courbes de celui qui se tendait vers lui. Isabelle, haletante de plaisir, s'arquait, lui offrait sa gorge. Il croqua dedans avec appétence. Les doigts pleins des rivières d'or qui cascadaient sur ses épaules, doucement, il la fit basculer sur le dos et s'allongea sur elle.

— Alexander, aime-moi! Aime-moi si fort que j'en perde le souffle!

Envahi par une formidable poussée de désir, le jeune homme obéit avec une violence difficilement contenue, mais aussi avec tout l'amour qu'Isabelle lui inspirait. Elle se cramponna à lui, ceignant ses hanches de ses jambes. Elle sentit vaguement sous ses doigts les boursouflures qui marquaient son dos. Mais, emportée par les émotions jusque sur la crête de l'exaltation ultime, elle n'y prêta plus attention. Enfin, elle s'abandonna tout entière à l'interdit, libérant le cri qui emplissait ses poumons comme l'annonce d'une renaissance.

Le silence retomba dans le moulin. Seul le bruit de leurs respirations se faisait entendre. La nuit s'annonçait calme, d'un calme inquiétant. Enlacés sur la couverture, plongés dans leurs songes, Isabelle et Alexander pensaient au lendemain, n'osant imaginer ce qui les attendait. Ils vivraient pleinement chaque minute qui leur serait accordée. Mais, quoi qu'il arrivât, ils s'appartenaient désormais, s'étant donnés l'un à l'autre. Ni la guerre, ni les hommes, ni même Dieu n'y pourraient rien changer.

Leurs corps moites frissonnaient. Alexander se redressa pour attraper son plaid. Lorsqu'il se tourna, Isabelle poussa un cri qu'elle étouffa dans sa main. Il crispa les doigts sur le tartan et courba l'échine. Non qu'il eût honte de ses marques. Il avait subi son supplice avec honneur et courage : la cause était juste. Mais il ne voulait pas de sa pitié, encore moins de son dégoût. Il ferma les yeux et se mordit la lèvre lorsqu'il sentit la chaleur de ses paumes le caresser.

Les doigts tremblaient sur la peau labourée. La lumière de la chandelle faisait luire les longues zébrures. Isabelle se retenait de pleurer, de peur de le blesser. Qu'avait-il fait pour mériter cela ? La punition ne datait pas de très longtemps : les cicatrices étaient encore rosées, un peu violacées à certains endroits. Avait-il tenté de déserter ? On pendait habituellement les soldats pour cela.

Comme sur un parchemin, la souffrance de cet homme était inscrite sur sa peau. Mais pour connaître toute l'histoire, elle devrait lire entre les lignes. Alexander était si secret et si jaloux de son passé... Soudain, elle se rappela un bijou, une miniature qu'il gardait sur lui, dans sa pochette de cuir qu'il appelait *sporran*. Le visage de femme qui y était peint lui revint, un peu flou. Curieusement, elle l'avait oublié, et cela l'agaça. Qui était cette femme ? Son épouse, sa sœur, sa mère ? L'avait-il abandonnée en Écosse, vivait-elle toujours, l'attendait-elle encore ? Son cœur se serra. Alexander était-il complètement honnête avec elle ? « Les hommes peuvent dire de ben belles choses pour gagner le cœur... pis le corps... d'une femme. »

Elle sentit une douce chaleur et la rugosité d'une étoffe qui lui piqua légèrement la peau. Alexander les avait enveloppés dans son plaid et la considérait d'un air indéchiffrable.

— J'ai volé, laissa-t-il tomber.

— Volé ?

Elle comprit qu'il lui donnait la raison de sa flagellation. Il avait volé... juste volé !

— De la nourriture, continua-t-il en baissant les yeux.

— Alex... tu n'es pas obligé de...

— Pour une femme, Isabelle.

Elle se tut et le dévisagea, stupéfaite.

— Une... femme ?

Il hocha la tête.

— Elle s'était engagée dans le régiment highlander en tant que soldat, pour suivre son mari. Mais il a été tué par un Sauvage, lors de la prise de l'église, à la pointe de Lévy. Elle n'avait plus personne pour s'occuper d'elle. Elle était enceinte et devait quitter l'armée. J'ai voulu l'aider...

— Et tu t'es fait prendre?

— Hum... c'est un peu ça, oui.

— Et elle? Elle a réussi à se sauver?

Fixant la flamme de la bougie, il fut un instant songeur.

— Je l'espère de tout mon cœur. Le portrait que tu as trouvé dans mon *sporran*...

— C'est elle? Oh! Alors... tu n'es pas marié?

Elle avait pensé tout haut. Il la regarda d'un drôle d'air.

— Tu croyais que c'était ma femme?

— Enfin... peut-être ta mère ou ta sœur...

Il éclata de rire et l'attira contre lui.

— Oh, Isabelle! Sois sans crainte, tu es la seule qui compte pour moi... et tu le resteras à jamais.

— Je t'aime, Alexander Macdonald.

Les yeux vert mordoré étaient levés vers lui, pleins d'amour. Isabelle était son petit bout d'Écosse en Amérique, ses collines à jamais disparues, le parfum suave des bruyères. Il y avait cependant une légère touche « française », évidemment. Mais cela lui plaisait bien. Tirant vers eux son sac, la jeune femme en sortit le pot de confiture et l'ouvrit pour y tremper un doigt. Elle le lui présenta en riant. Il ouvrit la bouche.

— Quand j'étais enfant, j'avais l'habitude de cacher un pot de nos confitures sous mon lit pour en manger la nuit. Le lendemain, Mamie Donie me grondait parce que j'avais taché les draps. Mais elle ne m'a jamais dénoncée à ma mère, qui fait quotidiennement l'inventaire du garde-manger. Elle lui racontait qu'elle avait envoyé un pot à ma cousine, au couvent des ursulines... C'est bon?

Il hocha la tête et, comme un oisillon réclamant sa ration, ouvrit de nouveau la bouche. Elle trempa son doigt dans le pot et le lui offrit en gloussant. Une grosse goutte tomba sur le ventre d'Alexander.

— Oh! Il ne faut surtout pas gaspiller une denrée si précieuse en ces temps de disette!

Ce disant, elle se pencha sur lui et lécha la coulure. Il tressaillit sous le contact chaud et humide, et tous deux pouffèrent. Ils s'amusèrent à se gaver mutuellement, tout en vidant la bouteille de vin et en riant de leurs gestes maladroits. Enfin, ils se lovèrent l'un contre l'autre, afin de profiter de ces instants qui pouvaient être les derniers, ils le savaient. Isabelle serrait son médaillon de corne dans sa main. Alexander dessinait sur son épaule, avec son ongle.

— Que fais-tu?

— Un triquetras : le nœud de la Trinité. C'est un symbole celte. À l'origine, il représentait les trois formes de la Grande Déesse : la vierge, la mère et la vieillarde. C'est une divinité païenne. Aujourd'hui, pour les chrétiens, il représente la Sainte Trinité : Jésus, Dieu et le Saint-Esprit. Mais, en fait, chacun interprète la triade à sa manière.

— J'aime beaucoup ces dessins. Ils sont magnifiques. Est-ce qu'ils ont tous une signification qui leur est propre?

— Avec leurs nombreux entrelacs sans fin, ils représentent tous, d'une certaine façon, la continuité de la vie et ses forces. Tu vois, pour les Celtes, le cycle de la vie est infini et en lien étroit avec l'univers invisible. Il y a la naissance, la vie, la mort et la renaissance. Regarde...

Il prit son poignard et gratta le sol pour y dessiner trois spirales se rejoignant.

— Ça, c'est un triskèle. Les spirales représentent l'évolution de la vie, qui tend vers l'extérieur. Mais, si on suit les spirales en sens inverse, on revient vers l'intérieur, ce qui permet de retrouver en soi de nouvelles forces. C'est spirituel, tu comprends? Il y a trois branches, tout comme dans le nœud de la Trinité. Le chiffre trois a un pouvoir mystique pour les Celtes. On le retrouve partout. Il y a la terre, l'eau et le feu; le divin, l'humain et la nature; et les trois formes des dieux. Tous les êtres et les éléments sont reliés et forment le cycle infini, comme un cercle.

— Où as-tu appris tout cela?

— C'est un vieux prêtre irlandais qui m'a enseigné toutes ces choses.

— Un prêtre... catholique? Mais ces croyances ne sont-elles pas... païennes?

Il rit doucement en se rappelant qu'il avait posé la même question au vieil O'Shea.

— Chez nous, le christianisme et le paganisme sont inextricablement liés. Prends les croix celtes, par exemple. Bien qu'elles soient formées sur le modèle des croix latines, elles sont différentes quant à ce qu'elles évoquent. Aujourd'hui, elles sont le symbole du triomphe du christianisme sur le paganisme. Mais, ironiquement, elles pourraient symboliser l'inverse. Tu vois – il dessina une croix et fit un cercle autour de son centre –, l'existence s'établit sur deux plans :

longitude et latitude. En d'autres mots, les deux branches de la croix représentent la dimension astrale et la dimension physique de l'être. À la croisée des deux se trouve comme une porte entre deux mondes : celui de la vie et celui de la mort. Cette porte, nous l'appelons « le voile ». Le cercle qui entoure ce centre est ce cycle infini dont je t'ai parlé ; il unit les deux dimensions, les deux mondes. On croyait que l'âme ne quittait le corps du mort que lorsqu'une croix était érigée sur la tombe. Elle quittait alors l'enveloppe charnelle et voyageait jusqu'au voile, pour passer dans l'Autre Monde.

— Le Paradis, en quelque sorte.

— En quelque sorte.

Leurs regards se croisèrent. Alexander fixa Isabelle avec une telle intensité qu'elle en fut troublée.

— C'est pourquoi je dessinais ce symbole sur ton épaule. Pour que ton âme sache que nous nous retrouverons un jour, même s'il devait m'arriver...

La jeune femme plaqua sa main sur sa bouche. Ses yeux s'emplirent de larmes.

— Non... ne parle pas de cela, Alex.

Il ferma les paupières et embrassa ses doigts.

— Isabelle, c'est une éventualité que nous ne pouvons ignorer.

Elle baissa la tête.

— Moi, je n'ai pas de symbole. La France n'a que sa fleur de lys.

— La fleur de lys, c'est très bien. Tu lui ressembles d'ailleurs, avec ton teint, la douceur de ta peau, ton parfum...

Elle sourit et, de son ongle, marqua l'épaule d'Alexander de la fleur de lys.

— Mais je connais son histoire, déclara-t-elle, un peu ragaillardie. En fait, elle me fait un peu penser à tes symboles celtes, parce qu'elle représente aussi trois choses. Les deux feuilles qui forment les ailes du lys correspondent à la sapience et à la chevalerie. Celle du centre, plus longue, à la foi. La foi doit être gouvernée par la sapience et défendue par la chevalerie. Ces trois valeurs se rejoignent. Sans elles, le royaume de France ne serait plus.

Alexander étira sa bouche en un doux sourire. Puis il glissa sa main sur la nuque d'Isabelle et attira la jeune femme à lui pour l'embrasser.

— Ainsi, chacun sera marqué par l'autre.

Il baissa ensuite les yeux sur le médaillon de corne qui ne la quittait plus depuis qu'il le lui avait offert. Elle suivit son regard et eut une idée. Elle dénoua le fin ruban auquel pendait sa croix de baptême et le lui noua autour du cou.

— Ainsi, chacun portera sur lui quelque chose de l'autre.

De grosses larmes ruisselèrent sur ses joues. Ému, Alexander les essuya avec un coin de son plaid. Leurs mains allèrent à la rencontre du corps de l'autre, qui pourrait leur être enlevé à tout moment. La vie était un cycle, peut-être. Mais la réalité tangible de la chair était ô combien plus rassurante!

***

Au petit matin du 28 avril 1760, la terre gorgée d'eau après le violent orage de la nuit exhalait une brume que transperçaient les rayons du soleil. Les oiseaux affairés à construire leur nid et à trouver pitance voletaient en chantant joyeusement, indifférents à la réalité des hommes. L'est pâlissait, prenant ces teintes suaves et changeantes qui rappelaient à Alexander les yeux de sa mère.

Derrière le vacarme du déploiement militaire, il y avait en fait ce silence, à la fois apaisant et angoissant, de la ville désertée par son peuple à l'approche de la guerre. Alexander était passé devant la maison des Lacroix. Voir les volets clos lui avait serré le cœur et glacé le dos. Reverrait-il jamais celle qu'il aimait? C'était la première fois que la perspective d'une bataille proche lui tordait ainsi les tripes et lui donnait envie de fuir. Pour retrouver un peu de courage, il toucha la petite croix d'argent, à l'abri sous son uniforme.

Derrière, il y avait les redoutes et les retranchements construits l'automne précédent et consolidés au début du printemps. Puis, au-delà, plus loin derrière, les murs de Québec. Devant arrivait l'ennemi venu reprendre son bien et animé d'une soif de vengeance impitoyable, il le devinait. N'avait-il pas déjà ressenti cette rage de réduire à néant celui qui menaçait ses biens, sa vie? Bien sûr!

Les troupes de reconnaissance anglaises étaient revenues pendant la nuit, après avoir brûlé l'église de Sainte-Foy. L'armée française avait atteint le village et pris position dans les maisons bordant la route qui menait à Québec. Murray avait pris la décision de contrôler les Hauteurs d'Abraham, abandonnant à l'ennemi la redoute qui surplombait l'anse au Foulon.

Le régiment des Fraser Highlanders, dont la moitié des soldats était sortie de l'hôpital au cours des jours précédents, se tenait maintenant devant les buttes à Neveu, tout près du précipice s'ouvrant jusqu'au fleuve. Le colonel Simon Fraser commandait cette aile gauche de l'armée. Les combattants attendaient en position de bataille, comme le reste des troupes britanniques, sur deux lignes, couvrant le plus d'espace possible depuis le précipice jusqu'au chemin Sainte-Foy. Vingt-deux pièces d'artillerie étaient installées et bourrées; les boutefeux étaient prêts à allumer la poudre d'amorce dans les culasses. Ils étaient parés pour accueillir dignement le chevalier de Lévis et ses hommes.

Au signal, les soldats avancèrent lentement vers l'ennemi, dont les troupes n'étaient qu'à moitié formées et profitaient du couvert de la forêt de Sillery. Le général Murray ne voulait pas laisser passer cette occasion de prendre l'armée française au dépourvu. Les ordres fusèrent; on épaula les fusils. En joue! Feu! La canonnade explosa en même temps qu'une première fusillade sur les Hauteurs. Le centre des rangs français connut d'importants dégâts. Aussitôt, on donna l'assaut dans un grondement de hurlements.

Le terrain entravait leur avancée: il y avait encore beaucoup de neige à certains endroits; à d'autres, le sol était ramolli par l'eau de fonte. Alexander s'extirpait de la boue avec énergie, courait, baïonnette en avant. Chargeant, visant, tirant et rechargeant, les soldats approchaient des redoutes construites lors du siège de 1759 et qu'occupait maintenant l'ennemi.

— Celle de droite! ordonna le capitaine Macdonald, qui menait ses hommes d'un pied ferme.

Ils se précipitèrent sur la redoute sous un feu nourri et s'embusquèrent tout autour. Plus d'une demi-heure de lutte acharnée leur fut nécessaire pour déloger l'ennemi, qui s'enfuit dans les bois. Ensuite, on leur demanda de se porter au secours du détachement d'infanterie légère que des grenadiers français venaient de faire sortir d'un moulin.

Son épée dans une main, son poignard dans l'autre, Alexander parcourut la distance qui le séparait de la tour de pierres. Il contourna le bâtiment, cherchant l'entrée. Coll le suivait de près. Trois Français surgirent. Voyant le contingent de Highlanders bondir furieusement en hurlant, ils rebroussèrent chemin sans demander leur reste.

Alexander fut un moment déconcentré par le souvenir du corps nu d'Isabelle dans ses bras, six jours plus tôt. Puis, la rage de survivre le poussa en avant. Il ne voulait pas que ce fût leur dernière étreinte. Un rugissement monta en lui. Il se mit à la poursuite d'un soldat français qui s'enfonçait dans un nuage de fumée.

— *Fraoch Eilean!*

L'odeur de la poudre le prit à la gorge et le fit larmoyer. Il chercha frénétiquement dans les volutes grises la silhouette du Français, en vain: l'homme s'était évanoui dans la nature. Pivotant sur lui-même pour retourner au moulin, il capta un mouvement. Le Français surgit alors d'un buisson que la fumée, maintenant dissipée, dévoilait. Il s'enfuit à toutes jambes. Alexander courut derrière, puis, après quelques secondes, le rattrapa et se jeta sur lui. Ils roulèrent tous les deux dans l'herbe jaune jusqu'à un petit ruisseau. L'eau froide coupa le souffle à Alexander pendant un instant. Mais l'éclat d'une lame le fit réagir, et il esquiva de justesse.

Saisissant les cheveux, il tira vers l'arrière et fit basculer l'homme sur le dos. Le Français hurla de douleur et se démena comme un beau diable pour se libérer de son emprise. Son poignard bien en main, Alexander enfonça le genou dans le ventre de son adversaire et le maintint solidement en place tandis que sa lame entamait la chair du cou. Les yeux affolés qui le fixaient s'agrandirent; la bouche ouverte laissa échapper un singulier gargouillis.

Un peu étourdi, l'odeur fade du sang et de la terre humide lui montant à la tête, Alexander relâcha progressivement la chevelure. Un tremblement le força à refermer le poing. Il récupéra son arme, ramassa son épée et jeta un dernier coup d'œil sur le mort : un milicien habillé à la manière d'un Sauvage. Avec ses mitasses de peau frangée et son capot de laine bleue, il lui rappela Étienne, le frère d'Isabelle. Cela aurait pu être lui... Qu'aurait-il raconté alors à Isabelle? Comment aurait-il pu la regarder en face après avoir égorgé son frère? Grâce à Dieu, ce n'était pas Étienne.

Les canons crachaient sans relâche et la mitraille faisait son œuvre, tailladant, décapitant, démembrant. La mort hurlait et fauchait sans distinction. Alexander enjamba le ruisseau pour retourner au moulin, que se disputaient âprement les soldats des deux camps, lorsqu'une pensée l'arrêta. L'eau cascadait tranquillement en suivant la déclivité du terrain et coulait jusque dans les bois. Il n'y avait personne en vue de ce côté. La position du soleil et de son ombre lui indiquaient qu'il était tourné vers le nord-est, c'est-à-dire dans la direction du village où s'était réfugiée Isabelle. Il lui serait si facile de partir... Après tout, cette guerre n'était pas la sienne. Il pourrait déserter et aller la retrouver pour l'emmener loin d'ici. Mais voudrait-elle le suivre? Il vit la chevelure flamboyante de Coll dans la mêlée, près du moulin. Encore hésitant, il suivit les déplacements de son frère. « Non, je ne trahirai pas mon sang! » Sa décision prise, il courut rejoindre les autres.

Des grenadiers français s'enfuyaient, laissant leurs compatriotes affronter les Highlanders en furie. Alexander repéra la tête de Coll, qui dépassait du groupe.

— Là! hurla un homme près de lui.

Comme ils atteignaient la porte, celle-ci s'ouvrit sur un grenadier à l'uniforme blanc sale et déchiré, orné de bleu. Au-dessus d'une moustache en balai, un regard croisa momentanément le sien. Toujours le même, pensa-t-il : la peur et la haine se mêlaient au gris, au bleu ou au noisette et dilataient les pupilles. Le soldat referma aussitôt la porte. Mais Alexander eut le temps de glisser la lame de son épée dans l'embrasure. Les cris qui fusaient tout autour de lui pénétraient avec difficulté son esprit exalté. Le sang battait violemment ses tempes et, sous le col de cuir épais qui protégeait sa gorge, la transpiration imbibait sa cravate et sa chemise.

— Sortez-moi ces fils de pute de là ! cria une voix.

Un Highlander ouvrit la porte d'un coup de pied ; des balles sifflèrent à leurs oreilles. Ils plongèrent dans la pénombre en roulant sur eux-mêmes, puis tirèrent à leur tour. Les grenadiers s'enfuirent à l'étage par une petite échelle. Agissant par automatisme, Alexander grimpa les barreaux en balayant de sa lame l'espace qui se trouvait devant lui. Il atteignit un homme au mollet, le blessant jusqu'à l'os. Un hurlement puis un claquement résonnèrent.

Alexander sentit alors une brûlure intense lui irradier la tempe gauche. Il marmonna quelques jurons et se jeta sur le soldat qui venait de tirer. Son fusil lui ayant échappé des mains, le Français voulut prendre la fuite par une seconde échelle qui menait à la moulange[84]. Mais Alexander le rattrapa par la culotte et tira avec force. Les deux hommes roulèrent sur le plancher.

Une douleur atroce embrasait sa tête. Mais il tenait bon, luttant contre le grenadier qui lui prenait maintenant la gorge d'une main. Les doigts serrés sur sa trachée lui coupaient l'air. Un voile brouillait progressivement sa vue et son esprit se mit à vaciller. Rassemblant ses forces, il leva son poignard et fouetta l'air à l'aveuglette.

— *Cut down that bastard!* rugit une voix éraillée.

La pression se relâcha instantanément. Alexander prit goulûment une bouffée d'air et toussa. Puis, il repoussa son agresseur que MacNicol avait empalé sur sa lame. Lentement, il se redressa sur les genoux et s'accrocha au dalot[85] conduisant la farine à la huche.

— Alas !

Alexander tourna la tête en direction de son frère. Coll levait son fusil vers lui. Son cœur s'arrêta net. Une série d'images défilèrent dans sa tête, l'espace de quelques secondes. Puis, tout se mit à bouger au ralenti autour de lui. Il regarda dans la direction opposée : un grenadier brandissait sa baïonnette. Il vit l'éclat de l'acier fendre

---

84. Dans un moulin, pièce où se trouvent les meules qui broient le grain.

85. Dans un moulin, tuyau par lequel la farine fraîchement moulue descend jusqu'à la huche où elle est entreposée jusqu'à l'ensachage.

481

le rayon de soleil qui pénétrait par la fenêtre. Des cris assourdis emplissaient sa tête. Il lui sembla entendre la voix de son jumeau, John. On lui hurla de plonger à terre, mais il était incapable de bouger. John appuya sur la détente, et la gueule sombre du fusil cracha une langue de feu dans une explosion retentissante qui lui déchira les tympans. Il fut projeté au sol et sentit son épaule s'embraser. Il hurla.

La lumière vive le fit cligner des yeux. Des mains l'agrippaient et le secouaient rudement tandis qu'une voix l'appelait. Il entrevit le tartan cramoisi des Fraser au-dessus de lui, puis un béret qui agitait sa plume. Un visage se dessina peu à peu.

— Alas! Ça va? Réponds, bon sang!

La douleur le fit gémir.

— Putain de merde! grommela Coll en ouvrant sa veste.

Que s'était-il passé? Alexander serra les mâchoires pour s'empêcher de crier. Sa chemise se décollait de sa peau; des doigts glacés le tâtaient. Tournant sa tête sur le côté, il rencontra le regard fixe du grenadier: une coulure noire suivait la ligne de son nez jusque sur sa lèvre supérieure, tordue en un curieux rictus, et terminait sa course en gouttelettes qui teintaient de cramoisi le lainage blanc de son justaucorps. Affalé contre le mur, il avait un trou entre les deux yeux.

— Tu peux te relever?

— Je... je ne sais pas.

— Il t'a manqué de peu. Quelques pouces plus bas, et il te perçait le cœur, p'tit frère. Allez!

Trois de leurs compatriotes étaient postés aux fenêtres et tiraient à l'extérieur sur les Français, qui refusaient d'abandonner le moulin. Alexander grimaça de douleur lorsque Coll le remit sur pied et le soutint jusqu'à un banc pour l'y asseoir. Son esprit encore confus n'arrivait pas à comprendre ce qui s'était passé. Il avait vu John tirer sur lui...

L'odeur de l'eau-de-vie lui piqua les narines et le liquide lui brûla la gorge. Il avala. La cacophonie de la guerre résonnait toujours autour d'eux. Des tambours roulaient au loin. Il reconnut l'appel du régiment de Lascelle, puis celui de Lawrence. Ensuite, la stridulation nasillarde d'une cornemuse perça le vacarme infernal. On annonçait la retraite générale.

— Merde! On vient juste de reprendre le moulin à ces satanés Français, et ils veulent qu'on rentre?!

Le sergent Mackay risqua un œil par la fenêtre.

— Ils ont enfoncé notre flanc droit! Il faut déguerpir d'ici si nous ne voulons pas nous retrouver pris au piège comme des rats! Caporal Gow!

— Oui, monsieur!

— Quelles sont nos pertes?

— Trois blessés. Seulement...

— Ils peuvent marcher?

— Je pense que oui, monsieur.

— C'est bon. Allez, sortez! Cameron, MacLeod et Shaw, couvrez les hommes. Gallahan, Watson, ouvrez le chemin!

Descendre l'échelle fut pénible pour Alexander. Il se sentit partir. Heureusement, un bras le retint et l'empêcha de tomber. Les troupes britanniques battaient en retraite vers Québec, dans un semblant d'ordre que les tambours avaient peine à maintenir. Les officiers ordonnaient à leurs hommes de maintenir les rangs serrés. Mais la proximité de la sécurité des murs poussait les soldats à la désobéissance. Ainsi, l'armée anglaise ressemblait beaucoup plus à une foule agitée qu'à un bataillon discipliné.

Alexander trébuchait, glissait sur la neige et dans la boue. Ses poumons en feu lui fournissaient difficilement l'oxygène néces-saire. Heurtant un boulet à demi enfoui dans le sol, il tomba. Un cadavre le fixa; sa tête s'emplit d'un coup des cris des mourants. Il se détourna vivement.

Coll tira sur son bras pour l'aider à se relever. Une balle fit jaillir une gerbe de boue entre ses pieds. Ils allaient reprendre leur course lorsqu'Alexander aperçut le corps d'un de leurs compa-triotes étendu dans un monticule de neige rougie, face tournée vers le sol. La tignasse rousse dépassant de la perruque de travers lui parut familière. Repoussant son frère, il se dirigea vers l'homme et le fit rouler sur le dos.

— Archie Roy! Bon sang! Archie!

Affolé, il se pencha sur son oncle et chercha à écouter son cœur.

— Il est vivant, Coll! Aide-moi!

Le lieutenant Campbell gémit et poussa un cri lorsque les deux hommes le soulevèrent par les aisselles. Il ouvrit des yeux effarés, puis, prenant note de leur identité, se détendit.

— Il a été touché à l'abdomen, je crois. Allez, Archie Roy, on rentre.

Archibald parvint à sourire faiblement. Cela faisait si longtemps qu'on ne l'avait pas appelé ainsi... depuis qu'il avait quitté Fortingall, en fait. Coll ramassa le fusil du lieutenant. Il allait le passer par-dessus son épaule lorsqu'Alexander le lui arracha des mains pour vérifier s'il était armé. Satisfait, il visa un officier français qui faisait tournoyer sa lame au-dessus de la tête d'un

Highlander. Au moment où il allait appuyer sur la détente, il aperçut un second officier situé juste derrière le premier. Également en position de tir, l'homme dirigeait son arme sur lui. Leurs regards se croisèrent un bref instant. Puis, un obus explosa à quelques pas des deux Français, qui disparurent dans un nuage de fumée et de terre pulvérisée. Ce fut la première et la dernière fois qu'Alexander vit le capitaine et aide-major Nicolas Renaud d'Avène des Méloizes et son frère, le lieutenant Louis-François.

Le soleil qui se réfléchissait sur les dernières plaques de neige les aveuglait. La lumière vive faisait souffrir Alexander, qui avait l'impression à chaque pas que sa tête blessée allait se fendre. Le jeune homme se disait qu'il n'y arriverait jamais lorsqu'un bras solide le soutint. Sa plaie saignait abondamment et un voile rouge lui brouillait la vue. Il entendait le vent qui chantait dans les branchages nus des arbres. Quelques corbeaux croassaient. Avec la fin des combats et de l'excitation qui l'avait poussé en avant, il avait l'impression que ses forces le quittaient. Il traînait les pieds, n'arrivait plus à soutenir le poids d'Archie. Il trébucha.

— Encore quelques pas, Alas... Allons, nous serons bientôt saufs. Pense à Isabelle!

Isabelle... Que faisait-elle en ce moment? Elle devait savoir que les combats avaient lieu ce matin... Mais quel jour était-ce, d'ailleurs? Il n'arrivait plus à se souvenir, à réfléchir.

Comme la porte se refermait derrière eux, une envolée de pigeons affolés les accueillit avec des bruits de battements d'ailes. Incapable de faire un pas de plus, Alexander s'effondra en entraînant avec lui le lieutenant Campbell.

***

Le regard perdu dans le vague, Isabelle se tenait devant la fenêtre, les mains posées sur les carreaux froids. Le soleil déclinait, entraînant avec lui les derniers vestiges du jour dans une débauche de rubans colorés. Le grondement des canons s'était tu depuis longtemps. La bataille avait fait rage trois heures durant. Trois heures qui avaient été les plus pénibles de sa vie. Louis avait promis de leur envoyer un messager pour leur annoncer l'issue de la bataille s'il ne pouvait le faire lui-même. Si le drapeau français flottait sur les remparts, ils rentreraient chez eux bientôt. Sinon, ils devraient attendre les ordres de Murray. Où était Alexander? Était-il encore vivant?

— Vous vous faites du souci pour lui?

Isabelle sursauta et pivota sur ses talons. Sa mère la dévisageait d'un air insondable.

— Lui?

— Monsieur des Méloizes? précisa Justine en fronçant légèrement les sourcils. À moins que vous ne l'ayez oublié? Ce serait dommage!

Sur ses gardes, la jeune femme ne répondit pas. Sa mère la défiait; on le devinait à son regard scrutateur. Savait-elle pour Alexander? Sans doute... Ils ne s'étaient pas cachés. De plus, les habitants de Québec jasaient tellement, s'amusant sans scrupules à détruire la réputation d'autrui. Justine ne pouvait pas ne pas savoir... Isabelle releva le menton et affronta sa mère en silence. Comprenant que sa fille ne lui répondrait pas, Justine reprit la parole avec un calme appliqué qu'Isabelle n'aima pas.

— Vous avez l'air bien lointain, ma fille, ces jours-ci. Vous inquiétez-vous de l'issue de la bataille?

— Oui... un peu.

— Il doit aussi vous tarder de retrouver le charmant capitaine des Méloizes, n'est-ce pas?

— Je... ne pense pas qu'il revienne, maman.

Justine pencha la tête de côté et haussa les sourcils avec éloquence. Malgré sa froideur, Isabelle ne put s'empêcher de la trouver belle. Même endeuillée, sa mère respirait la grâce. Le noir faisait ressortir la pâleur de son teint et la couleur vermeille de ses lèvres.

— Vous a-t-il écrit en ce sens? Vous ne m'en avez rien dit...

— Euh... non.

— Alors?

Ses cheveux remontés en un parfait chignon serré sous une coiffe de mousseline mettaient en évidence la finesse de ses traits. Seules quelques mèches habilement tirées et placées sur le front et autour des oreilles encadraient son visage aux formes harmonieuses. Mais cette coiffure accentuait son air austère. Isabelle pensa que le couvent lui conviendrait très bien.

— Je n'épouserai pas Nicolas, maman, finit-elle par avouer. Je ne l'aime pas... assez pour me marier avec lui.

— Mais qu'est-ce que l'amour a à voir avec le mariage? Le mariage n'est rien de plus qu'un contrat qu'un homme et une femme passent devant la loi et devant Dieu. L'amour en fait partie, éventuellement, si on a de la chance. Mais il n'est pas essentiel... Une femme peut très bien accomplir son devoir de bonne chrétienne, qui est d'engendrer des enfants, sans aimer son mari. Ça, je suis certaine que vous le savez.

Isabelle se raidit et sentit une onde glacée lui parcourir la colonne vertébrale, puis lui tordre l'estomac.

— Je sais. Mais moi, je veux aimer celui que j'épouserai. Papa m'a promis.

— L'amour est un sentiment éphémère. Il fait tourner la tête et enivre le cœur, pour ensuite rancir sur les lèvres. Il laisse un goût d'amertume. Votre père, qui avait cette fâcheuse manie de trop vous gâter, est décédé, ma pauvre enfant. Comme vous n'êtes pas encore majeure, je suis votre tutrice d'après la loi. Vous devez donc vous plier à mes décisions, quoi que vous en pensiez.

Une crampe vint de nouveau barrer l'estomac d'Isabelle, que la panique commençait à gagner. Justine, sans même laisser le temps à sa fille de répliquer, poursuivit :

— Alors, soit! Vous ne voulez pas épouser le seigneur Nicolas des Méloizes. Vous êtes sotte de refuser un mariage qui vous donnerait l'occasion de vous installer confortablement dans la société. Ce monsieur est un homme comme vous aurez rarement la chance d'en rencontrer, Isabelle. Il est issu de l'une des plus vieilles familles constituant la noblesse de ce pays. Avec lui, vous auriez sans doute pu voyager à Paris et auriez peut-être même pu connaître Versailles, sa cour et ses fastes. Vous auriez pu quitter cette misérable colonie peuplée de Sauvages sanguinaires et de colons presque aussi sauvages qu'eux.

— Mais je ne veux pas quitter le Canada! Encore moins aller faire la grue à Versailles!

— J'en suis peinée. Vous aurez bientôt vingt et un ans et n'avez reçu aucune autre proposition de mariage. Pour le moment, avec cette guerre qui s'éternise, vous ne pouvez assister à aucun bal ou dîner auquel il vous serait permis de rencontrer un mari potentiel. J'ai donc pris sur moi d'inviter à dîner quelqu'un que je considère comme un bon parti. Il y a deux semaines, monsieur Larue est venu me rendre visite pour me demander l'autorisation de vous voir. J'ai accepté.

— Quoi? s'exclama Isabelle en écarquillant les yeux. Mais...

— Le notaire Pierre Larue. Vous vous souvenez de lui, j'espère? Je l'ai trouvé très charmant lorsqu'il s'est occupé des affaires de Charles-Hubert... Prévenant aussi. Quant à vous, je ne peux pas dire que vous ayez été des plus agréable avec lui. Cet homme a un cœur charitable. Il est au courant de votre mésaventure... de l'automne dernier, avec les soldats anglais. Il comprend. Tous les hommes n'auraient pas la même réaction, croyez-moi!

Estomaquée par autant d'audace et de froideur de la part de sa mère, Isabelle ne put prononcer un seul mot. Elle se laissa tomber en secouant la tête dans le fauteuil situé derrière elle. Justine sourit, satisfaite de l'effet que ses paroles avaient eu sur sa fille. Isabelle devrait se faire une raison. Il n'était pas question qu'elle s'affiche davantage avec un simple soldat, anglais de surcroît! Qu'elle se le tienne pour dit!

— Allez vous changer pour le souper. Et pincez vos joues, jeune femme, vous êtes un peu pâle.

***

— Fraoch Eilean! *hurlait-il en cherchant désespérément à rejoindre son père.*

Les canons tonnaient; l'odeur de la poudre pénétrait ses pores et ses poumons en feu. Son frère le suivait, l'appelant, lui criant de revenir sur ses pas. Alexander se retourna pour lui dire de lui foutre la paix. Mais, devant la gueule du canon de mousquet pointée vers lui, il se figea. John voulait-il l'abattre pour l'empêcher de commettre une bêtise? Pour se venger? Pris de panique, il se remit à courir. Il entendit encore un appel derrière lui, puis un claquement. Au moment où le coup l'atteignait à l'épaule et le projetait au sol, sur le dos, il croisa un regard clair... puis vit rapidement le visage horrifié de son père. Il entendit John hurler. La douleur physique était terrible, mais ô combien moins accablante que celle de son âme! John... Pourquoi? Grand-père Liam aurait-il guidé son doigt sur la détente? Alexander ferma les yeux et souhaita mourir.

Les doigts contractés sur sa couverture, le souffle court, Alexander s'assit d'un coup sur sa couche. Alerté par son cri, Coll bondit de la sienne.

— Alas, ça va?

Haletant d'angoisse, il hocha la tête et déglutit. Son frère trouva sa gourde d'eau et la lui tendit.

— Toujours le même cauchemar?

Alexander acquiesça. Il faisait presque toutes les nuits le même rêve depuis les combats dans le moulin et il se réveillait en nage. Cependant, cette fois-ci, il lui semblait qu'un élément nouveau s'était ajouté aux images qui ne cessaient de le hanter. Qu'est-ce que c'était exactement? Il y avait le regard de l'ennemi, aussi clair que celui d'O'Shea. Puis, plus loin derrière, les traits ahuris de son père... Quelque chose clochait, mais quoi?

Qu'est-ce que lui avait crié John juste avant le coup de feu? Il revoyait encore et encore le visage de son frère qui se penchait sur lui. John lui marmonnait des mots... Mais lesquels? Il n'arrivait plus à se rappeler, tout restait si confus... Les souvenirs de cet événement s'arrêtaient là : l'armée highlander fuyait, et les jambes couvertes de sang et de boue lui masquaient le ciel. Il avait été piétiné par les siens. On l'avait laissé pour mort sur la plaine de Drummossie Moor.

Il s'était réveillé beaucoup plus tard, dans la cour d'une ferme, sous le regard bienveillant d'un vieillard ressemblant étrangement à Dieu.

***

Le front ceint d'un bandage, Alexander s'appliquait à huiler son fusil pendant que ses compagnons jouaient aux dés sur une bûche, au soleil. Le moral des troupes était au plus bas. L'assiégeant était à son tour assiégé. Depuis maintenant plus de dix jours, l'armée de Lévis creusait des tranchées et bombardait les remparts depuis les Hauteurs, avec les canons abandonnés par l'armée anglaise. Bien que leur situation ne fût pas encore désespérée, elle était néanmoins précaire. Seule l'arrivée de renforts leur assurerait une réelle victoire et la possession définitive de la ville.

La bataille qui avait eu lieu aux abords de la forêt de Sillery et du chemin de Sainte-Foy avait été désastreuse : on dénombrait deux cent soixante morts et plus de huit cents blessés. Les pertes estimées de l'ennemi étaient légèrement moins élevées. Ainsi, voir leurs effectifs humains réduits du quart n'était pas encourageant pour les soldats. L'attente était pénible.

Le capitaine de son régiment ayant été tué au combat, Archibald Campbell de Glenlyon s'était vu offrir un brevet de capitaine. Il commandait maintenant sa compagnie, et Alexander était fier de lui. Bien que sa blessure le fît encore beaucoup souffrir, il avait tenu à passer en revue ses hommes et à les féliciter pour le courage dont ils avaient fait preuve sur le champ de bataille. Il avait aussi remercié Alexander et Coll en leur envoyant deux bouteilles du meilleur whisky écossais dont il disposait. Les frères les avaient partagées avec leur chambrée, et la soirée s'était terminée au cabaret, comme d'habitude.

Toutefois, craignant de perdre ses moyens devant les avances des quelques femmes qui étaient restées en ville, Alexander n'avait pas abusé de la boisson. Il se languissait d'Isabelle et rêvait au jour où il la retrouverait. Plusieurs fois, il avait refoulé son envie de déserter, pour Coll.

Il vérifia une dernière fois le mécanisme de son arme. Satisfait, il la posa contre le mur. Puis, il fouilla dans son *sporran* et en sortit une rondelle taillée dans la corne dont il s'était servi pour fabriquer le médaillon d'Isabelle. Il l'avait réduite à la dimension d'un anneau après en avoir établi la taille en « empruntant » honteusement la main d'Émilie, qui ressemblait à celle d'Isabelle. Il savait déjà quel motif il allait graver : il avait fait un croquis sur du papier avec un morceau de charbon.

— Que fais-tu? lui demanda Coll par-dessus son épaule. Encore une commande?

— Non, juste une babiole... grogna-t-il, agacé.

Il n'avait pas envie d'expliquer ce qu'il fabriquait : Coll désapprouverait certainement. De fait, son frère examina son travail d'un air intrigué, puis soupira.

— Hum... fit-il simplement avant de s'asseoir en face de lui.

— Tu as appris des mots nouveaux ce matin? demanda alors Alexander, pressé de changer de sujet.

Coll éclata de rire et lui fit une petite démonstration de ses progrès en français. Il s'était lié d'amitié avec une jeune veuve, et Alexander le soupçonnait de ne pas profiter que de ses connaissances de la langue du pays. Ces dernières semaines, il était en effet beaucoup plus jovial.

— Pas mal... « *mon frère*[86] ». Je suis content pour toi que ton professeur soit aussi bon que charmant! Moi, je n'avais que le vieux Hector Menzies pour m'enseigner la langue des poètes!

Une sourde clameur les interrompit. Les dés cessèrent de rouler. Tous se turent, écoutant d'où provenait ce bruit de foule. Pendant un moment d'angoisse, Alexander crut que les Français avaient pénétré à l'intérieur des murs de la ville. Mais un cri de joie dissipa vite cette sombre pensée. Il fut suivi par d'autres cris. Tous les soldats se levèrent alors comme un seul homme et se précipitèrent dans la rue, où d'autres accouraient, parfois à demi vêtus et ayant visiblement interrompu une activité quelconque.

— Un navire à l'horizon! Un navire approche! hurla quelqu'un.

La nouvelle se répandit comme une traînée de poudre. La garnison jubilait et criait de joie en courant jusqu'aux remparts.

— Anglais ou français?

— On ne sait pas encore.

— C'est une frégate! Elle arrive!

— Mais quel pavillon bat-elle?

— Attendez...

La foule s'accumulait sur les quais de la Basse-Ville. C'était la bousculade aussi sur les hauteurs du cap Diamant et sur la terrasse du château Saint-Louis, en haut duquel trois pavillons anglais cla-

---

86. Prononcé en français.

quaient dans le vent. Tous attendaient fébrilement que le navire s'identifie. Enfin, on hissa le pavillon sur la dunette. Il y eut alors un long moment de silence; tout le monde retenait son souffle. Lorsque le pavillon se déploya dans la brise de ce 9 mai, ce fut une incroyable explosion de joie dans la cité. L'Angleterre ancrait un premier navire dans le bassin, devant les remparts.

Les canons résonnèrent et firent trembler le sol. On criait; on lançait les chapeaux en l'air. Une joie indescriptible animait les troupes. C'était la victoire! Le *Lowestoff* était le bâtiment d'avant-garde d'une flotte de renfort. Cela voulait dire qu'on leur apportait des vivres, du matériel et de l'aide en effectifs. Mais, pour Alexander, cela signifiait beaucoup plus: c'était la promesse de retrouvailles avec Isabelle.

***

— Baptiste! Viens vite! Il va faire une bêtise!

Brandissant le tisonnier devant lui, Guillaume lançait des regards effarés tout autour de lui. Isabelle avait essayé, sans succès, de lui faire comprendre que les Anglais ne viendraient pas le chercher jusqu'ici. Il demeurait persuadé du contraire et menaçait quiconque l'approchait. Seul le vieux Baptiste, avec force bons mots, arrivait à le maîtriser lors des crises.

Précédé de Baptiste, Louis entra en trombe dans la cuisine, où tous s'étaient réunis depuis le début des bombardements. Cela faisait près d'une heure que les canons résonnaient sans interruption. À l'air défait de Louis, on crut d'abord à un nouveau combat.

— Un navire... en rade. Il bat... pavillon anglais.

La consternation se lisait sur tous les visages, sauf peut-être un. Isabelle se détourna et sortit de la maison pour courir jusqu'au banc du jardin. Son cœur battait la chamade. Elle ne put retenir plus longtemps ses larmes de soulagement. Mais elle avait honte: elle se réjouissait alors que tous les siens étaient atterrés par la nouvelle. L'arrivée du navire anglais signifiait la fin du siège pour leurs troupes et annonçait la perte définitive de la ville. L'armée française allait être obligée de se replier sur Montréal et de renforcer la défense des forts Lévis[87] et de l'île aux Noix[88]. Les hostilités allaient donc reprendre. Cela voulait dire aussi qu'Alexander devrait encore se battre.

Sentant une présence derrière elle, Isabelle essuya rapidement

---

87. Fort situé sur un îlot du fleuve Saint-Laurent, au sud de Montréal, quelques kilomètres en aval de la ville d'Ogdensburg, dans l'état actuel de New York.
88. Fort situé sur l'île aux Noix, îlot de la rivière Richelieu.

ses larmes et tourna la tête. Madeleine se tenait là, le visage ruisselant de chagrin et grimaçant de rage et de hargne, le teint blafard tranchant avec le noir de son châle.

— Tu pleures de joie ou de peine, Isa?

Isabelle accusa le coup sans broncher. À quoi d'autre pouvait-elle s'attendre de la part de sa cousine? Elle comprenait son bouleversement et ne lui en voulait pas de déverser son fiel sur elle. Son Julien avait été tué sur la route de Sainte-Foy, lors des combats du 28 avril. Depuis, elle s'était murée dans le silence, et Isabelle avait respecté son attitude. Mais le moment était venu pour elles deux de s'affronter.

— Laisse-moi répondre à ta place! Tu dois être ben heureuse de ce qui arrive...

— Mado, ne dis pas cela. Je ne me réjouis pas de...

— Va raconter tes menteries à d'autres! T'as tellement hâte de retrouver ton Écossais que tu ferais tes bagages aujourd'hui si tu le pouvais!

À quoi bon mentir; Madeleine la connaissait trop bien. Elle baissa les yeux pour fuir ceux qui flamboyaient de rage et la condamnaient comme traîtresse.

— Je suis désolée, Mado... sincèrement.

— Tu sais ce que ça veut dire, hein?! Les Anglais sont protestants. Ils vont nous obliger à abjurer de la même façon qu'ils nous ont obligés à prêter serment à leur maudit roi George en octobre dernier. On va devoir apprendre à parler leur langue! Ils vont nous forcer à vivre comme eux, Isa! T'es contente? T'es une Anglaise maintenant! Tu te rends compte? Une maudite Anglaise!

— Ce n'est pas vrai! Ils ne pourront pas nous convertir contre notre gré!

— « Eh bien! Par la mort Dieu, soit! Mais qu'on les tue tous, qu'il n'en reste pas un pour me le reprocher après[89]! » Tu ne te souviens pas de cette phrase que nous répétait toujours Pierre Dubois?

— Monsieur Dubois était un Suisse huguenot dont l'ancêtre était un rescapé du massacre de la Saint-Barthélemy. C'était une guerre de religion, Mado. C'est ridicule, ce massacre a eu lieu en 1572! On n'est plus au Moyen Âge!

— Parce que tu crois que les protestants ont oublié? Parce que tu penses que les hommes ont changé depuis? Voyons, Isa! Ton Écossais est catholique dans un pays protestant, non? Eh bien, demande-lui

_____

89. Par cette phrase, Henri de Navarre, roi de France, donna le signal du début du massacre des huguenots, le 24 août 1572.

donc ce que pensent les Anglais des *popish*, comme ils nous appellent. À chaque religion ses hérétiques! Au moins, ton Alexander a l'avantage de parler leur langue et de se battre pour eux. Souviens-toi de l'Acadie, Isa. Souviens-toi de ce que nous a raconté Perrine sur la déportation. Ça ne s'est pas passé au Moyen Âge, ça!

Ce ne fut qu'à ce moment-là qu'Isabelle prit pleinement conscience des conséquences, pour le peuple canadien, des événements qui étaient en train de se produire. Sa cousine la regardait d'un air désespérément triste.

— J'aimerais que tu comprennes, Isa... T'aimes un Anglais; t'aimes not' bourreau.

Une légère brise faisait bouffer la robe de Madeleine et découvrait ses jupons devenus trop amples autour de ses hanches. Les longs cheveux voletaient autour du visage hâve. La jeune femme ne mangeait presque plus. La mort de Julien l'avait complètement anéantie. Sidonie avait bien essayé, avec l'aide de Perrine et de Catherine, l'épouse du cousin Perrot, de lui faire avaler un repas consistant. Mais même l'estomac de la pauvre veuve se rebellait. Cela finissait par beaucoup inquiéter Isabelle.

— J'aime un homme, Mado, pas l'habit qu'il porte. Est-ce que tu peux comprendre ça?

Blessée, Madeleine leva le menton. Elle pinçait ses lèvres pour s'empêcher de pleurer, en vain. Isabelle lui tendit son mouchoir, demandant une trêve. Madeleine regarda d'un air indifférent le carré de coton s'agiter dans l'air. Puis, elle le prit et se moucha bruyamment dedans.

— Merci.

Isabelle pouvait-elle considérer ce petit merci comme une marque de gentillesse? Un frôlement suivi d'une légère morsure à sa cheville firent tressaillir la jeune femme. Elle se pencha pour découvrir Grominet qui ronronnait sous ses jupes en se frottant contre elle. Elle s'assit sur le banc, prit l'animal sur ses genoux et le caressa doucement. Il ne tarda pas à s'installer confortablement sur l'étoffe que le soleil réchauffait. Voyant son territoire menacé par le terrible Museau, le chat des Perron se faisait très discret et n'honorait que très rarement les hôtes de sa présence.

— Tu m'en veux beaucoup, Mado?

Madeleine leva la tête, se demandant si elle avait bien entendu sa cousine.

— Tu m'en veux beaucoup? répéta Isabelle en constatant qu'elle n'avait que balbutié ses mots.

Le visage de sa cousine demeura imperturbable. Puis, une petite voix résonna.

— Oui.

— Tu serais heureuse que je ne voie plus Alexander ou même qu'il soit tué sur les Hauteurs?

Le cœur rempli d'amertume, Madeleine allait répondre par l'affirmative sur un ton acide. Mais elle se retint en serrant les dents. Oh, oui! Elle en voulait terriblement à Isabelle d'être heureuse alors qu'elle voulait mourir de chagrin. Elle aurait aimé la voir souffrir autant qu'elle... pour qu'elle partage son malheur aujourd'hui, comme elles partageaient leurs petits bonheurs, enfants. Oh, oui! Elle avait envie de hurler, de frapper, de briser, de tuer... Son hostilité envers Isabelle n'avait pourtant réussi qu'à la rendre encore plus malheureuse.

Au nom des liens qui les unissaient, elle devait accepter. Isabelle était comme sa sœur. Elle était sa seule famille, surtout maintenant que Julien n'était plus là. Allait-elle risquer de perdre ce qu'il lui restait, par jalousie? Il lui fallait mettre de côté ces sentiments qui la minaient et supporter sa vie qui éclatait en morceaux pour des raisons qui lui échappaient. Il lui fallait profiter de ce qu'elle avait encore et ne pas chercher à comprendre. Ne pas gaspiller son énergie à haïr. Quoi qu'elle fît, Julien ne reviendrait plus. Plus jamais elle ne sentirait le poids rassurant de son corps sur elle. Plus jamais elle ne l'entendrait murmurer doucement à son oreille « Je t'aime, ma petite Lainie ». Isabelle n'était pas responsable de la mort de Julien et de son malheur à elle. À chacun sa peine. Isabelle avait eu sa part.

Elle dévisagea sa cousine et hocha la tête, incapable de formuler les mots qui se bousculaient dans sa bouche. La douleur lui nouait la gorge. Se laissant tomber sur les genoux, elle éclata en sanglots et pleura à chaudes larmes dans les jupes d'Isabelle et sur le doux pelage de Grominet. Le carcan se desserrait, mais le vide que laissait Julien demeurait, inexorablement.

Penchée sur Madeleine, Isabelle eut soudain l'impression que son bonheur était une trahison. Elle eut alors un sombre pressentiment. Il y aurait un prix à payer : rien n'est gratuit, le bonheur y compris. Un jour, elle devrait subir le châtiment correspondant à son péché. Rien n'échappait à Dieu. Rien...

Les pleurs de Madeleine s'étaient espacés, mais la jeune femme gardait son visage enfoui dans la fourrure du chat qui offrait son corps aux caresses du soleil. La lumière jouait dans les mèches qui couvraient les genoux d'Isabelle. Longue, soyeuse et lumineuse malgré le manque de soins, la chevelure de Madeleine n'avait rien perdu de son éclat. Isabelle la caressa doucement. Le visage amaigri se leva vers elle. Les yeux verts et pleins d'un incommensurable chagrin demandaient grâce.

— Pardonne-moi, Isa. Je t'aime trop pour te détester... J'voulais pas te faire de mal...

— Je sais, Mado. Tu as eu raison; je comprends mieux maintenant. Mon bonheur te blesse, toi qui as tout perdu.

— J'sais ben que ton Alexander n'est pas responsable de mon malheur. Mais j'peux pas m'empêcher de le lui reprocher. T'as de la chance, pis moi pas. C'est tout. C'est pas de ta faute ni de la sienne. Mais ça fait mal quand même, Isa.

Isabelle hocha la tête.

— Vous allez betôt retourner en ville. Moi, j'vais rester icitte. J'ai pas le courage de retourner là-bas. Rien que de voir ceux qui ont tué mon Julien...

— Je... comprends, Mado.

Isabelle avait les yeux qui s'embuaient. Elle perdait la seule personne, hormis son père et Alexander, qui lui avait témoigné un réel amour. Elle se sentit affreusement seule.

**

Pendant six longues journées, les canons grondèrent encore et encore. Les Français épuisaient leurs munitions et leurs réserves de poudre, espérant toujours voir arriver les renforts demandés au roi de France. Les navires tant attendus arrivèrent enfin... avec un pavillon anglais. Deux vaisseaux de guerre, le *Vanguard* et la *Diane*, s'ancrèrent dans la rade de Québec. D'autres allaient suivre. Tous les rêves des troupes françaises se voyaient définitivement anéantis. L'escadre de France ne leur parviendrait jamais.

L'armée française leva le siège et se replia sur Montréal. Ce faisant, elle perdit un certain nombre de soldats, pour cause de désertion. La flottille de Lévis fut poursuivie et canonnée par les navires anglais: la *Pomonte* s'échoua et l'*Atalante* se rendit. Il ne resta plus que *La Mane*.

Les habitants de Québec retournèrent tranquillement chez eux et reprirent rapidement leurs habitudes. La ville retrouva son âme et son animation.

Tous les jours où il lui était possible de le faire, Alexander passait devant la maison de la rue Saint-Jean. Mais les volets restaient désespérément clos, et le jeune homme se décourageait. Et si la mère d'Isabelle avait choisi de ne plus rentrer? La seule idée de ne plus revoir son amour l'emplissait d'angoisse et poussait son imagination aux hypothèses les plus farfelues. Et si ce des Méloizes qu'il avait entendu nommer dans la cour des Lacroix était venu enlever la jeune femme? Cet homme était capitaine dans les Compagnies franches de la Marine et dirigeait une seigneurie située quelque part en amont de Québec d'après ce qu'il savait. Qui était-il vraiment pour Isabelle? Plus qu'un simple ami, c'était sûr. Son fiancé?

Affermi dans son pouvoir à Québec, Murray préparait une campagne pour se rendre maître de Montréal. La Nouvelle-France n'avait pas encore rendu son dernier souffle. Les généraux Haviland et Amherst devaient encore s'emparer des forts qui résistaient toujours. Ensuite, toutes les troupes convergeraient vers le dernier gouvernement encore en place: celui de Montréal. La reddition de la ville officialiserait la soumission totale de la colonie française au nouveau gouvernement britannique.

Obsédé par ses inquiétudes et en retard, Alexander se dirigeait d'un bon pas vers les casernements du quartier Saint-Roch lorsqu'il entendit crier son nom. Son cœur fit un bond et il pivota sur lui-même. Il cligna des yeux. La silhouette était toujours là, venant vers lui. La robe noire flottait au-dessus de la chaussée, soulevant un nuage de poussière sur son passage. Oubliant d'un seul coup sa corvée de repas, Alexander courut aussi rapidement que le lui permettaient ses jambes. Il attrapa Isabelle au vol et la fit tournoyer dans les airs en riant aux éclats. Elle lui était revenue!

Le corps enfiévré par une folle passion, ils couraient à perdre haleine à travers champs, se dirigeant vers le moulin. Parfois, Isabelle se retournait pour être bien certaine qu'elle ne rêvait pas. Il était bien là, de chair et de sang, lui souriant de sa large bouche qu'elle avait hâte de sentir sur la sienne. Le sol libérait sa chaleur bénéfique, qui montait sous ses jupes, caressait ses cuisses et son ventre vibrants de désir.

À mi-chemin entre la route et le moulin, Alexander attrapa la jeune femme par la taille et la fit tourner dans ses bras. N'en pouvant plus, ils palpèrent fébrilement le bonheur qui avait bien failli leur échapper. Leurs lèvres se cherchèrent avec une appétence débridée, savourant, confondant chair et étoffe. Le sang battait violemment dans tout leurs corps.

Là, au milieu des tiges séchées et des herbes tendres que le cycle sans fin de la nature poussait hors du sol, ils se laissèrent rouler. Alexander sentait le rhum, la sueur et le tabac. Isabelle respira son odeur et s'en enivra. Libérée de son bonnet, la longue chevelure s'empêtrait dans les brindilles raides qui piquaient la nuque et les épaules. Allongé sur la jeune femme, Alexander s'arrêta un instant pour la contempler. Il étala ses cheveux autour de sa tête à la façon d'une auréole : des rayons de lumière. Son soleil... Il redécouvrait l'or qui pailletait magnifiquement ses yeux, le teint de lys qui rosissait de plaisir sous les baisers, la couleur vermeille de ses lèvres qui s'étiraient en un merveilleux sourire. Comment exprimer la joie qu'il ressentait? Il l'embrassa profondément, longuement. Elle trembla sous lui. Au diable, le moulin!

Sous le regard d'Alexander, Isabelle sentit son cœur se gonfler de tous les soupirs accumulés. L'ardeur de l'Écossais la rassurait et la confortait dans l'amour qu'elle lui vouait. Frémissante, elle sentait le besoin de combler ce vide que la longue séparation et la peur avaient creusé en elle. S'arquant, elle l'attira à elle.

Du sol s'évaporait l'eau de la dernière pluie; une fine vapeur les entourait. Les tiges séchées bruissaient doucement autour d'eux, étouffant leurs gémissements. Alexander sentait le soleil chauffer ses cuisses. Sa chemise lui collait à la peau. Sous lui, Isabelle se tortillait, essayait de dégager ses jupes. Il se redressa légèrement sur les genoux pour l'aider. Elle se cambra, enroula ses jambes autour de ses hanches. Ses halètements et la suave odeur que sa tendre féminité dégageait l'excitèrent. Il fut alors irrésistiblement poussé en elle par la soif intense, exacerbée par l'attente, qu'il avait d'elle. Bouleversés par la violence de leurs sentiments, indifférents aux sons de la vie qui continuait autour d'eux, à la guerre qui rôdait encore et au danger d'être surpris, ils s'abandonnèrent l'un à l'autre.

Aucun des deux n'avait encore dit un mot. La présence seule de l'autre suffisait à apaiser leurs angoisses. Longtemps, ils demeurèrent enlacés, l'un dans l'autre, savourant cette incommensurable joie que leur procuraient leurs retrouvailles. Les cris des goélands et la brise odorante venant du fleuve les enveloppaient. Ils n'osaient bouger, ne pouvant se résoudre à mettre un terme à cet instant de grâce. Si seulement le temps pouvait s'arrêter...

Un mouvement furtif fit tressaillir Isabelle. Tout près, un petit campagnol des champs traversait l'espace d'herbe qu'ils avaient piétiné. Se rendant compte d'un coup de la témérité insensée dont ils avaient fait preuve, la jeune femme s'assit et jeta des regards affolés aux alentours. Personne. Derrière le bouquet d'arbres, les ailes du moulin tournaient dans un grincement continu. Quelle idée avait-elle eue de vouloir retourner là? Le meunier Daunais devait y moudre le peu de grain qui restait.

Couchés, ils étaient cachés à la vue du passant. Mais, assis, ils devaient être aussi visibles dans le champ que le nez au milieu de la figure. Elle se tourna vers Alexander, qui était resté allongé. Elle remarqua sur sa tempe une plaie qui cicatrisait. D'un doigt hésitant, elle l'effleura. Il la laissa faire, caressant d'une main légère la peau soyeuse de sa cuisse.

— C'est... douloureux?

— Un peu. Ce sont les maux de tête qui sont les pires. Mais ça peut aller.

— Comment est-ce arrivé?

— J'ai reçu une balle. Mais, comme tu peux le constater, j'ai la tête si dure qu'elle a ricoché dessus.

— Ce n'est pas drôle, Alex!

Elle tâta son torse, ce qui le fit rire, puis remonta vers les épaules. Lorsqu'elle pressa à gauche, il se plaignit faiblement, se raidissant sous sa main.

— Et là?

Elle déboutonna sa chemise avec empressement et tira sur l'encolure, le repoussant au sol comme il cherchait à l'arrêter.

— Et ça?

— Une... baïonnette.

— Une balle... une baïonnette... Bon Dieu!

Se penchant sur lui, elle posa ses lèvres sur la blessure, puis sur sa joue.

— Et ton frère Coll... et Munro? Ils vont bien?

— Oui. Quelques égratignures, rien de plus. Et les... tiens?

— Ils vont bien.

Il hocha la tête, soulagé. Tandis qu'elle se redressait, ses longs cheveux caressèrent la peau dénudée de son torse et il frissonna.

— J'ai eu terriblement peur pour toi, avoua-t-elle dans un chuchotement.

Le regard brillant, elle passa distraitement ses doigts dans ses mèches en broussaille pour les démêler. Son visage devint triste.

— Alex... Oh, Alex! Pourquoi dois-tu être soldat et te battre contre les miens? C'est si difficile!

Baissant les paupières, elle se détourna. Il se souleva alors sur un coude et s'empara de son menton pour la forcer à le regarder. Il repensa à la dernière bataille, lorsqu'il avait tué le Canadien déguisé en Sauvage. Bien sûr, il menaçait ceux qu'elle chérissait. Il ne pouvait prétendre le contraire. Mais l'inverse pouvait tout aussi bien être vrai. Si Étienne avait croisé son chemin, sur les Hauteurs, il n'aurait pas hésité à le prendre pour cible. Mais il ne pouvait lui dire ça...

— Julien Gosselin, le mari de Madeleine... il a été...

La jeune femme s'étrangla d'émotion. Alexander soupira en fermant les yeux.

— Je vois. Comment elle va?

— Pas très bien, tu peux le comprendre. Ils s'aimaient beaucoup.

— Hum.

Il s'étendit dans l'herbe, coinçant une main sous sa nuque. Isabelle posa la tête sur son torse, écoutant les battements de son cœur.

— La guerre est presque finie, Isabelle. Il reste la campagne de Montréal...

Il s'interrompit, mal à l'aise. Il lui parlait de la conquête de *son* pays à elle! Qu'aurait-il ressenti, lui, si on lui avait dit sur le même ton calme: « L'Écosse sera bientôt soumise, Alasdair. Il ne reste qu'à raser les Highlands, et le tour sera joué. »? Il se passa la main sur le visage.

— *Och! Alas,* marmonna-t-il, *dinna have naught better tae do than dirk the lass wi' stupid words? Mo chreach*[90]!

Agacée de ne pas comprendre ce qu'il disait, Isabelle grimaça et pinça les lèvres. Puis sa bouche se détendit progressivement et s'étira en un sourire narquois.

— « Dina ondèrstande, mistère Alas! »

Haussant les sourcils, il la regarda en coin. C'était la première fois qu'elle se lançait dans une phrase aussi longue en anglais. Il tendit la main vers la joue creusée d'une fossette et la caressa doucement en souriant à son tour.

— *I love ye, Iseabail.*

— « Aïe love yi aussi », chuchota-t-elle en ricanant et en se lovant contre lui. Un beau jour, il faudra que tu m'apprennes ta langue. Cela me sera certainement utile. Je pourrai enfin échanger plus de deux mots avec Coll et Munro.

Ne serait-ce pas plutôt à lui, à eux, de s'adresser à elle dans sa langue? Les Anglais allaient-ils faire disparaître le français du Canada de la même façon qu'ils tentaient de faire disparaître le gaélique des Highlands? À cette pensée, Alexander se renfrogna. Allaient-ils aussi déporter les Canadiens, comme ces malheureux Acadiens sur les côtes de l'Atlantique? Ce qu'avait fait là-bas le gouvernement anglais l'emplissait d'amertume: on avait vidé l'Acadie de ses habitants pour faire de la place aux fermiers anglais et écossais. Ces derniers, proscrits, fuyaient eux-mêmes leur propre pays. Tous

---

90. Aïe! Alas, tu n'as rien de mieux à faire que de poignarder la demoiselle avec des stupidités? Merde!

ces gens n'étaient que des pions sur l'échiquier économique et politique de l'empire britannique.

Pour mieux soumettre les vaincus, on n'hésitait pas à lacérer leur culture et leurs traditions à grands coups de sabre. « Chaque jour, nous sommes assimilés un peu plus, lui avait dit grand-mère Caitlin. Lentement, mais sûrement. Nous allons disparaître si nous ne faisons rien... Va là-bas, en Amérique. On m'a dit que ce pays est immense et qu'on y est libre. » Libre? Mais le Canada allait bientôt tomber sous la domination anglaise... Où trouverait-il donc sa liberté?

— *Damned Sassannachs!*

— Qu'y a-t-il, Alex? Quelque chose te tracasse, je le sens.

Il soupira et coula vers elle un regard tendre. « Oh! Isabelle, ne change jamais, promets-le-moi. »

— Ce n'est rien. Un léger mal de tête, rien de plus, *mo chridh' àghmhor.*

Isabelle fit une moue sceptique et le considéra longuement. Mais, ne voulant pas gâcher ce moment merveilleux, elle n'insista pas. Des voix leur parvinrent du lointain. La jeune femme se raidit. Alexander lui fit signe de se taire et se risqua à s'asseoir. Un détachement de rangers passait sur la route. Cela lui rappela brusquement qu'il avait un repas à mettre sur le feu.

— *Och! Should get back tae the barracks! 'T will be no wee skelping from Coll*[91]*!* grommela-t-il en se levant d'un bond. J'étais de corvée aujourd'hui. Coll va certainement me tirer les oreilles!

Surprise, Isabelle restait immobile et l'observait pendant qu'il remettait de l'ordre dans sa tenue. Il se pencha sur elle et baissa ses jupes sur ses cuisses.

— Je dois retourner aux casernes, Isabelle. Je t'aime!

Il l'embrassa et, dans un soupir, se détacha d'elle.

— Quand pourrais-je te revoir? lui demanda-t-il en jetant un œil par-dessus son épaule, vers le détachement qui s'éloignait.

La jeune femme réfléchissait. Un problème se posait. Elle savait que sa mère surveillait ses allées et venues. Il lui faudrait donc trouver un moyen d'échapper à son attention... Elle ne pouvait plus compter sur la complicité de Madeleine. Perrine? Non, sa haine envers les Anglais était pire que celle de Madeleine. Quant à Mamie Donie, elle ne voudrait jamais la laisser sortir seule sans une escorte convenable. Restait Ti'Paul, son dernier espoir. Il lui serait loyal, elle en était certaine. Concernant le lieu de rencontre, le

91. Aïe! Je dois retourner aux casernes! Coll va sûrement m'étriper!

moulin ne convenait plus, de toute évidence. Il fallait trouver un autre endroit.

— Derrière le mur de notre verger, il y a une remise de bois où on range les outils. Si un ruban bleu flotte à ma fenêtre, rejoins-moi là. Tu crois que tu pourras?

— J'irai jusqu'en Asie pour toi s'il le faut, Isabelle! lui lança-t-il en s'éloignant.

Le regardant partir en courant, elle rit. Puis, elle se tut et son sourire s'effaça. Elle n'avait pu se résoudre à avouer à Alexander que sa mère cherchait à la marier avec un autre homme.

15

L'amour et la musique

Caché dans l'ombre, Alexander ne quittait pas la maison des yeux. Il avait pourtant bien vu le ruban accroché à la fenêtre dans l'après-midi. Mais Isabelle n'était pas venue à leur lieu de rencontre. Après plusieurs longues minutes, il était retourné dans la rue vérifier si le ruban flottait toujours au tourniquet : il avait disparu. Intrigué, il était resté pendant un moment à fixer la maison, essayant de trouver la raison qui avait pu empêcher Isabelle de le rejoindre. Un malaise subit ? Une sortie urgente ? Elle aurait envoyé son jeune frère lui porter un message au cabaret. Or le cabaretier lui avait affirmé que personne n'était venu pour lui.

Malgré une certaine honte, il avait épié ce qui se passait dans la chambre d'Isabelle. La jeune femme y était, il l'avait bien vue. En cette journée de grandes chaleurs, les fenêtres étaient grandes ouvertes. Elle portait une ravissante toilette, ce qui avait attisé sa curiosité. À un moment, elle s'était penchée à la fenêtre, comme si elle cherchait quelque chose. Il sortait juste de l'ombre pour lui faire signe quand un passant qu'il n'avait pas remarqué l'avait bousculé. L'homme l'avait toisé d'un air hautain. Puis, après avoir défroissé son justaucorps de beau drap, il s'était dirigé vers la maison des Lacroix et avait grimpé les trois marches menant à la porte.

Alexander avait senti son cœur se serrer. Qui était cet homme ? Un ami de la famille, un oncle, un cousin ? Un soupirant ? N'osant tirer des conclusions trop rapidement, il avait décidé d'attendre devant la maison, derrière un grillage auquel montait une vigne. L'esprit tourmenté par la jalousie, il avait repensé à ce des Méloizes dont il avait entendu prononcer le nom par l'un des frères d'Isabelle le soir de la tempête.

Il consulta sa montre pour la énième fois : neuf heures vingt. Le visiteur ne devrait plus tarder à sortir. Le couvre-feu était à dix heures. Quiconque parcourait les rues après cette heure était immédiatement arrêté. La porte s'ouvrit enfin quelques minutes plus tard. Le visiteur s'inclina devant Isabelle et sa mère. Cette dernière s'éclipsa aussitôt les politesses échangées, laissant les deux jeunes gens ensemble. Isabelle sembla soudain très nerveuse et gênée.

Alexander, qui ne quittait pas la scène des yeux, dut se faire violence pour ne pas se jeter sur l'inconnu lorsque celui-ci baisa la main de celle qu'il aimait. Tout en émoi, il resta tapi derrière son écran végétal, les doigts crispés sur le fer rouillé. L'étranger s'inclina et se glissa dans l'obscurité de la rue, une lanterne à la main. Estomaqué, le jeune homme regarda la petite flamme s'éloigner. Isabelle voyait quelqu'un d'autre...

***

— Tu es bien certain de le lui avoir remis en mains propres, Ti'Paul? demanda Isabelle.

— Certain, Isa. Tu penses peut-être que je te mentirais?

— Non... Ça va, merci.

La jeune femme se détourna. Elle ne savait plus que penser. Cela faisait trois jours qu'Alexander ne se présentait plus aux rendez-vous. La première fois, elle n'en avait pas fait grand cas : il avait dû être retenu pour une raison quelconque. Le deuxième soir, elle s'était inquiétée. Cela ne lui ressemblait pas. S'il avait été dans l'impossibilité de la rejoindre, il aurait certainement envoyé Coll pour l'avertir. Était-il malade? S'était-il blessé au cours d'un exercice militaire? Ou pire, avait-il été mis en prison pour avoir commis une bêtise?

Elle avait envoyé Ti'Paul porter trois messages. Mais rien; toujours aucune nouvelle. Pourtant, son jeune frère lui avait affirmé avoir aperçu l'Écossais la veille, sur les quais de la Reine, dans la Basse-Ville. Que se passait-il donc?

Isabelle attrapa sa capeline de lainage et descendit au salon. Sa mère n'y était pas. Tant mieux, elle n'aurait pas à mentir encore une fois. Se couvrant, elle sortit dans la rue et se dirigea vers le quartier des soldats, un petit couteau à portée de main, au cas où...

Une certaine fébrilité régnait dans le cabaret. Le violon jouait un air joyeux et les soldats imbibés de petite bière discutaient avec animation et gaieté. Depuis le début de juillet, on ne parlait que des progrès des troupes d'Amherst et de la prochaine campagne. La perspective de la fin prochaine de la guerre et de la glorieuse

502

victoire sur les Français remplissait d'allégresse tous les hommes. Enfin, presque tous...

Encore bouleversé par la découverte qu'il avait faite rue Saint-Jean, Alexander buvait tranquillement dans un coin, l'esprit à mille lieues de là. Il avait résisté à l'envie de répondre au dernier message d'Isabelle. Les mots l'avaient touché, certes. Mais, quand il avait repensé à cet homme qui baisait la main de sa bien-aimée, il avait été envahi une nouvelle fois par la rage. Il revoyait encore le visage de l'inconnu – qui était plutôt bel homme, il devait bien l'admettre – se pencher sur la petite main blanche.

Il vida son verre et se resservit. Les effets de l'alcool commençaient enfin à se faire sentir. Il ferma les paupières et se laissa aller contre le mur, se concentrant sur la musique. Il voulait oublier...

Soudain, une masse s'abattit sur son épaule. Déséquilibré, il tomba à terre, au milieu des rires. Furieux, il se releva en jurant et attrapa Munro par le collet pour le plaquer contre le mur.

— Hé! hé! protesta vivement son cousin en levant les bras. C'est qu'il y a quelqu'un pour toi...

Alexander arrêta son poing à quelques pouces du nez déjà aplati de Munro, qui soupira bruyamment. Il relâcha son cousin et lui tapota gentiment le ventre.

— Désolé, vieux. Je t'ai pris pour quelqu'un d'autre.

— Tu devrais changer de registre quand tu rêves, Alas! J'ai pas envie de finir en bouillie...

— Qui veut me voir? le coupa abruptement Alexander en scrutant la clientèle du regard.

— Elle attend dehors, avec Coll. Il ne voulait pas la laisser seule et elle refuse d'entrer... tu comprends?

— Elle? Qui ça? Isabelle?

— Qui d'autre? Imbécile!

Dans un tourbillon écarlate, Alexander pivota sur lui-même et se dirigea immédiatement vers la sortie. Ainsi, elle avait le courage... non, le culot de venir jusqu'ici! Tandis qu'il cherchait parmi les gens qui se trouvaient dans la rue la silhouette menue d'Isabelle, il réfléchissait à l'attitude à adopter. Devait-il se montrer froid et distant? Devait-il demeurer impassible, faire comme si de rien n'était? Il repéra enfin la tignasse rouge de Coll, que le soleil couchant faisait flamboyer, et se dirigea d'emblée vers elle.

En conversation avec son géant de frère, la jeune femme lui tournait le dos. Alexander s'immobilisa à quelques pas, observant le duo en silence. Coll se tut en se rendant compte de sa présence. Isabelle se retourna alors lentement. La nuque raide, il redressa les épaules pour se donner de l'assurance et respira un grand coup pour contenir le feu qui bouillait en lui. La bouche pulpeuse de l'intrigante s'étira en un sourire incertain.

— Alex?

Sans rien dire, il franchit la courte distance qui les séparait et lui empoigna le bras.

— Viens.

Coll s'écarta en haussant les sourcils. Il ouvrit la bouche pour dire quelque chose, mais se ravisa et tourna les talons pour marcher jusqu'à la côte de la Canoterie. Il allait rejoindre sa belle veuve pour approfondir ses connaissances du français.

— Alex... tu me fais mal!

Alexander relâcha la pression sans pour autant libérer totalement la jeune femme. Avec fermeté, il l'entraîna vers la grève de la rivière Saint-Charles, que la marée haute avait couverte. Puis, il la fit tourner à l'angle d'une dépendance du chantier naval. Là, il la lâcha enfin complètement et prit de profondes inspirations pour maîtriser les émotions qui affluaient en lui. Jambes écartées, bras croisés, il la considéra longuement en lui faisant face.

L'odeur poignante du goudron à calfater masquait le parfum suave des guirlandes d'algues qui émergeaient de l'eau et frangeaient la grève. Un goéland railla au-dessus d'eux et alla se poser sur les varangues grisonnantes d'une goélette juchée sur ses étais et dont la construction avait été interrompue l'été précédent.

Auréolée de lumière, droite comme un piquet, Isabelle le regardait avec de grands yeux désemparés. Il se mordit la joue, se détestant pour ce qu'il faisait. Mais, en même temps, le souvenir de la bouche de l'homme sur sa main revenait le hanter et augmentait sa fureur.

— Alex... qu'est-ce qu'il y a?

— Ce serait plutôt à moi de te poser cette question.

— Je ne comprends pas.

— Vraiment?

Il scruta chacun de ses traits, cherchant dans son visage un indice pouvant la trahir.

— Et si je te parle de monsieur des Méloizes?

Elle pâlit et pinça fortement les lèvres. C'était de mauvais augure.

— Des Méloizes? Nicolas? Qui t'a parlé de lui?

Et voilà! Elle l'appelait par son prénom en plus! Elle baissa la tête, cherchant refuge dans la contemplation des galets à ses pieds.

— Regarde-moi, Isabelle! Je veux que tu répondes à une question, une seule. Si tu mens, je le verrai dans tes yeux.

Elle leva son regard affolé vers lui et hocha la tête en silence. Sa peau miroitait sous les feux du soleil couchant. Cette vision fit monter en lui un rire sarcastique qu'il refoula aussitôt. Combien d'adorateurs avait-elle? Sa poitrine se soulevait rapidement. Était-ce la chaleur excessive ou bien la crainte d'être démasquée qui précipitait ainsi sa respiration? Une violente bouffée de rage lui fit serrer les mâchoires. Un autre que lui la caressait-il? Ce... ce capitaine, par exemple?

— Alex... tu me fais peur! Explique-moi!

Froissant sa jupe dans ses mains, elle attendait, angoissée, se demandant ce qui se passait. Qu'avait-elle fait pour qu'Alexander ait cette attitude froide envers elle? Pourquoi lui parlait-il de Des Méloizes? Il y avait bien longtemps qu'elle n'avait pas revu l'officier. Elle avait appris qu'il avait été gravement blessé à la cuisse par un éclat de bombe lors de la bataille de la fin avril, mais elle n'était pas allée lui rendre visite à l'Hôpital général comme sa mère lui avait suggéré de le faire. Bien qu'elle le sût atterré par la mort de son frère cadet, Louis-François, qui avait succombé dans ses bras, sur le champ de bataille, elle n'avait pu se résoudre à l'affronter...

Soudain, il lui vint à l'esprit que sa mère – qui se doutait de quelque chose, elle le savait – cherchait peut-être à les brouiller, et elle en eut froid dans le dos. Alexander marchait maintenant de long en large devant elle, faisant crisser le sable sous ses pas. Elle déglutit lorsqu'il la regarda de nouveau.

— Que représente ce des Méloizes pour toi, Isabelle?

— Quoi?

— Tu as très bien compris!

— Mais rien! Il est capitaine dans...

— Je sais très bien qui il est. Ce que je veux savoir, c'est ce qu'il est pour toi.

— Il n'y a plus rien entre monsieur des Méloizes et moi, Alex.

— Plus rien? Il y aurait donc eu quelque chose?

— Euh... oui. Enfin, peut-être. Mais tout est terminé.

— Comment pourrait-il en être autrement? Je vois difficilement un capitaine de l'armée française se promener dans les rues de Québec qui fourmillent d'Anglais...

— C'est ridicule, Alex! Nicolas est retenu prisonnier et...

— Ridicule? Tu dis que je suis ridicule?!

— Mais qu'est-ce qui t'arrive? Qu'est-ce que j'ai fait pour te mettre dans un tel état? Je t'aime, Alex...

— Regarde-moi dans les yeux, et répète-le-moi!

Il s'était approché d'elle, presque menaçant. D'instinct, elle recula d'un pas, se heurtant au mur du hangar. Mais qu'est-ce qui lui prenait? La colère commençait à sourdre en elle. Elle respira profondément et serra les poings. Il l'avait offensée en doutant de ses sentiments. Elle allait partir et attendrait qu'il lui fasse des excuses. Prenant l'attitude digne d'une dame de la société, elle redressa le buste et leva le menton. Puis, faisant virevolter ses jupes autour de ses jambes flageolantes, elle commença à s'éloigner. Mais une poigne d'acier la retint. Elle se retrouva coincée entre le mur et le corps tendu d'Alexander.

— Répète-le-moi.

Il lui avait parlé plus doucement cette fois-ci. Elle soutint son regard qui la fouillait, y lisant de l'angoisse. Sa colère baissa d'un cran.

— Je t'aime de tout mon cœur, de toute mon âme et de tout mon corps, Alex! Comment peux-tu en douter?

— Qui est l'homme qui t'a rendu visite, mercredi? l'interrogea-t-il dans un murmure.

Le sang ne fit qu'un tour dans les veines d'Isabelle. D'un coup, la lumière se fit dans son esprit: il avait vu Pierre Larue entrer chez elle ou en sortir, et s'en était inquiété... avec raison. Comment lui expliquer? « Il me courtise dans le but évident de me demander en mariage, Alex. Une idée de ma mère, mais ne t'en fais pas pour cela... »

— Un ami... le notaire qui s'est occupé de la succession de mon père.

— Un « ami »?

Sceptique, il grogna de rage.

— Tu mens!

— C'est la vérité!

— Il m'a semblé... être plus qu'un ami.

Isabelle baissa la tête et fixa sa croix d'argent qui pendait au cou du jeune homme. Il l'avait accrochée à un lacet de cuir, et elle se demanda ce qu'il avait fait du ruban bleu que le cordon remplaçait.

Avec brusquerie, il chassa un moustique qui le narguait depuis un bon moment en laissant un son rauque s'échapper de sa gorge. À son odeur masculine accentuée par la chaleur se mêlaient des effluves d'alcool. Il avait bu, mais ne semblait pas ivre.

— Tu m'espionnes? Pourquoi? Est-ce que j'ai fait quelque chose qui t'a déplu?

— Ce jour-là, j'ai vu le ruban accroché à ta fenêtre. Puis, d'un coup, il n'y était plus. J'ai voulu savoir pourquoi... Alors, j'ai attendu devant chez toi.

Elle se souvint qu'elle avait retiré le ruban tout de suite après que sa mère lui eut annoncé la visite du notaire Larue dans la soirée. Mais il n'avait flotté que quelques minutes. Elle n'avait jamais pensé qu'Alexander avait pu le remarquer. Quel imbroglio! Elle devinait aisément maintenant ce qu'il avait pu déduire de ce qu'il avait vu... quoi qu'il ait vu.

— C'est pour cela que tu ne venais plus? Oh, Alex!

Le ton radouci d'Isabelle calma quelque peu les angoisses d'Alexander. La main du jeune homme sur son bras se détendit progressivement.

— Je... enfin... Je te demande pardon. J'avais besoin... d'être rassuré.

— Et tu l'es? Si c'est tout ce dont tu avais besoin pour être rassuré sur mes sentiments, tu aurais pu me le demander plus tôt au lieu d'agir de la sorte, avec brutalité et colère!

Honteux, Alexander soupira. Allait-il sauter à la gorge de tous les hommes qui s'approchaient un peu trop d'elle? Il n'avait encore jamais éprouvé une telle jalousie pour une femme, et cela le dérangeait. Mais c'était plus fort que lui. La peur de la perdre ne le quittait plus depuis quelques jours. Il allait devoir contenir ses ardeurs. Se sentant plus bête qu'un âne, il ferma les paupières et s'écarta, lui tournant le dos.

— Tu peux t'en aller. Je ne te retiens plus.

Elle fixa sa haute silhouette qui se découpait sur le ciel couleur magenta et vermillon. Les cheveux d'Alexander avaient été rassemblés en une tresse, mais quelques mèches se détachaient et dansaient doucement dans la brise. Elle n'avait plus du tout envie de partir. S'approchant de lui d'un pas hésitant, elle passa ses bras autour de sa taille et posa sa joue contre son dos: il était chaud et le tissu élimé et moite lui colla à la peau. Elle sentit ses grandes mains calleuses effleurer les siennes avant de les emprisonner fermement sur son abdomen.

— Quoi que tu aies pu imaginer, Alex, je t'assure que cet homme n'est qu'une connaissance et que sa visite n'avait pour but que d'expliquer à ma mère la triste situation dans laquelle mon père a laissé ses affaires.

Demi-mensonge. Il était vrai que le notaire Larue avait usé de ce prétexte pour venir les voir. Mais ses vrais desseins étaient tout autres. Tout au long de la soirée, il lui coulait des regards éloquents et provoquait des frôlements... Certes, il était très gentil, assez bel homme et bien établi. Mais elle aimait Alexander et ne voulait que lui. Pierre aurait beau la courtiser assidûment, elle ne l'aimerait jamais.

— Cela va si mal que ça? s'informa-t-il après un moment, comme pour diriger la conversation sur un autre sujet.

— Oui.

Avec l'effondrement de l'économie virtuelle fondée sur la

monnaie de carte, la situation était en fait catastrophique. Depuis l'annonce de la menace de ruine qui pesait sur la famille, sa mère s'était cloîtrée dans sa chambre, d'où elle ne sortait que pour les repas. La nuit, Isabelle l'entendait pleurer. Mais, de peur d'être rejetée, elle n'osait aller frapper à sa porte pour lui offrir un peu de réconfort. Ti'Paul sentait qu'il se passait des choses et posait beaucoup de questions auxquelles Isabelle ne savait que répondre.

— Mon père ne nous a laissé que des dettes, je le crains. Il y a bien ses créances... mais ses débiteurs, qui sont exilés en France ou bien ruinés eux aussi, ne peuvent remplir leurs obligations. Le roi Louis a cessé de rembourser l'argent de carte... La France est tout aussi ruinée. Le magasin de mon père est une perte totale; ses navires ont été arraisonnés ou ont disparu. Nous nous retrouvons sans ressources. Pour le moment, il nous reste la maison de la rue Saint-Jean, qu'il avait eu la sagesse de mettre au nom de ma mère...

Avec lenteur, Alexander pivota entre les bras de la jeune femme pour inverser leurs positions.

— *Och!* Isabelle, je suis désolé... Je n'aurais pas dû m'emporter comme ça.

Un calme tranquille les enveloppait, ponctué par les cris perçants des oiseaux marins qui planaient au-dessus de leur tête. Isabelle sentait monter en elle la peur irraisonnée qu'Alexander l'abandonne. Non, il ne pouvait pas, ne devait pas... plus maintenant. Ses doigts se crispèrent sur son ventre, et elle prit une profonde inspiration.

Une gouttelette tomba sur le dos de la main d'Alexander. Le jeune homme leva les yeux : le ciel était clair et la lune brillait d'une lumière laiteuse au centre d'un halo diffus. Une autre gouttelette s'écrasa sur sa peau. Intrigué, il se pencha sur Isabelle et passa son doigt sur sa joue : elle était chaude et mouillée. Il fit tourner la jeune femme pour qu'elle le regarde et leva son visage vers le sien. La chaleur était suffocante, mais pour rien au monde il ne se serait détaché d'elle.

— Ne pleure pas, *mo chridh' àghmhor*. Je veillerai sur toi.

Isabelle agrippa sa chemise dans son dos et éclata en sanglots, noyant l'étrange lueur qu'Alexander vit fugacement passer dans son regard. Se sentant désarmé, le jeune homme enfouit son visage dans la chevelure agréablement parfumée d'Isabelle.

— Promets-le-moi, Alex.

— Je te le promets... si tu me promets de m'attendre.

— Croix de bois, croix de fer, si je mens, je vais en enfer, récita-t-elle en se signant.

508

Perplexe, Alexander l'observait tandis qu'un irrépressible sourire lui courbait la bouche. Voyant son expression amusée en un moment si solennel, elle fronça les sourcils et pinça les lèvres, vexée.

— Qu'est-ce qu'il y a?

— Rien... murmura-t-il en se penchant sur elle et en l'embrassant avec tendresse. Je t'aime.

— Je t'aime aussi.

***

Un violent orage amené par le suroît fit fuir la canicule et dissipa les nuages de moustiques qui harcelaient les soldats. Le soir était plus frais, et c'est d'un pas allègre qu'Alexander se dirigeait vers la rue Saint-Jean, habillé de son gilet fraîchement lavé et raccommodé. Trois jours s'étaient écoulés. Les exercices militaires s'intensifiaient; chaque soir, en rentrant à la caserne, il s'écroulait sur sa couche.

La dernière offensive se préparait. Murray avait engagé trois mille huit cents hommes pour l'expédition contre Montréal. Les soldats devaient remonter le fleuve sur soixante-dix-neuf navires de différents tonnages et soumettre tous les habitants sur leur passage en leur demandant de déposer les armes et en recevant leur serment de neutralité.

En état d'alerte, les troupes devaient se tenir prêtes à s'embarquer d'un jour à l'autre. On les préviendrait du départ quelques heures avant seulement. Ainsi, chaque heure devenait une torture pour Alexander: il ne demandait que deux jours de plus...

Debout devant le portail menant à la cour des Lacroix, le jeune homme jeta un coup d'œil aux alentours. Habitués à la présence massive des soldats anglais dans la ville depuis maintenant plusieurs mois, les passants ne lui prêtaient plus attention. Il poussa la porte; Isabelle la déverrouillait pour lui permettre d'entrer. Comme un chat, il se faufila dans l'entrebâillement et se dirigea vers l'écurie, derrière laquelle il pourrait longer le mur du verger sans risquer d'être vu par les occupants de la maison. Le court trajet à faire entre le coin du bâtiment et la porte du verger, d'environ cinq verges, était en fait la partie la plus délicate. Mais qui ne risque rien n'a rien! Il l'avait fait une bonne vingtaine de fois, et aucun incident fâcheux ne s'était produit. Après s'être assuré que la voie était libre, il s'élança.

— Voilà bien longtemps que je t'attends, mon amour, souffla Isabelle dans son cou tandis qu'il la serrait contre son cœur, le nez dans ses mèches d'or qui le chatouillaient.

Une entêtante odeur de thym et le parfum plus suave des roses du jardin embaumaient la remise. Ils remplaçaient les effluves du lilas et des fleurs de pommiers qui s'étaient fanés depuis quelques semaines. L'endroit était encombré par divers objets et outils, dont certains étaient rouillés et paraissaient ne plus servir depuis des lustres. Une fente entre deux planches donnait sur l'entrée du verger, qu'ils pouvaient ainsi surveiller. Mais, jusqu'ici, la chance leur avait souri; personne ne s'était approché.

— J'ai été retardé par quelque chose... Une surprise pour toi, murmura-t-il avec fébrilité.

Se détachant légèrement de lui, elle le dévisagea avec ses grands yeux verts.

— Une surprise? Pour moi?

— Hum. Penses-tu pouvoir t'absenter quelques heures?

— Où allons-nous?

— Prends une cape de couleur sombre et reviens ici.

— Où m'emmènes-tu?

Il lui sourit, le regard brillant d'amusement.

— Si je te le dis, ce ne sera plus une surprise!

Elle gloussa en battant des mains. Puis, dans une virevolte, elle sortit de la remise pour courir jusqu'à la maison le cœur gonflé de joie.

Le beau temps durait et leur offrirait un magnifique ciel étoilé. Que souhaiter de plus que la voûte de la plus majestueuse cathédrale du monde? La petite clairière déserte était ceinte d'un rideau d'ombre et s'emplissait de la lumière pâle d'une lune pleine de promesses en cette nuit du 12 juillet. Coll et Munro les attendaient, propres dans leur uniforme et leur plus belle chemise. Isabelle les salua et se tourna vers Alexander, l'interrogeant du regard. Un large sourire illuminait le visage du jeune homme en permanence. Tout en allumant une chandelle que Munro lui tendait, il entreprit d'expliquer ce qui allait suivre :

— Je sais que c'est un vieux rite païen, mais... pour nous, il a autant d'importance qu'un mariage à l'église...

— Un... mariage? s'exclama Isabelle, tout ébaubie.

Il s'était retourné vers elle et lui tendait la main. « Un mariage? » se répétait-elle encore, tandis qu'une musique divine s'élevait dans sa tête. Les troncs des arbres éclairés par la chandelle prirent soudain l'aspect d'impressionnants tuyaux d'orgue. Puis, les délicates frondes des fougères se transformèrent en une ribambelle de fées et de lutins dansant à ses pieds, pour elle...

— Le serment des mains liées, je t'en ai parlé, tu te souviens? lui disait la voix d'Alexander, lointaine.

Le jeune homme eut un air inquiet. Il aurait peut-être mieux fait d'en parler avant. Il savait que les catholiques français n'aimaient pas les rites à connotations païennes, qu'ils considéraient comme hérétiques... Les yeux brillants d'Isabelle se posèrent sur Munro puis sur Coll, qui n'avaient encore prononcé aucun mot. Puis, ils revinrent sur lui. Ses appréhensions s'envolèrent quand il vit le sourire qui illuminait le beau visage et il ferma les paupières pour remercier le Divin Créateur.

Sur un signe de tête, Munro retira son épée de son fourreau et la leva vers le ciel, telle la flamme d'un cierge. La pointant vers les quatre points cardinaux, il prononça des paroles qu'Isabelle ne put comprendre. Ensuite, il posa l'épée récemment fourbie, étincelante dans le crépuscule, dans l'herbe aux pieds des deux promis. Alexander et Coll, silencieux, attendaient qu'il ait fini. Envoûtée, Isabelle suivait la cérémonie comme s'il s'agissait d'un rêve. La main que son bien-aimé refermait sur la sienne la rassura.

— *Ye'd best start, Munro, we'll no' wait all night*[92]!

Munro s'éclaircit la gorge et passa ses doigts boudinés dans sa tignasse, cherchant à la discipliner pour l'occasion. Isabelle comprit qu'il devait présider la cérémonie au même titre qu'un prêtre. Comment les Celtes appelaient-ils leurs prêtres déjà? Des druides? Cependant, elle imaginait ce type d'homme autrement : petite personne longiligne habillée d'une longue tunique sobre et cachant son visage dans l'ombre d'un capuchon d'où ne sortait qu'une barbe immaculée. Au contraire, Munro était plutôt imposant et portait un uniforme aux teintes flamboyantes, tendu par un ventre proéminent et de très larges épaules. Les mèches noires de ses cheveux pointaient en tous sens, encadrant singulièrement son visage avenant aux traits irréguliers, sans finesse. Il se tourna vers elle. Elle était mal à l'aise.

— *Isabelle, did ye come here willingly?*

— Isabelle, vous venir ici... commença à traduire Coll.

— De ton plein gré? termina Alexander.

— Oui... murmura Isabelle.

— *Aye! Hands joint, ye shall listen tae ma saying. 'T is precipitate, sae aye, ye must ken what implies*[93]...

---

92. Tu ferais mieux de commencer, Munro, nous n'attendrons pas toute la nuit!

93. D'accord! Les mains jointes, écoutez ce que je vais dire. Tout ceci est un peu précipité, alors vous devez comprendre ce que cela implique…

— Och! Munro... D'ye ken what time 't is[94]?
— Aye! 'T is yer handfast, Alas[95]...
— Sae 't is[96].

Isabelle, qui ne comprenait rien à ces propos, attendait. Son cœur battait à lui rompre la poitrine et son esprit commençait à saisir les intentions de son bien-aimé. Alexander l'épousait selon les traditions des Highlands. Le serment des mains liées. Il lui en avait effectivement parlé. Il lui avait dit qu'en Écosse ce type d'épousailles était reconnu par la loi. Mais ici... qu'en était-il? Quoi qu'il en soit, il se mariait avec elle, même si ce n'était que symbolique.

Munro discourait toujours dans la langue des trois soldats, tandis que Coll, solennel, traduisait, parfois avec l'aide d'Alexander.

— Au-dessus de nos têtes, il y a étoiles. Sous nos pieds, la pierre. Ils sont les...

— ... témoins...

— ... du temps qui passe. Comme eux...

— ... notre amour doit être solide et constant.

— Que le force qu'ils... *Och! Alas, 't is tae hard[97]!*

Alexander soupira profondément. Isabelle baissa la tête pour que les trois hommes ne vissent pas son expression amusée. Elle se retenait à grand-peine de rire devant les touchants efforts du pauvre Coll.

— Je vais continuer, Coll, marmonna Alexander en se tournant vers Isabelle pour réciter la suite : Que leur force inspire nos âmes et renforce la puissance de notre amour, qu'elle l'appuie à travers les orages à venir pour que nous ne fassions plus qu'un. Que Dieu, comme le soleil, éclaire notre cœur et que, comme pour la terre, il nous accorde la fertilité...

Elle n'écoutait que d'une oreille, considérant le large visage de l'Écossais, ses traits irréguliers et rustiques. Ce visage était celui de l'homme qui allait bientôt être « son époux ». Elle sourit.

— *Alas*, reprit Munro, *'T is no' ma power tae do this. Handfast wi' her[98].*

Fouillant dans son *sporran*, Alexander en sortit un ruban qu'il tendit à Coll. Isabelle reconnut le ruban bleu de sa croix de baptême. Il l'avait donc conservé. Il prit doucement son poignet et

---

94. Bon sang! Munro, tu sais quelle heure il est?
95. Ça va! C'est ton serment, Alas…
96. En effet.
97. Oh! Alas, c'est trop difficile!
98. Alas, ce n'est plus à moi. Prête serment avec elle.

le contempla en le caressant du pouce. Puis il leva vers elle son regard amoureux.

— Nous seuls avons le pouvoir d'unir nos destinées, Isabelle. Est-ce ton vœu?

La pression des doigts qui entouraient sa délicate ossature s'accentua légèrement.

— Oui.

Heureux, il sourit, prit sa main et y déposa un objet sur lequel il referma ses doigts. La gardant dans les siennes, il continua:

— Devant Dieu... moi, Alexander Colin Campbell Macdonald, par la vie qui coule en mon sang et l'amour qui réside en mon cœur, je te prends, Isabelle Lacroix, pour épouse. Je promets de t'aimer sans contraintes, dans la santé et la maladie, l'abondance et la pauvreté, dans cette vie et l'Autre où nous nous retrouverons et nous aimerons de nouveau. Je te respecterai, toi, tes coutumes et les tiens de la même façon que je me respecte moi-même.

Il se tut un moment. Puis, ne la quittant pas des yeux, scrutant ses moindres tressaillements, il lui proposa de répéter les quelques phrases qu'il venait de prononcer.

— Isabelle, tu es libre... Mais, si tu le souhaites vraiment, sachant ce que représente ce serment...

La main de la jeune femme tremblait; Alexander la serra plus fortement.

— Devant Dieu, moi, Marie Isabelle Élisabeth Lacroix, par la vie qui coule en mon sang et l'amour qui réside en mon cœur, je te prends, Alexander Colin Campbell Macdonald...

Une main sur son ventre, l'autre dans celles de celui qu'elle aimait, Isabelle récita le serment qui la liait à Alexander. Lorsqu'elle eut terminé, le silence retomba sur eux. Les grillons se mirent à chanter, les rainettes à coasser, une chouette à ululer dans une joyeuse symphonie nocturne. Les fées et les lutins reprirent leur ronde.

Alexander, en émoi, ouvrit la main d'Isabelle pour y prendre l'objet qu'il y avait placé un peu plus tôt. Puis, il glissa l'anneau de corne à son doigt. Il lui allait parfaitement. La jeune femme baissa les yeux, un peu surprise. Ainsi, il avait préparé cette cérémonie depuis longtemps.

Munro attrapa le poignet d'Isabelle et le maintint au-dessus de celui d'Alexander tandis que Coll liait les deux avec le ruban.

— *D'ye are now husband 'n wife*[99]...

---

99. Vous êtes maintenant mari et femme…

— Fais le saut avec moi, murmura Alexander à l'oreille d'Isabelle, tandis que Munro terminait son discours.

D'un seul mouvement ils sautèrent par-dessus l'épée, que le cousin récupéra aussitôt. Les deux témoins les applaudirent et les félicitèrent chaleureusement en leur offrant leurs vœux de bonheur éternel.

— Tiens, Alas, dit Coll en tendant un paquet emballé dans du papier journal. C'est pas beaucoup, mais c'est tout ce que j'ai réussi à trouver.

Le présent contenait du pain et du vin, qu'ils se partagèrent dans un joyeux repas. Puis, Coll et Munro s'en allèrent. Isabelle et Alexander se retrouvèrent seuls au milieu de la vaste clairière entourée de hauts pins qui embaumaient l'air saturé de rosée. Le ruban était resté noué autour de leurs poignets : ni l'un ni l'autre n'osaient le retirer.

— Tu es désormais ma femme, Isabelle...

La voix grave d'Alexander résonnait dans l'obscurité qui avait maintenant envahi les lieux. La chandelle vacillait, faisant danser des ombres autour d'eux. Elle hocha la tête. Il fit glisser sa main libre autour de sa taille et l'attira à lui pour l'embrasser doucement. Leurs mains toujours liées étaient coincées entre eux. Puis, la passion les prenant d'assaut, ils se libérèrent du ruban...

En cette belle nuit étoilée, ils célébrèrent longtemps leur union, savourant chaque minute, conscients de la fragilité de leur bonheur. Ils flânèrent sur les chemins de la volupté, s'enivrèrent des indicibles sensations que leur procurait cette joie d'appartenir entièrement l'un à l'autre, enfin.

À la veille d'une autre campagne, sachant que c'était peut-être la dernière fois qu'ils se voyaient, Alexander voulait imprimer sa chair dans celle d'Isabelle, lui laisser de lui-même un souvenir durable. Il voulait aussi s'imprégner d'elle. Il la goûta, visita ses recoins les plus intimes, murmurant à son oreille, la faisant gémir dans ses bras. Il la caressa, partageant les courbes lisses de son corps opalin avec la lune qui l'éclairait de ses rayons de lait.

Il se sentait à la fois vide et plein : étrange impression. Quelque chose avait changé en lui. Il était transformé ; il se sentait libre. Isabelle, sa lumière, l'avait guidé sur le sentier de la liberté. Oui, elle l'avait libéré de tous ses désirs inassouvis qui encombraient son cœur et son esprit : être aimé, être honoré et respecté. N'était-ce pas ce à quoi aspirait tout homme ? Le but d'une vie ? L'idée qu'il avait enfin atteint ce but lui donna le vertige.

Il fit un mouvement qui dérangea la jeune femme dans son sommeil : la tête sur sa poitrine, elle remua en marmonnant. Ils étaient étendus sur son plaid, étalé sur l'herbe pour les protéger de la rosée, et n'avaient pour toute couverture que le manteau de la nuit. La jambe d'Isabelle, repliée sur ses cuisses, le réchauffait. L'une des mains de la jeune femme était coincée sous son aisselle, l'autre reposait sur son épaule.

Avec délicatesse, il posa sa main à la cambrure de ses reins et se mit à la caresser machinalement. L'ivresse de l'étreinte charnelle s'étant lentement dissipée, il ne restait plus que cette chaleur qui se répandait dans l'être entier et berçait le cœur. Il aurait bien voulu dormir auprès d'Isabelle une nuit entière, une vie durant. Mais avec l'aube qui ne tarderait pas à se lever reviendrait la dure réalité de la vie. Ils avaient si peu de temps.

Coll et Munro s'étaient arrangés pour couvrir l'absence d'Alexander lors de l'appel. Le jeune homme se doutait qu'une ou deux bouteilles de rhum avaient dû être nécessaires pour soudoyer le sous-officier. « Tu la mérites bien pour une nuit comme ça, Alas », lui avait dit son frère. Soit ! Mais il ne devait pas abuser. Il devait retourner à la caserne avant que le réveil ne soit sonné. Il y avait Isabelle aussi. Il lui avait timidement demandé de rester avec lui quelques heures de plus. Cependant, les risques que sa mère découvre sa fugue étaient minces, lui avait-elle assuré. La veuve vivait recluse dans sa chambre et ne sortait que très rarement le jour, jamais la nuit. Isabelle n'aurait qu'à se glisser dans son lit avant que le jour ne se lève. Et si jamais Perrine la surprenait, elle possédait de bons arguments pour qu'elle se taise, lui avait-elle garanti.

Il baissa le regard sur la jeune femme. La chandelle avait agonisé depuis longtemps ; le clair de lune découpait les contours de son visage et l'entourait d'une sorte d'aura. Il caressa ses cheveux, retira une mèche collée à son nez. Il ne se lassait pas de l'admirer. Les sourcils, finement dessinés, formaient deux gracieuses arches au-dessus des paupières fermées. Le nez, petit et pointu, avait des proportions parfaites. Les saillies osseuses des pommettes étaient agréablement camouflées sous des joues rebondies creusées de deux fossettes. Il adorait. Et cette bouche, arrondie comme celle d'une poupée, pulpeuse à souhait, faite pour être embrassée... Il croyait presque rêver.

— *Mo chridh' àghmhor...*

« *Mo chridh' àghmhor...* » Ces mots résonnèrent dans la tête d'Isabelle. La jeune femme remua un peu. « Mon cœur de joie... » Elle entrouvrit les yeux.

Il faisait toujours noir. Elle frissonna et changea de position pour dégager son bras engourdi, prisonnier de son corps. La fraîcheur de la nuit s'insinua entre eux. Les bras qui l'enserraient se refermèrent un peu plus sur elle. Encore un peu confuse, elle leva la tête.

— Tu as froid?

— Alex... Oui, un peu.

Il étendit le bras et attrapa sa chemise pour lui couvrir les épaules. Le vêtement portait son odeur et éveilla en elle une vague de sensations. Jamais elle n'oublierait cette nuit.

— Je t'aime, Alex.

La main qui caressait ses cheveux descendit sous son menton et le releva. La nuit pâlissait; la réalité se rappelait peu à peu à eux. C'était la fin du rêve. Mais elle ne le voulait pas. S'accrochant à lui, elle ne put retenir un faible sanglot. De sa main qui ceignait sa taille, Alexander la hissa sur sa poitrine et la regarda droit dans les yeux.

— Souviens-toi de cette nuit, Isabelle. Souviens-toi de nos serments.

Elle ne put que hocher la tête. Il l'embrassa.

— Par la vie qui coule en mon sang...

— Par l'amour... qui réside en mon cœur...

— Hum...

Les doigts d'Alexander folâtraient dans ses cheveux.

— *Thig crìoch air an t-saoghal ach mairidh ceòl is gaol,* murmura-t-il.

— Qu'est-ce que ça veut dire?

— C'est un vieux proverbe gaélique. Ça dit: la fin viendra sur le monde, mais l'amour et la musique resteront.

— Oui, l'amour et la musique...

Ils demeurèrent un long moment silencieux, n'écoutant que les battements de leurs cœurs qu'accompagnaient les bruits de l'aube naissante.

***

Un grognement de mécontentement se fit entendre dans la chambre qu'éblouissait le soleil de la matinée. Un ruban vert eau de mer vola dans la pièce et atterrit sur le tabouret où s'amoncelaient déjà une pléthore de bouts d'étoffes.

— Zut! Ah! Si Mado était là!

Assise devant sa coiffeuse, Isabelle pensa à sa chère cousine qui lui manquait tant. Elle savait que Madeleine ne pourrait pas, de toute façon, partager la joie qu'elle ressentait en ce moment. Enfin...

c'était une joie mêlée d'inquiétude. Songeuse, elle passa une main sur son ventre et le pressa avec douceur. L'anneau de corne ornait son annulaire comme l'aurait fait une alliance en or bénite par un prêtre. Toutefois, celui-ci était vraiment spécial pour elle. C'était Alexander qui l'avait ciselé; il était magnifique: le matériau mettait en valeur les délicates fleurs de chardon et de lys dont les tiges entrelacées n'avaient ni début ni fin. Elles symbolisaient leur amour éternel. Faisant tourner l'anneau autour de son doigt, Isabelle ferma les paupières et se rappela le visage tout sourire qu'avait Alexander en lui annonçant sa surprise.

— Moi aussi, j'ai une surprise pour toi, mon amour...

Elle lui aurait bien fait part de la nouvelle l'autre jour, après la scène de jalousie sur la grève Saint-Nicolas, puis encore la nuit du handfast[100]. Mais elle avait hésité et avait préféré attendre que des symptômes confirment ses doutes. Or, ce matin, elle avait rendu son petit-déjeuner, et le sang ne venait toujours pas. Elle imagina le bonheur qu'il éprouverait quand elle le lui dirait. Il ne pourrait qu'être heureux. Il l'aimait et l'avait épousée... à sa façon, peut-être, mais tout de même. S'ils avaient été en Écosse, elle serait madame Macdonald. Cela la fit rire; elle répéta ce nom tout haut.

Elle avait hâte de se rendre au cabaret du Lapin qui court pour porter le message destiné à Alexander. Ce soir, ils se retrouveraient dans la remise, derrière le mur du verger... Seulement, pour l'instant, elle n'arrivait pas à nouer convenablement ses rubans! Tant pis! Elle attrapa sa chevelure et la tira par-derrière pour juger de l'effet. Bon, elle la tresserait à la manière des Sauvagesses et la cacherait sous son bonnet. Cela irait plus vite et empêcherait ses mèches de lui tomber devant les yeux dans la journée.

Aujourd'hui, elle avait envie de se faire particulièrement belle. Elle se leva pour lisser ses bas de soie et resserrer les boucles de ses jarretières au-dessus de ses genoux. Apercevant son reflet dans le miroir, elle éprouva une certaine gêne: elle ne portait que ses bas. Cependant, elle s'examina un moment sous un angle, puis l'autre. L'image de son corps nu lui montrait ses rondeurs qu'Alexander aimait tant caresser.

Elle se rappela alors un sermon qu'elle avait entendu à l'église et qui mettait en garde les paroissiens contre les malices de la beauté, la tentation de la chair. Mais, pourquoi Dieu, qui avait créé l'homme et la femme, avait-il engendré la beauté si elle perdait les âmes? Pourquoi le Divin Créateur lui avait-il donné des jambes au

_____

100. Échange des vœux du serment des mains liées.

517

galbe gracieux, des épaules à la rondeur enchanteresse, un visage rieur creusé de deux délicieuses fossettes, une gorge qui invitait les hommes à croquer dedans et un sexe qui ne demandait qu'à raconter ses secrets? Et le plaisir lié à tout cela, pourquoi Dieu le permettait-il?

Perdue dans ses réflexions, elle pencha la tête et se demanda comment la vertu pouvait bien coexister avec la beauté... Elle se mit de profil pour contempler la chute de ses reins et son ventre qui portait le fruit encore invisible de leur amour. Elle se rappela combien Françoise était énorme à la fin de sa grossesse. Où allait-elle donc trouver toute la peau nécessaire? Quant à son bassin, il était un peu étroit, mais il s'élargirait bientôt. Et ses seins... Elle les considéra d'un œil plissé, pinçant les lèvres en une grimace incertaine. Plaçant ses mains dessus, elle les comprima comme dans un corset, recréant ces formes qui attiraient tant le regard des hommes et leur faisaient plonger le nez dans le décolleté. Elle se demanda si Alexander allait apprécier de devoir les partager avec le bébé. Mais n'étaient-ils pas originellement conçus pour nourrir les petits êtres? Elle rit.

Haussant les épaules, elle pivota sur elle-même, ramassa sur le plancher sa chemisette de basin et l'endossa. Puis, elle mit son corset de castagnette[101] d'Amiens. Elle sourit en pensant que son amant... ou plutôt devrait-elle dire son mari, ne manquerait pas de lorgner dedans. Les hommes étaient tous pareils... Monsieur Larue ne faisait pas exception à la règle. Elle l'avait bien vu loucher lorsqu'elle s'était penchée pour ramasser une serviette qui était tombée sur le plancher. Le jeune notaire ne leur ayant pas rendu d'autre visite dernièrement, Isabelle souhaitait qu'il fût déjà reparti pour la rivière Sainte-Anne, située dans la seigneurie de Sainte-Anne-de-la-Pérade. Il devait s'arrêter là lors de son retour à Montréal, où était établie son étude.

Isabelle enfila les paniers et les jupons piqués. Elle hésita devant les deux robes étalées sur le lit. Devait-elle mettre la bleue, qu'elle portait lors de ce pique-nique où Alexander l'avait embrassée pour la première fois? Ou bien la verte, en camelot? Elle avait un faible pour la verte, qui s'assortissait si bien avec ses yeux. Soit! Ce serait la verte. Pour finir, elle couvrit sa gorge d'un foulard d'étamine à picot et, après avoir jeté un dernier coup d'œil dans le miroir, elle ajusta son bonnet et sortit.

---

101. Étoffe formée d'un mélange de laine, de soie et de fil qui se fabriquait anciennement à Amiens.

Il y avait un remue-ménage inhabituel dans les rues. Les gens se dirigeaient en grand nombre vers la Basse-Ville, d'un pas pressé. Un homme la bouscula, manquant de la faire tomber. Se confondant en excuses, il la retint et s'inclina devant elle.

— Monsieur Lapierre!

L'homme fronça ses sourcils broussailleux au-dessus d'un regard voilé. Il avait l'air d'un chien barbet. Il souffrait de cataracte.

— Isabelle Lacroix. Vous vous souvenez de moi?

— Isabelle! Oh! La p'tite Isa! Ça fait ben longtemps!

Rapprochant d'une manière quelque peu indécente son nez de son décolleté pour la voir de plus près, il afficha soudain un large sourire à demi édenté.

— Ben, ça alors! C'est que vous avez bien grandi depuis le temps!

Monsieur Lapierre avait été maître d'équipage sur l'un des navires de son père. Elle ne l'avait pas revu depuis qu'il avait pris sa retraite et s'était retiré sur les terres de son fils aîné à Beauport. Cela faisait maintenant près de huit ans.

— Un peu, oui! dit Isabelle en riant. Dites-moi, monsieur Lapierre, savez-vous où vont tous ces gens? Il me semble que...

— Ben quoi, vous n'avez pas entendu? On a crié sur la Grande Place hier soir que les troupes de Murray partaient pour Montréal ce matin même...

Isabelle sentit son visage se vider de son sang et son cœur s'arrêter de battre.

— Ce... matin? Vous êtes certain?

— Ben certain. Vous voulez venir avec moi?

Le sang recommençait à affluer et parcourait ses veines à une vitesse folle. Elle avait la tête qui lui tournait légèrement et dut se retenir au bras du vieil homme.

— Euh... non. Je crois... que je vais rentrer. J'ai un vertige... avec la chaleur...

— Comme vous voulez, mademoiselle Isa. Ça m'a fait chaud au cœur de vous revoir. Vous saluerez vot' père pour moi, hein?

— Oui, je le ferai, monsieur Lapierre... marmonna-t-elle distraitement. Bonne journée.

L'homme disparut. Isabelle, encore sous le choc, resta plantée là. Les troupes partaient? Cela voulait dire qu'Alexander... Oh, bon Dieu!

Un horrible pressentiment la secoua. Elle retroussa alors ses jupes et se mit à courir dans les rues, dévalant la côte raide qui menait au quartier du Palais. Enfin, elle se précipita au cabaret du Lapin qui court. Le tenancier, qui finissait d'essuyer les pichets d'étain qu'il alignait sur une étagère au-dessus des fûts à robinets, se tourna vers elle. La reconnaissant et la voyant toute haletante et en sueur, il lui sourit et lui offrit un rafraîchissement. Elle ne se donna pas la peine de lui répondre, trop soucieuse de savoir si les régiments highlanders étaient partis.

— Depuis une heure, ma p'tite dame... Ah! Batèche! J'allais oublier de vous remettre ceci...

Affolée, le souffle court, Isabelle lui arracha presque le billet des mains et le fourra dans sa poche; elle le lirait plus tard. Elle avait peut-être encore le temps de retrouver Alexander sur les quais.

Se faufilant entre les gens, les étals vides et les monticules de fumier et de déchets qui encombraient les abords des maisons, elle parcourut la distance la séparant de la Basse-Ville en un temps record, manquant à plusieurs reprises de s'étaler de tout son long sur la chaussée poussiéreuse creusée de profondes ornières.

Le bruit des tambours et de la foule la dirigea. Elle vit les vestes écarlates sur les quais du Roi. Plusieurs navires avaient déjà levé l'ancre et commençaient à remonter le fleuve. Elle pria le ciel qu'Alexander ne fût pas sur l'un d'eux. Des esquifs à fond plat s'éloignaient sur l'eau, emportant les soldats qui devaient s'embarquer sur les bâtiments encore ancrés dans la rade. Le cœur battant, la peau moite, elle bouscula les curieux, ce qui lui valut quelques remontrances et grognements. Où étaient les Highlanders?

Les soldats écossais n'étaient pas sur les quais du Roi; elle se dirigea vers ceux de la Reine. Un couinement familier la fit sursauter. Une cornemuse! Là! Enfin! Poussant, bousculant, elle réussit à se frayer un passage jusqu'au bord de l'eau, que gardaient des grenadiers coiffés de hautes mitres et tenant fermement fusils et baïonnettes. Elle vit les « petites jupes ». Ils s'embarquaient sur des baleinières par centaines.

— Alexander! Alex! hurla-t-elle à pleins poumons en battant l'air des bras.

Quelques Highlanders se retournèrent. Certains, même, lui sourirent. Elle scruta les visages, chercha la sombre chevelure de son amour et celle, flamboyante, de son frère qui devait se trouver à côté. Mais, bon sang! Le quart de ces Écossais devait avoir des cheveux roux! Elle ne les repérait pas... Son cœur se liquéfia et les larmes, qu'elle n'arrivait plus à endiguer, se mirent à couler à flots sur ses joues poussiéreuses.

— Alex... Mon amour... adieu.

Le dernier homme venait de descendre dans l'embarcation, qui se balança encore un peu. On largua alors les amarres. Son fusil entre les cuisses, son havresac sur le dos, Alexander fixait la jetée, cherchant parmi les nombreux visages celui d'Isabelle. Le cœur lourd, la gorge nouée, il allait se détourner, certain qu'elle n'était pas venue, lorsqu'il aperçut une petite silhouette qui agitait les bras au-dessus de sa tête; il entendit crier son nom. Mais il y avait tant de soldats portant son prénom dans les régiments du roi George...

Il mit sa main en visière et plissa les yeux pour mieux voir la robe verte flottant sur le quai. Isabelle...

— Elle est là! murmura-t-il, encore engourdi par le chagrin qui l'étreignait depuis l'aube. Elle est là, Coll. Tu la vois? C'est bien elle?

Coll, qui n'avait pas prêté attention aux curieux qui s'étaient massés pour assister à leur départ, fouilla à son tour la foule.

— Là! lui indiqua Alexander d'un doigt fébrile.

— Je crois bien que c'est elle, Alas. T'as de la chance!

En dépit des règlements, Alexander se leva d'un bond et brandit son fusil au bout de son bras en criant. La silhouette se détacha de la multitude et, échappant à la vigilance des grenadiers chargés de surveiller le déroulement de l'embarquement, accourut jusqu'aux amarres.

— *Iseabail! I love ye!*

— Je t'aime aussi, Alex! Reviens-moi!

Un officier rugit à l'arrière de l'embarcation et la pointe d'une baïonnette piqua l'épaule d'Alexander. Coll tira sur le kilt de son frère, qui dut se rasseoir.

— Adieu, mon amour. N'oublie pas notre serment... murmura-t-il.

Le grenadier repoussa doucement la jeune femme jusqu'à la limite autorisée. Isabelle résista; l'homme se fit plus autoritaire.

— *Lady, please, return over there. You cannot come...*

— Alex! Alex!

— *By God! Lady, get back there! Come on, hurry up!*

Perdant patience, le soldat empoigna la jeune femme par le bras et la poussa avec rudesse vers la foule. Elle se débattit, cherchant à retourner sur la jetée. Excédé, il leva son arme vers elle, ce qui provoqua un tollé.

— *Please, Lady!*

L'homme ne lui voulait aucun mal, mais il avait reçu des ordres. Prenant soudain conscience qu'elle était le point de mire, Isabelle hocha lentement la tête de haut en bas et recula vers les curieux.

Les gens, offusqués de la façon brutale dont le grenadier avait traité la jeune femme, commençaient à lancer des injures. Ne voulant pas être la cause d'une émeute, Isabelle rentra dans la foule sans pour autant quitter des yeux l'embarcation qui emportait Alexander. Une main sur son ventre dans lequel un enfant commençait à grandir, elle la regarda s'éloigner vers les navires. Puis, lorsqu'elle eut disparu, elle s'effondra contre un mur le visage inondé de larmes et glissa sa main dans sa poche pour en extirper le pli que lui avait remis le tenancier du cabaret. Chaque mouvement était une souffrance; celui de déplier le morceau de carton écorné fut le pire.

Dix millions de mots choisis avec soin et agencés avec adresse n'auraient pu mieux exprimer les sentiments d'un homme amoureux que ces deux gribouillis sous un as de cœur: *Love you.* Toutes les richesses et les beautés de l'univers, le plus beau poème du monde...

— Je t'attendrai... Nous t'attendrons, Alexander Macdonald.

***

Son amour était parti, la musique aussi. Isabelle fixait le feuillet sur lequel figurait la sonate qu'elle n'arrivait plus à jouer. Son esprit était ailleurs. De la cuisine lui parvenaient des bruits de chaudrons et des rires étouffés. Cinquante jours... Demain serait le cinquante et unième. Après demain... « Un jour à la fois. Il reviendra », ne cessait-elle de se répéter.

Elle resserra son châle autour de ses épaules. Il faisait un peu frais et la pluie qui tombait depuis le matin chargeait l'air d'humidité. Le temps passait lentement, trop lentement. Quelques nouvelles des troupes anglaises leur étaient parvenues. À la fin du mois d'août, on avait entendu dire que Murray avait incendié une église dans la région de Sorel en guise de représailles. Des habitants résistaient, ne voulaient pas prêter serment de neutralité. Pouvait-on les en blâmer? S'ils refusaient de prendre les armes pour défendre leur patrie, les autorités canadiennes encore en place les menaçaient de mort. Mais s'ils ne se soumettaient pas aux Anglais, ils voyaient leurs maisons et leurs récoltes partir en fumée. Pris entre deux partis, ils choisissaient le moindre des maux.

Par ailleurs, on avait appris que la garnison en poste au fort de l'île aux Noix avait abandonné l'ouvrage aux hommes de Haviland et s'était repliée sur Saint-Jean. Après avoir incendié le village, elle était entrée dans Montréal. Au même moment, Amherst recevait la capitulation du commandant Pouchot, au fort Lévis. Plus rien ne se dressait entre les Anglais et la dernière forteresse française. La fin du régime français était proche. Isabelle s'en réjouissait malgré elle et en avait honte.

La jeune femme n'aspirait qu'à une chose : retrouver les bras solides d'Alexander et apprendre au Highlander qu'il allait bientôt être père...

Jusqu'ici, elle avait usé de subterfuges de toutes sortes pour camoufler son état. Mais elle savait qu'elle ne pourrait pas continuer longtemps. Pour l'instant, seule Perrine s'était doutée de quelque chose.

Le miroir lui renvoyait le reflet de son corps qui se transformait irrémédiablement. Son ventre commençait à tendre sa chemise de nuit. Sa mère se rendrait bientôt compte de son état... La porte s'ouvrit et Perrine entra dans un courant d'air avec un panier rempli de vêtements à lessiver. Isabelle laissa retomber sa large chemise et croisa les bras en rougissant violemment. La servante, qui s'était immobilisée, la lorgnait d'un regard suspicieux.

– Que faites-vous avec vos guenilles, mam'zelle Isa ? Il m'semble que ça fait longtemps que j'en ai pas lavé.

– Je... les lave moi-même.

Perrine la considéra d'un drôle d'air, baissant les yeux sur la rondeur de son ventre, visible à travers la fine baptiste. Isabelle y avait porté les mains par réflexe. Il n'en fallut pas plus à la servante pour confirmer les doutes qui lui trottaient dans la tête : cela faisait maintenant trois mois qu'elle n'avait lessivé les guenilles de sa jeune maîtresse.

– Batèche ! laissa-t-elle tomber en même temps que le panier. Mam'zelle Isa ! Oh ! Vous êtes... enceinte ?!

Jetant un œil dans le couloir, elle ferma la porte derrière elle et se retourna vers Isabelle.

– Perrine, tu imagines des choses...

– Essayez pas de me tricoter une histoire, mam'zelle, j'suis pas une crétou. J'sais reconnaître une femme qui attend famille quand j'en vois une. J'vas vous aider, j'ai déjà passé par là. J'en sais un p'tit brin sur c'qu'y faut faire. Vous savez, quand ils ont commencé le Grand Dérangement en Acadie, en 1755, j'ai été violée pis battue par trois soldats ivres. Des batèche d'Anglais ! Astheure, vous comprenez pourquoi j'les haïs tant. Quand ils ont eu fini leur affaire, ils m'ont laissée pour morte dans les bois. J'sais pas si j'peux dire que j'ai eu de la chance, mais une famille qui fuyait m'a trouvée et m'a laissée dans un village de Micmacs. J'vous assure que j'étais pas en état de faire ben long chemin. Les Sauvages m'ont soignée et m'ont fait passer la chose qui poussait dans mon ventre. J'voulais pas d'un rej'ton

d'Anglais. Après l'hiver, deux des leurs ont servi de guides à des fuyards qui cherchaient à rejoindre la Nouvelle-France. J'suis partie avec eux. C'est comme ça que j'me suis retrouvée icitte.

Consternée par l'histoire de Perrine, Isabelle s'était assise sur le bord de son lit et ne disait mot. La servante vint s'asseoir à côté d'elle.

– J'connais une femme qui fait passer les bébés. Une métisse de Lorette. Elle le fait avec des herbes. Après, c'est fini. Ben sûr, y a des risques. Mais c'est ben moins dangereux que la méthode de la vieille folle à Boucher. C'est qu'elle porte ben son nom, celle-là!

Isabelle avait entendu parler de la jeune Gilbertine Lataille qui était morte au bout de son sang, deux ans plus tôt, après s'être fait avorter par celle que tous appelaient la « folle à Boucher ». La vieille utilisait une longue cuillère en cuivre pour « aider » les femmes enceintes et désespérées.

– Mam'zelle Isa, faut voir la sorcière Josette. J'vous assure, c'est c'qu'il y a de mieux pour vous! Pis, vot' mère aura pas à savoir...

– Tu n'iras pas lui dire, hein, Perrine? supplia Isabelle en enfonçant ses ongles dans l'avant-bras de la servante. Elle ne doit pas savoir!

– Si vous faites rien, avec vot' formance, elle va ben finir par comprendre, pauv' vous!

– Mais je veux le garder, cet enfant-là! Je ne veux pas m'en débarrasser!

Perrine la regarda longuement avant de déclarer d'un air grave :

– Vot' Anglais le voudra pas, croyez-moi.

– Mon... Comment sais-tu que c'est un Anglais, d'abord?

– Voyons, mam'zelle Isa! Il aurait ben fallu que j'sois aveugle!

– Oh!

– Mam'zelle Isa, regardez la p'tite Mercereau, qui est grosse de sept mois. Le curé la pointe du doigt en chaire, pis ses parents osent même pus sortir de chez eux. Où il est, son soldat, aujourd'hui? Il a déserté. Pis Josephte Belisle, pis Marguerite Favre? Elles aussi reverront pus leur amant. Ça s'ra la même chose pour vous quand vous allez lui annoncer vot' état.

– Tu te trompes, Perrine. Nous nous aimons. Je sais bien que tu ne peux pas comprendre, mais...

– Vous êtes ben sûr qu'il vous aime? Un homme qui respecte pas la vertu d'une femme ne peut de toute évidence pas l'aimer vraiment.

– Tu ne peux pas comprendre, Perrine.

Devant l'obstination de sa maîtresse, Perrine avait fait parvenir une lettre à Madeleine, par l'intermédiaire de Baptiste. Deux jours plus tard, la cousine d'Isabelle sortait de sa retraite et déposait ses bagages rue Saint-Jean. La longue séparation avait atténué les tensions, et le bonheur que les deux jeunes femmes avaient éprouvé à se retrouver avait momentanément égayé la maisonnée.

Ce ne fut malheureusement que de courte durée. Madeleine, avec la complicité de Perrine, avait reparlé à Isabelle de la mystérieuse Josette. Cela avait ravivé les dissensions, et Isabelle avait replongé dans une morosité inquiétante. Les deux cousines avaient encore eu une violente dispute à ce sujet quelques jours plus tôt.

— T'es enceinte de quatre mois, Isa! Tu dois faire quelque chose avant qu'il soit trop tard, batinse!

— Je ne veux pas tuer le bébé d'Alexander! Je croyais que tu avais compris ce qu'il y avait entre nous. Nous sommes mariés. Il reviendra, il me l'a promis.

— C'est pas un vrai mariage, tu l'sais ben. Pis, s'il ne revient pas? Il pourrait ben se faire tuer, là-bas. Ils n'ont pas encore attaqué Montréal.

— Ne dis pas cela, Mado! Ça porte malheur! Il me l'a promis!

Isabelle était torturée par des sentiments contradictoires. Elle en voulait à Madeleine de faire surgir et s'installer le doute dans son esprit. Il était vrai qu'Alexander pouvait ne jamais revenir de la campagne contre Montréal. Que ferait-elle alors avec un enfant illégitime sur les bras? Parce qu'aux yeux de la loi et de tous, c'était ce que ce bébé serait.

L'idée de s'en défaire l'avait effleurée, et cela lui avait torturé l'âme. Sacrifier l'enfant de l'homme qu'elle aimait par-dessus tout? Ils pourraient toujours en avoir d'autres, certes. Mais celui-ci la hanterait à jamais. Elle était déchirée...

— Tu es jalouse! lança-t-elle à sa cousine, caustique.

Pétrifiée par tant de méchanceté, Madeleine resta muette un bon moment, refoulant les répliques acrimonieuses qui lui brûlaient la langue. Isabelle souffrait et ne pensait certainement pas ce qu'elle disait. Cependant, quelque part au fond d'elle-même, elle savait qu'il y avait une part de vérité dans l'accusation de sa cousine. Oui, elle était jalouse. En deux ans de mariage, elle n'avait jamais réussi à être enceinte. Elle enviait d'une certaine manière Isabelle et cherchait peut-être, en la poussant à commettre le péché d'avorter, à lui arracher ce qu'elle-même ne pouvait avoir.

— T'as un peu raison... Je t'envie de porter un enfant. Mais, Isa, il faut regarder les choses en face. J'veux pas que tu sois malheureuse. T'es pas mariée pour de vrai...

Devant le désarroi d'Isabelle, Madeleine se tut et se promit de ne plus reparler de ça. Sa cousine était déterminée à garder le bébé, pour le meilleur et pour le pire. Il fallait espérer que ce ne fût pas le pire qui l'emporte et que son amoureux lui revînt le plus rapidement possible. Comme il était catholique, ils ne devraient pas avoir trop de difficulté pour trouver un prêtre qui les marierait comme il se doit. Si Alexander le voulait bien...

S'asseyant à ses côtés, Madeleine prit sa cousine dans ses bras et l'écouta pleurer.

— Dans le fond, lui murmura-t-elle dans les cheveux, j'ai ben envie de m'occuper d'un nouveau p'tit cousin. J'suis certaine qu'il sera ben mignon!

— Oh, Mado!

Un indicible mélange de joie et de tristesse étreignit Isabelle. Elle s'accrocha à Madeleine comme à une bouée dans les remous. Elle retrouvait sa cousine, son amie, sa sœur. Mais, au-dessus d'elle, les gros nuages noirs demeuraient et semblaient s'épaissir, masquant la lumière qui lui annoncerait la fin de ses épreuves.

— ... Elle qui n'était pas grosse en tout comme un œuf, envieuse s'étend, et s'enfle, et se travaille... pour... égaler l'animal en grosseur, disant : « Regardez bien, ma sœur, est-ce assez? Dites-moi. N'y suis-je point encore? Nenni... » Que veut dire « nenni »? demanda Ti'Paul en levant la tête de son cahier.

— Cela veut dire « non ».

— Pourquoi La Fontaine n'a-t-il pas tout simplement écrit « non » alors?

Justine soupira, sur le point de perdre patience. Ti'Paul jeta un œil vers sa sœur, tellement abattue sur le tabouret de son clavecin resté muet depuis le départ des troupes de Murray.

— Isa! Fais la grenouille, et je ferai le bœuf, veux-tu? C'est drôlement plus amusant de mimer la fable que de la lire!

— Une autre fois, Ti'Paul...

Elle lui sourit faiblement, consciente qu'il tentait de la sortir de sa léthargie. Lui savait la tristesse qui l'accablait, sans pour autant en connaître la véritable raison...

La lune filtrait à travers les rideaux qui garnissaient la fenêtre de la chambre de son frère. Isabelle referma le livre et le posa sur la table de chevet. Elle avait pris l'habitude de lire chaque soir à Ti'Paul une fable de La Fontaine depuis que leur mère s'enfermait très tôt dans sa chambre, après le souper. Elle le borda et déposa un baiser sur sa joue.

— Sais-tu, bientôt tu seras trop grand pour que je t'embrasse comme ça. Tu auras bien plus envie des tendres baisers des jolies filles.

— J'ai pas du tout envie que les filles m'embrassent! Pouah!

Ils rirent ensemble. Puis, Ti'Paul la dévisagea d'un drôle d'air.

— Tu l'aimes, ton Anglais?

— Il n'est pas anglais, Ti'Paul.

— Il parle anglais et se bat sous le drapeau britannique. Où est la différence?

— Pour lui, la différence est grande! Il est écossais. Toi, tu parles français et tes frères se battent sous le drapeau français. Cela ne fait pas pour autant de vous des Français.

— Ben... Nous sommes des sujets français, non?

— Des sujets, oui, dont le roi se moque bien! Nous sommes canadiens, Ti'Paul. N'oublie jamais ceci : que notre roi soit français ou anglais, nous resterons toujours des Canadiens. C'est la même chose pour Alexander, tu comprends?

— Tu crois qu'il va revenir? Je pense qu'il t'aime beaucoup, tu sais.

— Oui, il m'aime beaucoup. Je prie Dieu tous les soirs pour qu'il revienne sain et sauf.

— Mam'zelle Isa! Si vous avez pas envie de pratiquer vot' solfège, venez donc nous donner un coup de main!

Perrine l'appelait de l'autre bout de la maison, ce qui agaçait grandement sa mère, qui leva la tête du livre de Ti'Paul. Une odeur très désagréable flottait et prenait à la gorge. C'était jour de lessive. Perrine et Sidonie faisaient bouillir le linge dans une grande cuve où on avait versé de la soude caustique.

— Venez donc, mam'zelle Isa! Faut bouger un peu! Sinon, vous allez tourner caduque... Pis faudrait pas, parce que le beau notaire vient faire un tour ce soir.

Comme piquée par une guêpe, Isabelle sursauta et tourna son visage vers sa mère, qui l'épiait du coin de l'œil tandis que Ti'Paul lisait tout haut. Ulcérée de la liberté que se permettait Justine, elle se leva et alla se planter devant elle.

— Je vous ai dit qu'il était inutile de persister dans ce sens, maman. Je n'épouserai pas cet homme. Je ne l'aime point et...

— Suffit!

Justine se leva d'un bond de sa chaise, puis se tourna vers son jeune fils.

— Congé de leçons pour aujourd'hui, Paul. Vous pouvez aller

jouer dehors. Sidonie, Perrine! Allez au marché chercher ce que vous pourrez trouver pour le souper. Je garderai un œil sur la cuve.

Telles de petites souris fuyant devant le gros chat hérissé, tous déguerpirent sans poser de questions. Isabelle se retrouva seule face à sa mère.

Justine fit quelques pas vers l'âtre, où ne brûlait aucun feu, et posa ses mains sur le dossier du fauteuil dans lequel aimait se reposer son mari disparu. Elle demanda pardon en silence à Charles-Hubert pour ce qu'elle allait faire. Mais la situation ne lui laissait guère le choix. Elle allait devoir revenir sur la promesse qu'elle avait faite de laisser Isabelle épouser celui que son cœur aurait choisi. Qu'il fût anglais n'était pas ce qui la tourmentait le plus. Sa fille la croyait-elle dupe? Elle avait bien remarqué ses corsages relâchés, ses châles qu'elle portait même les jours de grande chaleur. Puis on jasait... Non, il fallait mettre un terme à cette relation qui ne pouvait se terminer qu'en désastre. Les soldats n'avaient pas de parole... Elle en savait quelque chose. Enfonçant ses ongles dans le cuir usé, elle ferma les paupières.

— Vous l'épouserez, ma fille. J'en ai décidé ainsi.

— Vous ne pourrez pas m'y contraindre, articula avec peine Isabelle, paralysée par la froide détermination qu'affichait sa mère. J'aime un autre homme...

— Je le sais. Il s'appelle Alexander Macdonald et il est soldat dans le régiment highlander. Il est parti avec le bataillon de Murray pour anéantir ce qu'il reste de notre patrie.

Il y eut un court moment de flottement.

— Vous saviez tout cela? murmura Isabelle, estomaquée. Et vous n'avez rien dit?

Justine se tourna lentement pour faire face à sa fille, qu'elle regarda dans les yeux.

— Oui, et j'ai honte de l'avouer... car si vous vous retrouvez dans cette... triste situation aujourd'hui, c'est un peu de ma faute. Je suis au courant depuis quelques mois déjà, mais je n'ai rien fait pour vous empêcher de voir cet homme. La mort de votre père m'a accablée à tel point que tout m'était indifférent. Mais c'est terminé. Je ne peux accepter que cette histoire aille plus loin ni que vous vous compromettiez de la sorte avec un soldat anglais. Un homme de son espèce ne convient pas à une demoiselle de votre rang. De plus, comme je vous l'ai déjà dit, l'amour n'est pas indispensable au mariage. Avec le temps, on apprend à se respecter entre époux...

— L'amour! s'écria Isabelle, blanche de rage, que savez-vous de l'amour? Avez-vous déjà aimé, « mère »?

Une gifle n'aurait pas eu plus d'effet. Justine accusa le coup en grimaçant et en se mordant la langue sur une réplique acerbe. Puis, elle respira profondément. Elle emploierait la méthode dure s'il le fallait.

— Monsieur Larue est un homme bien, qui a une position enviée dans notre société. Sans être riche, il est en mesure de subvenir à vos besoins. Ses concessions près de la rivière Sainte-Anne ont été épargnées par les flambeaux des Anglais. Il a pignon sur rue à Montréal.

— Il ne m'épousera pas lorsqu'il saura...

— Dans votre état, la coupa abruptement Justine, vous ne pouvez espérer mieux. D'ailleurs, Pierre Larue en est informé. Il l'accepte de bonne grâce, ce qui vous prouve son attachement. De plus, étant donné la triste situation dans laquelle nous laisse mon défunt mari, vos chances de faire un bon mariage sont réduites à néant sans dot convenable!

— Dans mon... état?

— Me prenez-vous pour une sotte, Isabelle? Seul un aveugle ne verrait pas que vous attendez un enfant de ce... Oh! Quel scandale! La fille d'un des marchands les plus prospères de Québec enceinte des œuvres d'un vulgaire soldat anglais! Quelle honte! Vous êtes l'opprobre de la famille! Les gens ne seront que trop heureux d'ajouter des détails répugnants à cette histoire. Et lorsque la nouvelle aura fait le tour des salons... Je ne veux même pas imaginer! Je ne pourrai plus me montrer à l'église : le curé me pointera du doigt, du haut de sa chaire. C'est tout juste si je pourrai mettre le nez dehors!

Abasourdie, Isabelle se retenait au bord de la table et fixait sa mère d'un air incrédule. Elle savait? Elle avait toujours su et n'avait rien dit?

— Voilà le salaire des œuvres de la chair, ma fille. Croyez-moi, vous porterez le poids de votre faute, vous expierez votre péché jusqu'au jour de votre mort. Alors, Dieu vous jugera et vous punira. N'attendez rien de moi. Vous couvrez le nom de votre père d'opprobre, vous souillez le mien. Je devrais vous laisser à votre mauvaise fortune... Mais, en bonne chrétienne, je ne le peux, ne serait-ce que pour l'enfant que vous portez. Vous épouserez Pierre Larue avant la fin de la semaine prochaine et vous partirez pour Montréal sitôt les vœux prononcés.

— Jamais! Vous entendez? Jamais! hurla Isabelle en proie à l'affolement. Jamais je n'épouserai cet homme! J'ai déjà épousé Alexander...

Elle brandit l'anneau sous le regard éberlué de sa mère.

— Qui... qui vous a mariés?

Le sang s'était retiré du visage de Justine.

— Quel prêtre vous a fait prononcer vos vœux? insista-t-elle plus rudement.

Ne sachant que répondre, Isabelle baissa les yeux, bien consciente que son argument ne tiendrait pas. Justine, voyant sa mine défaite, reprit contenance.

— Je vois. Vous vous êtes simplement promis l'un à l'autre. Malheureusement, aucun contrat digne de ce nom n'atteste la réalité de cette union.

— Je me sauverai!

— Je ferai accuser Alexander de séduction et de rapt, Isabelle. Il sera pendu pour cela.

— Vous êtes... ignoble!

— J'emploierai les moyens nécessaires pour vous faire entendre raison, ma fille. S'il faut vous faire prendre le voile, je le ferai. Les ursulines seront heureuses de recueillir une pauvre brebis perdue...

— D'accord. Dans ce cas, ce sera le voile. Je préfère ça plutôt que d'épouser un homme que je n'aime pas!

— L'enfant sera mis en orphelinat, Isabelle. Vous comprenez?

Cela ne lui avait pas effleuré l'esprit. Elle porta instinctivement les mains à son ventre. Son bébé, l'enfant d'Alexander... Non...

— Vous qui vous dites chrétienne, vous qui vous plaisez à parler de charité... Le peuple de Québec se mourait de faim, et vous, vous gardiez fermé à clef le cellier rempli à craquer de nourriture digne de la table d'un roi! Belle charité chrétienne! Et puis, je vous ferai remarquer que je suis en période de deuil. Je ne peux me marier...

— Il ne me sera pas trop difficile d'obtenir une dispense auprès du vicaire général Briand.

— Mais qu'avez-vous donc à la place du cœur? N'avez-vous jamais aimé? N'avez-vous jamais éprouvé un tant soit peu de compassion pour autrui?

Les épaules de Justine sautèrent très légèrement. Isabelle le remarqua. Elle se souvint alors des lettres qu'elle avait trouvées dans le vieux coffre, celles dont elle avait cru que son père était l'auteur. Elle trouvait là l'arme parfaite pour atteindre sa mère et peut-être l'attendrir. C'était la dernière carte qui lui restait.

— Mais... peut-être avez-vous déjà aimé, finalement... N'était-ce pas un Anglais, d'ailleurs? La belle affaire!

Justine fronça les sourcils sur un regard chargé d'appréhension.

— De quoi parlez-vous? Je n'ai jamais...

— Ah non? Et toutes ces belles lettres que j'ai trouvées là-haut, dans le grenier, d'où viennent-elles? De qui peuvent-elles bien prove-nir, sinon de votre amoureux? Papa ne sait pas écrire en anglais. Or il y en a une qui vous est adressée et qui est écrite en anglais, mère.

Justine blêmit. Ses lettres perdues... Comment Isabelle avait-elle mis la main dessus?

— Où avez-vous trouvé cette... correspondance?

— Dans le coffre de papa.

— Oh, bon Dieu! souffla Justine, ébranlée.

Ainsi, c'était Charles-Hubert qui les lui avait prises. Pourtant, Peter ne lui avait jamais écrit en anglais...

— Où sont-elles en ce moment? s'informa-t-elle en retrouvant son air autoritaire : elle ne pouvait se permettre de perdre la face maintenant.

— Au même endroit, sauf celle qui est en anglais.

Isabelle scruta le visage blême avec une certaine satisfaction, croyant avoir trouvé le moyen de faire fléchir sa mère.

— Ces lettres m'appartiennent, Isabelle. Je vous ordonne de me les rendre.

— Ainsi, vous aviez un amant? Et papa l'a su...

Piquée au vif, Justine foudroya sa fille du regard.

— Jamais je n'ai porté préjudice à votre père, mademoiselle. Ces lettres datent d'avant notre mariage. Il... me les aurait prises, je suppose...

— Pas la dernière.

D'un geste brusque, Isabelle balaya l'air de sa main et redressa le buste. Regardant sa fille dans les yeux, Justine s'efforçait de ne pas se laisser décontenancer.

— De toute façon, cela ne vous concerne en rien. Je suis votre mère et votre tutrice jusqu'au jour de vos vingt-cinq ans. Vous n'avez pas le choix. Vous devez vous conformer à mes décisions vous con-cernant. Quoi que vous disiez ou fassiez, je ne fléchirai pas!

Les paroles de Justine, sculptées dans la glace, figèrent Isabelle d'effroi.

— Je me tuerai, vous entendez? Je me tuerai!

— Par cet acte, ma fille, vous vous rendriez coupable d'un péché beaucoup plus condamnable aux yeux de Dieu. De plus, vous portez un enfant. Ce serait donc un meurtre. Dieu seul a le droit de reprendre ce qu'il vous a donné.

— Il m'a donné l'enfant que je porte, et vous voulez me l'arracher! De quel droit? Je vous hais!

Isabelle pleurait amèrement. Les derniers mots qu'elle avait lancés blessèrent sa mère plus qu'elle ne l'aurait cru. Justine serra les mâchoires, demeura stoïque devant l'expression hargneuse. Sa fille comprendrait... plus tard, comme elle-même avait dû accepter un jour.

— Je n'ai pas l'intention de vous enlever votre... enfant. Vous seule déciderez de son sort. Le contrat de mariage avec monsieur Larue est prêt à être signé. Si vous voulez, je peux reporter la visite de ce soir à demain, pour vous permettre de réfléchir. Mais pas plus; le temps presse, ajouta-t-elle en lorgnant la rondeur du ventre qui commençait à exposer au monde la faute d'Isabelle. Les bans seront affichés dimanche; le vendredi suivant, vous convolerez. Ensuite, vous quitterez cette maison pour Montréal. En passant, je crois que vous n'êtes pas encore au courant... Le chevalier de Lévis a brûlé les couleurs de la France sur l'île Sainte-Hélène. Montréal est tombé sans effusion de sang... il y a de cela deux jours.

Le coup porta droit au cœur d'Isabelle. Montréal avait capitulé; Alexander allait revenir... et elle serait mariée à un autre. Elle entendait le tic-tac de l'horloge. Son père lui avait pourtant promis... Soudain, elle eut une irrépressible envie de haïr: son père, qui l'avait abandonnée; sa mère, qui ne l'aimait pas; Alexander pour lui avoir fait le cadeau empoisonné d'un enfant; sa cousine, qui ne pouvait que la consoler; Perrine, qui ne comprenait pas... Elle en voulait au monde entier pour le malheur qui s'abattait sur elle. Il lui semblait que toute sa vie se figeait à cet instant en un tableau aux couleurs lugubres, dans lequel les oiseaux se cachaient et les éclairs déchiraient le ciel. Elle hurla pour faire sortir toute cette souffrance qui l'étouffait. Mais rien n'y fit. La douleur restait, avec la même intensité. La mort aurait été plus douce.

16

De profundis pour une âme

S'il pouvait choisir le moment de sa mort, ce serait à l'automne, lorsque la nature s'endort paisiblement dans un paysage bigarré, après l'éclat de l'été et juste avant la tristesse de l'hiver. Mais, pour l'instant, Alexander ne voulait pas s'endormir, loin de là. Le jour auquel il rêvait depuis trois mois approchait : il allait enfin retrouver Isabelle.

La côte défilait devant lui, et ses couleurs flamboyantes faisaient écho aux sentiments qui animaient son cœur. L'azur fêtait son bonheur. Il se grisa d'air pur. Québec était en vue. Il apercevait les flèches de ses clochers, la rade que l'escadre triomphante ne cessait de remplir. Il voyait, sur les quais, les silhouettes des gens qui assistaient à l'arrivée des régiments renvoyés dans leurs quartiers d'hiver.

La guerre était finie en Amérique du Nord. Lévis et ses hommes étaient repartis dans leur patrie. Lorsque les canons se seraient tus aussi en Europe et que le traité de paix serait ratifié, il pourrait épouser celle qu'il aimait et s'installer... enfin.

***

Deux jours. Deux interminables et éprouvantes journées. Obéissant aux ordres, il avait participé à l'aménagement de nouveaux logis pour la compagnie et n'avait pas eu une minute à lui. Isabelle, de son côté, ne lui avait pas donné signe de vie depuis son retour, ce qui l'inquiétait beaucoup. Était-elle malade ? Cependant, son frère Ti'Paul, qui faisait auparavant office de messager, ne s'était pas montré non plus.

Les gens vaquaient à leurs occupations, allaient et venaient, sans se préoccuper outre mesure de sa présence devant la maison de la rue Saint-Jean. Il se tenait là depuis plusieurs minutes déjà, scrutant les fenêtres dans l'espoir d'apercevoir la silhouette de sa bien-aimée. Rien. La maison semblait étrangement calme. Étaient-ils tous partis rendre visite à la famille, en dehors de la ville? Cela expliquerait le silence d'Isabelle. Il hésita encore, terriblement déçu, d'autant plus qu'il avait toute sa soirée pour lui.

Un mouvement furtif attira son attention. Il tourna la tête vers l'une des fenêtres. Non, il n'avait pas rêvé: le rideau oscillait. Il y avait bien quelqu'un dans la maison. Son cœur se mit à battre plus vite. Il s'approcha de la porte, ne sachant trop ce qu'il était convenable de faire. Mais il n'avait plus envie de se cacher. Il voulait Isabelle à son bras, au vu et au su de tout le monde. Prenant son courage à deux mains, il frappa sur le bois peint en bleu et attendit. Au bout d'un petit moment, il frappa de nouveau, avec plus de vigueur, croyant qu'on ne l'avait pas entendu.

Personne ne venait ouvrir. Un mauvais pressentiment l'envahit tandis qu'il retournait se poster de l'autre côté de la rue, devant la façade de pierres qu'il fixait d'un œil sombre. Quelque chose s'était produit, il le sentait. Il était arrivé malheur à Isabelle.

— Vous cherchez quelqu'un, monsieur? lui demanda une voix chevrotante derrière lui.

Il virevolta avec son plaid et se retrouva devant une vieille femme au visage amène qui lui souriait gentiment.

— Euh... oui. En fait, je cherche mademoiselle Isabelle Lacroix. Peut-être pourriez-vous me renseigner et me dire si elle vit toujours ici? Je voulais lui dire bonjour...

— Vous êtes un ami? s'informa la dame en le jaugeant d'un œil perçant.

— Un ami? Euh... oui.

— Ah! Mademoiselle Lacroix n'habite plus icitte, jeune homme. Elle s'est mariée le mois dernier, avec un notaire à ce qu'on m'a dit. Pis, elle est partie avec lui...

Les mots résonnaient dans sa tête et un rideau noir tombait autour de lui. Il plissa les yeux. Il avait certainement mal compris... ou bien la voisine se trompait!

— Mariée? murmura-t-il. Vous êtes bien certaine de parler d'Isabelle Lacroix?

— Ben oui, la fille du marchand.

— Elle... ne pouvait pas! Mais... avec qui?

— Ben, j'sais pas son nom. Mais il était de belle atournure. Un gentilhomme très bien. Le mariage nous a tous surpris, j'vous l'dis! C'est vrai qu'on l'a vu rendre visite aux Lacroix à quelques reprises, cet hiver. Mais j'créyais pas que la p'tite allait se marier si rapidement.

L'affolement s'emparait d'Alexander. Le cœur battant la chamade, le souffle court, le jeune homme avait envie de secouer la vieille femme pour faire sortir plus rapidement de sa bouche les informations concernant Isabelle. Se reprenant, il fit de gros efforts pour ne pas crier sa question.

— Où? Où est-elle allée?

— J'me souviens plus. Ah, oui! Montréal, c'est ça! Comme on dit, qui prend mari prend pays...

— Partie... Mariée... Isabelle?

La femme s'était tue et dévisageait Alexander d'un air soucieux.

— Vous allez bien, jeune homme? Vous êtes soudain si pâle.

Vacillant sur ses jambes, une main sur son cœur, Alexander recula vivement pour s'éloigner de la *banshee*[102]. Son sang s'était figé dans tout son corps. Sa poitrine s'emplissait de cris de détresse et de rage. Isabelle, mariée et partie? Non! Cela ne se pouvait! Ils s'étaient promis l'un à l'autre, ils s'appartenaient!

— Non... non... Cette femme me ment, marmonna-t-il.

Dans une pirouette, il refit face à la maison. Le rideau bougea de nouveau. Ainsi, on l'attendait, on l'épiait. On se fichait bien de lui! Isabelle s'était moquée de lui! L'homme qu'il avait vu entrer ici était bien un prétendant. Elle lui avait menti!

Se précipitant sur la porte, il abattit son poing dessus avec rage, la faisant s'ébranler sur ses gonds.

— Isabelle! cria-t-il, désespéré. Isabelle! *God damn! Dinna do this...*

Tressaillant, le cœur battant, Justine s'adossa au mur. L'Écossais était revenu. Sachant que les troupes de Murray étaient rentrées de Montréal, elle l'avait anxieusement attendu. Toutefois, le voir là, hurlant sa douleur devant la porte, la mettait dans un état épouvantable. Un sentiment étrange lui donna la nausée. Le remords? Se serait-elle trompée en obligeant Isabelle à faire ce mariage hâtif? Le souvenir amer du manquement des hommes à leurs belles promesses et son désir réel de protéger sa fille l'avaient guidée. Elle avait cru sincèrement que c'était la meilleure chose à faire.

Elle écrasa une larme, comme elle l'avait fait ce matin-là, peu avant la célébration du mariage. Elle revit Isabelle, toute de noir vêtue, habillée pour un enterrement plus que pour des noces. Le

---

102. Dans le folklore écossais, fée de mauvais augure.

regard que la jeune femme lui avait alors lancé en montant dans la voiture qui devait les conduire à l'église... Elle en eut des frissons. Elle se souvenait de cette autre jeune femme qui, depuis le pont d'un brigantin, observait de la même façon l'homme qui se tenait sur la jetée... C'était à La Rochelle. Isabelle ne lui pardonnerait jamais, comme elle-même n'avait jamais pardonné à son père de l'avoir donnée en mariage à Charles-Hubert. Sa fille unique la haïrait jusqu'à sa mort.

De ses doigts tremblants, Justine froissa la lettre qui ne quittait plus sa poche. La dernière lettre de Peter Sheridan, son seul amour. Elle était datée de deux mois après son mariage... Comment Charles-Hubert s'était-il procuré son courrier? À la réflexion, elle s'en doutait un peu. À La Rochelle, elle avait caché les missives dans une boîte à chapeaux. Puis, à son arrivée à Québec, elle avait été trop malade pour défaire elle-même ses bagages. Il s'en était donc chargé. Il les avait sans doute trouvées accidentellement, puis, par jalousie, les avait subtilisées. Pouvait-elle lui en vouloir?

Mais la lettre qui craquait dans le fond de sa poche ne lui était jamais parvenue. Elle n'était pas dans la pile qu'elle avait si souvent pressée contre son cœur en pensant à son mariage prochain avec Peter. Son amoureux lui avait apparemment envoyé ce pli à La Rochelle, chez son père. Qui l'avait donc fait suivre jusqu'à Québec? Sa mère? Elle ne le saurait jamais. De toute façon, le savoir ne changerait rien à ce qui était. La lettre était arrivée deux mois trop tard. Si seulement son père avait attendu. Elle l'avait si ardemment supplié. « Les Anglais n'ont pas de parole! s'était-il exclamé. Encore moins un soldat! Et vu l'urgence de la situation, tu dois accepter. Une occasion comme celle-ci ne se représentera certainement plus jamais lorsque... » Oui, Isabelle la haïrait comme elle-même avait haï son père. Elle ne pouvait comprendre les raisons qui l'avaient poussée à agir de la sorte.

L'Écossais avait cessé de marteler la porte. Justine n'osait pas regarder par la fenêtre pour vérifier s'il se trouvait toujours dans la rue. Dans un coin du salon, Sidonie tricotait des chaussettes de nourrisson et lui jetait des regards qui exprimaient bien sa façon de penser. Elle en voulait amèrement à sa maîtresse d'avoir forcé la main de la jeune femme. La nourrice partait vivre chez les ursulines la semaine d'après. Elle avait certainement plus été une mère pour Isabelle qu'elle-même ne l'avait jamais été. Isabelle partie... plus rien ne la retenait ici. Cela attristait Justine, qui comprenait cependant.

Perrine s'était enfuie deux jours auparavant, sans même prendre ses gages des deux dernières semaines. La petite gueuse était certainement allée rejoindre Étienne. Son absence se faisait sentir dans le fonctionnement de la maisonnée. Sidonie était trop vieille pour tout faire toute seule. Pour le moment, Justine avait engagé une jeune fille que lui avait recommandée sa voisine... Mais de toute façon, dans quelques mois, le problème ne se poserait plus.

Le cœur lourd, Justine rassembla ses jupes d'une main et se dirigea vers le bureau de son défunt mari. S'arrêtant dans l'embrasure de la porte, elle laissa son regard errer tristement dans la pièce. Elle avait longuement réfléchi avant de prendre sa décision et ne reviendrait pas dessus. Ne lui restait qu'une longue lettre à rédiger.

Sur cette dernière pensée, elle s'enferma dans le bureau où persistait l'odeur musquée de Charles-Hubert. Curieusement, son mari lui manquait. Il avait toujours su comment apaiser ses angoisses d'un mot doux ou d'un geste tendre. Elle les regrettait tellement aujourd'hui. Regrets, que des regrets! S'asseyant dans le fauteuil, elle sortit de l'écritoire en merisier teinte au sang de bœuf une feuille et une plume. Une larme tomba sur le papier, qui s'empressa de boire son chagrin. Par où commencer?

Coll vit son frère trébucher, se redresser, courir de nouveau et retomber. Le silence prolongé d'Isabelle lui avait fait soupçonner quelque chose. Il ne s'était apparemment pas trompé. Il ne savait ce qu'avait raconté la vieille femme à Alexander. Mais l'air ahuri du jeune homme puis sa violente réaction n'auguraient rien de bon. Son frère avait besoin de lui.

Ses pas l'avaient amené jusqu'au bord de la falaise. Se laissant tomber sur les genoux, Alexander se prit la tête entre les mains et ouvrit la bouche pour hurler son déchirement. Seul un gémissement, long et éraillé, s'échappa de sa gorge. Il se boucha les oreilles pour ne plus entendre cette phrase terrible qui avait fait s'écrouler son univers. En vain. Les mots résonnaient encore et encore, lui faisant tellement mal. Son cœur, si léger quelques minutes auparavant, était maintenant si lourd qu'il traînait son corps avec difficulté. Sa souffrance le déchirait, le torturait, au point où plus rien d'autre n'existait.

Son regard se perdit dans l'eau écumante, beaucoup plus bas. Une multitude de pensées, d'émotions se bousculaient en lui. Il ne comprenait pas. Que s'était-il passé? Isabelle l'avait trompé! Elle l'avait trahi! Il ne pouvait le croire. Et pourtant... il savait que la voisine ne lui avait pas menti.

Rejetant sa tête vers l'arrière, il hurla à pleins poumons vers le ciel. Il avait le cœur transpercé; Isabelle l'avait tué. Elle lui avait pris son bien le plus précieux, qu'il n'avait jamais offert à quiconque et qu'il avait réussi à préserver toutes ces années : son âme.

Les mains tremblantes, il retira lentement son long poignard de son fourreau et le contempla à travers un voile de larmes brûlantes. L'acier brillait dans les derniers rayons du soleil d'automne. Portant son arme à la hauteur de sa poitrine, il ferma les paupières. Des images de son bonheur perdu défilèrent alors derrière elles : Isabelle lui souriant, les yeux bandés, les lèvres luisantes et les cheveux voletant autour de son visage; Isabelle assise sur un rocher, chantant une comptine française en l'attendant, ses pieds nus se balançant dans le vide; Isabelle sous un clair de lune, le visage tendu dans le plaisir, auréolé d'une masse de boucles dorées étalées dans l'herbe. C'était cette même nuit où ils avaient prononcé le serment des mains liées. Mais elle avait rompu ce serment... Il ne comprenait pas... Pourquoi?

La lame tremblait. Il n'avait plus envie de chercher des réponses à ses questions. Sa vie durant, il s'était efforcé de le faire; il en avait assez. Il en avait assez de souffrir, de mourir, de renaître, de souffrir encore... et de mourir toujours. Il voulait mettre un terme à tout ça... La lame oscilla, se rapprocha.

— Alas, que fais-tu? Non!

Coll, debout devant lui, était livide et le suppliait du regard.

— Va-t'en!

— Non! Dépose ton poignard, Alas.

— Ne te mêle pas de ça! Va-t'en!

— Jamais! Je ne te laisserai pas faire ça! Alas, je t'en conjure... Je ne sais pas ce qui s'est passé, mais peut-être que cela peut se régler...

Haussant les sourcils, Alexander dévisagea son frère un court moment, sans rien dire. Le poignard toujours pointé vers sa poitrine, il sentait un rire lui brûler la gorge et lui secouer légèrement les épaules.

— Tout est déjà réglé, Coll. Isabelle s'est mariée!

— Oh, bon Dieu! Tu es sûr?

Alexander ne répondit pas, se contentant de baisser les yeux. Son visage se tordait de douleur. Coll, atterré, se laissa tomber à genoux devant lui.

— Alas, je suis désolé, mais... ne fais pas ça, s'il te plaît, murmura-t-il doucement.

Alexander le fixait derrière ses larmes qui dégoulinaient jusque sur son menton. Il y avait tant de détresse dans ce regard. Pourquoi la vie s'acharnait-elle autant sur son frère? Coll revoyait le petit garçon qu'Alexander avait été: Alasdair le turbulent, le rebelle; Alasdair le sensible, recherchant constamment l'amour et l'attention. Toute sa vie, son frère avait cherché chez les femmes l'amour qui apaisait ses souffrances intérieures... Les femmes... Il lui avait parlé de Connie et de Kirsty. Puis, il y avait eu Leticia. Toutes, elles l'avaient accepté tel qu'il était, mais avaient fini par l'abandonner.

— Alas... si elle est partie, c'est qu'elle ne te méritait pas. Aucune femme ne mérite ce que tu t'apprêtes à faire.

La lame se tourna d'un coup vers Coll.

— Regarde bien ce poignard, mon frère... et essaie de l'imaginer te transpercer la peau, lentement. Eh bien, crois-moi, la douleur te serait plus douce que celle que j'éprouve en ce moment. J'en ai assez, Coll!

— Je sais... Mais tu dois continuer. Bon Dieu! Il y a d'autres femmes! La guerre est presque terminée...

— Tu ne comprends pas! Sans elle, je ne suis plus rien!

Ce disant, Alexander retourna l'arme contre lui.

— Sais-tu seulement qui tu es? lança furieusement Coll. *Is thusa Alasdair Cailean MacDhòmhnuill!* Tu es le fils de tous ces hommes qui ont combattu pour leur survie et celle de leur race. Pendant des années, notre peuple a subi les pires traitements et les pires humiliations. Il a été pourchassé et massacré. Pourtant, grâce à son courage, il se tient toujours debout. Alas, je peux comprendre ta douleur. Mais une femme n'est pas tout.

L'arme tremblait à la hauteur du cœur.

— Et puis, tu es mon frère, Alas! Un frère dont je suis fier, un homme digne de son père!

Alexander fixait la lame. Sa bouche se tordit en une grimace d'incertitude; sa respiration s'accéléra.

— Alas... je t'en prie!

Le poignard se souleva alors, et Coll vit l'éclat de la folie briller dans les yeux de son frère. Il chercha désespérément à l'empêcher de poser ce geste. Mais Alexander esquiva et, poussant un horrible cri, abaissa d'un coup le poignard. Sous la force du geste, l'arme s'enfonça dans le sol jusqu'à la garde. Un peu hébété, Alexander regarda l'objet pendant un moment. La douleur dans sa poitrine lui était insupportable. Fermant les paupières, il s'effondra dans l'herbe. Bouleversé et tout tremblant, Coll tira sur le manche en retenant un sanglot. Puis, il essuya la terre noire qui souillait l'acier tranchant.

— Oh, Dieu merci! soupira-t-il.

La grisaille de novembre avait remplacé la beauté éphémère d'octobre. Les flaques d'eau et les carreaux des fenêtres s'étaient alors couverts de givre. Puis la neige de décembre était tombée, étendant sur le morne paysage un linceul blanc immaculé. Elle s'était ensuite épaissie pour devenir un lourd manteau sous lequel Alexander avait endormi sa souffrance.

Si le jeune homme avait choisi de continuer, il le faisait sans demi-mesures et avec colère. Les jours se succédaient les uns aux autres avec chacun sa dose d'alcool, ses querelles, son moment d'insubordination… Les corvées supplémentaires et la menace du fouet n'avaient aucun effet sur le comportement d'Alexander. Bien peiné, Archie avait averti son neveu à plusieurs reprises, insistant sur le fait que cette attitude commençait à faire grincer des dents et que quelques hommes de la compagnie avaient demandé sa mutation. Il ne pourrait plus le protéger bien longtemps…

— Me protéger? s'était alors exclamé Alexander en riant. Mais c'est inutile, Archie!

Puis, il avait regardé gravement le capitaine Campbell.

— Même la mort ne veut pas de moi…

Il s'était alors détourné pour aller retrouver Émilie. Qu'on le fouettât ou qu'on le pendît, il n'en avait cure. Il était déjà mort.

Une activité intense régnait au Lapin qui court. Après avoir soufflé dessus, Alexander lança les dés sur la table, puis les regarda rouler et s'immobiliser. Macpherson hennit en ramassant la mise.

— Ton étoile t'a lâché, je le crains, Macdonald! Combien as-tu perdu ce soir? Un shilling et six pence? Bon sang!

Fouillant dans son *sporran*, Alexander grommela. De tout le pécule qu'il avait amassé dans le but de s'enfuir avec Leticia, puis qu'il avait complété dans le but d'épouser Isabelle, il ne lui restait plus qu'une pièce de deux pence. Il la fit tourner entre ses doigts, hésitant et amer. Voilà où il en était! Il la laissa tomber sur la table.

— Dernière chance, mon vieux! lui lança Macpherson en retroussant les coins de sa bouche. Je ne fais pas crédit!

— Tu te la fermes et tu joues! gronda Alexander.

Munro suivait le jeu depuis le début. Il hocha la tête.

— Vaudrait pas mieux t'arrêter, Alas?

Ignorant la suggestion de son cousin, Alexander prit les dés et les lança. Quelques minutes plus tard, il quittait la table sous le regard satisfait de Macpherson qui avait enfin eu sa revanche. D'un pas traînant, Alexander se dirigea vers le comptoir où Émilie servait un client.

— Viens, dit-il simplement en posant cependant sur elle un regard sans équivoque.

— J'veux pas, Alex. Pas ce soir.

Le client s'éloigna. Émilie se retourna pour ranger quelques verres sur l'étagère.

— Émilie!

Le ton dur et autoritaire fit tressaillir la jeune femme, qui faillit laisser échapper le verre qu'elle tenait dans sa main. Elle pinça ses lèvres en une moue triste: Alexander avait tellement changé...

— Si c'est comme ça, murmura-t-il dans son dos après un instant de silence, je vais aller voir Suzette...

— Non! fit la jeune servante en se retournant brusquement dans un tourbillon de jupes.

L'homme qui se trouvait en face d'elle avait une expression tellement désabusée... Elle savait pour Isabelle; Coll lui avait raconté. Elle était aussi tout à fait consciente qu'Alexander ne l'aimait pas, qu'il se servait d'elle pour tromper son chagrin. Mais elle avait toujours l'espoir qu'il finisse par oublier l'autre. C'est pourquoi elle subissait stoïquement ses assauts par lesquels il ne cherchait qu'à satisfaire ses propres besoins. Jamais elle n'aurait accepté une telle humiliation de la part d'un autre homme. Mais lui, elle l'aimait.

Après avoir averti Suzette, d'un signe de tête, qu'elle s'absentait, Émilie passa de l'autre côté du rideau qui séparait la grande salle de la réserve. Alexander la suivit jusqu'au fond de la pièce qui sentait le rance et le moisi. La petite serveuse savait d'avance comment cela allait se passer. Dans cinq minutes, tout serait terminé. Il lui demanderait un pot de p'tite bière, qu'il irait boire seul, dans un coin.

— Alex... réveille-toi! Le canon va tonner! Tu dois rentrer aux casernes!

Alexander grogna. Il dégageait une terrible odeur d'alcool. Émilie vit une paupière se lever, dévoilant un œil vitreux qui la fixait sans vraiment la voir. Il était ivre mort. La tête tomba lourdement sur la table, dans un bruit mat, et ne bougea plus. Découragée, la servante lança des regards autour d'elle. Munro était parti et Coll ne s'était pas montré de la soirée. Cependant, il restait encore quelques soldats dans le cabaret, notamment deux qui appartenaient à la même compagnie que le jeune homme. D'un pas résolu, elle les rejoignit et leur montra du doigt leur compagnon affalé.

— Ramenez-le, Macpherson. J'peux pas le faire moi-même... Hé!

Bas les pattes! s'insurgea-t-elle en toisant le hardi soldat qui avait tendu une main vers son corsage.

— *Och! Come on*, ma mignonne! répondit Macpherson dans un français laborieux. Une service en vaut une autre, *aye*?

— Non!

L'homme se dégagea subitement en haussant les épaules et fit mine de partir avec Fletcher. Elle l'attrapa par le bras.

— Demain, ce s'ra ma tournée. Ça te va?

Il se tourna vers elle et la considéra de ses yeux injectés de sang.

— *For Fletcher and me?*

Se mordant la lèvre, elle jura *in petto* et maudit tous les hommes de la terre.

— D'accord, un pot à mes frais pour vous deux, rien de plus. *Understand?*

— *'Tis a deal*, ma mignonne, acquiesça Macpherson en donnant une claque sur le postérieur de la petite femme.

La poudrerie tourbillonnait dans la ruelle. Le vent s'engouffrait sous les kilts et les soulevait. Macpherson grognait et jurait. Fletcher trébucha et entraîna avec lui dans sa chute ses deux compagnons.

— Bordel de merde, Macdonald! Tu ne pourrais pas nous aider un peu?

Un grognement fut la seule réponse.

— Il est rond comme une queue de pelle, ma foi! Il passerait toute la nuit ici si nous l'y laissions.

Fletcher secouait son plaid. Du bout de sa botte, Macpherson poussa Alexander, qui remua à peine.

— Ouais. J'ai bien envie de lui donner une leçon.

— Avec tout ce que tu lui as pris ce soir, Macpherson, vous êtes quittes, non?

Macpherson examina la rue. Au bout d'un petit moment, un fin sourire étira ses lèvres. Une carriole couverte et attelée attendait devant un entrepôt. Il se pencha sur Alexander et l'empoigna par les aisselles.

— Que fais-tu? s'inquiéta Fletcher qui connaissait les mauvais coups dont son ami était capable.

— J'ai bien envie de le voir goûter au fouet une autre fois, Fletch. Ce salaud profite des bonnes attentions du capitaine, alors que nous, on nous en fait baver à la moindre faute! Mais... Ha! ha! ha! Ce soir, il manquera à l'appel, et Campbell n'aura pas le choix: il devra appliquer le règlement, comme pour tout le monde.

— Tu ne peux pas faire ça! Il va mourir de froid!

— Ta gueule, Fletch! On le retrouvera certainement d'ici une heure. Le conducteur reviendra bientôt. Et puis, avec tout l'alcool qu'il a avalé et qui réchauffe maintenant son sang, il n'y a pas de souci à se faire... Tu dis un mot à qui que ce soit, et je te fais passer un mauvais quart d'heure, compris?

Fletcher regardait le corps inerte d'Alexander.

— Compris, Fletch?

Le comparse hocha la tête, sachant que Macpherson mettrait sa menace à exécution.

— Ouais...

Un rire gras accueillit sa réponse. Les deux soldats firent alors basculer leur compagnon à l'arrière de la carriole. Alexander ne protesta que faiblement.

— Fais de beaux rêves, Macdonald! ricana Macpherson, en rabattant le panneau de toile cirée.

Dix minutes plus tard, le conducteur et son aide sortaient de l'entrepôt avec les bons de commande signés.

— Va refermer la toile, Marcel, lança le premier en grimpant sur le siège avant.

L'aide alla à l'arrière et répondit que c'était fait.

— T'as vérifié que tout était ben attaché derrière, jeunot? J'ai pas envie de perdre la moitié de ma marchandise en route, pardieu!

Marcel grommela que tout était en ordre et qu'il se portait garant de l'arrimage. Il l'avait vérifié deux fois avant d'aller se réchauffer à l'intérieur, le temps que son patron en termine avec les papiers. Il avait hâte de prendre un peu de repos. La route allait être longue...

***

Un grondement sourd, lointain; un élancement à la tête. Roulant sur le côté, Alexander se heurta l'épaule contre une surface dure. Une nausée l'envahit; il serra les dents. Le grondement emplit alors brusquement ses oreilles. Prenant conscience qu'il était rudement bercé, il souleva les paupières: c'était la pénombre, percée d'un mince filet de lumière. Il plissa les yeux pour examiner l'endroit où il se trouvait. Des caisses de bois et des barriques empilées bougeaient dangereusement en grinçant, bien qu'elles fussent retenues par des cordes de chanvre.

Les brumes de son esprit mettant un moment à s'évaporer, Alexander eut du mal à se remettre les idées en place. Il se souvint de sa désastreuse partie de dés... puis d'avoir pétri les fesses blanches d'Émilie. Une beuverie de plus, pensa-t-il avec amertume.

La nausée le reprit. Il se hissa péniblement sur les coudes. Se trouvait-il sur un bateau? Passant la tête par la fente de toile par où filtrait le mince rai de lumière, il fut aveuglé par la blancheur du paysage. Qu'est-ce qu'il avait mal au crâne! Son estomac se rebiffa de plus belle, et il vomit par-dessus bord. Une chose était certaine: il ne se trouvait pas sur les flots. La neige volait sur le passage de la carriole. Où était-il donc et où allait-il?! Il avait certainement manqué l'appel au couvre-feu. Archie allait encore le sermonner, pour sûr!

Sur cette pensée qui provoqua un hoquet de dérision, il se laissa lourdement retomber sur le plancher de la carriole et, engourdi par le froid, s'abandonna de nouveau au sommeil.

Un coup dans les côtes le sortit brusquement de sa nuit sans rêves; il bondit en hurlant. Sa tête s'ouvrit en deux, et il gémit.

— Hors d'icitte, espèce de profiteur! s'écria le conducteur. On ne voyage pas comme ça à mes frais!

Le froid finit de réveiller Alexander. Il cracha un filet de salive et de bile.

— Allez! Fiche-moé le camp d'icitte! s'énerva l'homme en le menaçant de la crosse de son fusil. J'veux pas me faire prendre pour avoir aidé un déserteur, pardieu! C'est icitte que tu descends.

— *Aye! Aye! Dinna... fash yerself!*

Se levant lentement, Alexander regarda autour de lui. Il se trouvait dans un village. L'église, rassurante dans le décor rural, se dressait, haute et droite, devant lui. Une grande maison, qu'il devina être le presbytère, la jouxtait. La rue était bordée d'une dizaine d'habitations et d'arbres couverts de givre. Au-delà, c'était la vastitude de la campagne, puis les bois.

— Où sommes-nous? demanda-t-il d'une voix empâtée.

— Tu t'trouves à Sainte-Anne-de-la-Pérade, mon vieux!

Le conducteur s'affairait à détacher les cordes.

— La Pérade? *God damn!*

Encore tout étourdi, Alexander se frotta les yeux et essaya de réfléchir. Sainte-Anne... Il était passé là, lors de la campagne de Montréal, pour faire prêter serment aux habitants. À quelle distance était-ce de Québec? Et pourquoi se trouvait-il là?

D'une main engourdie par le froid, il fouilla dans son *sporran*, en sortit sa montre de poche et la porta à son oreille. Elle était morte. Il y avait en fait bien longtemps qu'il ne la remontait plus. Il s'informa de l'heure auprès de l'homme. Ce dernier soupira.

— J'ai pas les moyens de me payer une horloge à gousset, pis encore moins de perdre du temps! J'ai huit enfants à nourrir et ma femme en attend un autre pour le printemps. Alors, tu vas me faire le plaisir de foutre le camp immédiatement. Sinon, j'appelle le curé, qui va se charger de prévenir le prévôt qu'un déserteur se trouve dans le village. C'est compris?

— *Aye...* murmura Alexander. Ça va. *I'm gone.*

— Bâtard d'Anglais!

La tête enfoncée dans les épaules, Alexander s'éloigna sur la route, ne sachant pas dans quelle direction il allait. Le froid lui mordait les cuisses. Ses pieds étaient gelés; chaque pas lui causait une vive douleur. Il enfouit ses mains bleuies sous ses aisselles pour les réchauffer.

Avisant une fermette un peu à l'écart du chemin, il s'en approcha. Il pourrait sans doute trouver là un coin pour se mettre au chaud et réfléchir un peu à sa situation avant de reprendre la route.

Les couinements des porcs l'extirpèrent de son demi-sommeil. Une voix grave lui parvint faiblement: un homme venait d'entrer dans l'étable. Se cachant dans le foin, Alexander espéra qu'on ne l'y découvrirait pas. Il entendit le fermier fourrager dans ses outils pendant un moment. Puis, la porte grinça et tout redevint tranquille. La grange fut replongée dans l'obscurité. Une odeur forte et âcre titilla les narines d'Alexander. Un agneau s'agitait dans le foin. L'animal bêla et posa sur l'homme un regard curieux.

Le fermier revint à la barre du jour s'occuper de ses bêtes. Claquant des dents, engourdi, Alexander attendit que l'homme ait terminé. Puis, il bouscula les porcs et se jeta sur les pelures et les déchets de table envoyés dans l'auge. Il but ensuite l'eau d'une cuve recouverte d'une mince couche de glace. Enfouissant dans ses poches une bonne ration de « nourriture », il sortit de l'étable en titubant.

Un soleil éblouissant l'accueillit, le forçant à fermer les yeux. Après quelques secondes, il réussit à les rouvrir. Bien qu'il sût ce qu'il risquait, il devait retourner à Québec. Enfin, s'il y arrivait! On le jugerait pour désertion, il n'y avait aucun doute là-dessus. Il avait réfléchi à la possibilité de prendre le large. Mais, au beau milieu d'un hiver glacial et dans un pays qui lui était hostile, il avait peu de chances de s'en sortir. Il ne pouvait expliquer comment il s'était retrouvé dans une carriole. Il était ivre et était sans doute tombé dans la carriole en rentrant au logis. Là, il s'était endormi. Peut-être qu'on le croirait, peut-être qu'on l'innocenterait. Il devait essayer. Des soldats repentants s'étant rendus sans résistance s'étaient parfois vu pardonner. De toute façon, il n'avait pas le choix.

Étudiant la position de l'astre solaire dans l'immensité d'azur,

Alexander se tourna vers le nord-ouest. Il irait dans cette direction et suivrait le fleuve. D'un pas mal assuré, il s'enfonça dans la neige profonde qui lui arrivait parfois jusqu'aux cuisses et lui glaçait la peau jusqu'aux os. Il avait l'impression que des dizaines de lames s'enfonçaient dans ses pieds gelés. Bon Dieu! Il n'y arriverait jamais!

Tout en se frayant un chemin dans la neige, il ne cessait de se demander comment il s'était retrouvé dans cette carriole. Il tentait vainement de se souvenir, mais c'était le brouillard... Il entendit vaguement Émilie lui rappeler que le canon allait tonner. Il se souvint du vent glacial qui s'engouffrait sous son kilt. Le reste se perdait dans le noir.

Il se prit les pieds dans un faisceau de branches et plongea dans la neige. Essoufflé, il resta un moment étendu à contempler le ciel. Le soleil avait passé le zénith et continuait sa course vers l'ouest. Il lui fallait trouver un endroit pour se reposer et se réchauffer... Rassemblant ses forces, il se leva. Puis, s'envoyant une pelure de navet dans la bouche avec une boulette de neige, il reprit la route et se replongea dans ses pensées.

Transi, il ne cessait de claquer des dents et ralentissait de plus en plus. L'épuisement le rattrapait; son esprit oscillait entre le rêve et la réalité. Il se tourna vers le fleuve gelé, qu'il voyait à travers une futaie de bouleaux et de saules couverts de givre. Un peu plus tôt, il avait vu une carriole passer sur l'eau gelée; l'idée de l'imiter l'effleura. Peut-être rencontrerait-il un attelage se dirigeant vers Québec... qui accepterait de le prendre. D'un autre côté, quelle cible facile il ferait pour le paysan en quête de vengeance. Tout bien réfléchi, le couvert des arbres était préférable. Il le protégeait des regards et par la même occasion du vent qui soufflait sans relâche. Combien d'heures s'étaient écoulées depuis son départ de Sainte-Anne-de-la-Pérade? Le soleil déclinait; la nuit ne tarderait pas à tomber. Il espérait toujours trouver une habitation sur sa route...

Ses provisions épuisées, Alexander n'avait plus rien pour remplir un tant soit peu son estomac. Les restes d'alcool lui soulevaient toujours le cœur, bien qu'il avalât de la neige. Trébuchant sur un tronc d'arbre tombé en travers du sentier et dissimulé par l'épaisse couche de neige, le jeune homme culbuta. Haletant, harassé, il roula sur le dos. Il n'avait pas la force de se relever. Non, malgré tous ses efforts, il n'y arriverait pas...

Il ne sentait presque plus le froid et était peu à peu gagné par le sommeil. Cela ne servait plus à rien d'espérer, d'essayer: la mort viendrait le chercher avant la fin de la nuit. Il repensa à Coll et à Munro. Puis, curieusement, à John. Son jumeau avait-il vraiment déserté ou avait-il été tué? Il se sentit triste en se rendant compte qu'il ne le saurait jamais. Il leva les yeux vers le ciel. La lune commençait à se détacher sur la voûte chamarrée de violets et de fuchsias. Sur ses lèvres fondait une neige folle soulevée par un vent mugissant. Il avait l'impression que la terre lui volait ce qu'il lui restait de chaleur...

— Isabelle... murmura-t-il faiblement. Pourquoi? Je t'aimais...

Puis, après un moment de silence :

— Des profondeurs je crie vers toi, Seigneur. Seigneur, écoute mon appel... Que ton oreille se fasse attentive... à ma prière...

Sa voix se heurtait au silence implacable du crépuscule boréal. Dieu n'était pas là, ne l'entendait pas. Emportée par l'air glacial de ce soir de janvier 1761, la prière d'Alexander resta inachevée.

Le jeune homme se recroquevilla, désespéré. Il ne sentait plus son corps. Il ne ressentait plus rien.

***

Le Sauvage revenait en bondissant comme un chevreuil dans la neige. Les yeux ronds, il battait des mains.

— Là, un « pas de culotte »! cria-t-il en désignant l'endroit de son doigt.

— Où ça? De quoi parles-tu, Petit-Loup?

— Là, un « pas de culotte »! Un Anglais!

Le Sauvage rebroussa chemin et entraîna avec lui cinq des trappeurs. L'un des hommes se pencha sur la forme à demi ensevelie qu'éclairait une grosse lune. Le « pas de culotte » s'était roulé en boule tel un hérisson dans un nid de ouate.

— Allume une torche, Lebarthe! ordonna le trappeur, qui avait un fort accent étranger.

La neige prit une teinte orangée et l'obscurité qui les entourait s'épaissit. On approcha la flamme du corps.

— Tu crois qu'il est encore en vie, Jean? demanda l'un des hommes.

— Ce s'rait ben un miracle, répondit un autre.

D'un petit coup de crosse, on fit rouler le corps sur le dos. La mort ne l'avait pas encore raidi. Il y eut un long moment de silence lorsque le visage de l'inconnu apparut dans le faisceau lumineux. Les regards éberlués des hommes convergèrent vers le trappeur qui était penché et qu'on appelait Jean. Ce dernier était maintenant livide et avait le souffle coupé.

— Bonté divine, souffla une voix, je n'en crois pas mes yeux!

Si la succession des saisons transformait la nature et modifiait la lumière, elle ne changeait en rien la souffrance qui habitait continuellement l'âme et le corps d'Isabelle. La jeune femme se sentait prisonnière de la douleur, qui l'alourdissait, la paralysait, tandis que tout autour le monde continuait d'évoluer, indifférent à son état.

Pour Isabelle, un jour ensoleillé était terne; le trille joyeux d'un oiseau, triste. La pomme fraîchement cueillie, trop acide. Le parfum d'une rose, trop lourd. La vie semblait se dérouler derrière une fenêtre crasseuse et n'avait plus d'éclat. Il semblait à la jeune femme que la nature n'offrait plus qu'une saison : celle de l'amertume.

Les mains posées sur son ventre affreusement déformé, Isabelle, fermant ses paupières lourdes, se laissa aller contre le dossier de la banquette de la carriole. La voiture filait à vive allure sur le fleuve; ses grelots tintaient dans la nuit. Le bébé était lourd et la fatiguait.

Elle portait l'enfant de l'homme qu'elle aimait, mais qui ne le saurait ni ne le connaîtrait jamais. Elle avait peur qu'il ressemble à son père. Elle ne supporterait pas de voir Alexander chaque jour en posant les yeux sur le bébé. C'est pourquoi elle souhaitait une fille. Ce serait alors plus facile. Au début, la venue du petit être l'avait emplie de joie; elle gardait en elle une partie d'Alexander. Cependant, ce qu'elle considérait comme un cadeau était vite devenu un poison. Au lieu de la garder liée à son amour, l'enfant l'en éloignait irrémédiablement.

Cet enfant qui allait bientôt arriver, elle ne l'attendait plus avec joie. Il était l'enfant d'Alexander... de celui qu'elle avait aimé et qu'elle s'efforçait maintenant d'oublier. Elle en voulait au jeune Écossais de ne pas être venu la chercher au pied de l'autel, juste avant qu'elle prononce le « oui » l'unissant pour l'éternité à un homme qu'elle connaissait à peine et qu'elle n'aimait pas. Elle le détestait de ne pas être venu la délivrer des devoirs conjugaux qu'elle devait honorer. Elle le haïssait de laisser un autre homme tenir son enfant dans ses bras et usurper son rôle de père. Mais où était-il? Pourquoi n'était-il pas venu la chercher? Il devait certainement savoir où elle se trouvait! La laissait-il donc partir comme ça, sans chercher à se battre pour elle? Ne pouvait-il pas comprendre sa situation?

— Vous avez froid? lui demanda Pierre avec sollicitude.

Elle hocha la tête. Il lui semblait que le froid ne la quittait pas depuis Québec. La main de son époux se posa sur la sienne. Trop lasse, elle ne se déroba pas. Elle voulait tant dormir. Mais les continuelles secousses de la carriole l'en empêchaient. Lorsqu'ils arriveraient à Sorel, elle pourrait enfin s'abandonner au sommeil, le seul état où elle fût bien.

L'infatigable bébé bougea, s'appuya contre son bassin et poussa sur ses côtes, lui coupant le souffle. Elle cambra légèrement le dos. Un mois, tout au plus, et elle en serait libérée. Cet enfant était la cause de ce mariage forcé. « Jusqu'à ce que mort s'ensuive », avait dit le curé. Cela, elle l'avait bien entendu.

Le jour des noces restait flou dans sa mémoire : le bruissement de sa robe de taffetas noir; les pleurs du petit Luc qui faisaient écho aux siens, qu'elle refoulait; l'odeur entêtante de l'encens; Madeleine qui l'étreignait en lui chuchotant, l'air mi-triste, mi-goguenard, qu'elle avait noué l'aiguillette; le regard de Pierre sur elle; la voix nasillarde du prêtre... « *Ego conjugo vos in matrimonium...* »

Sitôt la cérémonie achevée et les registres paroissiaux signés, son mari l'avait aidée à monter dans sa voiture qui les emmènerait jusqu'à la rivière Sainte-Anne. Là, ils s'étaient arrêtés quelques semaines, le temps qu'il s'occupe de la concession familiale dont il avait hérité l'année précédente. Elle avait dû alors partager sa chambre, son lit.

Les premières nuits, Pierre l'avait laissée s'endormir sur son chagrin, sans oser un seul geste. La cinquième nuit, il était entré dans la chambre un peu éméché. Tandis qu'il s'asseyait sur une chaise, près du lit, elle avait feint de dormir. Mais il n'en avait pas fait grand cas. Il s'était levé, s'était complètement déshabillé, puis était venu s'allonger près d'elle.

– Je sais que vous ne dormez pas, Isabelle, murmura-t-il. Votre respiration est beaucoup trop rapide... et vous tremblez. Je ne vous veux aucun mal, mon ange... Mais je crois avoir assez attendu. J'ai maintenant droit à une véritable nuit de noces.

Il glissa la main sous le drap, sous sa chemise, sur ses cuisses. Les dents serrées, elle retenait un sanglot. Elle savait qu'elle devrait subir son mari un jour ou l'autre. La faisant rouler sur le dos, il caressa son ventre légèrement arrondi, lui souriant dans la pénombre.

– Il portera mon nom... comme vous portez le mien, Isabelle. Vous êtes ma femme et j'ai envie de vous...

Il écarta ses cuisses et se hissa sur elle. Puis, il la pénétra avec douceur et lenteur, comme s'il avait peur de casser la petite chose qui poussait en elle. L'attention qu'il portait à l'enfant la troubla. Elle ferma les yeux et attendit qu'il prenne son plaisir.

La concession de la famille Larue avait été divisée en trois lots mesurant chacun trois arpents de large et s'étendant tout en longueur depuis la rivière sur soixante arpents. Pierre, sa sœur Catherine et son frère Louis-Joseph avaient chacun hérité d'un lot. La terre qui revenait à Pierre serait exploitée par son cousin, René Larue. Le notaire, ayant établi son étude à Montréal, était en effet dans l'impossibilité de s'occuper lui-même de son lot. Enfin, il y avait une deuxième sœur, Félicité, qui était religieuse au couvent des ursulines de Montréal. Elle aurait droit à un montant équivalant à la somme des avoirs des trois autres. C'est cette succession à régler qui avait amené Pierre à Québec à la fin de l'automne 1759.

Les registres où étaient consignés les revenus et les dépenses de l'affaire familiale ayant été trop longtemps négligés par le père Larue, qui était mort après une longue maladie, Pierre avait dû les remettre à jour et cette tâche lui avait pris plus de temps que prévu. La cohabitation forcée avec la famille du cousin avait été pénible pour Isabelle. Le ventre rond de la jeune femme avait attiré bien des regards. On se posait des questions, mais on n'avait rien dit... Sur cette pensée agaçante, Isabelle retira brusquement sa main glacée de celle de Pierre, tiède.

— Le bébé est-il lourd? s'enquit doucement son mari en feignant d'ignorer son geste.

Elle soupira. Trop gentil, trop patient, trop tendre... Tout l'agaçait chez cet homme. Même sa beauté, qu'elle ne pouvait nier. Avec sa belle chevelure ondulée d'un blond cendré et son regard pers, Pierre était en effet très séduisant. Bien qu'étant moins grand qu'Alexander, il était de stature solide et ses excès de table ne s'accumulaient pas encore autour de sa taille.

— Oui, répondit-elle plus doucement.

— Nous pouvons nous arrêter à Trois-Rivières si vous voulez, mon ange.

Elle serra les lèvres en entendant le surnom qui se voulait affectueux.

— Non, nous avons déjà été assez retardés comme ça!

La carriole ralentit et la voix du cocher résonna sourdement. Pierre fronça les sourcils et se pencha à la fenêtre de la portière après l'avoir ouverte. Une bourrasque de neige s'engouffra aussitôt dans la voiture et vint saupoudrer le cuir des bancs et les genoux des passagers.

— Qu'est-ce qui se passe, Basile? cria Pierre.

— Des voyageurs, monsieur!

La carriole s'immobilisa complètement sur le chemin balisé de petits sapins, sur le fleuve. Pierre, inquiet, amorça son pistolet. Isabelle le regarda faire avec de grands yeux effrayés.

— Ne bouge pas. Je vais voir de quoi il s'agit.

Il l'embrassa sur le bout du nez et descendit. Il y eut un silence interminable, pendant lequel Isabelle imagina, avec un certain plaisir dont elle se repentit aussitôt, qu'une bande de brigands les attaquait et abattait Pierre. Mais son mari revint entier après quelques minutes pour la rassurer.

— Des trappeurs. L'un des leurs est blessé et à moitié gelé. Ils demandent que nous halions un de leurs traîneaux jusqu'à l'embouchure de la Batiscan. Si vous ne voulez pas...

— Faites! dit Isabelle en étirant le cou. Nous ne pouvons tout de même pas laisser ce pauvre homme mourir de froid!

Les chiens de traîneaux aboyaient. Des silhouettes, éclairées par des flambeaux, se mouvaient dans l'obscurité et s'affairaient à les dételer. L'un des voyageurs, vêtu d'un capot de grosse laine retenu à la taille par une ceinture fléchée et coiffé d'un chapeau de fourrure, discutait avec Pierre. Son visage était dans l'ombre. Mais lorsqu'il se tourna vers la carriole, le flambeau qu'il tenait dévoila ses traits. Isabelle sentit alors son cœur faire un bond. Elle aurait juré... Non, c'était impossible!

Profondément troublée, elle quitta la fenêtre et se cala dans la banquette, une main sur sa poitrine, l'autre sur sa bouche ouverte de stupeur. La ressemblance était frappante. Mais cela ne pouvait être qu'une coïncidence. Alexander se trouvait à Québec, avec les siens, dans son régiment.

***

Le rescapé reposait dans un lit chauffé par des briques chaudes, sous une pile de couvertures de laine. Pendant un moment, on avait craint pour ses pieds. Heureusement, grâce à une longue friction de ses membres, la circulation était revenue. La peau gercée et fendue avait repris une teinte normale et on l'avait enduite d'un baume à base d'huile de foie de morue. L'état des mains était plus inquiétant. Trois doigts, deux du côté gauche, un du côté droit, restaient blancs. Si la circulation ne revenait pas, il faudrait les amputer avant que la gangrène ne s'y installe.

Le feu crépitait dans l'âtre et réchauffait agréablement la pièce. L'homme qui se faisait appeler Jean l'Écossais restait immobile sur sa chaise, au chevet du blessé. Le regard fixe, il se disait que Dieu avait placé ce soldat sur sa route dans le but bien précis de lui donner une chance de se racheter. Rien ne relevait du hasard; c'était le destin. Les événements de la journée l'avaient poussé à partir pour Trois-Rivières plus tôt que prévu. Si son groupe s'était mis en route à l'heure, c'est un cadavre qu'il aurait trouvé dans la neige. De plus, le passage inespéré de l'équipage et l'aide qu'on leur avait accordée avaient certainement contribué à ce qu'on réussisse à sauver les pieds du blessé. Il s'en était fallu de peu. Au moment de la découverte, le pouls du soldat était à peine perceptible. Seule une fine buée sur la surface d'une flasque d'argent avait indiqué aux trappeurs que la vie habitait encore le corps inerte. Elle ne tenait alors qu'à un fil bien mince... Avec hésitation, Jean l'Écossais avança une main tremblante au-dessus de son frère.

— Me pardonneras-tu jamais, Alas? souffla-t-il avec émotion tandis que de grosses larmes roulaient sur ses joues.

La main survola le corps pendant un moment, puis vint se poser doucement sur le front. Il était écorché, meurtri, mais tiède et rosé. Alexander vivrait. Pour l'instant, c'était tout ce qui importait.

***

John passa deux jours au chevet de son frère, qu'il ne veillait que lorsqu'il dormait. Il n'était pas encore prêt à affronter Alexander et préférait attendre que ce dernier fût complètement rétabli. Au moins se trouveraient-ils tous les deux sur un pied d'égalité. Au fond de lui, cependant, il savait qu'il ne faisait que retarder l'inévitable.

La maison où les trappeurs s'étaient réfugiés appartenait à la veuve d'un marchand canadien, André Michaud, pour qui John avait travaillé l'hiver précédent. L'homme avait eu la malchance de tomber dans la rivière Batiscan, au dégel, et était mort noyé sous les yeux horrifiés de l'Écossais. Il avait bien essayé de le sauver, mais les plaques de glace et le fort courant l'en avaient empêché. Marie-Anne Durand-Michaud avait la bonté de leur offrir le gîte pendant quelques jours, à lui et aux autres trappeurs. Mais, bientôt, il leur faudrait repartir.

John avait rencontré Michaud quelques semaines après avoir déserté. Il s'escrimait alors à attraper un lièvre un peu trop rusé pour ses pièges. Le Canadien et les deux Sauvages, Petit-Loup et Le Chrétien, l'observaient à son insu, depuis leur promontoire rocheux, riant de lui. Comme il portait des vêtements qu'il avait pris sur un milicien tué au cours de la bataille de l'église de la pointe de Lévy, les trois hommes ne se doutèrent pas, au départ, que John était un déserteur de l'armée britannique. Mais lorsqu'il ouvrit la bouche pour répondre à leurs questions, ils comprirent immédiatement qui il était à son fort accent. L'un des Sauvages l'empoigna alors et posa sa lame sur la ligne de ses cheveux. Les trois autres se concertèrent et Michaud ordonna à Petit Loup de ne pas prélever le scalp si tôt. Un déserteur de l'armée occupante pouvait certainement être utile.

C'est ainsi qu'on avait laissé la vie sauve à John. Mais on l'avait mis à l'épreuve. Pour conserver sa propre vie, il avait dû prendre celle de deux de ses compatriotes lors d'une échauffourée organisée par Michaud. L'Écossais avait ardemment prié pour que ses frères ne fassent pas partie du détachement attaqué; le reste lui importait peu.

Depuis, il avait couru les bois avec Michaud, qui appréciait son esprit travailleur, sa précision au tir et son endurance physique. Avec le temps, les autres avaient appris à lui faire confiance, et il s'était taillé une place dans la bande. D'ailleurs, le marchand-voyageur n'hésitait pas à lui confier de plus en plus de tâches importantes. La dernière fois, il lui avait demandé de conduire sa belle épouse, Marie-Anne, auprès de sa mère mourante, à Trois-Rivières. Michaud était alors cloué au lit par un accès de fièvre.

Sur le chemin, un violent orage les avait surpris. Trempés jusqu'aux os, les deux jeunes gens avaient dû s'abriter dans une grange, le temps que la tempête se calme. John ne pouvait s'expliquer comment, mais ils s'étaient rapidement retrouvés nus et enlacés sur la paille, à faire l'amour...

Assise sur une chaise, une tasse de belle faïence française à la main, Marie-Anne sirotait son café en l'observant de ses grands yeux de biche. Elle était belle, la jeune veuve, et elle ne le savait que trop. Coquine, elle lui sourit, le nez dans le fumet réconfortant. Lorsqu'il avait frappé à sa porte et demandé l'asile pour son frère, ses compagnons et lui, elle lui avait ouvert les bras... et ses draps. Mais cela ne durerait pas; les bois l'appelaient. Il reviendrait probablement, si elle le voulait bien, mais il n'y aurait rien de plus.

Ses pensées retournèrent à Alexander. Il ne savait plus que faire. L'auriculaire gauche semblait irrémédiablement perdu. Il craignait l'amputation. Alexander avait beaucoup de fièvre et délirait. La décision lui revenait donc à lui.

***

Encore trois jours. Il n'avait plus le choix: le bout de doigt d'Alexander commençait à noircir, signe indubitable que la gangrène avait commencé son œuvre. Il avait chargé son compagnon de procéder à l'ablation, avec pour seul outil une hachette bien aiguisée. Cabanac était passé maître dans ce type d'intervention; il lui faisait confiance. On cautériserait ensuite la plaie au fer, et, avec de la chance, l'infection serait évitée.

Fuyant dans le petit salon, John but une gorgée de marc. L'alcool répandit une douce chaleur dans son estomac crispé et l'aida à se détendre. Marie-Anne, debout derrière lui, glissa ses bras autour de sa taille et les noua sur son abdomen tendu.

— Tout ira bien, Jean, murmura-t-elle contre son épaule. Ce n'est qu'un doigt, après tout! Et le plus inutile en plus! Il s'en remettra, tu verras.

John fit une moue où se mêlaient le dégoût et l'amertume. « Ce n'est qu'un doigt! » Il se demanda si la jeune femme aurait dit la même chose s'il s'était agi de son propre doigt. Tout à coup, un hurlement retentit dans toute la maison, à glacer le sang. John serra les dents jusqu'à en avoir mal aux mâchoires. Puis, libérant son air, il émit une sorte de sanglot en se versant un verre d'alcool. Il but d'un trait et déposa le récipient vide sur le bord de la fenêtre devant laquelle il était posté. Il regarda ses mains, tremblantes mais intactes.

***

Une écœurante odeur de chair brûlée persistait dans la pièce, plongeant John dans les souvenirs : Culloden ressurgissait du passé avec ses horreurs; jour d'enfer... Le jeune homme revoyait Alexander courant pieds nus sous la grêle, sur Drummossie Moor, brandissant bien haut son épée rouillée et hurlant à pleins poumons. « Stupide frère! » avait-il crié ce jour maudit. Si, pour une fois, Alexander avait écouté une autre voix que la sienne, tout aurait été différent, et leur père n'aurait pas eu besoin d'une troisième jambe pour se déplacer. « Stupide frère! » aurait cependant pu crier Alexander ce jour maudit. Si, pour une fois, lui-même avait écouté une autre voix que la sienne, tout aurait été différent, et leur mère serait peut-être encore en vie. Alexander avait toujours été son préféré. Sa disparition avait miné le peu de santé qu'il lui restait.

Les jours qui avaient suivi la bataille de Culloden, John avait rôdé aux abords de Drummossie Moor dans le but de retrouver Alexander. Des bûchers avaient été dressés. Affolé, il avait cherché son frère parmi les cadavres, sans succès. Alexander s'était volatilisé. L'avait-on déjà emporté? Pourtant, à l'endroit où il était tombé, les corps de ses compatriotes baignaient toujours dans la boue glacée. Il n'avait jamais élucidé ce mystère, et cela l'avait rongé. Il ne comprenait pas non plus pour quelle raison Alexander n'était jamais revenu à Glencoe. Cependant, il avait une petite idée... Mais que savait exactement son frère?

Le cœur étreint par le remords et un étrange sentiment de crainte, il étudia le visage d'Alexander. Il s'assit sur la chaise située à côté du lit. Son frère dormait d'un sommeil agité et transpirait abondamment.

— Tu n'as pas été lâche, Alas, commença John dans un murmure, c'est moi qui l'ai été. Tu étais le plus courageux de nous deux. J'étais jaloux de toi; je l'ai toujours été, je crois. Nous ne devions faire qu'un, et on nous a séparés, on nous a éloignés. On m'a refusé ce qu'on t'a donné à toi. Tu as eu droit à l'indulgence de grand-père Campbell, alors que moi, je ne pouvais jamais aller le voir. Tu n'as pas connu la disette, alors que nous, nous devions nous nourrir de racines indigestes qui nous donnaient des crampes. Tu dormais sur un matelas de plumes, dans une chambre chauffée, pendant que nous, nous dormions dans des grottes humides et froides. Tu as reçu une éducation et tu peux lire un roman, alors que moi, j'arrive tout juste à écrire mon nom et à déchiffrer quelques mots. Oui, je t'ai envié, Alas... Mais je n'ai jamais pu te haïr. Quoi que tu penses... je t'aime. Que s'est-il passé ce jour où grand-père Liam a été blessé mortellement? Tu n'as jamais plus été le même. Je n'ai jamais osé te demander pourquoi... Peut-être aurais-je dû? Cela aurait dissipé mes soupçons. D'un autre côté, je crois que je préférais ne pas savoir. Pourtant, si nous nous étions parlé, nous n'en serions probablement pas là aujourd'hui. Comme un imbécile, je me suis plu à croire que tu m'en voulais uniquement pour t'avoir empêché de porter secours à grand-père! Nous ne pouvions rien pour lui. Les soldats nous auraient réduits en charpie si nous étions intervenus... Mais aujourd'hui, je suis certain qu'autre chose te mine... quelque chose qui me concerne. Je crois que c'est pour cela que tu m'en veux tellement et que tu as fui le clan. Vois-tu... ce jour-là, Alas... j'espérais que seul Dieu fut témoin de ce qui s'était réellement produit sur Rannoch Moor... C'était... un accident. Bon sang! Nous n'étions que des enfants aveuglés par la vengeance!

Les paupières d'Alexander battirent et s'entrouvrirent, dévoilant un regard vitreux. La nuque raide, John se figea et arrêta de respirer. Les yeux bleus se posèrent sur lui. Il attendit et, le temps d'un battement de cils, crut voir une lueur particulière dans les yeux. Toutefois, aucune réaction. Les paupières se refermèrent.

John soupira. Il regarda le pansement sanguinolent qui emprisonnait la main gauche de son frère. La seule vue de la blessure le faisait souffrir. S'il avait pu échanger leurs mains, il l'aurait fait.

Fouillant dans sa besace, il en sortit un portrait : la miniature d'une femme. Les yeux, d'un bleu très clair cerclé de marine, étaient particulièrement bien réussis. John passa avec tristesse le doigt sur les angles du visage aimé qu'il avait maintes fois cherché à attirer vers lui. Puis, il déposa l'objet sur le lit, sous la main valide d'Alexander.

Fouillant de nouveau dans son sac, il en sortit un louis d'or, six livres françaises et dix sols. Il hésita. Si on trouvait autant d'argent sur un déserteur, on l'accuserait certainement de vol. À contrecœur, il garda le louis et glissa le reste dans le *sporran* de son frère qu'il reposa sur le plaid soigneusement plié.

Après avoir longuement réfléchi, il avait pris sa décision. À quoi cela servirait-il de soulever toute la poussière accumulée pendant des années ? Cela ne ferait que les aveugler davantage. Et puis, d'après l'attitude froide et distante dont Alexander ne s'était pas départi depuis leur rencontre sur le *Martello*, il était clair qu'il ne désirait plus le voir. Il devinait pourquoi et pouvait presque comprendre. Maintenant qu'il savait son frère sain et sauf et en sécurité, il pouvait partir pour le lac Témiscamingue. Il avait retardé son expédition assez longtemps ; les hommes s'impatientaient. Michel et Joseph avaient vérifié les trappes et tout l'équipement. Petit-Loup et son frère, Le Chrétien, s'étaient occupés des chiens. Lebarthe avait fait le plein de provisions et de munitions. Avec Cabanac, lui-même avait établi l'itinéraire des prochains mois. Bref, tout était prêt.

Demain, au lever du jour, après une dernière nuit dans les bras de la gentille Marie-Anne, il reprendrait la route. Leurs chemins, à Alexander et lui, se séparaient ici ; chacun reprendrait le cours de sa vie. Reverrait-il jamais son frère ? Il en doutait. Le cœur gros, il se pencha sur le blessé et l'embrassa sur la bouche. Puis, essuyant une larme, il fredonna :

— *Gleann mo ghaoil, is caomh leam gleann mo ghràidh, an gleann an Fhraoich bi daoine 'fuireach gu bràth... Beannachd, Alasdair*[103].

***

Les mains étaient douces et la chaleur de l'eau lui faisait du bien. La jeune femme épongea sa peau avec un linge propre. Ensuite, elle plongea un doigt dans un pot contenant une graisse verdâtre à l'odeur un peu âcre qu'elle étendit précautionneusement sur son

---

103. Ma douce vallée, j'aime ma vallée bien-aimée, dans cette vallée, le peuple de la bruyère vivra pour l'éternité… Adieu, Alexander.

moignon. Alexander la regarda faire en silence, comme il le faisait maintenant depuis dix jours. Il en profita pour contempler la ligne de la nuque dégagée, sur laquelle tombaient quelques folles mèches brunes, et les courbes de la gorge qui coulaient jusque dans les profondeurs du corsage qu'elle avait légèrement relâché.

— Voilà, conclut Marie-Anne en s'essuyant les mains sur la serviette, la guérison est en bonne voie. Vous avez eu de la chance de vous en sortir sans plus de mal, monsieur Alexander.

Pouvait-on appeler cela de la chance? Il repensa à la main de l'abbé O'Shea, à laquelle il manquait deux doigts. Enfin... il y avait pire que de perdre un doigt, c'était vrai. Malheureusement, cela n'allégeait pas le faix qui comprimait sa poitrine. Il aurait en fait préféré mourir dans la neige, s'endormir pour toujours. Mais, mystérieusement, la mort, comme la chance, le fuyait.

La femme, la tête penchée de côté, le regardait avec une expression curieuse. Elle avait piqué une fleur de soie de couleur vive sur son corsage, tout près de l'échancrure... pour attirer l'attention dessus, Alexander le devinait. Elle lui sourit, le détaillant sans gêne. Puis, elle se fit séductrice, bougeant ses lèvres en une moue sensuelle. Elle posa doucement ses mains fraîches sur le torse nu d'Alexander et plongea son regard violet dans le sien.

— C'est si étrange, vous vous ressemblez tant... J'en suis toute troublée.

— Vous l'aimez?

— Il aime les bois comme mon défunt mari. Je ne veux plus de cet amour-là qui me condamne à attendre des mois que mon homme revienne. Cela me tue.

— Y aurait-il un amour qui ne tue pas, madame?

Marie-Anne, qui avait senti l'amertume dans la voix d'Alexander, ne répondit rien. Quels que fussent les événements qu'il avait vécus, cet homme avait tiré de la vie une aussi triste leçon qu'elle. Elle préféra changer de sujet.

— Qu'allez-vous faire, maintenant?

— Repartir pour Québec, dès demain.

— Mais vous avez déserté! Ils vont...

— Me pendre? Je n'ai pas déserté.

— Ils s'en moqueront.

Baissant le regard sur les mains de la jeune femme posées sur son torse, Alexander réfléchit un moment. Il avait évalué ses chances d'être acquitté lorsqu'on le jugerait. Plus les jours passaient, plus elles lui paraissaient minces.

— Je dois prendre le risque. Je n'ai pas déserté. Si je me rends, peut-être qu'ils adouciront ma peine et me condamneront simplement au fouet...

— Vous pourriez rester ici. Jean reviendra au printemps...

— Non! Enfin, je... pardon. Il me reste un frère là-bas. Je dois le revoir et lui expliquer, vous comprenez? Il ne doit pas croire que je suis...

Elle hocha la tête de haut en bas, tout en fronçant les sourcils. En fait, elle ne comprenait qu'à moitié.

— Vous avez aussi laissé une amie, là-bas?

Un ange passa pendant qu'il examinait les motifs de la courte-pointe qui couvrait le bas de son corps.

— Non.

— Pas d'amie? murmura-t-elle avec langueur en scrutant les traits sombres d'Alexander.

Malgré la réponse négative, la jeune femme sentait qu'un cœur meurtri battait sous ses mains. Elle fit glisser ses doigts dans la douce toison, tirant l'homme de ses pensées. Il leva vers elle son visage qui lui était si familier, qu'elle aimait et ne reverrait que dans plusieurs mois.

– Et moi, je n'ai plus d'amoureux...

Elle effleura sa clavicule jusqu'à l'angle de son épaule. Cela bouleversa Alexander: Isabelle faisait le même geste. Il ne put s'empêcher de voir, en pensée, la jeune femme au bras de cet homme qui l'avait bousculé devant la maison de la rue Saint-Jean. Un notaire à la fortune bien établie, dont le nom était connu et respecté et qui possédait une place enviable dans cette fichue société... La rage s'empara alors de lui, remuant les rancœurs qui lui empoisonnaient la vie. D'un mouvement brusque, il repoussa la main légère sur son épaule. Surprise, Marie-Anne leva les yeux vers lui.

— Oh! fit-elle en rougissant, je croyais que...

Elle éloigna sa main, mais Alexander, qui éprouvait malgré lui du désir, la retint fermement.

— Je ne suis pas John.

— D'accord. Et moi, je ne suis pas... l'autre.

Ayant mis les choses au clair, ils se mesurèrent du regard. Puis, brusquement, leurs lèvres se soudèrent. Ils firent alors l'amour tantôt avec violence, tantôt avec tendresse, chacun plongé dans son abîme, cherchant à voir dans l'autre l'absent, revivant des sensations gardées en mémoire par leur peau et leur corps. Résurrection onirique sur laquelle ils fermaient les yeux avec une déchirante lucidité.

***

Munro dévala la rue des Pauvres et tourna au coin de la rue Saint-Nicolas. Manquant de glisser sur une plaque de glace, il repéra son cousin Coll et lui fit de grands signes. Voyant son air catastrophé, Coll accourut jusqu'à lui.

— Ils l'ont... ils l'ont... pris!

— Qui est-ce qu'ils ont pris? Qui? Alasdair? Ils ont trouvé Alas?

Hochant frénétiquement la tête, Munro acquiesça, ses gros yeux ronds roulant de frayeur dans ses orbites. Les deux soldats savaient bien ce qu'il risquait d'arriver à Alexander. N'en demandant pas plus, Coll suivit son cousin dans le dédale pentu des ruelles de Québec, jusqu'à la Grande Place. Une foule était rassemblée autour d'un *sleigh*[104] tiré par deux chevaux. À l'arrière, entravé par des chaînes, un homme gisait, la moitié du visage couverte de sang séché. Coll tenta de se frayer un passage, mais on le repoussa rudement.

— Alas! cria-t-il par-dessus la foule, Alasdair!

Alexander reconnut la voix de son frère et leva la tête. La chaîne cliqueta et résonna douloureusement dans son crâne. Il gémit. Se redressant légèrement, il réussit à repérer Coll. Il vit ses lèvres remuer, mais il n'arrivait pas à entendre à travers le bourdonnement. Puis, il lut le mot « pourquoi ». « Parce que c'est ce que j'ai choisi », lui répondit-il *in petto*. Il sourit. L'officier finissait de lire aux habitants les accusations qui seraient portées contre le prisonnier. Puis le *sleigh* repartit. On emmenait Alexander à la prison de l'intendance.

***

Les mains sous sa nuque, Alexander fixait une lézarde sur le mur d'en face. Il n'arrivait pas à dormir. Ses pensées allaient constamment vers John. Il ne cessait de penser aux dernières semaines, à ce qui s'était passé depuis qu'il s'était endormi dans la neige.

Au milieu de ses délires des premiers jours, après son sauvetage, il avait eu de fugaces instants de lucidité. Il avait alors senti un regard posé sur lui et une main rassurante sur sa peau meurtrie. Il ne savait pas encore qui le veillait, mais il était réconforté par la présence silencieuse. Puis, une voix s'était élevée dans le noir, et il avait reconnu John. Son frère avait fredonné le chant que tous deux avaient l'habitude de chanter ensemble, enfants, quand le soleil disparaissait derrière les montagnes et parait leur vallée d'or. Au cours de ces heures de veille, ils n'avaient échangé aucune parole.

---

104. Traîneau d'hiver.

Mais le courant était passé entre eux, il l'avait senti... comme autrefois. Cela avait fait surgir en lui des bribes de souvenirs de leur complicité et de leurs jeux d'antan.

Chacun étant une copie conforme de l'autre, combien de fois, enfants, s'étaient-ils amusés à confondre les gens, se faisant passer l'un pour l'autre? Cela leur était facile: les mécanismes de leurs pensées étaient les mêmes; tout se faisait naturellement. Puis, le lien s'était rompu. Depuis quand et pourquoi? Il ne le savait plus exactement... Depuis la mort de grand-père Liam, peut-être? Oui, certainement, leurs rapports s'étaient modifiés à partir de ce jour-là. Mais était-ce vraiment pour les raisons qu'il croyait?

John s'en était allé avant qu'il ait pu lui parler. Cela aurait dû le conforter dans sa thèse que son frère lui en voulait toujours. Cependant, quelque chose ne collait pas: pourquoi John lui avait-il sauvé la vie, alors qu'il pouvait simplement l'abandonner là pour que la nature parachève son fratricide avorté? Peut-être avait-il besoin que la vengeance s'accomplît dans le sang.

Il avait l'impression que John l'avait fui comme lui avait fui John. Il avait senti chez son frère une profonde tristesse. Quelle en était la cause? Avait-il des remords? Il aurait aimé savoir ce que John avait vu le jour de la mort de grand-père Liam. Il aurait aussi aimé savoir ce qui s'était réellement passé sur la plaine de Drummossie Moor. Étrangement, le comportement de John démentait tout ce qu'il avait toujours cru.

Un horrible doute montait en lui, remettait tout en question. Et s'il s'était trompé? S'il avait gâché sa vie en s'imaginant des choses, en pensant qu'on lui en voulait? S'il s'était lui-même créé des monstres, des peurs, des obstacles? Ses doigts s'étaient crispés sur la chair de son cou et ses yeux, agrandis par l'horreur de sa découverte, n'avaient pas quitté la lézarde.

Des voix et des pas le tirèrent de sa stupeur. Il se tourna vers la porte. Un cliquetis métallique résonna dans la cellule froide et obscure. Il y eut un grincement, puis la porte s'ouvrit. Deux hommes, dont l'un portait une chaise, pénétrèrent avec la pâle lumière de leurs flambeaux. Le garde sortit, laissant le visiteur avec Alexander.

La haute silhouette demeura immobile pendant un long moment. Le cuir des bottes et les boutons dorés de la veste luisaient faiblement. Un reflet cuivré auréolait le visage resté dans l'ombre. Alexander plissa les yeux et se redressa sur sa misérable couche.

— Capitaine Campbell?

L'officier se racla la gorge, signe de son embarras.

— Je suis venu ici en tant que membre de votre famille,

Alexander. En ami, si vous préférez. Archie Roy, vous vous souvenez?

Alexander s'assit sur le bord de la paillasse.

— Archie Roy...

Archibald Campbell s'assit sur la chaise et dévisagea son neveu. Les mots lui manquaient. Son cœur empli de chagrin tambourinait dans sa poitrine; il voulait hurler. Il s'était promis d'oublier l'uniforme qu'il portait. Mais l'habitude régissait depuis tellement longtemps ses gestes les plus anodins... Il se força néanmoins à adopter une posture détendue en croisant ses jambes allongées devant lui.

— Comment va votre main?

— Mieux.

— On vous traite bien?

— Si on veut.

— Et la nuit, vous avez froid?

— Ça peut aller.

— Hum...

Archie décroisa ses chevilles et les croisa dans l'autre sens. La chaise grinça.

— J'ai pris connaissance du rapport du lieutenant Rose, Alex. Je ne sais que dire...

Mal à l'aise, il se tut un moment. Puis, il reprit d'une voix mal assurée :

— J'aimerais entendre de votre bouche que vous avez vraiment voulu déserter. Alex, je sais que la vie dans l'armée n'est pas facile. Je sais aussi pour... cette femme que vous fréquentiez, et j'en suis sincèrement attristé. Je ne sais pas ce qui s'est passé, mais... je me demande si vous avez choisi de déserter.

Alexander observait son oncle dans la pénombre brumeuse de l'endroit éclairé par la seule lueur du flambeau. Archie le connaissait bien. Cela ne servirait à rien de lui mentir.

— Pour être franc, Archie, je ne sais pas comment je me suis retrouvé là-bas. Je me suis tout simplement réveillé dans une carriole, à Sainte-Anne-de-la-Pérade. Que puis-je vous dire d'autre? J'ai bien tenté de leur expliquer, mais... ils ne m'ont pas cru.

— Non... en effet. Avouez qu'il y a de quoi douter! Malgré tout, je vous suggère de faire une déposition, de raconter tout ce dont vous vous souvenez. Vous n'avez vraiment pas la moindre idée de la façon dont vous avez pu arriver dans cette carriole?

— Non.

— Et pendant la soirée qui a précédé cet événement désolant, où vous trouviez-vous et avec qui?

La première image qui vint à l'esprit d'Alexander fut celle de la croupe bien rebondie d'Émilie... Il sourit. Ensuite, il se rappela sa défaite aux dés. Mais cela ne l'aidait en rien à comprendre.

— J'ai passé la soirée à jouer au Lapin qui court. Je crois que j'ai un peu trop bu...

— Hum... grogna Archie avec agacement, en décroisant de nouveau les jambes. Alex, votre feuille de route n'est pas jolie jolie. Votre comportement pendant les semaines qui ont précédé votre... disparition pèsera lourd lors de votre procès. Il me faudrait quelque chose de mieux pour vous disculper. Sinon...

— Je sais. Mais je n'ai rien d'autre, dit Alexander d'une voix basse.

— J'irai interroger les serveuses de l'établissement. Peut-être que l'une d'elles pourrait m'apporter un détail qui nous aiderait à élucider le mystère... Avez-vous quitté le cabaret seul? Le couvre-feu avait-il été annoncé?

— Je ne sais plus, Archie! Je ne me souviens de rien!

Alexander resta un moment silencieux, le regard perdu dans la paille qui jonchait le sol. Puis, un rire lui monta à la gorge.

— Je suppose qu'être pendu pour désertion n'est pas ce qu'on peut appeler une noble mort. Mais, au moins, je suis resté honnête. J'aurais pu ne pas revenir, vous savez.

Le silence retomba, lourd. Une porte grinça et le bruit métallique d'un verrou résonna au loin. Puis, le martèlement des bottes des gardiens, qui parlaient à voix basse, s'éloigna.

— Que ferez-vous quand la guerre sera finie, Archie? demanda Alexander de but en blanc pour orienter la discussion sur un autre sujet.

Dans un craquement de bois, Archie se pencha sur sa chaise et posa ses coudes sur ses genoux. Le regard clair qui le fixait rappelait à Alexander la miniature de sa mère, qu'il avait trouvée à son réveil, le lendemain de son amputation. Cela lui faisait penser du même coup à John.

— Je ne sais pas encore. Ici, la terre est bonne et donne un bon rendement à celui qui la respecte. Peut-être déposerai-je une requête pour en obtenir une parcelle. On dit que le climat est plus agréable dans la région de la baie des Chaleurs qu'à Québec. J'aimerais conserver ma charge militaire. L'Angleterre ne retirera pas toutes ses troupes. Elle laissera une garnison pour assurer la protection du pays et pour construire de nouvelles routes. Il reste du travail pour moi ici. Mon frère John s'occupe de Glenlyon; David est médecin en Jamaïque. Rien ne me rappelle en Écosse, vraiment.

— Pas même une femme?

— Pas même une femme.

Archie ouvrit à nouveau la bouche pour demander à son tour à Alexander ce qu'il ferait, lui. Mais, se rendant compte de l'absurdité de la question, il la referma dans un claquement de dents et baissa les yeux sur ses mains qu'il avait nouées ensemble.

— Moi, commença Alexander comme s'il avait entendu la question, je crois que je ferais la même chose. Pourquoi retourner en Écosse? Vous vous souvenez, Archie, de ces jours de congé que nous passions, couchés sur la lande, à discourir de la façon dont nous nous y prendrions pour libérer la patrie? Hum... si nous savions à ce moment-là qu'être écossais était déjà un mal en soi, nous oubliions cependant qu'avoir du sang highlander était une malédiction...

Il ricana, cynique.

— À moins d'arriver à faire pousser de la laine sur notre dos, dites-moi ce qui nous pousserait à retrouver notre lande natale... où la faim et la maladie ne feront que nous achever?

Archie dévisagea son neveu d'un air indéchiffrable. Puis, ses lèvres se pincèrent en un rictus amer. Il se leva d'un bond.

— Par tous les saints! gronda-t-il en envoyant un coup de pied dans la chaise qui avait basculé. Pourquoi? J'avais fait la promesse... Oh, Seigneur!

Alexander leva la tête.

— La promesse? Quelle promesse? À qui?

— À Marion, laissa tomber Archie d'une voix ténue. J'ai promis à votre mère, sur son lit de mort, de vous retrouver et de vous ramener chez vous. Elle n'a jamais voulu croire à votre mort. Vous savez, elle avait le don de vue. Elle savait que vous viviez, Alex, et elle en a terriblement souffert. Que vous ne lui soyez jamais revenu...

Un hoquet s'échappa de la poitrine crispée d'Alexander. Le jeune homme avait l'impression qu'une chape de plomb lui tombait dessus et lui faisait courber l'échine.

— Oh, bon Dieu!

Le silence retomba dans la petite cellule nauséabonde.

— Je ne peux plus rien pour vous, mon ami, mon frère. Il faut maintenant s'en remettre au tribunal et à Dieu.

— Vous n'avez rien à vous reprocher, Archie Roy. Je ne suis plus un gamin.

— Oui, je le sais. Ça, je le sais... Voudriez-vous quelque chose? Enfin, auriez-vous une requête spéciale à m'adresser? C'est malheureusement tout ce que je peux vous offrir.

— De quoi écrire. Pouvez-vous me procurer cela?

— Bien sûr. Autre chose? Une femme, peut-être?

— Je voudrais revoir mon frère Coll…

— Oui, bien sûr. Je le ferai venir, Alexander.

— Merci. C'est tout.

— Bon…

S'approchant, Archie posa la main sur l'épaule de son neveu. Tout ému, Alexander la prit et la serra fortement.

— Vous aurez été mon plus grand et mon meilleur ami, Archie.

— Vous aussi, Alexander Colin Macdonald.

***

Le 5 février 1761 eut lieu le procès d'Alexander Macdonald, soldat du 78e régiment highlander de Sa Majesté, arrêté pour désertion. L'accusé plaida non coupable.

Comme l'avait prédit Archibald, bien que l'accusé se fût rendu de lui-même aux autorités, bien qu'il fût en état d'ivresse avancée au moment de sa désertion et malgré le fait que c'était sa blessure qui l'avait empêché de revenir plus tôt se rapporter à son capitaine, la preuve déposée devant le tribunal, qui s'appuyait notamment sur le comportement rebelle de l'accusé avant sa désertion, était accablante. Suivant l'article 1er de la 6e section des *Articles de guerre*, on condamna donc l'accusé à la pendaison. La sentence serait exécutée quatre jours plus tard.

Archibald, blanc comme la mort, chercha le regard d'Alexander, qui se réfugiait derrière ses paupières. Il croisa celui de Coll, affolé. Il avait l'impression qu'il allait défaillir et s'accrochait à sa chaise. Il avait envie de crier: ils allaient pendre le fils de Marion, celui qu'il avait toujours considéré comme son petit frère!

Il avait tout fait pour empêcher cela. Il avait interrogé deux serveuses et le propriétaire du Lapin qui court, les compagnons de chambre d'Alexander et quelques habitués du cabaret. Mais les informations recueillies avaient juste confirmé ce que le jeune homme avait déjà déclaré. Archibald n'avait rien appris de nouveau.

Une voix lui parvenait faiblement, l'extirpant lentement de sa morne réflexion. Un sergent l'interpellait: quelqu'un demandait à lui parler.

— Qui?

— Une certaine Émilie Allaire, monsieur.

— Qu'elle revienne un autre jour! Je n'ai pas la tête à recevoir…

— Elle dit que c'est important. Elle…

Archibald, furieux, se retourna vivement vers son subordonné.

— Un autre jour, sergent Robertson! Est-ce clair?

— Elle affirme être serveuse au Lapin qui court, monsieur. Elle était absente le jour où vous avez mené votre enquête.

Jetant un œil derrière le sergent, Archie vit, dans l'embrasure de la porte, une petite femme qui regardait dans leur direction. Elle lui parut vaguement familière. Bah! Peut-être l'avait-il croisée quelque part en rendant visite à l'un de ses officiers, dans sa chambre. Elle lui sourit et fit une petite révérence. Cela lui revint alors comme un boulet de canon: Alexander... c'était la maîtresse d'Alexander.

— C'est elle?

Robertson suivit son regard et acquiesça.

— Conduisez-la immédiatement dans mon bureau, sergent. Je l'y rejoins. Et priez Dieu que ce ne soit pas en vain.

***

La porte se referma derrière Coll, qui resta immobile au milieu de la cellule. Les deux frères se dévisagèrent un moment sans rien dire. Alexander affichait un air imperturbable, ce qui augmenta le malaise de Coll.

— Tu voulais me voir?

Il n'avait rien trouvé de mieux pour commencer.

— Oui. Je voudrais que tu me rendes un service.

Fouillant sous sa pauvre paillasse, il en sortit quelques lettres et les lui tendit.

— C'est pour père et John. J'aimerais que tu les leur remettes.

— Mais John est...

— Il est vivant, Coll.

Coll sursauta tout en laissant échapper un hoquet de surprise. Alexander sortit alors de son *sporran* la miniature que son jumeau lui avait donnée avant de se sauver et qu'on lui avait permis de garder sur lui.

— Le hasard, la Providence a fait en sorte que nos chemins se croisent encore. Je n'ai pas envie d'entrer dans les détails, mais je peux te dire que le revoir m'a... d'une certaine façon ouvert les yeux. Il y a aussi une lettre pour toi, Coll. Tu sauras tout après en avoir pris connaissance.

Il se leva et fit quelques pas dans la pièce exiguë. Puis, se tournant vers son frère qui n'avait pas bougé d'un poil et l'observait d'un air éberlué, il lui tendit la miniature.

— Alas... souffla Coll, incrédule devant le visage souriant de leur mère. Comment?... Je me souviens de ce portrait. C'est John qui l'a peint!

— John? Je ne le savais pas.

— Il fait avec un pinceau ce que toi tu arrives à faire avec un canif. Ce portrait, il l'a exécuté l'été avant que notre mère meure.

Ils n'avaient jamais abordé ensemble la mort de Marion depuis leur rencontre sur le *Martello*. Ils avaient en fait tous les deux soigneusement évité le sujet, comme s'il recelait un terrible secret que ni l'un ni l'autre ne voulaient évoquer.

— Elle a... beaucoup souffert?

— Difficile à dire. Elle a traîné sa souffrance physique pendant tant d'années que je suppose qu'elle s'y était habituée en quelque sorte. Mais, après Culloden, son regard ne brillait plus comme avant. On aurait dit que la vie l'avait quittée avant même que la mort ne la prenne.

— À... cause de moi?

Après un moment d'hésitation, Coll hocha la tête, trop ému pour répondre. Il rendit le portrait à Alexander, qui l'examina avec un œil nouveau.

— John a su lui rendre la vie sur ce portrait. Avant de quitter Glencoe, il en a fait un double pour père.

Duncan, leur père... Alexander plongea dans ses souvenirs et, fermant les paupières, chercha à retrouver son visage.

— Je n'ai jamais voulu vous blesser, tu sais. Je ne me suis jamais rendu compte qu'en bousillant ma vie je faisais aussi le malheur des autres. Je ne peux rien réparer; je n'ai pas le temps de faire quoi que ce soit pour me racheter... Je ne peux que tenter d'expliquer les raisons qui m'ont tenu éloigné de vous, du moins au départ... Je souhaite que père comprenne et qu'il réussisse à me pardonner, un jour.

— Il l'a déjà fait, Alas.

— Peut-être, marmonna Alexander en se détournant pour cacher ses larmes. Promets-moi de retrouver John!

— Je ne peux que te promettre d'essayer. Le pays est vaste et peut-être, comme toi, ne désire-t-il pas qu'on le retrouve...

— Oui... Dis à Munro...

Les mots refusaient de sortir.

— Tu lui manqueras, Alas. À moi aussi, *a bhràthair*...

— Si un jour... tu vois Isabelle... dis-lui...

Il y eut un long silence. Puis Alexander poussa un profond soupir. Isabelle... son ange, sa folie, son plus gros regret. Les femmes qui avaient tenu sa main à un moment ou à un autre, sur le chemin tortueux de sa vie, avaient été des balises qui l'avaient empêché de s'égarer. Isabelle, elle, était le phare vers lequel ce chemin l'avait conduit. En la perdant, il avait l'impression d'avoir perdu ses sens, ses désirs... Il ne saurait jamais la vérité. Il n'arrivait pas à croire qu'elle ait pu lui mentir tout ce temps, sans qu'il s'en rende compte. Coll attendait toujours qu'il parle.

— Non, ne lui dis rien... C'est bon. Adieu, Coll... Je t'aime.

— Bon Dieu, Alas!

Les deux frères s'étreignirent une dernière fois, refoulant leurs sanglots avec difficulté. Lorsqu'il fut de nouveau seul, Alexander s'abandonna sans honte au chagrin qui l'oppressait. La mort, qui semblait l'avoir toujours accompagné pendant toutes ces années, ne lui faisait plus peur. Cependant, une petite partie de lui-même voulait encore vivre et appelait la clémence divine.

***

La roue du temps semblait avoir cessé de tourner en cette matinée du lundi 9 février. Le vent retenait son souffle au-dessus du gibet dressé sur la place du Marché. Sous un ciel lourd de neige, une foule nombreuse s'était rassemblée. On pendait un Anglais. Certains y prendraient plaisir. D'autres prieraient pour le condamné. Une rumeur circulait au sujet de l'homme, suscitant chez les gens de la pitié pour lui: mort de chagrin, le pauvre aurait cherché à rejoindre la femme qu'il aimait et qui l'aurait quitté. Ainsi naissaient les légendes et mouraient les héros.

Apaisé par la certitude que son calvaire se terminerait bientôt, Alexander gravit les marches avec un calme déconcertant, au rythme des funèbres roulements des tambours. En haut l'attendaient le bourreau et un prêtre. Rapidement, il parcourut la foule du regard, cherchant la tête flamboyante de Coll. Il ne la vit pas et en fut d'une certaine façon soulagé. Il était sûr, cependant, que son frère était là, quelque part.

Tandis que l'homme de Dieu, sa bible entre ses mains rouges de froid, cherchait à réconforter son âme, il laissa son esprit errer et rejoindre les vertes collines de Glencoe. Bientôt, les bras réconfortants de sa mère l'accueilleraient. La pendaison ne serait qu'un mauvais moment à passer... Puis, il vit le visage souriant d'Isabelle et paniqua. Il aurait voulu revoir la jeune femme une dernière fois... humer son odeur, sentir la douceur de sa peau, de ses cheveux...

— ... *In nomine patris, et filii, et spiritus sancti, amen.*

– *Amen.*

Le bourreau lui banda les yeux et lui passa la corde autour du cou. Le lien, avec ses regrets, pesait lourd sur ses épaules et se resserrait. Il déglutit tout en gardant la tête haute. Ne pas faillir, ne pas laisser les genoux fléchir. Il était *Alasdair Cailean MacDhòmhnuill* et il se tiendrait debout jusqu'à la fin, face à son destin. C'est ce qu'aurait voulu son père; c'est ce qui l'aurait rendu fier.

Roulement de tambour...

***

— Buvez-moi ça, lui ordonna la jeune Élise en lui tendant une tasse fumante d'infusion de jusquiame et d'anthémis. Cela vous fera du bien.

Isabelle foudroya sa femme de chambre du regard. Elle lui aurait volontiers arraché ses yeux globuleux cernés de bleu, à cette chouette imbécile! En fait, elle aurait arraché tous les yeux posés sur elle en ce moment même si elle l'avait pu. Mais une forte contraction arrivait, et elle se concentra sur la douleur, cette douleur qui ne la quittait plus depuis bientôt vingt heures.

Debout dans un coin, la petite Marie la regardait, apeurée. La Sauvagesse ne bougeait que lorsqu'on s'adressait à elle. Des accouchements, elle en avait vu plusieurs. Mais celui-ci...

— Rajoute une bûche sur les braises! lui lança rudement la sage-femme en essuyant son front en sueur. Ensuite, tu iras à la cuisine remettre une marmite d'eau sur le feu.

Marie plaça une bûche d'érable dans l'âtre. Puis, elle recula, se heurta à la commode et sortit en courant de la chambre surchauffée. Voyant que la Sauvagesse avait obéi et que la contraction de la parturiente était passée, la grosse matrone soupira bruyamment et replongea sa main copieusement enduite de graisse dans le ventre rond. Isabelle poussa un horrible cri. Madeleine, pâle à mourir, se mordit la lèvre pour se retenir de l'imiter.

— Ôtez vos sales pattes de là! hurla Isabelle en se tortillant de douleur.

— Le p'tit se présente par le siège, madame. Il faut le retourner!

— Mais ça fait trois heures que vous essayez! intervint Madeleine, qui n'en pouvait plus de voir souffrir sa cousine.

— C'est qu'il faut placer ses jambes! Dites-moi pas comment faire mon travail, mademoiselle Madeleine!

Après un moment, elle retira son bras ensanglanté d'un air satisfait puis appuya sur le ventre pour maintenir le corps de l'enfant dans la position voulue.

— Voilà! fit-elle dans un nouveau soupir. Il passe ou ben il passe pas. On verra ben. C'est qu'elle est ben étroite, la p'tite!

Mordant dans le drap déjà trempé, Isabelle ferma les yeux sur les visions d'horreur qui l'assaillaient.

— Non, vous ne découperez pas mon bébé en morceaux... sanglota-t-elle. Vous ne découperez pas mon bébé... Je veux mourir avec lui... Oh! Mado, ne la laisse pas faire ça... pas comme ils ont fait au bébé de Françoise!

Épongeant le front luisant d'Isabelle, Madeleine lui chuchota des paroles rassurantes, bien qu'elle-même se sentît aussi inquiète que sa cousine. Elle jeta un œil vers la sage-femme pour avoir une idée du pronostic. Mais la matrone s'affairait et n'avait guère le temps de se soucier d'autre chose que de ce qu'elle devait faire pour sortir le bébé. Une nouvelle contraction s'annonça, et Isabelle enfonça en grondant ses ongles dans le bras déjà bien labouré de Madeleine.

— C'est bon, vous pouvez pousser! C'est ça... Encore! Les fesses sont engagées... Oui, encore un peu...

— Salaud d'Écossais! cria alors Isabelle en tombant lourdement sur son champ de bataille. Va pourrir en enfer, Alexander!

La sage-femme leva un regard éberlué vers la parturiente, puis vers Madeleine.

***

Accroupi dans un coin, la tête dans les mains, Coll pleurait en silence. Les tambours résonnaient sur les murs de pierres de la place du Marché et l'agitation de la foule venue assister à la mise à mort de son frère lui transperçait le cœur. Il n'avait pas la force de se lever et de regarder. Comment allait-il expliquer à son père? Comment allait-il retrouver John et lui raconter?

Le portrait de Marion reposait sur ses genoux. Elle le fixait, triste et heureuse à la fois. Leur mère allait enfin retrouver son fils qu'elle avait tant pleuré... Coll avait lu la lettre d'Alexander. Son frère avait passé sa vie à croire que son jumeau voulait l'occire! C'était impensable! John n'aurait jamais fait une chose pareille! Jamais!

— Oh, maman... prends-le avec toi et réconforte-le... Il en a tant besoin!

Toute cette souffrance, toute cette amertume. L'esprit d'Alexander était tourmenté au point que la mort était une délivrance. Tout cela pour une terrible méprise, tellement bête... Oh, mon Dieu! Venez-lui en aide et donnez-lui la paix!

***

Assis à son bureau, Pierre Larue fixait le cognac qu'il faisait tournoyer dans un verre devant lui. D'où il était, il pouvait entendre les cris de sa femme, les injures et les mots grossiers qu'elle lançait. Ses doigts se crispaient sur l'accoudoir du fauteuil. Il ferma les paupières.

L'alcool lui brûla la langue, la gorge et l'estomac comme une coulée d'acide. Une grimace déforma ses traits déjà torturés par la douleur de l'âme. Il désirait tant cet enfant et trouvait la mère tellement ravissante... Il était fou de joie. Jamais le notaire n'aurait imaginé que sa vie pût prendre un cours si inattendu en acceptant de s'occuper de la succession du marchand Lacroix. Il était tombé amoureux d'Isabelle si rapidement que son cœur volage en avait sur-le-champ cessé de folâtrer d'une femme à l'autre!

D'une certaine façon, il savait qu'il avait été attiré dans ce mariage par la ruse d'une veuve qui ne désirait qu'étouffer les rumeurs, malheureusement fondées, qui couraient sur sa fille. La dame avait eu l'intelligence de bien l'appâter avant de lui avouer la vérité: Isabelle avait été séduite par un Écossais qui avait déguerpi avec les troupes de Murray. Cette nouvelle l'avait terriblement choqué, et il lui avait fallu réfléchir quelques semaines. Mais les sentiments avaient pris le pas sur la raison. Il était retourné rue Saint-Jean demander à la veuve la main de la jeune femme.

Il avait cru que l'abattement d'Isabelle était dû à son état. Mais il découvrait maintenant qu'il était le résultat d'une profonde affliction causée par l'abandon de ce Macdonald. Cette prise de conscience jetait une ombre sur son bonheur. Aujourd'hui, Isabelle maudissait celui qui l'avait séduite. Mais demain, lorsqu'elle aurait oublié les douleurs de l'enfantement, qu'en serait-il? Il ne voulait pas la partager avec cet Écossais, ne fût-ce qu'en souvenirs. Il fallait qu'elle oublie. Il apprivoiserait sa femme, la cajolerait, la couvrirait de trésors. Il était prêt à tout pour lui faire oublier ce soldat...

Haletante, Isabelle se redressa dans le lit, le corps comme scindé en deux par la douleur. Elle n'en pouvait plus! Débitant une nouvelle brochette de mots grossiers, elle sentit la nouvelle contraction lui déchirer le ventre. Soit! Qu'on lui arrache cet enfant de malheur des entrailles, et qu'on en finisse!

— Encore un coup, madame, l'encourageait la sage-femme de sa voix de ténor. Il va passer, oui... Oui, c'est ça... Encore...

Isabelle grondait sous l'effort, tandis que la grosse main lui tripotait le ventre sans ménagement. La douleur était devenue insoutenable, et elle avait envie de se débarrasser de cette femme, de tout balayer, de tout casser autour d'elle. Jamais elle n'avait connu pire souffrance physique.

— J'espère que tu brûles déjà en enfer, Alexander Macdonald, et que tu souffres autant que moi! s'écria-t-elle d'une voix éraillée par l'épuisement.

Madeleine lui décollait des mèches de cheveux des joues. La sage-femme poussait sur son ventre. « Elle va tuer l'enfant! Elle va me tuer! Mon Dieu, aidez-moi! » Elle qui croyait avoir passé le pire eut le souffle coupé par une déchirure atroce. S'arc-boutant en hurlant pour se dégager de la main de son bourreau, elle sentit son esprit se brouiller doucement.

— Mado... Mado... souffla-t-elle, à bout de forces. Je n'y arriverai pas... je n'en peux plus... J'ai trop mal!

— Isa, c'est presque fini, tu vas avoir...

— Bonté divine! jura la matrone en tirant de plus belle sur le nourrisson. Il va sortir ou ben... Voilà!

Comme un bouchon bien enfoncé qui saute, l'enfant s'extirpa de son passage étroit dans un bruit de succion.

— Oh, mon Dieu! Qu'est-ce qui se passe?! s'exclama Madeleine en fixant la mare de sang qui se formait entre les cuisses d'Isabelle.

La jeune femme ne gémissait plus que faiblement. Toujours aussi maîtresse d'elle-même, la sage-femme retira le mucus de la gorge de l'enfant, qui vagit aussitôt à pleins poumons. Elle coupa le cordon et le noua, puis emmaillota solidement le bébé dans une couverture qui avait chauffé devant le feu. Madeleine, que la panique gagnait devant le flux de sang qui sortait du corps de sa cousine, s'empara d'un drap qu'elle déchira pour en faire un tampon.

— Mais elle va se vider! Faites quelque chose!

— C'est un beau gros garçon, annonça la sage-femme avec un sourire satisfait.

Puis, elle arracha prestement le drap des mains de Madeleine, l'imbiba généreusement de vinaigre et le fourra entre les cuisses d'Isabelle, qui glissait doucement dans l'inconscience.

— Plaise à Dieu qu'elle vive ou non. Lui seul décide.

Du coin de l'œil, elle examina le poupon joufflu à la tignasse aussi rouge qu'un feu de la Saint-Jean. Elle n'avait plus aucun doute sur l'identité du père. La parturiente avait honni le nom d'un certain Macdonald, un Écossais. Or les Écossais n'arboraient-ils pas des chevelures flamboyantes? « Encore un enfant conçu dans le péché, pensa-t-elle avec amertume. Ces damnés Anglais souillent le ventre de nos filles! Dieu décidera si la femme doit expier sa faute... »

***

Les tambours se turent d'un coup, les oiseaux aussi. Alexander n'entendait plus que la rumeur de la foule et les battements de son cœur. Les derniers, pensa-t-il. L'ultime image qui traversa son esprit au moment où il sentit la trappe s'ouvrir sous ses pieds fut celle d'Isabelle riant en courant dans sa verte vallée. Elle se retournait pour le regarder de ses yeux pétillants, lui offrant ce beau sourire qui avait éclairé l'obscurité de son existence...

— Arrêtez tout! hurla une voix. Arrêtez! Ordre du gouverneur Murray!

Le choc fut foudroyant: son corps s'étira, ses vertèbres se dessoudèrent. Cherchant instinctivement à retrouver l'appui du sol, il battit frénétiquement l'air avec ses jambes. La corde lui entaillait la peau du cou, la brûlait. Il suffoquait. « NON, JE NE VEUX PAS MOURIR! » criait-il dans sa tête. Mais aucun son ne parvenait à sortir de sa gorge étranglée, comme aucune bouffée d'air ne pouvait y entrer. Son cou ne s'étant pas rompu, il mourrait asphyxié...

— Putain de merde! Coupez-moi cette corde!

Des mains s'emparaient de son corps, le soulevaient, le secouaient. L'air, miraculeusement, pénétra enfin dans ses poumons et les gonfla de vie. Il prit plusieurs bonnes goulées, s'étouffant.

— Alexander, vous m'entendez? Alex!

On lui retira son bandeau. Une silhouette, qui semblait descendre du ciel laiteux, se pencha sur lui. On tâta son cou et sa poitrine.

— Alexander, répondez-moi, nom de Dieu!

Un regard clair, implorant, le fixait avec inquiétude. Un court instant, il crut sa mère près de lui.

— Arrr... chie.

Le nom sortit à peine de sa gorge blessée. Il leva une main tremblante et agrippa la veste de son oncle, qui lui présentait un document estampillé du sceau du gouverneur de Québec.

— Alexander, vous avez été gracié! Murray vous a acquitté; Macpherson et Fletcher ont tout avoué. Vous entendez? Vous êtes libéré!

Le jeune homme hocha la tête et referma les paupières sur les larmes qui ne venaient pas. Dieu merci, il était vivant! Mais pas libéré, non...

***

Les doigts mouillés de Marie s'agitaient au-dessus de la chemise. De plusieurs chiquenaudes, elle aspergeait le tissu de minuscules gouttelettes d'eau qu'elle faisait ensuite grésiller sous le fer chaud. Isabelle la regardait faire, sans vraiment la voir. Son esprit était ailleurs.

Justine et Madeleine donnaient la réplique à Ti'Paul dans la lecture d'une fable de La Fontaine. Cela non plus n'atteignait pas le cerveau d'Isabelle. La jeune mère n'entendait que les bruits que faisait en tétant le nourrisson accroché au gros sein de la nourrice, qui fredonnait doucement. Par terre, dans un berceau d'érable, attendait un autre bébé.

Son enfant, emmailloté, gesticulait : Gabriel... Deux jours après l'accouchement, Madeleine l'avait pressée de se décider pour lui trouver un prénom. « Si tu ne lui en donnes pas un, Isa, je devrai le faire moi-même ! » Le prêtre attendait pour baptiser le garçonnet. Ce n'était pas raisonnable de laisser une pauvre âme innocente à la merci du malin !

Se désintéressant de l'enfant comme de tout, Isabelle ne s'était pas préoccupée de cela. Pierre avait émis le désir que l'enfant porte le même prénom que lui. Mais Isabelle, par esprit de contradiction, avait refusé. Elle avait prétexté que ce serait agaçant, à la longue, de vivre avec deux personnes portant le même nom. Cela pourrait provoquer des quiproquos dans la maisonnée.

Elle avait d'abord pensé à Charles, puis à Hubert. Mais le souvenir de la promesse de son père non respectée l'en avait dissuadée. Évidemment, Alexandre ou Alex était hors de question. Pierre avait proposé le prénom de son père, Joachim. Isabelle avait grimacé. Puis, au fil de ses réflexions et hésitations, elle était tombée sur Gabriel. Que le nom de la rue où l'enfant avait vu le jour fût son inspiration pouvait paraître curieux. Mais elle pouvait toujours prétexter que c'était l'archange qui le lui avait soufflé. Quoi qu'il en fût, le prénom sonnait plutôt bien et n'évoquait rien de désagréable en elle. Gabriel, comme l'archange. Alors, soit ! Le lendemain, l'enfant avait enfin été baptisé, selon les rites de l'Église catholique : Joseph Gabriel Charles Larue.

Un mois s'était écoulé depuis. Isabelle se remettait lentement de l'accouchement, qui avait failli lui coûter la vie. Elle ne gardait que des souvenirs flous et douloureux des derniers instants. Elle se rappelait vaguement les vagissements de Gabriel et les cris de Madeleine. Puis, elle se souvenait que Pierre était venu la voir, le

573

lendemain seulement, en colère. Oui, il avait vu l'enfant, fort et vigoureux, qui se portait à merveille. Oui, il était fier d'avoir un fils... Mais...: « Aujourd'hui, je présume que toute la populace de La Prairie à Verchères sait qui est véritablement le père! » s'était-il écrié avec une froideur qu'elle ne lui connaissait pas. Isabelle n'en avait cure. De toute façon, la chevelure flamboyante de Gabriel indiquait à elle seule d'où venait le bébé.

Un geignement la ramena au berceau qui oscillait. Madame Chicoine y jeta aussi un coup d'œil, tout en tapotant le derrière de son propre fils, dont le rot sonore interrompit Madeleine. Cette dernière se tourna vers la source du bruit. Puis, du coin de l'œil, elle guetta la réaction de sa cousine lorsque la nourrice déposa le petit pour prendre l'autre garçon qui réclamait sa ration à grands cris.

Isabelle observait la scène avec une indifférence affichée qui pinça le cœur de Madeleine. Comment une mère pouvait-elle demeurer si froide en entendant les cris de son bébé? Qu'une autre femme donne le sein au garçonnet passait; prendre une nourrice était chose courante dans la bourgeoisie. Mais que cette femme dût aussi satisfaire aux besoins affectifs du nourrisson, ça non! Depuis sa naissance, Gabriel n'avait rien connu du bonheur de l'étreinte maternelle. Isabelle refusait obstinément de le prendre. Les premiers jours, elle refusait même de le regarder. Madeleine, qui ne connaissait pas les joies de la maternité, était bouleversée.

Isabelle était de plus en plus abattue et se repliait sur elle-même. La voyant ainsi se laisser aller, Madeleine s'était résolue à appeler Justine auprès d'elle. Non qu'elle crût que cela l'aiderait, mais... elle ne savait tout simplement pas quoi faire d'autre. Cela secouerait peut-être un peu sa cousine.

Les cris de Gabriel se muèrent en une succession de gargouillis et de grognements de satisfaction. Prostrée sur sa chaise, Isabelle regardait d'un air impassible le tableau qu'offraient la nourrice et l'enfant. Elle ne put s'empêcher de serrer les mâchoires et eut mal à la poitrine. Comme elle le faisait toujours, elle se leva et quitta la cuisine pour monter à sa chambre.

Le soleil entrait à flots dans la vaste pièce que Pierre avait fait aménager pour elle. Meublée d'objets de qualité, elle était confortable. Le lit garni était douillet à souhait et lui rappelait celui de son enfance. Bien sûr, elle n'avait pas encore eu à le partager avec son mari, qui la laissait se remettre de l'accouchement particulièrement difficile. Cependant, aux regards langoureux qu'il lui lançait depuis quelques jours, elle devinait qu'il n'allait pas tarder à venir frapper à sa porte.

Elle s'assit sur le tabouret placé devant la coiffeuse qu'un miroir surmontait. Posant une bassine sur ses genoux, elle dégagea de son corsage ses seins douloureux et en pressa un comme le lui avait enseigné madame Chicoine. Tel le jus d'un fruit mûr, le lait gicla entre ses doigts et éclaboussa les motifs de la bassine de faïence. Tout comme elle se refusait à nourrir Gabriel, elle se refusait à bander sa poitrine pour résorber la montée de lait.

Les mois qui avaient suivi le mariage, la jeune femme les avait vécus comme un rêve, d'où elle pensait émerger un jour dans les bras d'Alexander. Les douleurs de l'enfantement l'avaient tirée de sa rêverie, l'avaient brusquement ramenée à cette réalité qu'elle cherchait désespérément à fuir. Ce n'était pas Alexander que ses bras avaient enserré ce jour-là, mais une petite créature hurlante et gigotante, l'auteur de son malheur. En repoussant le bébé, elle éloignait d'elle tout ce qui l'avait déçue et la faisait souffrir.

Depuis, la vie lui pesait de plus en plus. Tout lui paraissait trop ardu à accomplir. Le moindre geste devenait une montagne à franchir, de jour en jour plus escarpée. Elle sentait ses forces s'user. Elle n'avait plus aucun courage. La vie avait pris un goût acide. Elle lui brûlait la gorge à chaque respiration, la rongeait de l'intérieur, lui laissant un grand vide. Aujourd'hui, seuls les pleurs du petit être auquel elle avait donné naissance l'habitaient.

Curieusement, voir une étrangère donner le sein à son fils lui faisait de plus en plus mal. Des sentiments contradictoires se bousculaient en elle. Elle s'était efforcée de rester indifférente aux cris de son bébé, sans succès. De jour en jour, cela lui était de plus en plus difficile. Elle croyait qu'en ignorant son enfant, elle arriverait à oublier le père; elle s'était complètement trompée.

Avait-elle le droit de punir Gabriel à cause de ses souffrances à elle? Était-il juste qu'elle fasse de lui un bouc émissaire, qu'elle rejette sur lui toute sa haine, toute la rancœur qu'elle nourrissait contre sa mère, son père, Pierre et Alexander? Gabriel n'était pour rien dans tout cela; il était innocent!

La main posée sur son sein douloureux, elle étudia le reflet que lui renvoyait le miroir. Le cheveu terne, l'œil vide, le teint terreux, elle ne ressemblait plus à cette jeune femme insouciante et avide de croquer dans la vie qu'elle avait été naguère. Pourtant, le visage qu'elle voyait aujourd'hui lui était familier. « Tu lui ressembles tant... » lui avait dit son père. L'évidence la fouetta violemment; elle sursauta et faillit laisser tomber la bassine avec son précieux contenu. Elle recevait comme une gifle tout ce qu'elle avait refusé d'admettre jusque-là. Ce regard qui la fixait, ces traits fins dus au sang sévillan, ce port de tête altier sur un cou gracile, à la courbe délicate... Sa mère. « Tu lui ressembles tant... » lui répétait la voix mourante de son père.

— Non! cria-t-elle en se levant d'un bond.

La bassine alla se fracasser sur le parquet, à ses pieds. Elle regarda le liquide blanchâtre se répandre sur les inégalités du bois au milieu des débris.

— Non, je ne suis pas comme elle! Je ne serai jamais comme elle!

Désemparée, affolée, elle couvrit sa poitrine de ses mains. Le lait gouttait à ses seins. Elle entendait le nourrisson affamé l'appeler par ses cris stridents. Elle revoyait ses petits poings serrés se dresser et revendiquer l'amour qu'elle lui refusait obstinément. Son enfant avait besoin d'elle, et elle l'abandonnait à une étrangère, tout comme sa propre mère l'avait fait avec ses frères et elle. Son fils... le fils d'Alexander, l'amour de sa vie. Si elle ne pouvait aimer le père, elle aimerait le fils. Tout enfant méritait l'amour de sa mère.

— Je ne veux pas être comme elle, jamais! J'aime Gabriel, j'aime mon fils...

La vérité résonna dans la chambre. Rajustant prestement son corsage, Isabelle sortit, croisant dans le couloir son mari ahuri qui, ayant entendu ses cris, était accouru. L'ignorant, elle dévala l'escalier et se rendit d'un pas déterminé à la cuisine, où la nourrice s'apprêtait à donner le deuxième sein à son fils.

— Donnez-le-moi! Rendez-moi mon fils!

Madame Chicoine la dévisagea, l'air de ne pas comprendre. Madeleine se leva, tout aussi abasourdie. Justine et Ti'Paul l'imitèrent. Isabelle se dirigea vers la nourrice et lui prit Gabriel des mains pour le serrer enfin contre elle. Elle pleurait maintenant et l'enfant, brusqué et privé du sein, se mit à pleurer avec elle.

— Isabelle, laissez votre fils terminer son repas! Vous le prendrez après!

Isabelle se dirigeait déjà vers l'escalier. Elle se retourna et foudroya sa mère du regard.

— Je vais donner à Gabriel ce qu'une mère doit donner à ses enfants, et cela, malgré les malheurs qu'elle endure. Je vous parle d'amour, mère. D'amour vrai!

Justine, pâlissant, ne répliqua pas et se rassit mollement, tandis que sa fille disparaissait dans l'escalier. Elle l'avait irrémédiablement perdue. Fuyant la hargne d'Isabelle, elle fixa la gravure du renard lorgnant le gros fromage que portait le corbeau dans son bec. Elle laissa échapper un hoquet. Il était temps pour elle de partir. Tout était prêt. Pour Guillaume, le diagnostic du médecin était formel : le jeune homme souffrait de démence et, d'après ses connaissances et son expérience, n'en guérirait sans doute jamais. Au mieux, il allait connaître quelques rémissions plus ou moins longues. Son cas étant particulièrement lourd, pour la sécurité de la famille et pour lui-même, on avait placé Guillaume à l'Hôpital général.

Quant à Paul, il ne pouvait aller au séminaire des jésuites de Québec, qui était fermé pour une durée indéterminée. Justine avait donc écrit à un oncle, en France, pour lui demander de trouver une place dans le meilleur collège parisien que lui permettait de payer son douaire. Plus rien ne la retenait maintenant dans ce pays. Il était temps pour elle de quitter ce Canada sauvage et de regagner la civilisation.

Isabelle plongea son nez dans l'odeur sucrée. Le bébé gesticulait et tentait d'enfoncer son poing dans sa bouche. Il grimaça d'insatisfaction et poussa un cri strident.

— Tu as faim, Gaby ? murmura-t-elle avec douceur en pénétrant dans sa chambre et en prenant soin de bien refermer la porte derrière elle.

Gabriel, sans doute surpris et curieux, ouvrit un œil. Isabelle caressa le fin duvet d'un beau roux vif sur le petit crâne tout rond et effleura une joue. Par réflexe, l'enfant tourna la tête et chercha le sein qu'il croyait de nouveau offert. Ne trouvant que le vide, il se remit à crier de plus belle.

— J'ai compris ! D'accord !

Isabelle rit et libéra un sein que l'enfant prit goulûment dans sa bouche. Les premières succions lui firent mal. Mais le malaise se dissipa rapidement et fit place à un sentiment de profonde satisfaction. Son enfant soudé à elle, la jeune femme avait l'impression que plus rien ne pouvait l'atteindre.

— Oh ! Mon petit Gaby ! Pardonne-moi, « mo cri[105] »... Comment ai-je pu...

Les larmes affluaient et coulaient sur ses joues, mouillant la tête de son fils. Un gros sanglot s'échappa de sa poitrine ; elle se sentait libérée, enfin. Lové contre elle, s'abandonnant avec confiance, avec la certitude qu'il recevrait de celle qui lui avait donné la vie tout l'amour auquel il avait droit, le petit s'arrêta momentanément de téter. Il se tourna vers elle et la fixa de ses minuscules yeux ronds d'un profond bleu de mer.

---

105. Mo chridh' àghmhor : mon cœur de joie.

***

Avec le printemps revinrent les hirondelles, légères comme la brise qui les portait. Sous le soleil, la langueur du long hiver disparaissait dans les torrents d'eau sale qui parcouraient les rues de Montréal. Isabelle pouvait presque entendre les bourgeons des trois pommiers de la cour se gonfler de joie dans l'air tiède de ce début d'avril.

Les yeux clos, la jeune femme abandonnait son visage à la caresse de la saison nouvelle. Avec le départ de Madeleine se rompait le dernier lien qui la rattachait à sa « vie d'avant ». Que restait-il de cette époque aujourd'hui? Une lourdeur sur son épaule: Gabriel remuait, lui chatouillant la joue de ses boucles orangées. Elle l'entendit geindre dans son sommeil, puis elle le vit sourire doucement.

Pour la première fois depuis un an, elle portait autre chose que du noir. Pour égayer ce jour triste du départ de sa cousine, elle arborait une nouvelle robe de coton d'un beau jaune citron parsemé de minuscules fleurs bleues. Le corset, que Marie resserrait un peu plus chaque matin, lui rendait peu à peu sa taille d'antan. Pour lui faire plaisir, Pierre avait fait venir à la maison une couturière, mademoiselle Joséphine Godbout, afin qu'elle lui refasse une garde-robe au goût du jour.

Pierre étant très sollicité par le monde des affaires montréalais, Isabelle devinait qu'elle devrait jouer le rôle de l'épouse de notable modèle. Les invitations aux dîners et aux bals arrivaient déjà régulièrement à la maison. Évidemment, sa condition de nouvelle accouchée ne lui avait pas encore permis d'accompagner son mari dans des sorties mondaines. Mais, maintenant qu'elle avait retrouvé la finesse de sa taille et qu'elle ne devait plus porter le deuil, elle allait devoir prendre son rôle au sérieux. Peut-être que le tourbillon de sorties que deviendrait sa vie l'aiderait à oublier...

La porte s'ouvrit et Basile sortit, ployant sous le poids des deux magnifiques sacs de voyage de cuir de Madeleine. C'est elle-même qui les avait offerts à sa cousine en guise de cadeau d'adieu. Bien entendu, Pierre le lui avait gentiment suggéré. Madeleine, qui enfilait ses gants, suivait le domestique en clignant des yeux dans la lumière vive.

— J'ai d'la chance, fit-elle observer sur un ton un peu tristounet qui arracha un soupir à Isabelle, le soleil m'accompagnera aujourd'hui. Reste à espérer qu'il me suivra pendant les quatre jours que durera le voyage.

Se penchant sur Isabelle, aux joues de qui le printemps avait mis un peu de couleur, Madeleine éprouva une pointe d'envie et, en même temps, des regrets. Le petit Gabriel dormait paisiblement, le nez hors de la couverture. Ni l'une ni l'autre n'avaient évoqué la ressemblance frappante de l'enfant avec son père. Les mots étaient inutiles; les regards, assez éloquents.

S'étant assurée que sa cousine ne risquait plus de sombrer dans la mélancolie, Madeleine avait décidé qu'il était temps pour elle de retourner à Québec et dans son île pour tenter de s'y reconstruire une vie. Justine était repartie là-bas, avec Ti'Paul, deux semaines plus tôt, après avoir annoncé son projet de quitter le Canada pour la France. Isabelle en avait été bouleversée. Non qu'elle fût chagrinée de ne plus revoir sa mère, mais elle était très attachée à Ti'Paul. Cette séparation avait contribué à la rapprocher encore de son fils, qu'elle ne quittait plus. Voyant son monde s'effondrer autour d'elle, Isabelle se raccrochait à ce qu'il lui restait.

Au début, instinctivement, la jeune femme rejetait son fils : Gabriel ressemblait trop à Alexander, et elle le lui reprochait. Puis, le sentiment de rejet s'était mué en un profond ressentiment contre le père. Pour le bien de tous, quoiqu'elle s'en sentît honteuse, Madeleine souhaitait qu'il en restât ainsi.

— Promets-moi de revenir bientôt, dit Isabelle en retenant un sanglot.

Madeleine secoua la tête, tout aussi émue.

— Je te le promets.

Elle se tourna vers Pierre qui, une botte négligemment posée sur le marchepied de la voiture louée pour le voyage, attendait devant la grande maison de pierres sise à l'angle des rues Saint-Gabriel et Sainte-Thérèse. Il discutait avec le cocher tout en gardant un œil sur les deux jeunes femmes. L'homme, qui avait belle prestance, était tendre avec son épouse. De toute évidence, il en était amoureux. Avec le temps, Isabelle apprendrait à l'aimer à son tour.

— Si tu as des nouvelles...

Madeleine se retourna pour regarder sa cousine qui baissait la tête.

— Je t'écrirai, Isa.

— Tu me diras comment il va?

Comment lui dire ce qu'elle savait? Justine lui avait raconté la pendaison et le sauvetage *in extremis* d'Alexander, qui avait été gracié. On lui en avait donné tous les détails. Jamais Madeleine ne pourrait raconter cela à Isabelle. Elle ne voulait pas risquer que les malheurs de l'Écossais adoucissent la rancœur d'Isabelle. Il en allait de l'intérêt de la jeune femme aussi bien que de celui de l'enfant. Il était plus facile d'oublier dans la haine.

— Tu me donneras des nouvelles de mon mignon cousin, hein? demanda-t-elle pour ne pas répondre.

De sa joue, Isabelle caressa celle de son fils, qui accentua sa lippe boudeuse.

— Bien sûr, Mado. En qualité de marraine, tu seras la première informée de ses progrès et de ses premiers balbutiements.

Madeleine rit franchement, heureuse de voir enfin sa cousine d'humeur joviale.

— J'espère ben pouvoir revenir avant qu'il se mette à parler, Isa!

Elles se turent. Les chevaux piaffaient, soulevant un nuage de poussière autour de leurs sabots poilus. Madeleine posa sa main sur le bras d'Isabelle, qu'elle regarda dans les yeux. Elle vit une lueur de nostalgie, et de la peur.

— Pierre va prendre ben soin de toi, Isa. C'est un homme bon, tu verras!

La gorge nouée, Isabelle hocha la tête. Elle allait devoir vivre avec Pierre. Pourrait-elle l'aimer un jour? Arriver à s'entendre avec lui serait déjà bien. Cependant, pour le moment, c'était vers son fils qu'elle dirigeait toute son énergie. Gabriel l'appellerait maman, la ferait rire avec ses maladresses et ses bêtises, la ferait pleurer avec ses petits malheurs. Il lui ferait connaître de nouvelles émotions qui endormiraient son mal d'amour et lui feraient oublier qu'un jour, ce petit être, ayant grandi, la quitterait, emportant avec lui la seule lumière qui éclairât encore ses jours. Ainsi serait sa vie.

Inconsciemment, elle porta la main à son cœur, là où reposait avant, bien à l'abri des regards, le médaillon de corne finement ciselé. Elle ne le portait plus depuis le jour de son mariage. Elle se souvint brusquement du moment où Alexander le lui avait offert et du sentiment qu'elle avait eu : ce bijou deviendrait une sorte de relique. Ce jour-là, elle aurait dû fuir Alexander pour ne plus jamais le revoir. Mais elle ne savait pas, alors, combien les douceurs de la vie pouvaient être cruelles.